MIJN EERSTE LIEFDE

Nachtschade (verhalen, 1975)
Een lust voor het oog (roman, 1977)
Weerloos (verhalen, 1978)
Oponthoud (novelle, 1980)
De herfst zal schitterend zijn (roman, 1980)
De reptielse geest (essays, 1981)
En joeg de vossen door het staande koren (roman, 1982)
Koning Cophetua en het bedelmeisje (verhalen, 1983)
De hof van onrust (roman, 1984)
De prins van nachtelijk Parijs (portretten en gesprekken, 1985)
Met afgewend hoofd (novelle, 1986)
Ereprijs (novelle, 1986)
Schaduwen in de middag (roman, 1987)
De overkant van de rivier (roman, 1990)
Sneller dan het hart (portretten, 1990)
Hartje zomer (verhalen, 1991)
Pijn is genot (wielerverhalen, 1992)
Met een half oog (novelle, 1992)
Verdwaald gezin (roman, 1993)
Laatste schooldag (verhalen, 1994)
Dorpsstraat Ons Dorp (briefwisseling met J. Jansen van Galen, 1995)
Vera (roman, 1997)
Daar gaat de zon nooit onder (met Rein Bloem en Johanna Speltie, 1998)
Schuldige hond (novelle, met Klaas Gubbels, 1998)
De bloemen van Oscar Kristelijn (verhalencyclus, 1998)
Mijn leven met Tikker (roman, 1999)
Engelen van het duister (roman, 2001)
Margaretha (roman, 2002)
Eerlijke mannen op de fiets (wielerverhalen, 2002)
Knielen op een bed violen (roman, 2005)
De kwekerij (verhalen, 2007)
Suezkade (roman, 2008)

Vertalingen
J.-K. Huysmans, *Tegen de keer*
J.-K. Huysmans, *De Bièvre*

Jan Siebelink

Mijn eerste liefde

DE VERHALEN

2009
DE BEZIGE BIJ
AMSTERDAM

Copyright © 2009 Jan Siebelink
Eerste druk (gebonden) februari 2009
Tweede druk februari 2009
Omslagontwerp Brigitte Slangen
Omslagillustratie Urban Larsson, *Vrouw met witte hoofddoek
vanaf de rug gezien* (detail), 2006
Foto auteur Klaas Koppe
Vormgeving binnenwerk Ceevan Wee, Amsterdam
Druk Thieme Boekentuin, Apeldoorn
ISBN 978 90 234 4114 4
NUR 303

www.debezigebij.nl
www.jansiebelink.nl

Inhoud

> 'Les vrais paradis sont les paradis qu'on a perdus.'
>
> MARCEL PROUST

Dit is mijn persoonlijke keuze.

De drie oerteksten waarmee deze bundel begint, 'De erfenis', 'Witte chrysanten' en 'De drie poorten', laten de oorsprong en wording van mijn schrijverschap zien, de vruchtbare bodem waar mijn verbeelding zich heeft gevormd.

Na die eerste teksten zal de ik-figuur niet meer voorkomen. Er staat een verteller op die alle kanten van de kwekerij, het ouderlijk huis, de overkant van de rivier en het klaslokaal laat zien. Zoals in 'Je moet je helemaal bloot geven' de zoon plaatsvervangend lijdt voor de doodzieke vader die zijn hand moet ophouden bij de sociale dienst, of zoals in 'Eigen teelt', waar de buurjongen het drama op de kwekerij vertelt.

Voor mij als schrijver ligt dan nog in het verborgene waartoe deze aanzetten, schetsen of novellen zullen leiden. Duidelijk is dat er gegraven wordt, dat er fundamenten zijn gelegd om het gebouw op te trekken. En geleidelijk wordt zichtbaar hoe, steeds vanuit andere gezichtspunten, de materie wordt beschreven.

De realiteit, denk ik, laat zich slechts vormen in de herinnering, die diepte en duur geeft aan wat vergankelijk lijkt: een delicate lathyrusgeur, de tedere gestalte van de moeder, de weerloze vader, van de jonge docent Frans die vol verwachting de school binnenkomt.

Op weg, via observatie en introspectie. Al die verhalen zijn 'de wereld' en 'het ik', want de wereld is in mij. Ik, met mijn passie, ambitie en vooral ook heimwee, maak de wereld van het ouderlijk huis, de kwekerij en de school mateloos groot. En ten slotte schuiven al die ouvertures, al die scherven uit de verschillende perioden van mijn bestaan in elkaar, verdiepen zich tot de essentie en lopen uit op het wonder van het visioen in *Knielen op een bed violen* (2005) en de wonderbaarlijke ontmoeting van een jonge docent en de leerlinge Najoua in *Suezkade* (2008).

Jan Siebelink

De erfenis

Die zaterdagmorgen hingen mijn broertje en ik in de werkplaats achter onze bloemenwinkel rond, waar vader bezig was rozen in een vaas te schikken. We waren opgewonden want vandaag was opa jarig. Maar de winkel ging pas om vijf uur dicht. Wat moesten we al die tijd doen? We verveelden ons.

'Heb je veel bestellingen?' vroeg ik mijn vader.

'Och jongen.' Mijn vader gaf nooit rechtstreeks antwoord op deze vraag. Het kwam zelden voor dat er veel bestellingen waren.

Hij bezat de enige bloemenwinkel in het dorp, maar de meeste mensen kochten hun bloemen op de markt in de naburige stad of bij de grote kwekerij die deel uitmaakte van een Sociale Werkplaats voor geestelijk gehandicapten. Je kon daar voor twee gulden een cyclaam kopen, terwijl mijn vader bij de grossier al twee gulden inkoopsprijs betaalde. Er werd bij ons thuis altijd over geld gepraat.

Mijn broertje en ik liepen weer naar buiten. Hij ging wat lusteloos staan leunen tegen een paal van de schommel die vader jaren geleden voor ons gemaakt had. Ik klom in het touw van de schommel en liet me zo langzaam mogelijk naar beneden glijden terwijl ik het harde dikke touw tegen me aandrukte. Moeder riep ons binnen. Tot onze verbazing had ze haar mooie zomerjurk al aan. Je kon in deze jurk nog beter haar dikke buik zien. Over een paar maanden zouden we een zusje erbij krijgen. Mijn moeder was er zeker van dat het een meisje werd. Bij ons had ze een puntbuik, nu was ze mooi dik helemaal rondom.

'Waarom heb jij je nieuwe jurk aan?' vroeg ik en vlijde me tegen haar aan. Ze was extra aantrekkelijk met die schattige zwangerschapsvlekjes op voorhoofd en wangen. 'Mogen we met je mee?' Moeder hield van uitgaan. Onverwacht kon ze haar zondagse kleren aantrekken en op de bus naar de stad stappen. Als we niet op school waren mochten we mee. We liepen door drukke winkelstraten, maar kochten meestal niets omdat er geen geld was.

'We gaan toch naar opa?' zei mijn moeder.

'Nu al?' We gingen altijd na winkelsluiting.

'Opa verwacht ons tegen koffietijd. Ga maar gauw naar boven. Ik heb jullie kleren op bed gelegd.'

'En de winkel dan?' Er konden nog klanten komen.

'Pappa doet de winkel dicht. Opa verwacht ons al over een uur.'

*

Mijn broertje en ik gingen graag naar opa omdat hij op een boerderij woonde. Zijn verjaardag was een groot familiefeest. We hadden ontelbare neefjes en nichtjes. Mijn broertje en ik mochten altijd het dichtst bij opa zitten omdat wij de oudste kleinkinderen waren.

Ik hield niet van mijn opa. Ik zag wel tegen hem op. Hij was heel tenger, had een smal wit snorretje en scherpe, pientere ogen. Heel lang geleden was hij koning geweest bij het vogelschieten en hij had een belangrijke rol gespeeld in het boerenverzet en, na de oorlog, bij de ruilverkaveling. Op de momenten dat ik hem het meest bewonderde, bedacht ik altijd dat hij ooit heel gemeen was geweest tegen mijn vader. Mijn vader was een jongetje van een jaar of zeven en koesterde een paar konijnen. Op een dag toen mijn vader naar school was, verkocht opa de konijnen aan een scharrelaar in vellen. Mijn vader had er nooit één cent voor gekregen. Mijn vader vergoelijkte opa's ploertenstreek door te wijzen op de bittere armoe in die tijd.

Opa was niet gemakkelijk. Nog steeds nam hij het mijn vader kwalijk dat die geen boer was geworden. 'Jan is in de bloemetjes gegaan,' zei hij vaak en in zijn stem klonk dan minachting door. Op zo'n moment haatten mijn broertje en ik opa. Mijn vader was de oudste zoon. Hij had nog een broer, oom Theo, en een stuk of zes zussen. Oom Theo zette de boerderij van opa voort. De hele familie zat in het boerenvak. Hun bedrijven waren zeker vijftig bunder groot en hun veestapels telden meer dan honderd stuks vee. Daarbij viel ons bloemenwinkeltje natuurlijk in het niet.

*

'Waarom gaan we eigenlijk nu al naar opa?' vroeg ik.

'Ik weet het niet,' zei moeder met een knipoog naar vader. Ik voelde dat iets bijzonders stond te gebeuren. Mijn ouders waren zo vrolijk, zo speels. Bijna uitgelaten. Vader zei dat opa vandaag de officiële overdracht van de boerderij aan oom Theo wilde regelen. Omdat oma vorig jaar gestorven was, zouden wij ook een klein erfenisje krijgen.

'Hoeveel, pappa?' vroegen we.

'Ik heb geen idee,' zei vader.

'Gisteren had je daar anders wel een idee over,' lachte moeder en keek vader verliefd aan.

'Ik denk wel zo'n tienduizend,' zei hij. 'Het zou me tenminste tegenvallen als het minder was.'

'Zoveel geld,' riepen mijn broertje en ik. Ik pakte hem bij zijn mollige armen en we dansten door de kamer. 'Gaan we dan een motorbakfiets kopen?' Daarmee kon vader zelf naar de veiling gaan en zo goedkoper inkopen.

'We kopen eerst een mooie wieg. Mamma heeft al een mooie in de stad gezien. Er moeten ook nieuwe zonneschermen komen voor de winkel.'

We bedachten waar het geld nog meer aan besteed kon worden.

'Het is al uitgegeven voor we het in handen hebben,' zei moeder. Ze zag er stralend uit. Ik had mijn moeder nog nooit zo mooi gezien. Ik tilde haar van blijdschap even van de grond. 'Gekke jongen.'

'Die tienduizend is maar een schijntje van de werkelijke waarde,' zei vader. 'Alleen de opstal is al een kapitaal waard.'

'Oom Theo is mooi met zijn neus in de boter gevallen,' zei moeder.

Ze spraken anders nooit zo over geld, nooit op zo'n begerige manier. Mijn broertje en ik moesten erom lachen. Zoveel geld in het vooruitzicht maakte hongerig.

*

We passeerden het voormalige stoomgemaal De Volharding, staken met de pont de rivier over en fietsten over de stille bandijk. Het was een heerlijke junidag. Kromgegroeide notenbomen gaven de afritten naar de boerderijen aan. Een lauwe wind vanuit de uiterwaarden voerde de geur van rivierwater mee, wervelde over de weg en woei de kersenbomen open. Je kon de donkerrode vruchten zien. Achter de bongerds strekten zich in flauwe glooiingen mollige weiden uit. Land van geordende overvloed.

Ik reed met vader voorop. Om de paar minuten stak hij zijn hand naar achteren om te voelen of zijn portemonnee nog in zijn broekzak zat. Moeder had er twee knoopjes op gezet. De portemonnee kon er dus nooit uit vallen. Toch bleef mijn vader zijn hand naar achteren steken.

Bij het kleine gemeentehuis waar onze ouders getrouwd waren, stapten we af. Moeder moest naar de wc. We reden weer door en passeerden een benzinepomp. Moeder moest weer naar de wc.

'Dat komt door de baby,' zei vader. 'Dat had mamma bij jullie ook.'

Een honderd meter na de benzinepomp sloegen we een lange grindweg in. Opa woonde zo afgelegen dat je er met het openbaar vervoer niet kon komen. Ten slotte zagen we een donkere vlek in het landschap. Dat was het huis van opa.

Naast de boerderij liep een pad. In de ruige begroeiing van de berm stonden zwarte en grijze Mercedessen, dik onder aangekoekte modder. Onze neefjes en nichtjes zaten elkaar achterna, gooiden lachend met klitten en wilde kwetsen. De twee honden van opa, die allebei Bruno heetten, renden blaffend rond.

We liepen door naar het erf achter de boerderij. Daar stonden de volwassenen te praten rond een roodbruine koe, die haar kop liet hangen en met haar hoeven over het verzakte, halfvermorzelde plaveisel schraapte. Ze spraken een plat dialect waar vader en moeder zich altijd aan ergerden. 'Zoet' werd in hun mond 'zuut' en 'zuur' werd 'zoer'.

Opa en oom Theo kwamen met de coöperatieve dekstier door de poort van de vierkante binnenplaats, waar de stallen en de mestvaalt waren. Ik had het van kippen, varkens en paarden gezien, nog nooit bij een koe.

'Een mooie bol,' zeiden de mannen en wezen op de zware kop en schoften van de stier. Een van hen vertelde het mopje dat we al zo vaak gehoord hadden: 'Een boer uit een andere streek had zich in deze buurtschap gevestigd. Op een dag ging hij met een van zijn beesten naar het dekkingsstation in het dorp. Bij een van de eerste winkels zag hij een groot uithangbord *Boldoot* en keerde onverrichterzake terug.' De tantes giechelden en de ooms hadden rode halzen van het lachen.

De stier besprong de koe en gleed eraf. Zijn hoeven sloegen vuur uit de stenen. Bij zijn tweede poging bleef hij goed hangen en mijn opa duwde het machtige, schuin omhooggeheven lid van de stier naar binnen. Mijn broertje en ik stonden vlak vooraan en we keken stiekem naar de vrouwen. Mijn penis was hard als een hoef en deed pijn. Uit de bek van de stier lekten stralen kwijl op de rug van de koe en uit zijn opengesperde neusgaten spoot fijne nevel. Ik wees mijn broertje op zijn rugspieren die in een lange trilling raakten en mijn broertje wees mij op zijn oogbollen die dik en vol bloed waren.

Ik legde een arm om mijn broertje en ik bewoog mijn hand in zijn dikke, zachte nek. Het leek of ik mezelf moest geruststellen. De stier loeide een paar keer en liet zich van de koe glijden. De mannen gooiden emmers water over hem heen. Zijn lange, roze penis rilde en zijn zwartgespikkelde voorhuid schitterde in de zon.

Een windvlaag bracht koelte op het erf en verhief in de dakgoten het getjilp tot een stormachtig tumult. De wilde pruimenbomen hadden zich volgezogen met licht, zo intens groen en doorzichtig waren ze.

Ik dacht aan het geld dat we straks zouden krijgen en aan ons nieuwe zusje dat mijn moeder droeg en genot spoelde over mij heen. De hitte herstelde zich weer. Ik genoot zo... en opeens kwam een zwaarmoedig gevoel in me op dat ik nog niet kende. Ik begon omhoog te springen en te zingen om dat gevoel kwijt te raken. Ik droeg het nog bij me toen we de boerderij in gingen.

Boven de tafel hingen drie vliegenvangers. Ze waren zwart van de insecten. Op de tafel stond een fles anisette voor de vrouwen en een fles citroenjenever voor de mannen. Op de grond naast opa's leunstoel lag een stapel tijdschriften van het Productschap voor Eieren en Pluimvee.

De kleine kamer was propvol. De deuren naar de gang en het ene raam, door roeden in kleine ruitjes verdeeld, bleven dicht. Zo wilde opa het. Het raam zag uit op eindeloos land, dat wazig van de hitte was.

De mannen rookten dikke sigaren. Opa stond op en vouwde zijn handen. De mannen legden hun sigaren neer. Opa vroeg de zegen over deze dag en haalde uit een la van het dressoir een map. Hij sloeg de map open en legde er zijn fijne handen op.

'Het laat me koud wat jullie van me denken...' begon hij. Ik luisterde met oren die alles scherp registreerden en ik hoorde de gaasdeur naar de deel dichtslaan, het naargeestige gezoem van een tros parende vliegen op het pluche van de tafel en de woorden van opa. Ik werd door angstige gevoelens bestormd.

'Wat ik nu ga meedelen dient het algemeen belang en wie het er niet mee eens is, moet goed bedenken dat ik alles wat ik voor mijn boerderij kan doen, niet zal laten afhangen van egoïsme, hebzucht of andere kleinzieligheden.' Ik werd een beetje misselijk in de hete kamer en drukte mijn lippen op elkaar. Mijn broertje hield zijn hoofd gebogen.

'Ik zeg van tevoren: in deze zaak wil ik mijn zin krijgen. Ik wil ook geen discussie. Uit discussie is nog nooit één zinnig idee geboren.'

Opa sprak zo langzaam dat zijn stem onecht klonk. Zijn smalle mond stond trots en venijnig. Mijn tantes hadden net zo'n mondje, ook als ze vriendelijk keken. Ik begreep al dat alles verloren was. Opa ging verder: 'Ik heb laten vastleggen dat de boerderij met vee en opstal op naam van Theo komt. Ik heb zelf het vruchtgebruik tot mijn dood.'

Hij sloeg de map open en haalde er een document uit, waarover hij zich diep boog. Toen zei hij zonder iemand aan te kijken: 'Omdat boer zijn in deze tijd heel moeilijk is, heb ik besloten dat geen kindsdeel zal worden uitgekeerd. Ook als ik kom te sterven zal dat niet gebeuren. Ik wil dat al het geld in de boerderij blijft.'

Niemand kon zich verroeren. Opa keek de kamer rond, keek ze een voor een aan... allen die aan zijn lendenen ontsproten waren. We leken insecten, vastgekleefd aan de vliegenvanger. Er begonnen overal over mijn lichaam beestjes te kriebelen. Een gevoel van schaamte overviel me. Mijn ouders zouden dat gevoel nu ook kennen. Wat zouden ze doen?

Ik zag het zweet over de slapen van mijn vader lopen. Hij deed zijn mond open, maar voor hij een woord kon uitbrengen zei opa: 'Jij moet mij niet tegenspreken, Jan, jij vooral niet. Jij durft je oudste zoon niet eens naar mij te vernoemen en dat is in de familie nog niet eerder voorgekomen.'

Mijn moeder zei zacht: 'We hebben toch recht op een kindsdeel. U kunt dit toch zomaar niet van ons afnemen.'

Ze had rode vlekken van opwinding in haar hals.

'Jij moet ook niets zeggen... als jij niet de weg tussen je benen voelt...' Dat was een gemene beschuldiging. Opa doelde op het feit dat mijn moeder zo graag in de stad winkelde. Opa liet een document rondgaan en alle volwassenen zetten hun handtekening. Daarna schonk hij de glazen vol en werd op de overeenkomst gedronken. De verontwaardiging van de mannen uitte zich in onverstaanbaar gemompel.

Ik keek naar het fijne vlechtwerk van lijnen en rimpels in opa's nek. Hij was een man zoals ik later zou willen zijn. Ik wendde mijn gezicht van hem af en zag mijn ouders. Hun gezichten stonden droevig en verwarrende haat welde in mij op. Ik begon te trillen. Waarom verwoestte opa ons geluk? Waarom dacht hij niet aan de toestand waarin mijn moeder verkeerde? Ik staarde naar de grond en zag door mijn tranen mijn sterke rechte benen en mijn stevige kuiten, zo mooi geaccentueerd door hoog opgetrokken sokken. De haat en woede drongen mijn hele lichaam binnen en maakten het rozig warm.

Serveersters in zwarte jurken en witte schorten kwamen binnen met schalen vol broodjes ham en kaas. Na de koffie, de bijbellezing en het Wilhelmus zouden we naar de grote opkamer gaan voor het verjaardagsfeest. Mijn broertje en ik glipten de kamer uit, deden de gaasdeur naar de deel open en gingen door het washok met de melkbussen naar buiten. Langs een paadje van rode geklopte steen kwamen we op de binnenplaats, die ver van het woonhuis af lag.

*

Hier speelden nooit kinderen. Dichte zwermen vliegen rezen en daalden boven de metershoge mestvaalt, die bijna alle ruimte in beslag nam. De urine die uit de hoog opgestorte mest zakte, werd opgevangen in goten en in het voor- en najaar als gier over het land verspreid. Waar de zon pal op de goten stond gistte de donkerbruine vloeistof. Op een baal hooi soesden een paar katten. Rondom lagen hoge stallen, loodsen, een wagenschuur en een kippenhok. Het kippenhok was opa's trots. Hij zat er altijd aan te timmeren. We hoorden luid gekakel en gingen naar binnen. Misschien konden we een bunzing of een rat betrappen. De kippen waren in de rui en hadden kale halzen. Vanuit hun gladde kuiltjes, waarin ze warm en dronken van de zon zaten te doezelen en te schudden, gluurden ze ons in de hitte aan.

Eén kip stond apart in het strohaksel, een andere broedde. Toen ik onverwacht een kleine beweging maakte stoof de broedende kip van haar nest. Ze kakelde luid. Alle kippen begonnen luid te kakelen. Dat maakte me zenuwachtig. Ik zag een paar dieren opeens door hun poten zakken, in elkaar duiken en door een opening in de wand naar buiten glippen. In een krankzinnige gang renden ze de mestvaalt op en begonnen op het hoogste punt hartstochtelijk te pikken. Het was een potsierlijk gezicht en ik lachte. Mijn broertje bleef ernstig, bukte zich, trok een houten pen uit een gat en liet het schuifje voor de opening vallen. In één beweging door haalde hij een paar eieren uit het nest en gaf ze mij.

'Ze zijn helemaal warm,' zei hij dromerig. Een vurige gloed overdekte de binnenplaats. De woede begon weer in mij rond te rennen, en er groeide een onheilspellend gevoel in mijn buik. Een kip fladderde op en raakte me bijna met zijn vleugel. Het was of het hele hok met een grote massa beesten gevuld was.

Ik was eenzaam. Ik was wanhopig en voelde me als een in de val gelopen dier. De muffe stank van droge stront brandde in mijn keel en het benauwende gegons van de wolken vliegen plantte zich voort tot in mijn onderbuik. Er wankelde iets in mij, net of iets verzakte. Ik smeet de eieren stuk op de hete, stoffige grond en een enorm elan voer door me heen.

In een hoek stond een emmer, waarin juist onder de rand grote gaten gevallen waren. Er zat voer in. Om het voer af te dekken had opa er een kleedje over gelegd, dat hij met een paar bakstenen verzwaard had. Mijn broertje reikte mij een steen aan. Ik gooide de steen in de hoek waar de hele toom kippen zat. Eén bleef liggen. Mijn broertje gaf mij de andere steen en ik gooide weer en raakte opnieuw.

'Ze moeten allemaal dood,' zei mijn broertje zacht, maar vol overgave. Hij raapte de stenen op en ik begon hardnekkig te jagen. Warm zweet stroomde in mijn kruis en oksels. Trillende druppels gleden van mijn voorhoofd in mijn ogen, die brandden. Mijn broertje wees ten slotte de plaatsen aan waar nog iets bewoog.

'Ze zijn allemaal dood,' zei hij. Het slijm in mijn keel was helemaal opgedroogd. Ik staarde mijn broertje aan in de stille ren. Hij was altijd zo stil en lief. Van mij werd vaak gezegd dat ik zo gauw driftig werd.

In het hok begon het vreselijk te stinken. Over de dode beesten heen stapten we naar buiten. De hemel was geel en grijs met oranje vlekken dicht bij de zon. Hand in hand staken we de binnenplaats over en volgden het pad van geklopte rode steen dat naar het washok voerde.

Op de deel wasten we onze vettige, bestofte handen onder de pomp en keken door een tuimelraam naar buiten, leunend tegen de koele deelmuur. Ik drukte mijn bezwete hoofd tegen de muur en kon ten slotte de warmte van buiten voelen. De andere kinderen speelden tussen de auto's en onder de wilde pruimebomen. Ze liepen uitdagend te schreeuwen. Het leek wel of ze buiten zinnen waren. Na een tijdje zo gestaan te hebben, leek het of mijn buik zwol. Ik sloot mijn ogen en zuchtte diep.

'Kijk,' zei ik tegen mijn broertje. Mijn stem was hoog van verrukking. Ik haalde mijn harde penis tevoorschijn. Ik streelde hem met beide handen en bleef die beweging herhalen. Mijn broertje keek mij ernstig aan. Ik geloof dat in zijn ogen iets van eerbied lag.

Toen hoorden we de grote mensen. Ik knoopte mijn gulp dicht. Mijn ouders liepen aan het einde van de stoet. Moeders buik was sinds vanmorgen dikker geworden. Ik voelde medelijden met mijn ouders, maar ik voelde me tegelijk door een dik, taai vlies van hen gescheiden.

De volwassenen liepen als stille dieren voorbij. Toen stopten allen. De mannen gingen wateren tussen de auto's en de vrouwen bleven zwijgend wachten op het pad. Het licht op het pad had in de schaduw de tint van blauwe regen. De contouren van alle dingen waren opgelost en opgenomen in een doorzichtig blauw waas. De stoet liep verder. Het was de gebruikelijke wandeling over de boerderij, vlak voor de warme maaltijd die altijd om vier uur begon.

Ik wendde me van de kinderen af en zette een stap naar achteren. Mijn lichaam was zo loom dat het van hoofd tot voeten gevuld leek met natte rivierklei. Ik pakte de handen van mijn broertje en trok hem naar mij toe en we wachtten. Ik was op een merkwaardige wijze voldaan en op een luchtige wijze opgewonden. Ik zocht iets fijns om aan te denken en dacht aan ons nieuwe zusje.

We hoorden plotseling geschreeuw. Ze hadden de dode beesten ontdekt. Het bloed bonsde in mijn oren. Ik drukte mijn broertje dichter tegen me aan. Hij begon te snikken. Zijn tranen rolden over mijn handen. Hij was geen monster. Van blijdschap huilde ik ook. Het duurde nog een hele tijd voor de deuren van de deel werden opengeschoven en de volwassenen ons omringden.

Witte chrysanten

'Mijn God, ik sla hem op zijn bek, ik sla hem die vale, afgebladderde portefeuille uit zijn grove, harige handen; ik druk hem zijn ogen uit of ik spuit er gas in, zodat de oogleden gaan trekken en er een tranenvloed ontstaat die eerst helder is en algauw overgaat in een groenige afscheiding; de oogbollen zullen zwellen, zijn ogen kan hij niet meer sluiten; dan zullen ze vanuit het centrum vloeibaar worden en wegsmelten... wegrotten onder zijn oogleden... ik maak hem dood, eigenhandig... ik scheur hem open en ik geniet van zijn pruimkleurige lappen vlees... Als hij mij direct geholpen had, was ik alweer thuis geweest, want ik hoefde dit keer niet naar andere winkels; zó slap was de handel. Ik had het boek kunnen uitlezen waar ik mee bezig was (las ik toen niet *Veva* van Johan Daisne, de vrouw die gekleed gaat in een lang gewaad met zachtroze gebyzantineerde bloemen aan de gordel en met leliewitte voering, maar misschien ben ik nu bezig de schaduw van mijn herinneringen wat op te kleuren; hoeveel tijd is er sindsdien ook niet verlopen!), ik had naar het zwembad kunnen gaan (het was vaak zo heet als ik naar hem toe moest), of naar Adya die hier vlakbij woonde en mijn vriendin was.'

Ik was toen zeventien jaar.

Mijn slapen bonsden met verdubbelde snelheid en het was of ze in een klem zaten die langzaam werd dichtgeschroefd.

Maar op het moment van mijn wraak bedacht ik dat zijn blindheid of dood voor ons allen minder inkomsten zou betekenen en het was voor vader in die tijd toch al moeilijk genoeg om in de moordende concurrentiestrijd het hoofd boven water te houden.

Ik keek hem bewonderend aan, maar ik had tranen in mijn ogen.

'U hebt veel geld Van M.,' zei ik, 'veel geld, u verdient hier goed, het is zelfs onbegrijpelijk, dat u zoveel verdient hier, in deze toch betrekkelijk armoedige wijk, maar u weet met de klanten om te gaan, u spreekt hun taal en toch bent u net eventjes meer dan zij. Geen mens zou meer winst uit deze zaak halen dan u.'

Hoe overtuigd klonk mijn jongensstem, hoe oprecht! En hoe draaide het hart om in mijn lijf! Hoe benauwde mij toen die tegenstelling tussen uiterlijk gedrag en werkelijke gevoelens! Nu cultiveer ik die tweespalt juist en schep er een groot genoegen in met iemand een aangenaam gesprek te voeren waarin ik hem alle lof toezwaai voor de wijze waarop hij dit of dat heeft opgelost terwijl ik een avond tevoren met vrienden de meest verachtelijke, neerbuigende woorden aan zijn gedrag gewijd heb.

'Ha, ha,' lachte hij, van diep uit zijn ingewanden – zo zwaar was zijn stem – 'heb je enig idee hoeveel er in deze portefeuille zit?'

Hij keek mij recht in mijn angstige ogen en wapperde het leerachtige ding voor mijn gezicht heen en weer. 'Heb je enig idee?' herhaalde hij, nadrukkelijk en ongemeen fel plotseling. 'Jouw vader weet niet wat verdienen is, die heeft geen verstand van geld!' Hij sloeg de portefeuille open.

We stonden in de kelder. Hij leunde met zijn rug tegen een muur waarop groene zwammen groeiden. Boven de werktafel hing een gelige lamp die er een armoedig licht op wierp. In het vale, stoffige licht van die smerige lamp zag ik groezelige bosjes bankpapier. Ik keek naar zijn hoekige gelaat, naar de brede onderkaken, de sterk bollende slaapbeenderen. Hij had iets van de cro-magnon, de populairste aller oermensen. In zijn gezicht waren diepe gleuven uitgesleten. Signalen van diepe passie, zoals de gelaatkunde ons wil doen geloven? En zijn ogen! Dat vreemde onverzadigbare, die fascinerende, glanzende uitdrukking en die zware, onregelmatige wenkbrauwen daarboven. De donkere flitsen die door zijn grijze ogen schoten.

Hij nam er een klusje bankpapier tussenuit, boog ze door en liet ze onder zijn duim langzaam teruglopen. Het gaf een ruisend geluid, als populieren in de nachtelijke wind. Hij leunde nu met een arm op tafel; er lagen resten van takken en bloemen op. Hij had een breed lichaam en het straalde een krachtige wil uit. Hij was midden veertig. Getrouwd met een bleekzuchtige, zeer magere vrouw. Ze stond altijd in de opening van de keuken die uitkwam op de winkel. Altijd speelde om haar mond een zwakke, ziekelijke glimlach. Om haar heen hing een atmosfeer van kwijning. Nog zie ik voor me hoe ze toen schuin achter me stond en me aanraakte. 'Kom vanavond, jongen, vanavond is de ploert er niet.'

Ze hadden geen kinderen.

'Tel,' zei hij tegen mij. Het was bedompt in de kelder en duister. Om ons heen stonden emmers met bloemen, dahlia's en gladiolen en anjers en zuiderwindlelies, maar hun kleuren waren nauwelijks te onderscheiden. Ze zagen er allemaal bleek uit. Boven de tafel, die op twee houten schragen stond, was het licht. Achter mij was de trap die naar boven, naar de winkel leidde. Die deur was gesloten. Als we de trap afgingen trok hij de deur altijd achter zich dicht.

Ik stond met het geld in mijn handen.

'Tel,' zei hij opnieuw, 'tel, godverdomme.' Hij keek mij scherp aan. Er was niets in mij dat er zich tegen verzette, ik wilde wel voor hem tellen, als ik dan maar weg mocht, maar het was pas het begin van de rite, het allereerste begin. Ik telde. Vage geluiden van de straat drongen tot mij door. Buiten zou de zon schijnen. Het moest nu nog warmer zijn. Mijn vrienden waren in het zwembad of dronken bier op het terras van Riche-National of op het Velperplein. Ik telde... ik telde... maar ik was de tel allang kwijt... ik dacht aan zoveel dingen, aan Adya, aan haar kleine ronde borsten, net tuiltjes, je kon ze als bloemen in je hand houden, zij wachtte misschien op mij, in de kelder van haar flat (haar vader had haar verboden met mij om te gaan; hij was meester in het Nederlands en Indisch recht). Hij wachtte op mijn reactie. Alsof ik een keuze had te maken, alsof ik in staat was ongunstig te reageren! Ik heb mij vaak afgevraagd waarin het geheim van zijn macht lag. Maar talloze, in elkaar verstrengelde motieven verdringen zich dan in mijn geest en versperren mijn gedachtegang; dat hij een machtige wil had, is zeker. Een wil als van een God. Een wil als God. Hij heerste, hij was er volstrekt van overtuigd dat ik hem zou prijzen, terwijl hij toch moest voelen hoe ik hem verafschuwde, hoe ik hem graag... Achter mij was de trap, als je die opliep kwam je onmiddellijk in de winkel. Wat had ik er niet voor gegeven om die trap op te kunnen rennen, weg uit die sombere, spookachtige kelder, weg van die sombere ogen die mij maar aankeken.

'Tel door,' zei hij hees, heel eigenaardig hees en zeer nadrukkelijk. Zo had ik zijn stem nog nooit gehoord, tenminste nooit zo slijmerig hees.

'U bent rijk,' zei ik. Ik overhandigde hem het geld. 'Ik tel er veertig. Veertig briefjes van honderd. Ik begrijp het niet, ik begrijp niet hoe u het geld bij elkaar krijgt, ik heb nog nooit zoveel geld bij elkaar gezien en mijn vader ook niet, en dat in een tijd waarin iedereen klaagt.'

Het waren de woorden die hij van mij verwachtte. Ik bracht er soms enige variatie in aan, maar het kwam altijd op hetzelfde neer. Onnoemelijk veel keren heb ik die veertig briefjes in mijn handen gehad en nu nog, zoveel jaren later, krijg ik spasmen boven mijn linkeroog als ik het telwoord veertig hoor uitspreken.

'U bent een artiest in het bloemschikken,' ging ik verder, want het mechanisme moest toch aflopen, 'nog nooit heb ik iemand zo snel en zo feilloos een graftak zien maken.'

Hij deed het geld in zijn portefeuille, klapte hem dicht en stopte hem in de binnenzak van zijn lange stofjas.

'Kom hier staan,' gebood hij en duwde in mijn middel. Ik

stond tegen de tafel. Van een spijker boven aan een balk nam hij een langwerpig plankje. Aan één kant was er een handvat in uitgesneden. Erop zat een bol spagnum-mos, vastgesnoerd met koperdraad. Een tak bruine, geprepareerde laurierbladeren was er reeds ingestoken.

'Nu zal ik jou eens laten zien hoe je vakkundig, zonder mes en knipschaar, met de blote handen, een graftak in elkaar zet.' Met grote passen liep hij naar de emmers toe. Hier en daar greep hij er bloemen uit, die hij aan de kroon omhoog trok. Hij smeet ze op tafel. 'Kijk, zo doen we dat.' Hij nam er twee tegelijk, brak van beide een stuk steel af en plantte ze ruw in het mos. Het waren witte dahlia's, daarna greep hij lila gladiolen en stak die er ook in razend tempo tussen. Hij gromde, zo nu en dan keek hij mij triomfantelijk aan; er liep speeksel langs zijn mond, hij was bleker geworden, op zijn doorbloede wangen lag een rozige blos, om zijn mond speelde een misleidende glimlach; ik wist wat mij te wachten stond, tenminste dat dacht ik. Het zou er direct op uitdraaien dat hij in een hysterische uitbarsting zou gaan vloeken en de naam van de overledene voor wie de bloemen bestemd waren, bezoedelen door vuile praat over haar te vertellen. Zo van: 'Weet je hoe oud ze geworden is? Nog geen dertig. Ze kon geen vent zien of ze ging gestrekt, nou heeft ze d'r trekken thuis gekregen, ze werd door ieder in de buurt gemeden, geen mens weet waar ze aan dood gegaan is.' Bij zulke tegenstrijdige, cryptische taal probeerde ik altijd belangstellend te kijken en dan zei hij soms: 'Kijk me godverdomme niet zo aan.' Ik wachtte; hij stak de laatste bloem ertussen. Het was een volgepropt barok bloemstuk geworden dat op de begraafplaats alle bewondering zou oogsten. Hij nam een gietertje en sproeide koel water over de bloemen. Het was warm in de kelder, er werd niet geventileerd; behalve via de gesloten deur boven aan de trap was er geen verbinding met de buitenwereld. Ik zag de grillige schaduwen die zijn bewegingen op de muren maakten. Er zat iets mateloos in, iets hartstochtelijks, iets demonisch.

Toen greep hij mijn pols, bracht die naar het handvat – ik voelde de ruwe omklemming van de vingers die mijn botten zeer deden, ik voelde het gladde vochtige vlees van zijn hand, – met de andere hand duwde hij mijn gezicht in de bloemen, mijn hoofd leek weg te zinken in het spochtige, weke mos, het sap van gekneusde stelen en bloemen kwam in mijn mond, zijn lippen zogen zich vast in mijn nek... hij bleef boven mij hangen... hij ademde zwaar... hij drukte zijn benen tegen mij aan... als een gebogen, dodelijk gewonde stier die bloedend de verlossende steek verwachtte, hing ik boven de tafel... het bot van zijn schouder stak in mijn rug...

We hoorden de stem van zijn vrouw die krijste. 'Klanten! Godverdomme, hoor je dan helemaal niets meer!' Hij liet mij los. Hij ging naar boven. Ik veegde het sap van mijn gezicht. Ik zag op mijn hand dat het paars was, een onvoorstelbaar paars, zo donker, zo diep. Het moest van de gladiolen zijn. Versuft bleef ik staan. Daarna liep ik ook de trap op. Achter hem aan. Als een geslagen hond die niet zonder zijn baas kan. Boven aan de trap stond zijn vrouw. Onwezenlijk mager, zonder buik, zonder heupen. Het piramidaal opgebouwde haar oxygeen-blond. Op haar uitgeholde wangen zaten rode vlekken van opwinding. De ingezonken oogleden waren groen aangezet. Ze had iets uitgeteerds, ze was aangetast. Een vulgaire Ligeia!

Er kwamen meer klanten in de winkel. Hij deed branieachtig, jongleerde met bossen bloemen. Hij lachte en vloekte uitbundig. Aan een oude man gaf hij in koortsachtige opwinding een gloxinia cadeau. Hij schonk mij geen aandacht. Hij ging staan dansen op een dieprode begonia die hij tot moes plette. Daarna wierp hij de resten zomaar in de etalage, tussen de andere planten. Er werd om gelachen. In de buurt was hij een type en hij was niet duur. Uit de begonia had zich een zwart beest juist op tijd aan de voeten van Van M. weten te onttrekken, het spreidde zijn glanzende dekschilden uit om op te vliegen, maar hij werd verpletterd, krakend en knisperend. Ondertussen gleed de vrouw met haar hand over mijn rug en sprak ze verleidelijke woorden.

Toen de klanten weg waren, vroeg hij om de nota. Hij betaalde voor de planten die ik gebracht had.

'Breng morgen nog vijfentwintig varens,' zei hij. Ik liep naar buiten.

Aan de zon kon ik zien dat het tegen vijf uur liep.

Meer dan twee uur van de vrije middag had hij mij in de zaak vastgehouden. Toen moest ik huilen.

De weken daarna bracht mijn vader de planten.

*

Mijn vader had een kleine bloemkwekerij in V., vlak bij de grote stad. Midden in het dorp, maar van alle kanten omsloten door hoge haagbeuken waardoorheen braamstruiken groeiden. Aan één kant grensde zijn idyllische bedrijf aan de katholieke begraafplaats. Een enorm Christusbeeld, gedeeltelijk overhuifd door een treurberk, stak boven de heg uit. Als jongen mikte ik vanaf de waterbak, die aan het middenpad lag, op het treurende hoofd met een katapult en ik heb me zelfs wel eens verbeeld dat ik van dat gemartelde gelaat stukjes traan heb afgeschoten. Mijn vader verafschuwde het beeld.

'Gij zult U geen gesneden beeld maken noch enige gestalte van wat boven in de hemel noch beneden op de aarde is, noch van wat in de wateren onder de aarde is. Gij zult U voor die niet buigen, noch hen dienen,' heb ik hem vaak horen mompelen als hij op bloembedden violen uitplantte. Want als hij geknield aan het werk was en opkeek, zag hij het beeld. Hij was het liefst op de kwekerij. Hij werkte hard en mediteerde onder het verspenen over Issaschar, de gebeende ezel of over de rechtvaardiging door het geloof. Van nature was vader niet somber, maar het was de Veluwse godsdienst die met zijn uitgeteerde, magere armen mijn vaders vrolijke gevoelens had afgekneld. Hij kweekte vooral varens. In allerlei variëteiten. Van sporen tot volwassen plant. Ik herinner me nog de namen, zachte namen als adianthum fragans, tremula wimsetti, pellea rondiflora. Bloemenwinkeliers gebruikten ze om bloemstukjes te maken. Ze mochten niet groter zijn dan dertig cm. Het kwam echter voor dat ze uitgroeiden tot anderhalve meter en tot aan de schappen in de broeikas reikten. De diep ingesneden bladeren, aan de achterkant bezet met bruin-gouden sporen, hingen zwaar aan gladde stengels. Zo raakte hij ze nooit meer kwijt. Dan sneed hij ze terug.

Dat hield in dat planten die hij meer dan een jaar verzorgd had en waarin hij dure, onbetaalbare cokes had geïnvesteerd, bijna diezelfde cyclus weer moesten doormaken. Zelfs mijn vader begreep dat er iets aan zijn beleid mankeerde, maar hij had niet het karakter en het geld er iets aan te veranderen. Het was zijn eer te na met 'monsters' langs de winkels te leuren. 'Als ze uit zichzelf niet willen komen,' zei hij, 'dan valt daar niets aan te doen, dan moet het maar zo zijn.' Hij was diep religieus en verwachtte niets van mensen. 'Stelt op prinsen geen betrouwen' zong hij zondagsmorgens al om acht in de kamer, terwijl ik in bed lag met een morele kater van een alweer teleurstellend verlopen kweekschoolfeestje.

Er waren ook seizoenen, meestal de voorzomer, als de bakken volstonden met fluwelige geraniums, oranje gazania's en dromerige veelkleurige ijsplantjes, dat er goed verkocht werd.

Soms kregen mijn moeder en ik hem zover dat hij een zaak zou opbellen om te vragen of deze nog planten kon gebruiken. De nood was dan hoog gestegen, want enkele duizenden calceolaria's – *pantoffelplantjes* in de volksmond – waren tegelijk in bloei gekomen. Hier was geen terugsnijden mogelijk. De min of meer gedwongen telefonades hadden zelden succes; hij sprak zacht, bang de ander te verstoren met zijn aanbod. Legde hij na het gesprek de hoorn op de haak en was er geen plant verkocht, dan zei hij opgewekt-berustend: 'We hebben in ieder geval ons best gedaan. Meer kunnen we niet doen, we moeten het verder overlaten.'

Mijn vader had lichtblauwe ogen, heel helder. Ik kon het niet verdragen, dat er planten stonden uit te bloeien, waar hij krom voor gelegen had. Ik was toen op de Rijkskweekschool in de naburige stad en onder de lessen moest ik er steeds aan denken. Als ik even tijd had, hielp ik hem. Na schooltijd fietste ik snel naar huis, reed dan weer terug, nu met een langwerpig kistje achterop, onder de snelbinders, waarin 'monsters' zaten. Ik ging langs alle bloemenzaken die er waren in de stad en heel vaak lukte het mij een kleine bestelling te krijgen. Ik ging terug naar huis, zocht met vader de planten uit, pakte ze in en reed nu met de bakfiets naar de stad, soms tot over de Rijnbrug. Ik kende geen vermoeidheid. Het moest allemaal snel gebeuren, voor zes uur en de winkels lagen ver uit elkaar. Zo legde ik op een middag toch gauw zestig tot zeventig kilometer af.

's Avonds studeerde ik. Mijn vader waardeerde mij. Eén keer heeft hij het openlijk tegen mij gezegd. We stonden bij de waterbak. Ik gleed met mijn handen door het water. Doorzichtige libellen zweefden er vlak boven of stonden roerloos in de lucht om dan abrupt weg te vliegen. We keken uit over de kwekerij waar het verval reeds merkbaar was. In de grillige scheuren van de kasmuren groeide opslag van berken; mijn vader was toen reeds ernstig ziek, maar hij wist het nog niet. Er schoten pijnscheuten door zijn nek en door zijn handen en hij was vreselijk moe.

'Jij bent altijd een goede zoon geweest,' zei hij. Er stonden tranen in zijn ogen. Het was de tweede keer dat ik mijn vader zag huilen.

Van M. was een van de winkeliers aan wie wij leverden. Hoe vaak heb ik niet gedroomd dat ik grote, brede handen had, met een geweldige kracht in mijn vingers? Dat mijn gestalte rijzig was en krachtig als de zijne? Hoe vaak heb ik hem niet horen reutelen en om genade smeken met hese, gebroken stem, terwijl de portefeuille uit zijn slappe handen valt. Maar hij had veel planten nodig, we konden hem moeilijk missen.

Alles wat ik heb moeten verduren daar onder in die sinistere kelder is niets bij wat hij eens mijn vader heeft aangedaan. Zo intens gemeen, zo misdadig, zo geniepig laag is die daad geweest, dat ik het slechts met tranen in mijn ogen kan opschrijven. Maar ik wil het opschrijven. Eerst heb ik gedacht: ik houd het voor mij, ik houd het diep begraven in mijn hart. De beelden hebben nog niets van hun scherpte verloren. Ik teister mijzelf door deze kwellende dingen naar boven te halen, maar het moet. De wraak vergiftigt mijn denken. En ik wil nu ook niet langer verhullen wie hij is en waar hij woonde.

Bloemenmagazijn Van Manen, hoek Rozendaalse weg en Hoflaan. Vanuit de winkel die twee etalages heeft, op elke hoek één, kijk je uit op een grauwe negentiende-eeuwse volkswijk, die daar als een gebogen monster in de hoogte ligt, tegen de hellingen gebouwd, waar eens een klooster heeft gestaan, omringd door slangenmuren waartegen morellen en leiperen zachtjes rijpten. Een monstrueuze katholieke kerk uit het eind van de vorige eeuw is de spriet op de kop van het monster dat gereed lijkt te liggen de lager gelegen villa's aan de Rijksweg te bespringen.

De winkel van Van Manen lag precies op de grens tussen rijk en arm.

*

Laatste week van oktober. De afgelopen nacht heeft het licht gevroren. Op het land zijn de dahlia's zwart geworden. Over de broeikassen, over de composthoop en over de loods ligt een wit waas.

Vrijdag. Over twee dagen vieren de roomsen Allerheiligen en Allerzielen. Het is elf uur 's morgens.

'Breng het hele zootje maar zo gauw mogelijk,' bulderde hij door de telefoon. 'Godverdomme, ze vreten ze hier.'

Mijn vader hield de hoorn iets van zijn oor en trok zijn wenkbrauwen omhoog. Zijn blauwe ogen waren nog lichter dan gewoonlijk.

'...en de prijs, Van Manen,' zei mijn vader heel zacht en timide. Hij was duidelijk bang voor het volkse geweld dat zich aan de andere kant van de lijn manifesteerde.

'De prijs, godverdomme, ha, ha, de prijs, dat maken we wel, bij Van Manen komt niemand tekort. Van Manen betaalt altijd goed.' Mijn moeder en ik die bij het aanrecht stonden, hoorden hoe luidruchtig en ruw hij vader te woord stond.

Mijn vader bedankte voor de bestelling en hing de hoorn op, onthutst over zoveel blasfemie en bijna bang er zelf voor te zullen worden gestraft. Hij immers had die afschuwelijke man opgebeld, maar hij moest zichzelf toegeven, dat het niet zijn idee was geweest. Zijn vrouw en zoon hadden hem ertoe aangezet, dat was zo ongeveer zijn gedachtegang. Mijn vader was een tamelijk scherpzinnig casuïst.

We keken hem opgelucht aan.

'Zie je nou wel,' zei ze. 'In deze tijd moet je naar de klanten toegaan, ze komen niet meer bij je. Je moet laten zien wat je aan producten hebt aan te bieden, anders blijf je er mee zitten, en kun je ze op de composthoop gooien.'

'Ja, dat zou me toch aan het hart gegaan zijn,' zei vader, 'ze zijn dit jaar juist zo mooi, stevig, gedrongen, dik in het blad en wat het belangrijkste is, op tijd in bloei, niet te vroeg, niet te laat. Want je kunt ze alleen in deze laatste week van oktober kwijt.'

'Ik zal je helpen met inpakken,' zei ik. 'Je zult ze wel zelf moeten wegbrengen, want vanmiddag moet ik naar school.'

Achter hem aan liep ik de broeikas binnen. Links en rechts van het middenpad stonden, ingegraven in turfmolm, op lange tabletten, witte potchrysanten. Zó wit, zó verblindend wit, dat je de neiging had even de ogen dicht te knijpen. Grote zware trossen wiegden op ranke stelen. Het was eigenlijk zonde ze weg te doen. Er was altijd vraag naar in deze tijd. Hoewel het dit jaar nou niet zo vlot ging. Er was er nog niet één verkocht. Met Allerzielen werden ze op de graven gezet. Het zat mijn vader eigenlijk dwars dat hij planten kweekte voor een afgodisch misbaar. Toch had de commercie het één keer van zijn geweten gewonnen.

'We nemen ze voor de voet,' zei vader. 'Hij hoeft niet de allermooiste te hebben, zo goed betaalt hij niet.'

Ik droeg de planten, tegen mij aangedrukt, zodat de stelen niet zouden knakken, naar de werkplaats. Daar stond een emmer met lauw water. Samen hebben we zorgvuldig de potten gewassen en met een harde borstel ontdaan van de groene aanslag. Daarbij hield ik de plant vast en mijn vader maakte schoon. Anders zouden door het schokken de stelen alsnog kunnen breken.

'Zo mooi als dit jaar heb je ze nog nooit gehad,' zei ik. 'Het is pure kwaliteit.' We hadden er allebei plezier in. We spraken niet zoveel. We wikkelden ze in kranten op de inpaktafel.

'Laten we er maar een dubbele krant omheen doen,' zei hij nog, 'ik zou niet graag zien dat de bloemblaadjes zouden lijden van de vorst. Ze zijn erg teer en worden gauw bruin.'

Van boven speldden we de kranten dicht. We zetten ze in kisten. Ertussen deden we houtwol en proppen kranten, dan stonden ze steviger. Ik reed de bakfiets uit de loods, plaatste de kisten erin. Vier kisten met elk tien planten. Ze brachten, als het mee zou vallen, misschien twee gulden per stuk op. Het zou een mooi bedrag worden. Vader kleedde zich goed aan: jas, pet en oorwarmers. Voor hij wegging stak hij een sigaartje op. Hij was opgewekt. Hij lachte tegen mij. Zijn lichtblauwe ogen waren vol vertrouwen. Moeder kwam nog kijken toen hij wegreed...

Een uur later was ik op weg naar school. Ik moest zelfs voorbij de stad zijn. In O., waar ik met leerlingen van het voortgezet lager onderwijs (een schooltype dat nu niet meer bestaat, zoiets als het Leao nu) een biologieproject uitwerkte. Het was gaan regenen. Ik fietste gebogen over het stuur. Mijn bril was nat en beslagen. Ik was ter hoogte van Insula Dei – Eiland Gods –, een katholiek internaat waar gehandicapten, zieken en bejaarden bij elkaar gestopt zijn in een oude aristocratische villa (nu afgebroken). Ik zag niets. Ik veegde met mijn mouw langs de glazen. Toen zag ik hem. Aan de overkant van de straat, op weg naar huis. Van de bakfiets woeien flarden krantenpapier, natte slierten bleven tegen de zijkant kleven. De planten stonden zomaar in de kisten, hun breekbare bloemen en bladeren blootgesteld aan wind en regen. Een enkele leek nog in de haast te zijn ingepakt. Ik stak de weg over. De meeste stelen waren gebroken, de bloemtrossen hingen er verregend bij.

Ik keek hem aan. In zijn ogen stonden tranen. Ik zei niets. Na een heel lange tijd zei hij, terwijl de auto's langs ons heen reden en het harder was gaan regenen, met windvlagen ertussendoor:

'Ik had ze allemaal al uitgepakt. Er waren veel klanten in de winkel en toen greep hij een van de chrysanten, hij beurde hem op aan de bloem, ze brak, de pot viel, de zwarte aarde lag op de grond en daartussen de rode scherven. "Donder op!" riep hij, "donder op met de hele rotzooi, weg met die vuile kleretroep, ik ben geen vuilnisboer...!" De mensen lachten, toen heb ik alles weer ingepakt, ik heb de kisten zelf weer op de bakfiets moeten laden, ze deden nog niet de deur voor me open als ik er met de zware kist naartoe liep...'

'En de vrouw?' zei ik.

'Ik weet alleen dat ze in de deuropening van de keuken stond, zoals altijd.'

'Zei ze wat?' drong ik aan.

'Nee, ze zei niets, ze lachte ook, geloof ik, maar ze heeft er zich niet mee bemoeid.'

Ik heb me naar hem toegebogen en hem op zijn voorhoofd gekust.

Ik ben met hem teruggereden.

's Avonds is er niet over gesproken. Hij las aan zijn bureau in Thomas à Kempis' *Navolging van Christus*. Hij sloeg de bladzijden niet om; ik keek over zijn schouder, ik zag dat zijn blik steeds bleef rusten op punt twee van hoofdstuk acht: 'Wens slechts met God en zijn Engelen gemeenzaam te zijn en vermijd kennismaking met mensen.'

Ook daarna is er nooit meer over gesproken.

Onderwijl ben ik volwassen geworden. Mijn vader is gestorven, maar mijn moeder leeft nog, gelukkig. Ik heb een vast inkomen en schrijf zo nu en dan een gedicht. In uiterst beperkte kring ben ik zelfs bekend vanwege een ballade over dyspepsie die goed is ontvangen. Zeer geciseleerd, schreef een criticus in een aangename, doch korte beschouwing.

Wat de abjecte ploert hem heeft aangedaan, ben ik niet vergeten, is nooit uit mijn gedachten geweest; nooit heeft mijn hoofd meer naar de mensen gestaan. Ik trok mij terug in mijzelf en leefde met mijn eigen gedachten. Sombere voorgevoelens drukken mij sindsdien, verdriet, somberte en onrust zijn in mij geslopen. Hoe vaak heeft mijn auto niet, stationair draaiend, op de Hoflaan gestaan. Met een baksteen in mijn hand wachtte ik, in het duister, achter de ligusterheg, in een kalme lust tot wraak. Ik tuurde, ik berekende, stelde uit. Soms ving ik een glimp van hem op, en van haar. Een schaduwbeeld, een schaduw van een schaduw. Dan bonsde mijn hart, roerloos stond ik, de steen gloeide in mijn hand. Ik was laf, ik wachtte mijn tijd af of liever, ik liet de tijd zijn werk doen.

Eens ben ik er overdag heen gegaan. Ik was gekleed in een licht Palm Beach-kostuum – ik houd van mooie kleren, ik schep er groot genoegen in om, geheel alleen en geheel voor mijzelf, mij 's avonds vele malen te verkleden, ik ben nogal narcistisch –, ik droeg een gestippeld batisten overhemd en een zonnebril met grote glazen. Zó zou hij mij niet herkennen. Ik liep naar de etalageruit toe en ik zag dat er een andere naam op stond. Een jonge vrouw kwam naar buiten met een emmer chrysanten, witte met een geel hart, net eierdooiers. Ik heb geïnformeerd. Ze vertelde mij dat hij een jaar geleden was overleden. Ik vroeg om details. Op een dag kon hij niet van zijn bed opstaan, zijn benen waren verlamd.

Geslagen door een ziekte, dacht ik, net als koning Hizkia.

'Hij is naar het ziekenhuis gebracht,' ging de jonge vrouw verder, 'daar werd een hersenbloeding geconstateerd en een soort kramptoestand van de spieren.'

Hysterische stupor, hoopte ik, hoewel je daar van kunt genezen. Maar het lot was mij nog gunstiger gezind.

'Zijn onderlichaam bleef verlamd,' zei de jonge vrouw (de zon legde een roestige schijn over haar haar), 'toch knapte hij verder aardig op, hij had ook moeilijkheden met het spreken, maar ook dat ging beter. Hij reed in een wagentje. Hij kwam hier nog wel eens een kijkje nemen.'

'Voor u verder gaat moet u eerst vertellen hoe het met zijn vrouw gaat,' onderbrak ik.

Ze haalde haar schouders op. 'Ik weet er niet veel van; ik heb gehoord hier in de buurt dat ze een maand voor hij ziek werd spoorloos is verdwenen. De een zegt dat ze wegkwijnt van een vreemd verdriet, de ander zegt dat ze bij haar broer is ingetrokken; er wordt zelfs over zelfmoord gesproken, niemand weet er het ware van.'

'En hoe liep het met hém af?' vroeg ik.

'Op een keer was hij bij zijn broer op bezoek geweest; die woont daarboven ergens – ze wees naar het monster achter ons –, hij reed de Hoflaan af, waarschijnlijk deden zijn remmen het niet, hij is op een tractor ingereden. Een gladde stang is in zijn voorhoofd gedrongen. Hij was direct dood.'

Ik heb mij beheerst, maar ik kon wel juichen. Ik ben de monstrueuze neogotische kerk binnengegaan, ik heb hardop gebeden, achter een immense pilaar. Ik heb de pilaar omhelsd en mij er van louter vreugde tegenaan gedrukt. Die nacht, o die nacht kwam ik zo volmaakt, zo heerlijk dronken thuis. De sterren vielen van de hemel en zetten zich op mij, als diamanten op een ring. Ik was omgeven door een halo van licht en ik zweefde over de huizen en er waren geen daken op de huizen en als Asmodee kon ik in de kamers kijken en ik zag bleke, magere vrouwen met stroblond haar, in hoge kaplaarzen, die aan morsig ondergoed snuffelden, ik zag de wreedheid van het echtelijk verkeren, de stiekeme gedachten, de hebzucht en de wraak, de kwade, koortsige dromen, de masturberende mannen en vrouwen, bleek en doorzichtig, wegterend en wegkwijnend, maar vol gretige lust... het moest het beeld zijn van de algehele en meedogenloze ontbinding... maar ik was volmaakt rustig, zonder angst, zonder wrok... de lichtkring om mij heen glansde nog feller... ik zag dat het allemaal goed was...

De volgende dag ben ik vroeg opgestaan. Mijn hoofd was doorregen van streepjes hoofdpijn.

Ik heb bloemen op zijn graf gelegd.

Witte chrysanten.

Maar eerst heb ik ze murw getrapt.

De drie poorten

'Voorwaar, ik zeg u, zonder geloof zult u worden geworpen in een poel van vuur.' Marks vader, in zichzelf gekeerd, de handen naast het Boek, beëindigde de schriftlezing, terwijl de ijzige wind buiten bevroren sneeuw opjoeg over het pad dat naar de kwekerij voerde. Daarna zuchtte hij. Ja, zo was het. Zonder geloof geen uitkomst.

Evers was een kleine tuinder. Hij kweekte varens in vele variëteiten, een arbeidsintensieve cultuur, met hoge stookkosten en weinig inkomsten. Hij klaagde nooit. Hij had ook berust toen hij kort na de geboorte van zijn zoon zijn vrouw door meningitis verloor.

Hij reikte het Boek aan zijn zoon tegenover hem, die het op de schap naast de telefoon zette. Mark was bijna zeventien en leerling van de Rijkskweekschool voor onderwijzers in de naburige stad.

Na het gebed zei zijn vader: 'Er wordt strenge vorst verwacht. Ik ben er niet gerust op.' Hij doelde op de zwakke, poreuze verwarmingsbuizen in de broeikassen.

Op de kwekerij, achter het woonhuis, daalden ze vanuit de werkplaats in de hoofdkas de steile ladder naar de stookkelder af. Mark deed een vuurvaste handschoen aan en opende het luik van de ketel. Het vuur lag zacht te gloeien. Marks vader trok met een lange haak sintels uit de vuurgloed. Ze waren samengeklonterd en vaak meer dan een meter lang. Mark schepte cokes en bruinkool in de oven. Ongelovigen moesten voor altijd branden, zonder ooit te verteren. Ze zouden eeuwig snakken naar een druppel water. Mark hoefde zich daar geen zorgen over te maken. Hij was geboren in een gezin met een gelovige vader, als een substituut van God. Er zou hun, ook in een hiernamaals, niets overkomen.

Na een halfuur waren ze weer thuis. Marks vader ging aan zijn bureau zitten en was weldra verdiept in een preek van Calvijn, uitgesproken in Genève. Mark, op zijn kamer boven, werkte aan een scriptie.

Na de lagere school had hij graag naar het gymnasium gewild. Zijn cijfers waren meer dan voldoende om te slagen voor het toelatingsexamen. Voor de middelbare school was geen geld. Voor niet-vermogende ouders had de gemeente geld beschikbaar, maar Marks vader vond het zijn eer te na om daarvoor bij de gemeente aan te kloppen. Bovendien zou je volledige opening van zaken moeten geven over inkomsten en uitgaven. Daar had een ander niets mee te maken. Zo was Mark op de ulo terechtgekomen, waar geen schoolgeld betaald hoefde te worden en de leerboeken goedkoper waren. 'De ulo,' had zijn vader gezegd, 'is voor ons soort mensen mooi genoeg.'

Elke opstandigheid was Mark vreemd, maar hij verveelde zich op de ulo. Alle vrije tijd bracht hij op de kwekerij door. Na vier jaar slaagde hij ternauwernood voor het eindexamen en gaf zijn vader te kennen dat hij later het bedrijf wilde overnemen. Een droom natuurlijk voor elke vader met een eigen zaak. Die droom had Marks vader ook gehad. Maar het was nu eenmaal zo dat het de kleine zaken steeds moeilijker gemaakt werd het hoofd boven water te houden. Het was beter dat zijn zoon probeerde later een vaste baan te krijgen met een gegarandeerd inkomen. Het was nooit bij Mark opgekomen om het onderwijs in te gaan. Binnen een week had hij zich laten inschrijven op de Rijkskweekschool in de stad.

De eerste les, op drie september 1959, zou hij nooit vergeten. Mark fietste over de sombere Van Verschuerstraat, reed onder een gewelfde bakstenen poort het Van Verschuerplein op en kwam in een stil hofje met lage huizen zonder voortuin. Twee andere poorten gaven toegang tot deze binnenplaats, die zo terzijde van de wereld lag. Zelfs het verkeer op de singels naar de Rijnbrug, er vlak achter, was nog minder dan een gerucht. Tegenover de middelste poort, aan een van de korte zijden, lag de school, een laag gebouw met een houten toren die op een duiventil leek. Een stoep van drie treden, met aan weerszijden een muurtje, leidde naar de hoofdingang.

Het eerste uur had hij Nederlands van meneer Moesker. Zijn lokaal bleek niet in de eigenlijke school te liggen, maar in een later aangebouwde vleugel met noodlokalen. Die lokalen waren nodig geweest in een tijd van grote bloei, maar allang in onbruik. Het vak van onderwijzer was niet erg populair. Op het mededelingenbord naast het muurfonteintje in de centrale hal hing een plattegrond van de school waarop het lokaal van meneer Moesker was aangegeven. Een zijgang tegenover het fonteintje maakte aan het eind een haakse bocht. Waar een aquarium groen licht op de tegels wierp en in een glazen kast opgezette vogels stonden bevond zich een deur die toegang gaf tot de serie noodlokalen. Van het rumoer in de school hoorde je hier niets. In de ongebruikte lokalen had men alle meubilair weggehaald. In sommige was de kabel waaraan het schoolbord hing gebroken. Meneer Moesker wachtte de nieuwe klas bij de deur op en gebaarde dat ieder maar een plaats moest zoeken. Alles aan meneer Moesker was vaal, behalve een spierwit overhemd. Een punt van de boord was omhooggeknikt en prikte in zijn kaak. Om de harde punt te ontwijken hief hij zijn kin op en had op die manier iets van een heerser. Het kwam kennelijk niet in meneer Moesker op de scherpe punt weer op zijn plaats te duwen. Misschien ging hij even berustend door het leven als Marks vader.

Mark had zich ook verbaasd over de inrichting van het lokaal. Op de ulo was hij gewend aan lokalen met planten in de vensterbank. wandplaten, vitrinekasten vol schriften en leerboeken. In dit lokaal was slechts het hoognodige. Banken, een bord en op een laag kastje naast het bord een stapel grijze boeken, dik onder het stof. De schemer in het lokaal die zonnige septemberdag werd veroorzaakt door dik matglas tot halverwege de hoge ramen en woekerend struikgewas buiten.

Meneer Moesker stond achter zijn tafel, zijn handen op een zwarte, platte tas. 'Tja...' bracht hij uit, '...er zal iets gedaan moeten worden... Eventueel kunnen we iets lezen uit Bundel V.' Hij maakte een vaag gebaar naar de stapel achter zich.

Daarna telde hij het aantal leerlingen. De klas telde er veertien. Meneer Moesker telde toen de boeken op het kastje. Hij had precies veertien exemplaren. Hij keek verwonderd.

Hij stapte het podium af en begon ze uit te delen. Daarna bladerde hij lange tijd in de bundel en mompelde soms een naam: Lode Zielens, Johan Daisne, Arthur van Schendel.

'Hmm, misschien is dit wel aardig...' Hij gaf bladzijde 501 op. Een modern gedicht van Ellen Warmond. 'Etmaal'. 'Lees het maar voor jezelf.'

's Avonds
het lichaam losmaken
uit een kluwen langdradige daden

en slapen

's morgens de draad weer opnemen
(gister is mist)
langzaam en eindeloos
beginnen te kruipen
door het oog van de volgende naald

Meneer Moesker las zelf ook stil mee. Mark zag aan het gezicht van de leraar dat hij het gedicht mooi vond.

'Wie zou hier iets over willen zeggen?' Niemand reageerde.

Mark had willen opmerken dat het gedicht hem deed denken aan het leven van zijn vader, maar hij was bang voor zijn eigen stemgeluid. De leraar zei dat het gedicht te plaatsen viel in een Hollands existentialisme, dat... eh... het hem wel beviel.

'Tja...' Hij keek de klas verontschuldigend aan. Het leek wel of hij spijt had de leerlingen met dit gedicht te hebben lastiggevallen. Meneer Moesker liep de klas in om de boeken weer op te halen.

Hij stond op de rand van het podium. Bundel V lag weer op het kastje naast het bord. Met zijn middelvinger wreef hij iets uit zijn oog. Licht onthutst mompelde hij: 'Het uur zal nog wel niet voorbij zijn.' De klas was doodstil. Niemand had ooit zo'n leraar meegemaakt. De leerlingen kwamen allen van ulo's uit de omgeving. Docenten op uloscholen waren streng, afstandelijk en zelfverzekerd en wisten van minuut tot minuut hoe de les zou verlopen.

Zijn blik ging naar de zwarte tas op tafel en zijn gezicht klaarde op. Meneer Moesker vertelde dat hij gisteravond een boek had gelezen... Eh, ja, hij had het meegebracht en toonde de klas *Rood paleis* van Bordewijk. Met een zeker enthousiasme sprak hij over de inhoud van dit boek. Nog voor de bel ging vroeg hij, het boek schutterig in beide handen: 'Is er iemand die belangstelling heeft?'

Mark Evers liet zich die kans niet voorbijgaan. 'Ik, meneer.' Hij stak zijn vinger omhoog, bang dat de leraar hem niet gehoord had. Meneer Moesker kwam het hem persoonlijk overhandigen.

Zo kwam hij in de loop van de tijd ook in bezit van *Het Boek ik* van Bert Schierbeek en *Willem Mertens' levensspiegel* van Van Oudshoorn.

Tegen tienen die avond ging Mark naar beneden om zijn vader gezelschap te houden. Vlak voor ze naar bed gingen las zijn vader een psalm van David en bad om een veilige nachtrust.

De volgende dag was de jongen als altijd ver voor de andere leerlingen op school. Hij dronk water bij het fonteintje. Meneer Moesker had de laatste keer enkele malen, in verband met het existentialisme, de naam Anna Blaman genoemd. Het was niet ondenkbaar dat hij een dezer dagen een boek van deze geruchtmakende schrijfster bij zich had. Mark Evers droomde van een ontzagwekkende boekencollectie. Het begin was er.

Terwijl hij zichzelf vaag weerspiegeld zag in de zwart marmeren plaat in de muur achter het fonteintje las hij op het mededelingenbord dat de klassen twee, drie en vier, die les van meneer Moesker zouden hebben, na de middagpauze in de stadsschouwburg werden verwacht. De toekomstige leerkrachten zouden, in het kader van hun culturele opvoeding, een opvoering gaan zien van Sartres toneelstuk *Met gesloten deuren (Huis clos).*

Toen hij, nog in de ban van wat hij die middag had gezien en gehoord, terugreed naar huis, was hij dankbaar jong en gezond te zijn. De hoofdfiguren in Sartres toneelstuk waren dood en zaten in het hiernamaals opgesloten in een hotelkamer. Ze konden elkaar zien en met elkaar praten en nooit zou daar een eind aan komen. Mark was doodsbang geworden, banger dan voor de hel van vuur en zwavel die zijn vader hem voorhield. Die hotelkamer was natuurlijk een symbolisch decor, want Sartre was een atheïst. Vanavond, thuis op zijn kamer, zou hij proberen de beklemming weer te geven die hij gevoeld had. Eeuwig, in een hiernamaals, onder de blik van anderen. En als hij alles wat hij had gevoeld had opgeschreven, zou hij dat verslag misschien kunnen aanbieden aan de redactie van *De Drie Poorten.* Hij zag zijn stuk al in de schoolkrant. *La joie de se voir imprimé.* Misschien zouden ze hem vragen plaats te nemen in de redactie. Aan iemand die zo zijn gedachten kon verwoorden, was altijd behoefte.

Tijdens de middagpauze, drie dagen later (Mark had zijn verhaal herschreven: scherper, preciezer geformuleerd), liep hij op een lid van de redactie toe, in zijn hand het verhaal. Maar toen hij vlak voor de ouderejaars stond en zijn hart hoorde bonzen, zonk de moed hem in de schoenen en keerde hij zich met een snel excuus om, rende de zijgang in tot voorbij de haakse bocht en kwam tot rust in een garderobenis. Zou hij iets kunnen schrijven dat genade kon vinden in de ogen van een ander? Hij schaamde zich, én voor zijn eerdere vrijmoedigheid, én voor zijn gevoel van minderwaardigheid.

Meer dan twee weken gingen voorbij. Mark rookte onder de met golfplaten overdekte fietsenstalling een sigaret, peuterde een reep schors van een lijsterbes, leunde tegen het muurtje bij de ingang. In zijn binnenzak zat zijn verslag van Sartres toneelstuk. De eerste dagen had hij nog gehoopt dat de ouderejaars hem aan zou schieten: 'Hé, wat wilde je me eigenlijk vragen?' Dat gebeurde niet. De ander negeerde hem. *De hel, dat zijn de anderen.* Hij kon zijn verhaal beter verscheuren. Niemand zat erop te wachten. Wat had hij zich in zijn hoofd gehaald?

Nog één mogelijkheid bleef over. Het was pauze. Mark maakte zijn haar nat bij 't fonteintje, streek het naar achteren.

Meneer Moesker bleef in de pauze in zijn lokaal. Lag hij misschien niet goed bij zijn collega's vanwege zijn onorthodoxe manier van lesgeven? Hij bewaarde in ieder geval afstand. Mark had hem nog nooit met een andere leraar zien praten.

In de gewelfde plafonds van de zijgang brandden kleine lampen. Hij passeerde het aquarium, de kast met vogels, zag ook licht branden in het lokaal van meneer Moesker.

Mark durfde niet verder, liep terug. Bij het fonteintje waste hij zijn gezicht. In het marmer staarde hij naar zijn onduidelijke spiegelbeeld, zei tegen zichzelf: 'Ik heb iets geschreven. Ik ben een jonge schrijver.' Hij moest nu haast maken. Over enkele minuten ging de bel.

Hij passeerde opnieuw garderobenissen, bijna leeg, met een vergeten jas, en gymschoenen achter een kapstokhaak geklemd.

Zijn schaduw schoof grillig en akelig uitgerekt met hem mee. Mark klopte op de deur van meneer Moeskers lokaal. Voetstappen klonken op het houten podium. De deur ging open. De leraar nodigde hem uit binnen te komen. Mark trok de deur achter zich dicht. Ze stonden tegenover elkaar, beiden onhandig, in de uiterst karige omlijsting van dat lokaal.

Die nacht kon Mark niet slapen. Een sensatie. Een jongen van nog geen zeventien. Een groot talent. Wonderbaarlijk, een stijl, al zo geacheveerd. De volgende dag toen hij op weg was naar school, scheen de zon. Zon bedekte de straat met lichte, bewegende schijven. Niemand, ook zijn vader niet, kende zijn immense verwachting. Hij kon wel juichen, reed met losse handen. Een schrijver! Nooit eerder had de wereld er zo mooi uitgezien.

Mark haastte zich de school in, las op het mededelingenbord dat de lessen van meneer Moesker vandaag niet doorgingen. Hij was even teleurgesteld. Zijn leraar Nederlands was een dagje ziek. Morgen zou hij weer op school zijn, of overmorgen.

Meneer Moesker kwam die hele week niet op school. Mark bleef vol vertrouwen. Iemand kon toch gewoon een weekje ziek zijn. Bij zijn vader was het laatst in de rug geschoten en hij had een tijdje niet kunnen werken. Mark had hem toen zo goed mogelijk vervangen.

Geen mededelingen op het bord over lesuitval. Toen de klas in het lokaal zat, kwam de directeur binnen. Hij deelde met ernstige stem mee dat meneer Moesker vannacht in het gemeenteziekenhuis was opgenomen en in de vroege ochtend was overleden. De lessen zouden voorlopig worden waargenomen...

Zaailingen van Violen

Enkele dagen voor ik de laatste drukproef van mijn roman *Knielen op een bed violen* (verschenen in januari 2005) bij mijn uitgever De Bezige Bij zou inleveren, werd ik 's nachts wakker, ging naar mijn werkkamer en begon de tekst te herlezen.

Die nacht raakten verschillende kortere passages en zelfs enkele volledige hoofdstukken alsnog hun plaats in de definitieve versie kwijt. De ingreep was abrupt, pijnlijk en intuïtief. Ik sneed in eigen vlees, maar was zeker van mijn zaak.

Verstoorden ze de innerlijke harmonie? Vertraagde de stuwing naar voren? (Een roman is immers op weg naar zijn eigen einde!) Vond ik nu, in deze nachtelijke visie, dat de dramatische kracht verflauwde, in die zin dat die passages niets bijdroegen aan de psychologische ontwikkeling van de hoofdfiguur? Of bevatten ze te veel reële details die de verbeelding misschien op slot zouden zetten?

Ik moet u het antwoord schuldig blijven. De hardhandige verwijdering van deze toch lange tijd door mij gekoesterde teksten zal wel altijd onbegrepen blijven.

JS

De hieropvolgende passages en hoofdstukken uit Knielen op een bed violen *werden geschrapt uit de eerste helft van de roman. Door Siebelinks ingreep veranderde de nummering van pagina's en hoofd-*

stukken. We geven bij de hoofdstukken de oorspronkelijke numme-
ring en een indicatie van de plaats waar ze in de roman moeten heb-
ben gezeten.

In de hoofdstukken 22 en 23 zijn Hans en Margje volop bezig hun
jonge bedrijf op te bouwen. Hierbij ondervinden ze verschillende te-
genslagen, zoals een vernietigende storm. Gelukkig hebben ze nog
wat geld achter de hand en zijn ze verzekerd.

Jozef Mieras is een van de predikers die de hoofdfiguur tracht te
verleiden tot het geloof. Dit gedeelte zat oorspronkelijk tussen hoofd-
stuk 22 en 23.

H22 / pag. 106

De hitte had witte randen. Het land lag smoorheet in de zon.
Een minieme werveling van plantenstof voor het oog onbeweeglijk, werd zichtbaar gemaakt in een zonnestraal. Omdat het land
in een dal lag, nam het alle hitte in zich op. Zelfs een even opste-
kende bries bracht geen verlichting. Hans was bezig een plaat
glas in tweeën te kerven, brak hem door er met de glassnijder
vanonder licht tegen aan te tikken. Het was bladstil en benauwd,
de lucht achter de sequoia's was geel. Zij kwam met twee glazen
thee op hem toe, boog haar hoofd naar haar borst om een gelukkige glimlach te verbergen. Ze slurpten zacht van de hete thee,
hij wees op de rode steenslag die hij op het middenpad had aangebracht, op de nieuwe stapel eenruiters die net was aangekomen
– een flinke onkostenpost. Zij luisterde, zette haar thee op de
glasplaat om hem te zoenen.

Hij wees nog op de zaailingen die hij vanmorgen vroeg had
uitgeplant. De hoge toppen van de sequoia's begonnen heftig te
bewegen, de wolken die van die kant kwamen aangedreven waren als de donkere oevers van een rietplas. Eerst was er een licht
suizen, toen een zacht kreunen, de hemel boven hen verduisterde
en Mozes naderde de donkerheid waarin God was. De storm

brak los. Het lawaai van storm en regen was een uitzinnig kermen, een tumult van bijna smeken: iets moest tot stilstand worden gebracht, tot zwijgen. Platen glas van vele vierkante meters vlogen door de lucht, zweefden lang, in een oudtestamentisch uitstel van executie, over bedden met net beplante tere zaailingen van violen en anjelieren, kwamen neer met een geluid dat zachter was dan verwacht. Een zacht neerploffen van kastanjes in rul zand, een ontzaglijk gelaten geluid. Het glas spleet. 'Verdomme,' vloekte hij. 'Verdomme, verdomme.'

Ze hoorden glas dat neerkwam, zagen éénruiters die werden opgenomen alsof ze niets wogen, platte schepen die langskwamen. 'Zie je dat,' hijgde hij. 'Zie je dat?' Hij sprak niet eens tegen haar, eerder tegen de hemel of tegen het kwaad dat zich ergens verborg. Ze hielden elkaar vast, knepen hun ogen tot spleetjes in de regen kijkend. Drie, vier ramen waar de wind onderkwam, die even wiegden, de lucht ingingen. Wat konden ze doen? Ze hadden haken moeten hebben om de stapels vast te zetten. Niemand had hun verteld dat glas zo verankerd kon worden dat er geen wind onder kon komen.

Hij liep op een raam toe dat rechtop in de aarde was blijven staan, was op tijd, redde het. De storm nam in hevigheid toe, zij schreeuwde. Glas zeilde op hem af. Zij schreeuwde boven de storm uit dat hij zich moest bukken. Hij verstond haar niet, maar bukte zich. Ze vluchtten in hun sprookjeshuis, luisterden binnen naar de regen die de rode steenslag wegspoelde, die het verbrijzelde glas striemde alsof het metaal was, keken door de ruiten in de diepte van de tuin waar de omtrekken van de kassen vervaagden, het Christusbeeld in de verte, in die donkere afgrond, een man onder een wit laken was. Toen het leek of de storm luwde, ging hij naar buiten om te kijken wat er van de terrassen was overgebleven. Hij kwam terug, trok de deur achter zich dicht, bleef staan, keek haar verontschuldigend aan. Hij voelde zich schuldig over wat gebeurd was.

Zij maakte twee bekers warme thee. Hij zei: 'Op mijn spaarbankboekje staat niets meer.'

'De schade wordt toch door de verzekering gedekt!'

'Wanneer betalen ze uit? Je hebt nog je eigen risico. Al dat glas, net aangevoerd, het jonge goed. Dat moet opnieuw bekostigd worden.'

Zij zei dat ze nog extra geld had voor noodgevallen. 'Ik heb in hotel De Engel gewerkt om extra te sparen. Dat wist je niet eens!'

Ze zag dat hij in verwarring was, trok zijn hoofd tegen zich aan. 'Het is een tegenvaller. Maar de kassen zelf hebben niet geleden.' Ze waren half ingegraven en voorzien van extra steunmuren en minder gevoelig voor de wind. Ze streelde hem, liet haar hand op zijn voorhoofd liggen. Hij ademde moeilijk. Zij was op dat moment sterker dan hij. Dat wist ze. Ze durfde hem zelfs te plagen, herinnerde hem aan de schuilhut in het veen. 'Je bent toch zo dol op harde, neerslaande regen? Je voelt je dan toch extra veilig?'

Ze liet hem los, blies in de hete thee, goot er bij hem en zichzelf een scheutje melk bij. Hij stak een sigaret op, werd rustiger, zoog de rook zo diep mogelijk in zijn longen en liet die in kleine gave wolkjes naar buiten komen, hield zijn ogen niet van haar af. Zij was gedecideerd, strijdlustig, alweer ernstig.

'Natuurlijk is dit een tegenslag.' Hij zag hoe ze opging in haar poging hem te bemoedigen.

De wind was gaan liggen, de regen opgehouden. Water liep over de dakrand. Langs de blauwe hemel, zomaar uit het niets verschenen, liepen smalle strepen, bleek oranje, bijna roze. Het land was bedekt met een laag afgerukt blad en glasscherven. Ze trokken hier en daar een ruit uit de modder, als door een wonder heel gebleven. Ze voelden zich als de enig overgeblevenen na een grote catastrofe.

Druipnat, als een zielige figuur, had hij naar de woestenij staan kijken. De onverwacht nieuwe situatie had hem verward en vernederd. Enkele dagen had hij verdoofd rondgelopen, wist niet waar hij op de kwekerij beginnen moest, was woedend en angstig tegelijk dat dit hem was overkomen.

Op een van die dagen zocht hij iets in huis en zijn blik trof het varenfossiel, dat half was weggeschoven achter een houten boekensteun. Hij nam het in zijn hand, verbaasde zich over het zware gewicht.

In een impuls wilde hij het ding diep in een la wegstoppen of weggooien, omdat hij, alsof het zich gisteren voordeed, Jozef het gebaar zag maken waarmee hij hem, na de snoeiles, het fossiel overhandigde.

Hij woog het op zijn hand, keek er wantrouwend naar, maar het fossiel kon de verwoestingen niet worden aangerekend.

Wat was er van Jozef terechtgekomen? Sinds hij zich hardhandig van hem ontdaan had, ruim tien jaar geleden, was hij aan de slag gegaan op een kwekerij in Poeldijk, later in 's-Graveland, steeds bang dat zijn oude vriend hem toch na zou reizen en opnieuw contact zou zoeken.

Dat was niet gebeurd. Waarschijnlijker was dat hij Hans, hoewel die op zijn pad was gezet, had losgelaten voor een gedweeër buit. Hij rook aan het fossiel, maar er was niets van Jozefs lichaamsgeur aan blijven hangen. Hij zette het fossiel beschaamd weer neer, schoof het van zich af. Het was niet verstandig het op te bergen of weg te gooien. Margje zou hem vragen waar het gebleven was en opnieuw over de herkomst ervan vragen. Jarenlang, mét het fossiel in zijn bezit was Mieras uit zijn gedachten geweest.

Margje had direct de verzekering gebeld, de map met documenten uit de bureaula gehaald, schadeformulieren ingevuld. Twee heren met aktetassen waren op de kwekerij geweest om de schade te schatten. Ze hadden berekend dat Hans en Margje een kleine achttienhonderd gulden terugkregen. Daarmee kon het vernielde glas vervangen worden en een deel van de jonge aanplant. Ze hadden een te lage verzekering afgesloten. Maar hoe goed je je ook verzekerd zou hebben, je schoot er altijd bij in.

De uitbetaling liet op zich wachten. Zij zat erachteraan, belde elke dag, schreef brieven. Hij, fatalistischer, was wel blij dat er iets werd ondernomen, geloofde zelf nauwelijks in actie. Zo'n verzekeringsbedrijf had haar eigen tempo, was een log lichaam, waaraan weinig viel op te zwepen. Hij leek gelijk te krijgen, maar zij geloofde dat ze het voor elkaar zou krijgen, zou hem versteld doen staan.

Nog steeds geen geld, maar Hans' zelfvertrouwen nam toe. Een slanke den, die hij om zijn mooie parasolvorm eerst had laten staan, bleek toch te veel schaduw te geven. Hij zaagde hem af tot twee meter boven de grond, vlakte hem af zodat hij de scherpe randen verloor. Hij dacht aan de kinderen die ze zouden krijgen. De geknotte boom zou een mooie verlospaal, midden op de kwekerij, bij het verstoppertje spelen zijn.

De kolen die hij besteld had, werden afgeleverd. De vrachtauto van de brandstoffenhandelaar was te breed voor het middenpad en moest op de Bergweg blijven staan. Kolensjouwers, met een leren capuchon op die ook hun schouders bedekte, die op de boeteprekers leken die hij zich herinnerde van een plaatje uit het geschiedenisboek, liepen af en aan met zakken cokes. Ze werden leeggegooid in de beide stortgaten die op de stookkelder uitkwamen. Zwarte damp steeg op. De mannen hadden donker omrande ogen, de cokesstof was diep in hun poriën doorgedrongen. Hij vroeg zich af of deze mensen zich ooit schoon konden wassen. Hij was dankbaar kweker te zijn. In de middaghitte bleef het stof hangen. Het was het zwartste stof ter wereld.

H25a

In hoofdstuk 24, op blz. 126 van Knielen op een bed violen, *vertelt Margje dat er iemand was voor Hans. Ze had het gevoel dat ze die ander ergens van kende (blz. 127).*

Hoofdstuk 25a beschrijft de eerste confrontatie van Margje met Jozef Mieras. Het hoofdstuk was oorspronkelijk het begin van 'Vier'.

Een dag als alle andere die bijzondere beloften noch bijzondere dreiging inhield. Veel verkocht zou er wel niet worden. Wat dat betreft was de verwachting niet hoog gespannen. Ze hadden er mee leren leven.

Margje Sievez was vrolijk vanwege het kind dat ze droeg, vanwege het mooie weer. Door de open keukendeur zag ze boven het donkere groen van de rij bessenstruiken de glinsterende kasruiten. Hans had ze deze week met een dikke, gladde laag kalk bespoten. Margje had in het dorp boodschappen gedaan en twee tompoezen voor bij de koffie gekocht. Ze had zin om haar man en zichzelf te verwennen. Over een uurtje zou ze hem koffie en gebak op de tuin brengen. Ze zouden naast elkaar op de bassinrand zitten, van de tompoes snoepen, misschien praten over de naam van hun kind.

Vanavond ging ze voor hem zijn lievelingstoetje maken: vanillepudding met zelfgemaakte bessensap.

Met een scherp mesje sneed ze het donkere vanillestokje open en kerfde er voorzichtig het merg uit. Ze overdacht dat Hans de astma uit zijn jeugd helemaal was kwijtgeraakt. Ze hoopte dat hun kind van die aandoening verschoond zou blijven. Uit de keukenkast haalde ze de puddingschaal die de vorm van een vis had. De keuken had in de laatste oorlogsdagen een voltreffer gekregen. De deurtjes voor de keukenkast waren weggeslagen. De borden en schalen leken als door een wonder heel gebleven, maar vielen bij aanraking als stof uit elkaar, behalve de puddingschaal. Na de voorbereidingen voor de pudding schonk Margje koffie in, kon niet nalaten met haar tong even over het roze glacé van een tompoes te gaan, herinnerde zich de dag dat ze samen het te koop staande land bezocht hadden, moest om zichzelf lachen toen haar tong – een helrood vlaggetje – nog een keer over de heerlijk zoete glacé streek.

Ze liep de tuin op. Het licht dat van de schuine glashellingen spatte, blikkerde haar tegemoet. Ze zette het dienblad op de bassinrand, beschutte met een gebogen arm haar ogen tegen het schelle licht, keek in de bruidsgroenkas, verwachtte Hans met dit weer eerder buiten, wierp een blik in de richting van de hulst, riep zijn naam, kreeg als antwoord slechts het suizen van de wind hoog in de sequoia's.

De deur van de werkplaats stond open, als gewoonlijk bij mooi weer, maar de beslagen tussendeur naar de erachter gelegen kas was gesloten. Op het middentablet stonden metershoge moerasvarens, druipend van het vocht. Daarbinnen was slechts het gedempte spatten van gestaag neervallende druppels te horen. Op het zitbankje in de werkplaats lag een bos blanke raffia. Blijkbaar was haar man binnen bezig geweest de varenstengels, doorbuigend onder het gewicht van de sporenzaden, op te binden en had om de een of andere reden zijn werk moeten onderbreken. Naast het zitbankje stonden zijn klompen, ze besefte nu ook dat zijn fiets weg was. Hans was nog even het dorp in, zou elk moment terugkomen.

Met een werktuiglijk gebaar wreef ze over de ruit van de tussendeur, om helemaal zeker te zijn, schrok en deinsde terug. In de vochtige, groene trechter, tussen de hoge varens ontwaarde ze een onbeweeglijke gestalte, licht in elkaar gedoken, in het zwart, een man met vierkante schouders, vervaagd in de schemerige ruimte. Ze zag hem op de rug, te midden van dampslierten en meende aan zijn houding te zien dat hij zijn handen gevouwen hield. Hij bewoog zijn bijna kale hoofd heen en weer, alsof hij een groot en ernstig probleem van zich af wilde schudden. Zijn hoed lag op de rand van het tablet.

Zij, anders zo nuchter, zo aangenaam nuchter, in plaats van de deur te openen en vastberaden te vragen wat hij daar deed, begon te beven, voelde zich koud en slap worden tegelijk; je zou zeggen dat ze door koorts overvallen werd maar ze besefte zelf dat ze bang was. Het was de volstrekt onverwachte verschijning, de willekeur van de verschijning, die angst inboezemde. Het was geen klant die een plant of boeket wilde. Het was ook niet de man die ze eerder aan de voordeur had getroffen. Happend naar adem liep ze op haar tenen de werkplaats uit, zag een moment de weerschijn van haar tengere, kleine gestalte, voelde zich klein, had bijna de sensatie zich op verboden terrein te bevinden, iemand te hebben gezien die niet door haar gezien had mogen worden.

Met een wijde boog liep ze om de zijkant van de kas heen, naderde via de achterzijde, maar er was zo'n dikke, gladgestreken laag kalk aangebracht dat ze hem vanaf die plaats helemaal niet kon onderscheiden. Ze ging langzaam terug, werd zichzelf weer enigszins meester, sprak zichzelf bemoedigend toe: 'Ga erheen! Wat heeft die kerel daar te zoeken?', dacht een ogenblik aan de Emdense schippers die ze op de begraafplaats had gezien, verbaasde zich over die gedachte, moest bijna glimlachen. Weer bij de werkplaats had ze nu het gevoel dat ze snel en flink moest doortasten, keek door de ruit, trof hem nagenoeg in dezelfde houding, tikte met haar ringvinger, de lippen stijf op elkaar, het gezicht gespannen in een beheerste woedeuitbarsting tegen het glas, trok bijna tegelijk de deur open, vroeg bitser dan ze wilde: 'Wat zoekt u hier? Wat moet dat?' De man draaide zich naar haar toe, verontschuldigde zich niet, deed of het vanzelfsprekend was dat hij daar stond, in die hete, vochtige wereld onder de schuine helling van het glas. De zware wenkbrauwen, het gezicht donker van baardstoppels, had opnieuw de herinnering aan de schippers in Lathum naar boven gebracht. Maar haar stem was minder scherp toen ze vervolgde: 'Kan ik u helpen? U wilt een plant, een boeket?'

'Nee, dank u.' Hij boog licht zijn hoofd en ze zag de uitwas in zijn nek, vlak boven zijn witte boord. 'Mevrouw, ik wacht op uw man. Ik heb alle tijd.' Hij haalde een vlezige tong over zijn gesprongen bovenlip.

Ze bespeurde niets dat op een Duitse tongval leek.

'Het kan wel even duren voor hij thuiskomt.'

'Ik kan wachten.'

'Nee, ik heb liever dat u de tuin verlaat. Dit is privé-terrein. Kan ik de boodschap overbrengen?'

Ze deed flink, maar ze voelde zich in deze besloten ruimte onzeker, schutterig. Hij boog weer kort, zette zijn zwarte hoed op en liep langs haar heen de werkplaats in, en naar buiten. Ze rook zijn ademhaling of zijn lichaam. Hij ging het pad af naar de Schonenbergsingel. Ze riep hem nog na: 'Wie kan ik zeggen dat geweest is?'

Hij keek niet op of om.

Zij rilde, volgde hem met haar blik tot hij om de hoek was verdwenen. Zij liep op het bassin toe. Het tengere, maar sterke lichaam van Margje was ineens zo slap en krachteloos dat ze met beide handen steun zocht op de rand. Het roze glacé van het gebak smolt, liep langs de vulling van banketbakkersroom. Margje dronk water uit de kraan, verfriste haar gezicht, riep de naam van haar man om het gevoel van verlatenheid de kop in te drukken.

Ze begon het pad af te lopen om zich ervan te vergewissen dat hij de kwekerij verlaten had, liep vanaf de hoek langs de oude muur met de oranjerie, bereikte de appelboom bij de haag. Om te bewegen en misschien ook om te kijken of zich niet meer kerels op de tuin verstopt hadden.

Vanuit de schaduwrijke geborgenheid van de citroenappel overzag ze de kwekerij die in de zon lag. Peinzend liet ze haar blik over de kassen en de verdiepingen van het woonhuis gaan, begon zacht te huilen. 'Niet huilen,' zei ze door het huilen heen tegen zichzelf. Luchthartig zijn. Wat haalde ze zich in haar hoofd? Waarom was ze bang geweest? Hoe kon hij een gevaar vormen? Waarschijnlijk was die man een vertegenwoordiger in graflint of zoiets. Ze rook zijn ademhaling weer. De woorden in zijn mond hadden al iets bedorvens. Ze struikelde van vrolijkheid bijna over een dode tak toen ze opgelucht weer op weg naar huis ging.

Halverwege de terugweg bleef ze staan ter hoogte van het waterbassin, pakte het dienblad op, wilde ermee naar het woonhuis lopen, aarzelde, zette het blad weer neer, ging de paar treden af naar de werkplaats.

De tussendeur was open blijven staan. Kalk was bij het spuiten door kieren langs de roeden (altijd zwakke plekken, volgens Hans) naar binnen gedrongen, had zich met condenswater vermengd. De kalk gaf hier en daar, op de moerasvarens, op de tabletten, witte vlekken, als stuifsneeuw. In de vochtige grond van het pad vond ze de diepe voetafdrukken van de man. Ze zette het dienblad neer, wiste met haar voet zorgvuldig de contouren uit, bestrooide die plek met een handvol zwarte turfmolm, stampte die stevig aan. De afdrukken waren onzichtbaar geworden. Die zouden hier niet meer terugkeren.

Nu definitief op weg naar huis spoorde ze zichzelf aan: 'Er is niets gebeurd! Het was zelfs geen incident. Denk er niet meer aan. Een futiliteit.' Ze begon zich alweer gewoner te gedragen, ademde rustiger, overstemde met gemak een laatste rest onrust, kreeg haast, wilde met de koud geworden koffie en de tompoezen voor Hans thuis zijn.

Enkele momenten later fietste hij het pad in, kwam met een bos gele etiketten en een paar pakjes bloemenzaad, die hij bij de coöperatie had gekocht, de keuken binnen.

Achter het huis aten ze van de verfomfaaide tompoezen. Ze smaakten er even lekker om.

Zij rechtvaardigde zich voor de lekkernij: 'Ik had zin in iets lekkers...'

'Waarom kijk je me steeds zo aan?' vroeg hij.

Zij bloosde, keek een beetje van hem weg.

'Misschien vind ik het wel leuk om naar je te kijken.' Die walgelijke vent was nog niet helemaal uit haar gedachten weggedrukt.

Op het moment dat hij zijn koffie neerzette, schoof ze op de bank naar hem toe, pakte zijn hoofd, drukte zijn stoppelwang tegen de hare, sloeg haar armen om hem heen alsof ze hem tegen alle kwaad wilde beschermen en fluisterde in zijn oor om haar plotse liefdesbetuigingen te verklaren: 'Ik was ineens bang vanmorgen. Ik weet niet waarom. Eerst was ik heel vrolijk en toen heel bang...'

H52 / pag. 231

Hun zonen Ruben en Tom (in deze tekst Haran) zijn geboren. Na tumult tijdens de Floralia gaat het gezin naar huis om later op de middag naar de kermis te gaan. Hans heeft als orthodox gelovige blijkbaar geen probleem met een bezoek aan de kermis.

Uit de nu volgende passage blijkt dat de Haagse tante in het oorspronkelijke manuscript een grotere rol heeft gespeeld. Het speelt zich af na hoofdstuk 51.

Thuis gaf hij Ruben geld voor de kermis. Hij wilde nog wat op de tuin doen. Hij verwachtte tegen vijf uur klaar te zijn.

'Wij komen tegen die tijd.'

Hans liep met zware gieters over het land. De jonge dahlialoten hadden het moeilijk in de hitte. Hij had walletjes van aarde opgeworpen zodat het water niet weg kon lopen. Hans had plezier in zijn werk. Margje kwam met Haran de tuin op.

'Tante belde,' zei ze. 'Ze wilde weten hoe het met ons ging. Ik heb verteld wat er vanmiddag gebeurd is.* "Je moet voor jezelf opkomen," zei ze. "Een ander doet het niet voor je. Ik heb zelf ook mijn mannetje moeten staan." Maar ik geloof dat ze trots op

---

* Hans heeft in een woedeaanval de jury van de Floralia een bloempot naar het hoofd geslingerd.

je was. Ze zei ook dat het in Den Haag prachtig weer was. "Bij jullie moet het volgens het weerbericht nog veel warmer zijn. Geniet ervan met je gezin." Dat vond ik wel lief van haar. Een echt lieve tante is het niet en je moet vooral niet aan haar geld komen. Bij Harans geboorte is ze ook niet gekomen en stuurde ze een goedkope bijtring. Toen jij nul op het rekest kreeg, heb ik zelfs alle contact willen verbreken. Ik vond het wel goed van jou dat jij haar een paar weken nadat je bot gevangen had toch weer opzocht. Ik had dat niet opgebracht.'

Ze zaten op de rand van het waterbassin.

'Ze is alleen. Ik zal nooit vergeten hoe ze mij toen ik uit Lathum kwam heeft opgevangen.'

'In plaats van een bijtring had ze ook een leuke blokkendoos kunnen geven.'

'Ze heeft zelf geen kinderen.'

Zij liet haar hand door het water gaan. Hij had de kraan opengezet om het bassin vol te laten lopen. Margje zei: 'Ik herinner mij een kinderspelletje. In een teil of emmer hield ik mijn gezicht zo dicht mogelijk tegen het wateroppervlak, en zo lang mogelijk.' Haran kwam uit huis op hen toehollen. Zij trok snel Hans' gezicht naar zich toe, kuste hem op zijn wang, fluisterde dat ze ook heel trots op hem was.

'Mamma gaan we nou?'

Ruben wachtte hen bij de ingang van de kermis aan de Emmastraat op.

'Pap, iedereen heeft het erover. "Je vader heeft gevochten." Kom je mee?' Ruben ging hen voor. Ze volgden hem door golven kabaal, schril krijsen, sirenes, passeerden de luchtschommels, een prehistorische familie die achter bizons aanjoeg en kwamen bij een rond, hoog bouwsel van planken met een omloop waarop twee racemotoren stonden, op hun standaard getrokken. Twee jonge mannen in zwartleren motorpakken lieten de motoren razen om publiek te trekken. Een vrouw in een glitterpak riep in een microfoon dat een voorstelling slechts een kwartje kostte en sensationeel was. Elk optreden werd besloten met een dodenrit.

Margje keek naar Hans toen hij met de jongens naar de kassa liep en kaartjes kocht en verrukt met de kaartjes terugkwam. Die daad vanmiddag was ook revanche. Hij was zichtbaar opgebloeid. Door de dingen die anders waren gegaan dan hij gedacht had, geloofde ze. Nu was hij een man die van het leven genoot. Een spontane man, heel knap om te zien.

Ze beklommen de trap die naar de omloop leidde. Via een trap binnen bereikten ze de tribune en bevonden zich in een cabine, in een halfduistere ronde ton, alleen verlicht door lampen bij de startplaats, een schuin naar de grond aflopend platform. Sigaretten moesten worden gedoofd. Twee motoren begonnen achter elkaar rondjes te draaien, klommen geleidelijk aan steeds hoger tegen de steile wand. Ze bleven tot vlak onder de brede, rode streep die vlak onder de bovenrand liep. De cabine vulde zich met de geur van benzine. De machines draaiden steeds sneller. Het leek of de motoren tegen de wand zaten vastgeplakt. De uitlaten spuwden vuur. Hans tilde Haran op zodat hij beter kon zien en dacht aan de blauwe limousine van de Heer met zijn vele pk's, op de bandijk van Lathum.

De motoren lieten zich terugzakken naar de bodem. De dame in het goudgele glitterpak maakte een handstand op het stuur van de motor en de motorrijder werd geblinddoekt. Iemand hield hem twee vingers voor. 'Drie,' riep hij. Hij kon dus niets zien. De dodenrit begon. De geblinddoekte begon rustig rondjes te rijden, zijn kameraad, ook geblinddoekt, reed in tegengestelde richting. De vrouw maakte met haar benen fietsbewegingen, de motorrijder liet zijn stuur los. De snelheid nam toe. Beiden naderden de rode streep. Als je wilde, kon je ze aanraken.

'Hans, ga alsjeblieft achteruit met hem,' riep ze boven het lawaai uit.

Hij hoorde haar niet. In vervoering keek hij toe, ademde met plezier de benzinelucht in, zijn helderblauwe ogen vertroebeld, als aangeraakt door een verstikkende passie. Hij genoot. De motoren passeerden elkaar met feilloos gevoel voor richting, de rijders trokken als op een geheim teken hun blinddoek af, de motoren zakten beheerst naar beneden. De voorstelling was afgelopen. Iedereen applaudisseerde.

'Ruben,' zei hij, 'ga nog vier kaartjes halen.' Hij gaf hem geld. Hij lachte van plezier. Welke God was nu in hem gevaren? Zij was verrast. Zo had ze hem in lange tijd niet meegemaakt. Hij zou, als zij er niets van zei, hier al zijn geld opmaken. Het was onontkoombaar, hij kon er zich niet aan onttrekken.

'Pappa is blij,' zei Haran. Dus het was zelfs de jongste opgevallen.

In de schiettent maakte hij indruk op de schietbaas door geen schot te missen, en hij kreeg een bruine teddybeer cadeau die hij Haran gaf.

Ze kregen nog een kaneelstok en een suikerspin. Margje zei op de terugweg tegen hem dat ze steeds aan het schoolplein in Lathum had moeten denken, 'aan de lappen die je uit je boodschappentas trok en voor je uitspreidde.'

H 55 / pag. 243

Hans wordt regelmatig door zijn afnemer Weidema vernederd. Zo ook in het nu volgende hoofdstuk 55. In hoofdstuk 57 ontdekt hij Chris Ibel, een van de predikers, slapend in Hans' voormalige vrijgezellenhuis. Het is november en koud. Ook zijn er opnieuw geldproblemen.
Dit hoofdstuk komt na hoofdstuk 56.

Er stond een gemene vrieswind die overal doorheen trok. De vorst was vroeg ingevallen. De banden van de bakfiets deden de bevroren sneeuw kraken. Hij reed niet te hard, bang om te slippen. Ter hoogte van Bronbeek gebruikte hij voorzichtig de rem.

Rond de beelden in het park was bekisting aangebracht tegen het stukvriezen.

Een mooie bestelling van Weidema in de Steenstraat. De veertig bloeiende gloxinia's had hij in dubbele kranten ingepakt en van boven dichtgespeld. Zo zou de vorst geen vat op hen hebben.

Hij trapte rustig verder, passeerde de Bronbeeklaan, de Huygenslaan, dacht aan het verhaal dat Chris Ibel hem verteld had. Er was eens een patiënt in de kamer van een dokter. De patiënt was erg ziek en zou waarschijnlijk niet meer beter worden. Hij vroeg: Dokter, u bent een christen, kunt u mij vertellen wat sterven is? De dokter dacht na, zei toen: Ik heb een herdershond, die nog nooit in mijn spreekkamer is geweest. Ik ga die hond roepen en dan moet u goed opletten wat er gebeurt. De dokter deed de deur open, riep de hond. De hond kwam door de gang aanlopen, bleef op de drempel staan, dacht: wat een vreemde ruimte is dit? Toen zag hij zijn baas, vloog op hem af. De dokter vroeg de patiënt: Heeft u het begrepen? Sterven is in een ruimte komen waar je nog nooit geweest bent, maar Iemand wacht op je.

Hij trapte tamelijk vrolijk verder. Hij zou direct tachtig gulden beuren. Later, als zijn tijd gekomen was, hoefde hij niet bang te zijn. Het eeuwige leven wachtte. Misschien kon hij daar zijn werk voortzetten, verbleef hij daar eeuwig tussen de velden scabiosa en brandende liefde, en had hij geen last van pijnlijke oren van de kou zoals nu.

Het was een druk moment van de dag. Mensen haastten zich over het trottoir van de Steenstraat. Hij parkeerde zijn bakfiets, zette hem op de rem en tilde de zware kist met planten op. Weidema was met een klant bezig, maar zag hem wel. Hij deed de winkeldeur niet voor Sievez open. Die moest de kist eerst op de grond zetten, de deur openen, een voet tegen de deur zetten, én de kist optillen, die maar op het nippertje door de deur kon. Het lukte allemaal net. Het was voor Weidema een kleine moeite geweest hem even te helpen en de deur open te houden.

Hij haalde de planten uit de kist en zette ze op de grond in de werkplaats. Toen Weidema de klant had geholpen, wikkelde hij het papier van een van de planten.

'Kijk 's, Sievez. Daar kan ik geen bier van brouwen.' De lila bloemen waren bevroren, ondanks de dubbele krant. Weidema controleerde ze allemaal. Een zestal had de tocht overleefd. De rest kon Sievez weer mee naar huis nemen. Hij rekende zes gloxinia's af. Dat was twaalf gulden. Dit keer gaf hij hem geen rotzooi van onder de werktafel mee, noch bestellingen voor de hooggelegen buitenwijken.

Margje vroeg hem toen hij thuiskwam: 'Hoe kan dat nou? Het is niet de eerste keer dat je planten met vorst naar de stad brengt.' Ze had op het geld gerekend en was teleurgesteld. 'Kom in de kamer, ik heb warme kleren bij de kachel hangen.'

Liquidatie

Vanuit het dorp kwamen flarden muziek. Daar marcheerde een drum- of harmonieband die zijn nieuwe uniformen aan de bevolking wilde tonen. Winfred had wel andere dingen aan zijn hoofd.

Zijn vader, het boek in zijn handen, de lichtblauwe ogen vol begeerte, hief het hoofd naar zijn vijftienjarige zoon die op enige afstand van het groepje stond. De jongen keek schichtig naar de beide mannen aan weerszijden van zijn vader. Beiden droegen donkere trouwkostuums glimmend van de ouderdom. Tussen hun knieën stonden geopende koffers van gebarsten zwart leer, vol vette, beduimelde boeken.

De vader zei: 'Ga vragen of moeder nog geld heeft.'

'Moeder heeft geen geld.'

'Zeg dat er nog een nota voor inpakpapier betaald moet worden.'

'Je weet dat zij geen geld heeft.'

'We doen er twee tientjes af,' stelde een van de colporteurs voor. 'Dan wordt het zestig gulden. Geen geld voor zo'n heerlijk werkje met persoonlijke predicaties van Calvijn en Luther. Heel zeldzaam.'

Winfreds vader knikte.

Om hen heen was alleen het gespat van druppels te horen. Vanuit de nok vielen ze gestaag neer op al gevormde plasjes. In natte greppels groeiden tot vijf meter hoge moerasvarens. De mannen zaten op een stenen muurtje.

Het kleine bedrijfje van zijn vader bezat slechts één broeikas, met wat land eromheen voor de zomerbloemen. Heel moeizaam kwamen ze rond van een inkomen, onder het bestaansminimum. Maar zijn vader was heer en meester op zijn eigen land. Beter kleine baas dan grote knecht. Na schooltijd was Winfred altijd in de broeikas te vinden die in compartimenten was verdeeld. De moerasvarens groeiden in het natste gedeelte, de varensoorten die een droger klimaat vereisten in het verste gedeelte. Winfred had een voorkeur voor de hoge, druipende moerasvarens. Ze stonden in lange rijen rond een bassin waarin leidingen uitkwamen, aangesloten op goten die buitenom liepen en het regenwater opvingen. In deze vochtige besloten ruimte waar de zwarte turfmolm zich onder je voeten leek uit te wringen en het donkere water langs je voeten wegsijpelde, voelde hij zich tot voor kort altijd veilig.

Zijn vader was bekeerd en lid geworden van een religieuze broederschap, waartoe Winfred en zijn moeder geen toegang hadden (geen toegang wilden hebben). Sinds die tijd verschenen er regelmatig colporteurs op de kwekerij. Ze spraken een gebed uit en probeerden hem dan dure stichtelijke lectuur aan te smeren. Als zijn moeder de colporteurs zag komen, tikte ze met haar trouwring hard tegen het raam. Dan keerden ze terug naar de straat. Even later trof Winfred ze toch bij zijn vader aan, waren langs achterpaadjes het bedrijf opgekomen, hielden hem van het werk af.

Sinds die bekering had zijn vader minder belangstelling voor de zaak, voor zijn vrouw, voor zijn enige zoon. Hij leek zich vooral druk te maken over het heil van zijn ziel, en zag vol eerbied op tegen de colporteurs, in wie hij sterke gelovigen zag.

Zijn vader draaide het boek rond in zijn handen.

'We doen er nog een tientje af,' zei de andere colporteur.

De vader keek naar zijn zoon.

'Ik ga wel kijken,' zei Winfred, opende de tussendeur naar de werkplaats waar de lucht veel droger was. Waar zijn vader met die beide sombere mannen vertoefde, leek ineens alle vocht van de wereld bij elkaar te komen. Winfred rende naar het woonhuis. Zijn moeder was in de keuken bezig.

'Zijn ze er weer?'

'Nee,' loog hij. 'Pappa is alleen.' Hij zei een boek te zoeken, want hij ging zo naar Jacques, zijn vriend, om samen met hem te studeren. Beiden zaten in de derde van het Thorbecke Lyceum in de stad.

Op zijn kamer trok hij de onderste la van zijn bureau open, vond op de tast onder een map twee briefjes van vijfentwintig, die hij juist gisteren verdiend had. Winfred gaf in het voorbijgaan zijn moeder snel een kus, rende terug naar de kwekerij, daalde een stenen trapje van drie treden af, want de broeikas was gedeeltelijk in de grond gebouwd om vocht en warmte beter vast te houden. Hij stopte zijn vader het geld in de hand, die het direct aan de colporteurs gaf. De mannen spraken nog een snel gebed uit, pakten hun koffers in, gaven zijn vader een hand en wensten hem sterkte in de strijd tegen de duivel. Welke duivel? Welke verleiding? Zijn vader werkte dag en nacht op zijn stukje land.

Jacques was de zoon van een notaris. Hij kon het onderwijs, zelfs met veel bijlessen, nauwelijks volgen. Vandaag hadden ze een proefwerk wiskunde gehad. In de pauze kwam hij direct naar Winfred toe.

'Ik heb het verknald,' zei hij.

Een groepje leerlingen naderde. Jacques, groot van gestalte, legde vertrouwelijk een arm om Winfreds schouder, nam hem apart, zodat de anderen hem niet konden horen.

'Wat heb je ervoor over?' fluisterde Winfred.

'Een geeltje.'

Winfred schudde zijn hoofd. 'Te weinig.'

'Twee geeltjes dan.'

'Het wordt me te link.'

'In dat gedeelte komen ze nooit. Drie geeltjes dan?'

'Oké.' Als Jacques dit jaar weer bleef zitten, zou zijn vader hem naar een streng internaat sturen. Hij had er alles voor over om goede cijfers te halen. Jacques liep de school in. Hij zou op de uitkijk blijven bij het fonteintje, naast de kast met de opgezette vogels. Vanaf dat punt kon hij de hele gang overzien, zou bij onraad Winfred tijdig kunnen waarschuwen.

Winfred liep naar de achterkant van het schoolgebouw. Vlak tegen de ramen aan die zijde was hoog struikgewas opgeschoten. De docenten van het Thorbecke hadden elk hun eigen lokaal. In de pauze lieten ze hun tas met proefwerken op de tafel liggen en sloten de deur af. Jacques had er al voor gezorgd dat een benedenraam op een kier stond. Winfred was lenig en klom zonder moeite op de hoge vensterbank. Voor hij de tas opendeed om het proefwerk van zijn vriend te pakken, keek hij of Jacques op de gang stond. Deze stak een hand op. Winfred vond het bundeltje proefwerken, zocht die van Jacques en hemzelf op en bracht zoveel verbeteringen aan (met de pen van zijn vriend) dat hij op een ruime voldoende uit zou komen. Winfred ruimde de blaadjes weer op, gaf Jacques een teken dat hij klaar was en verliet via het raam het wiskundelokaal. Op de parkeerplaats achter de school wachtte zijn vriend hem op, rekende af.

Thuis trof hij zijn moeder, staande bij de keukentafel, met de rug naar de deur.

'Mam, wat is er?' Ze draaide zich naar hem toe. Hij had zijn moeder nog nooit zien huilen.

'Pappa is weggegaan,' zei ze.

Vanmorgen tegen elven was hij de keuken binnengekomen. Ze dacht dat hij kwam koffiedrinken, maar hij wilde geen koffie en was direct door naar boven gelopen. Ze had hem nageroepen: 'Wat zoek je toch?' Hij had geen antwoord gegeven en was even later beneden gekomen, in zijn zondagse kostuum, midden in de week, terwijl op de kwekerij zoveel te doen was. Zijn moeder had hem toen gevraagd: 'Wat ga je doen?' Hij, onwillig: 'Dat weet je toch wel! Je vraagt naar de bekende weg.' Hij was langs haar heen gelopen, naar buiten toe.

'Maar je kunt het bedrijf toch niet aan zijn lot overlaten?'

Hij: 'O, je gunt het me niet.' Zonder nog iets te zeggen was hij weggegaan, het pad uitgelopen.

Winfreds vader was op weg naar een boerendeel, in de buurt van Barneveld of Ede, om een dienst van de broederschap bij te wonen. Van de gelovigen die daar bij elkaar kwamen, bleek hij de zwakste in het geloof. Hem was te verstaan gegeven dat hij de hagenpreken met grotere frequentie diende te bezoeken, opdat hij meer genade deelachtig zou worden.

Winfred troostte zijn moeder. Ze zouden zijn vaders afwezigheid zo goed mogelijk opvangen, proberen de kwekerij draaiende te houden.

'Jij hebt de school,' zei ze. 'En wij kunnen toch geen planten kweken.'

Winfred bond met blank raffia een stengel op die doorboog onder de last van sporenzaden, en dreigde te knakken. Speurend liep Winfred door de broeikas. Je moest steeds oppassen dat je niet uitgleed. Hier, een slakkenspoor. Dat vroeg om slakkendood. Daar, in het flauwe licht, onder het aanhoudende gedruppel, in een rafelige spleet van de bemoste bassinrand een nest pissebedden. Hij nam er een paar in zijn hand. Met hun flonkerende dekschild rolden ze zich op tot parelgrijze harde balletjes.

In de werkplaats, gescheiden van de eigenlijke kas, was het juist de droge hitte die je de adem benam. Rietmatten op de ramen hielden de scherpste zon tegen. Op schappen knisterden in door de zon vergeelde papieren zakken dorre varenbladeren. Boven de werktafel, waar gezaaid, verspeend en opgepot werd, hing aan een spijker een vergiet dat zijn moeder niet meer gebruikte. Op de grond, op een komfoor, stond een wasteil, zo oud dat vlak onder de rand er gaten in gevallen waren. Winfred vulde de teil met bladaarde, stak het komfoor aan. Na een tijdje begon de aarde te koken. Damp kringelde vlak boven de aarde. Hij nam een handvol van de nu bacterievrije aarde, vulde er een rond roodstenen zaaibakje mee, pakte een van de papieren zakken van de schap, schudde hem leeg boven het vergiet. De donkerbruine sporen vielen in de aarde. Ongerechtigheden van de nervatuur bleven in het vergiet achter. Hij had dit zijn vader zo vaak zien doen. Hij was altijd op de kwekerij. Winfred miste hem. Over een maand, na dagelijks zorgvuldig broezen van het zaad, zouden de voorkiemen opschieten en zou een lichtgroen waas de grond bedekken. Het zou nog zeker drie jaar duren voordat daaruit volwassen verkoopbare varens waren gekweekt.

Waar bleef zijn vader? Hij behoorde hier te zijn. Waarom kwamen er bijna geen klanten? Ze bleven weg, begrepen dat de zaak al aan het vervallen was.

'Nee, ik doe het niet meer,' zei Winfred tegen zijn vriend. Hij wilde hem dwingen tot hogere bedragen. Er was thuis altijd geld tekort.

'Honderd gulden.'

'Maak er tweehonderd van.' Winfred werd grof. Hij speelde met zijn vriend, wist dat die er ondanks de stiekem aangebrachte correcties toch slecht voorstond.

'Akkoord,' zei Jacques

'Je houdt de zaak wel goed in de gaten, hè?' Maakte Winfred zich ineens zorgen? Voelde hij aan dat iets onherstelbaars ging gebeuren?

'Zoals altijd.'

Winfred verdween achter de school, keek om zich heen of hij op de parkeerplaats geen docent zag, wrong zich tussen de struiken door. Er kon hem weinig gebeuren. Het was dit hele jaar al goed gegaan. Hij hees zich op de hoge, brede vensterbank, schoof het raam omhoog, klom naar binnen. Die donkere schim in de gang, tussen het fonteintje en de kast met stoffige dode vogels, was toch Jacques? Jacques, rijk maar te dom voor het middelbaar onderwijs. Het leverde Winfred geld op. Hij opende de tas van de leraar, zocht snel naar het proefwerk van zijn vriend, begon met verbeteren, toen de deur openging. De leraar wiskunde stond in de deuropening, vroeg wat hij daar uitvoerde. Winfred zat daar aan de tafel, op het podium en kon geen antwoord geven. Had zijn vriend hem er ingeluisd?

Achter de leraar aan liep hij naar de kamer van de rector. Winfred gaf toe dat hij dit werk al twee jaar voor Jacques deed.

'Jacques maakte toch geen enkele kans,' zei de rector. 'Zijn vader heeft hem al een halfjaar geleden voor het internaat opgegeven.'

Winfred wist dat hij de rest van zijn leven de anderen, de rijke klasse, zou wantrouwen en verafschuwen.

'We kunnen je niet langer handhaven.' Hij hoorde de woorden van de rector wel, maar ze gingen deels langs hem heen. Er zou een andere school worden gevonden, waar hij met een schone lei kon beginnen. Eerste zorg was hoe het thuis moest. Pappa was steeds vaker weg, verwaarloosde de kwekerij om zijn ziel te redden. Klanten zag je nauwelijks meer. Geen dag ging voorbij of schuldeisers stonden op de stoep. Zijn ouders groeiden steeds meer uit elkaar. Het lukte hem niet ze bij elkaar te houden. Dat alles had hij kunnen aanvoeren. Ze zouden zijn straf ongetwijfeld lichter hebben gemaakt. Misschien hadden ze hem dan toch nog, onder zekere condities, kunnen handhaven.

Wat had de rector met de situatie thuis te maken?

Hij onderschepte de brief die de school aan zijn ouders schreef.

Een dure auto stopte voor het huis. Drie heren met aktetassen stapten uit.

'Wie zijn dat, Winfred?' Mamma's blik verstrakte. Ze zag er gespannen uit.

De heren liepen het middenpad naar de kwekerij op. Winfred had namens zijn ouders bij de gemeente een aanvraag tot sanering ingediend. Er werd niets meer verkocht. Er was geen inkomen meer. De schulden die in de loop van de jaren gemaakt waren, bleken groter dan voorzien. Sanering betekende dat het bedrijf werd afgestoten, dat de teeltvergunning werd ingetrokken. De gemeente zou voorlopig de schulden betalen en het gezin van een maandelijks inkomen voorzien. Deze status quo gold voor de duur van tien jaar. Daarna zou het bedrijf met opstal worden verkocht. Van de opbrengst kon alle schuld aan de gemeente worden afbetaald.

Zijn vader leek dit alles te ontgaan. Hij zat aan zijn bureau te lezen, lag geknield voor de keukenstoel, of was er niet. Hij had dit stukje land vóór zijn huwelijk gekocht. Met hartstocht had hij hier zijn bijzondere planten gekweekt. Nu leek het wel of door een barst in zijn ziel alle belangstelling daarvoor was weggestroomd.

'Waarom komen ze met z'n drieën, Winfred? En met zo'n dure auto? Daar betalen wij onze belasting aan.'

Winfred suste zijn moeder.

'Word alsjeblieft niet boos op ze. We hebben ze nodig. Als die sanering niet doorgaat, moeten we ook nog het huis uit.'

Zijn moeder bleef binnen. Winfred volgde de ambtenaren die zich over het terrein verspreidden. Ze droegen lichte regenjassen, hadden gladgeschoren gezichten, deden gewichtig. De een rolde een metalen meetlint uit, de ander noteerde. De derde was de kas ingelopen. Winfred hield ze alle drie zo veel mogelijk in de gaten, bedwong zijn opstandigheid. Na enkele uren kwamen ze in de werkplaats bij elkaar, vergeleken hun notities, hun bevindingen. Winfred, op afstand, luisterde naar hun ernstige gemompel.

Ze vertrokken, zeiden genoeg informatie te hebben.

In de weken die volgden kwamen heren van een borgstellingsfonds, van de regionale Dienstverlening Kleinbedrijf, fiscale experts die de boeken inkeken. Ze kwamen nooit alleen, waren altijd met z'n drieën of vieren, reden onveranderd in dure auto's.

'En wij betalen daarvoor,' kon zijn moeder niet nalaten weer op te merken. Het was haar manier om haar hart te luchten. Wat hadden vreemden met hun boekhouding te maken?

Daar had je er weer een paar.

'Mamma, rustig nou.'

'Ze scheppen er stiekem genoegen in dat het hier misgaat.'

De aanvraag tot de sanering werd toegekend. Winfred ging collega's van zijn vader langs. Hij hoopte dat ze voor een flink bedrag de leverbare planten zouden opkopen.

Ze zeiden: 'We kunnen ze eigenlijk niet gebruiken. We zitten zelf vol. Omdat we je vader mogen, zullen we jullie zo veel mogelijk helpen.' Voor een habbekrats haalden ze de tabletten, de schappen leeg. De verwarmingsbuizen kwamen bloot. In de hoeken ontmoetten ze elkaar in de wonderlijkste bochten en krommingen.

Op de dag dat geen plant meer in de kas stond, kwamen twee heren van de gemeentelijke sociale dienst. Ze liepen naar de broeikas. Een haalde uit zijn tas een eenvoudig hangslot tevoorschijn. Winfred en zijn moeder hielden hun adem in. De kas lag in vlammend zonlicht. Je ogen deden er pijn van. In de luchtramen die openstonden bewogen rode flitsen.

Je kon je schouders schrap zetten tegen die deur. Hij bleef gesloten. Nooit meer zouden hier moerasvarens met hun lange, zwarte wortelstokken gekweekt worden. Of andere varens – de pteris, de wimsetti, de rondbladige pellea. Hun namen alleen al zijn zo welluidend.

Je moet je helemaal blootgeven

Aan de voordeur werd gebeld. Het was een zomerse dag en we zaten buiten, achter het huis, met de rug naar de bloemisterij waar sinds vaders ziekte geen planten meer werden gekweekt. Moeder dopte een mand erwten, vader staarde naar zijn handen en ik las *Eenzaam avontuur* van Anna Blaman, voor mijn examenlijst.

'Wie kan dat zijn?' Moeders stem klonk licht ongerust. Vader trok alleen vragend zijn wenkbrauwen op. 'Ga jij eens kijken,' zei moeder tegen mij. Ik liep om het huis heen en zag drie mannen op de stoep staan. Eén droeg een aktetas. Zijn hoofd was nagenoeg kaal, op een paar ongelijke slierten na die over zijn schedel lagen geplakt.

'Wij zijn van de Gemeentelijke Sociale Dienst. U heeft een aanvraag ingediend. Komt het gelegen?' 'Gelegen komt het nooit,' zei moeder vinnig. Ik keek haar smekend aan. Alsjeblieft, doe vriendelijk. We hebben hun hulp hard nodig. Stug vroeg ze de heren dan maar achterom te komen. Halverwege het grindpad bleef ze staan: 'We gaan in de keuken zitten. De buurt heeft er niets mee te maken.'

De drie gemeenteambtenaren begroetten mijn vader en ieder nam plaats. Moeder, onwillig nog steeds, half van hen afgekeerd, bood thee aan. Mij vroeg ze de achterdeur dicht te doen.

De man met het plakhaar haalde papieren uit zijn tas en legde die op tafel: 'Wij komen even een babbeltje maken en wat gegevens opnemen.'

Moeder barstte los: 'Altijd hebben we ons eigen bedrijf gehad en we hadden nooit met iemand iets van doen. Mijn man was op een dag aan het gieten en de gieter is hem uit zijn handen gevallen, zomaar, ontglipt. We dachten eerst nog dat het iets tijdelijks was, een zenuwkramp.' Ze moest even op adem komen. 'Maar nu kan hij niets meer. Hij heeft er geen kracht meer in. Het zou reuma zijn, maar misschien zit er meer achter. Hij kan nog geen kopje thee vasthouden. Wie had kunnen denken dat het zo zou gaan?'

Vader zweeg. Sinds hij niet meer kon werken in de kassen die hij eigenhandig had gebouwd, was hij steeds minder gaan praten. En dit onderwerp vermeed hij eenvoudigweg.

De ambtenaar die niet van zijn papieren had opgekeken, streepte enkele alinea's door: 'Niet van toepassing.' Net toen hij iets wilde zeggen, onderbrak moeder hem: 'Waarom moet u met z'n drieën komen? Wie betaalt dat eigenlijk?'

Gelukkig ging de man daar niet op in. Zijn metgezellen namen een slokje thee.

'Ik begrijp dat er geen enkel inkomen is. In dit soort gevallen voorziet de Algemene Bijstandswet.'

Moeder kromp ineen. 'Ik wil het woord niet eens horen,' fluisterde ze.

De ambtenaar schoof een formulier over de tafel.

'Wilt u dan zo goed zijn dit in te vullen?' Moeder wierp er een snelle blik op. 'Dat dacht ik wel,' zei ze, 'je moet je helemaal blootgeven... Niet dat we iets te verbergen hebben, maar niemand heeft daar wat mee te maken.'

Vader zweeg nog steeds. Hij was het ongetwijfeld met moeder eens, hij liet het allemaal aan haar over, maar zijn ogen, zo heel lichtblauw, namen haar die flinke toon toch kwalijk.

'Ik heb ook begrepen dat er veel onbetaalde rekeningen liggen. Bloemisterijartikelen, eenruiters, bloempotten, raffia, potaarde, stopverf, inpakpapier, zaaibakken. En dan nog verschillende nota's van vaste lasten. U zult toch moeten eten...'

Terwijl ik mij deze scène voor de geest haalde, reed ik via de Hoofdstraat mijn geboortedorp binnen. Stichting Literair Café Velp had mij uitgenodigd voor een lezing over mijn werk in Kunsthuis 13, gevestigd in een villa aan de Kastanjelaan, tegenover het station.

De Kastanjelaan wekte verdrietige herinneringen, die ik verdrong. Kunsthuis 13 was nieuw voor mij. Het scheen een begrip te zijn, maar ik was lange tijd niet in Velp geweest. Wat had ik er nog te zoeken? Mijn ouders leefden niet meer, helaas. In het ouderlijk huis woonden vreemden en op het erachter liggende land, waar de broeikassen waren en de velden met dahlia's, waar mijn vader dag en nacht werkte voor een inkomen ver onder het minimum (de term bestond toen nog niet), stonden nu dure bungalows. Eerst had ik de organisatie laten weten dat ik niet op het verzoek inging. De secretaresse van het Literair Café reageerde met een persoonlijke brief, benadrukte dat veel lezers erg teleurgesteld zouden zijn, dat mijn honorarium verhoogd kon worden. Ik zwichtte.

Aan weerszijden van de Hoofdstraat zag ik nog een enkele winkel waar mijn moeder haar boodschappen deed. Verderop, links, lag Avondzon, het bejaardentehuis voor de beter gesitueerden. Mijn ouders zouden zich er niet eens thuis gevoeld hebben. Aan mijn rechterhand de laan die naar kasteel Biljoen voerde. Ik was het dorp alweer uit. Vreemd, in mijn boeken heeft het zo'n magisch centrum. Ook daar zou ik vanavond iets over kunnen zeggen: de stijl, die het alledaagse glans verleent...

Ik was ruim op rijd. Na het spoor sloeg ik linksaf de Kastanjelaan in. 13, dat moest de volgende villa zijn, met die parking in plaats van een voortuin... en daar... naast de voordeur, groot en 'en reliëf' nu, het nummer... 13, daar zat vroeger de GSD. Gehaast reed ik voorbij, nam de volgende overweg en parkeerde met kloppend hart mijn auto op het plein voor het stationsgebouw. Vanaf hier kon ik ongezien naar het kunsthuis kijken.

De eerste bezoekers gingen naar binnen. Via de plaatselijke

boekhandel of bibliotheek hadden ze voor vijftien of twintig gulden een kaartje gekocht; zij kwamen met een zekere verwachting naar Kunsthuis 13. De affiche achter de ramen kondigde mijn optreden aan. Diezelfde affiche zag ik ook in de kleine wachtkamer van het station.

Samen hielpen we vader instappen. De reuma had nu ook de gewrichten in zijn voeten aangetast. Moeder keek ons na.

Ik had gevraagd of het niet mogelijk was het geld wekelijks over te maken. Dat kon niet. De uitkering moest persoonlijk worden afgehaald. Een machtiging behoorde evenmin tot de mogelijkheden.

Al voor de Kastanjelaan zagen we het bord Gemeentelijke Sociale Dienst. Wij naderden nummer 13. Vader hield mijn arm vast, alsof hij bang was dat hem iets zou worden aangedaan. Een flink eind voorbij de gele villa zette ik mijn auto aan de kant. 'Pappa, tot zo.' Ik rende naar het gebouw, wierp een blik in de vestibule waar de loketten waren, zag dat er geen bekende van vader op een van de banken tegen de wand wachtte tot hij aan de beurt was, rende terug. En reed achteruit tot voor nummer 13.

De uitbetaling nam altijd veel tijd in beslag. Dat duurde en duurde! Er moesten stempels worden gezet, vader moest enkele keren zijn handtekening plaatsen. Pijnlijk, met zijn misvormde vingers. Soms begon hij een vraag, in opdracht van moeder, maar die werd al snel onderbroken. Daarvoor moest hij in een ander gebouw zijn. Terwijl mijn vader bij het loket stond, hield ik de buitendeur in de gaten. Elk moment kon er een bekende binnenkomen.

De oude Woestenenk bijvoorbeeld, een los werkman, die in de 'goede tijd' voor vader de grond omspitte, of Oosterwegel, een bosarbeider die in de herfst met paard en wagen beukenblad bracht, een essentieel bestanddeel van bladaarde. Voor niemand wilde hij het weten.

Op weg naar huis liet vader soms los: ''t Is toch zonde... dat het zover heeft moeten komen.' Of hoofdschuddend: 'Ach, m'n jongen, ze laten je je eigen bedrijfje opeten.' Want de kassen waren verzegeld. Bij zijn dood zou de grond met opstal worden verkocht en met dat geld zou een deel van de schuld aan de gemeente moeten worden afbetaald.

Ik probeerde hem op te vrolijken, herinnerde hem aan de vlierdoppen die hij sneed voor mijn pijlen, de boog van wilgenhout die hij tussen zijn knieën spande... Er kon geen lachje meer af, maar het deed hem, geloof ik, wel plezier dat ik die dingen niet vergeten was.

Eén keer heb ik voorzichtig gevraagd of wij niet na sluitingstijd mochten komen. Daar konden ze bij de Dienst natuurlijk niet aan beginnen. Als iedereen zo overgevoelig was, konden ze wel de hele nacht openblijven.

De parkeerplaats voor Kunsthuis 13 stond nu vol auto's. Nog haastten zich mensen naar binnen. Ze waren nieuwsgierig naar de schrijver die in dit dorp was geboren. Deze observeerde hen nu vanaf de overkant. Het was precies acht uur, ik had er al moeten zijn. De organisatie van een literair café verwacht de spreker ruim voor aanvang.

De bezoeken aan de Sociale Dienst hebben slechts een halfjaar geduurd. Vader ging snel achteruit. De laatste keer kon hij zelfs met hulp van moeder en mij nauwelijks uit de auto komen. Moeder had wel gelijk gehad: het was niet alleen gewrichtsreuma. Vader had longkanker.

Het is halfnegen geworden. Het publiek zit met smart op mij te wachten. Leden van de organisatie komen naar buiten om te kijken waar ik blijf. Ik had kunnen bellen: pech met de auto, ben er met een paar minuten. Ik zit maar naar dat gele gebouw te staren. In het avondlicht worden de contouren steeds vager. Zeker, een gretig publiek had zoveel aardige details kunnen horen over de idyllische kwekerij van mijn vader, de veelkleurige dahliavelden, de dromerige ijsplantjes. Of over de gele limoenappel die vader bij mijn geboorte geplant heeft en die grote sappige vruchten gaf. Met op de schil die verharde bruine plekjes, eigen aan dit ouderwetse appelras.

Tegen negenen zag ik mensen wegrijden. Ze zouden woedend zijn. Terecht.

Ik ben daar gebleven tot alle lichten in het gebouw waren gedoofd.

Eigen teelt

Stapvoets reed de kleine rouwstoet de steile Zandlaan af. Er was slechts één volgwagen. Daarin zat ik. Mijn buurman had geen familie. Zijn vrouw, die ik nooit gekend heb, had hij jong verloren. Het huwelijk was kinderloos gebleven. Buiten de bebouwde kom kregen de auto's meer snelheid.

Op de begraafplaats hield een oude broeder van de geloofsgemeenschap waarvan mijn buurman lange tijd lid was geweest, een predicatie. Hij wees op de realiteit van het graf. Op Christus. Onder het gehoor waren enkele mensen uit de buurt en ikzelf.

Enkele dagen na de begrafenis kreeg ik bericht dat ik op het kantoor van de plaatselijke notaris werd verwacht. Tot mijn verbazing bleek dat Theo Oosterwegel mij zijn huis en bedrijf met opstal vermaakt had. Natuurlijk, ik had hem vanaf mijn vroegste jeugd gekend. Ik had daarna mijn geboorteplaats verlaten, maar wel altijd contact met hem gehouden. Als ik in het buitenland verbleef, schreef ik. Ik heb nooit mijn vader gekend, misschien was ik daarom zo op hem gesteld. Nog geen jaar geleden liet hij me weten dat mijn ouderlijk huis – gelegen naast het zijne – leeg stond. Geen ogenblik heb ik geaarzeld. Ik richtte het in met moeders meubilair, dat ik om redenen van piëteit niet in andermans handen wilde zien en bij een boedelbedrijf had laten opslaan.

Oom Theo, want zo noemde ik hem van jongs af aan, zou volgende week achtenzeventig geworden zijn. Was ik werkelijk zo verrast? Moest ik mezelf niet toegeven dat ik behoorlijk teleurgesteld zou zijn geweest als hij zijn bezit toch vermaakt had aan die onduidelijke sekte? Voor *mij* bleek alles wat hij bezat. Hij wilde dat ik de strijd zou voortzetten. Op zijn kostbare grond werd geaasd. Ha, mijn buurman kon op mij rekenen. Als er een hemel bestond zou hij zich daar nu bevinden en voor zover hij mij daarvandaan kon zien, zou ik ervoor zorgen dat hij trots op mij kon zijn.

Maar in 's hemelsnaam, waarom dat tragische einde? Met z'n tweeën hadden we sterker gestaan!

Zijn kleine bedrijf – een tuincentrum met één broeikas – bevond zich als een gesloten domein tussen de diepe achtertuinen van kapitale villa's, gelegen aan de Rozendaalsingel, en een park met hoge bomen, waaronder zelfs enkele eeuwenoude sequoia's. In dat park lag bejaardentehuis Avondrust. Alleen 's winters, als de inheemse soorten hun blad hadden verloren, waren de hoogste etages zichtbaar. Het woonhuis stond aan de Zandlaan.

Vanaf het moment dat ik kon lopen, kwam ik op zijn kwekerij. Zelfs daarvoor ben ik er geweest, getuige de foto's die van mij op het middenpad gemaakt zijn, in de kinderwagen, met mijn moeder. En met oom Theo, in de zon kijkend, een stompje waarschijnlijk gedoofde sigaar tussen zijn lippen, glimlachend. Hij was van nature een vrolijk man.

Over zijn terrein liep een *eigen weg* die Zandlaan en Rozendaalsingel met elkaar verbond. Halverwege lag een waterbassin; aan weerszijden velden met coniferen, bedden met violen en vaste planten. In de uiterste hoek, waar een oude limoenappel stond en de hoge muren van een voormalige oranjerie de warmte vasthielden, waren tabaksplanten gepoot. Een overblijfsel uit de oorlog, toen mijn buurman niet meer aan sigaren kon komen. De bladeren liet hij drogen en fermenteren in de broeikas. Een kennis die in een sigarenfabriek werkte maakte er sigaren van.

Hij was aan de scherpe smaak gehecht geraakt en ze na de oorlog blijven roken. Alleen aan het eind van de zaterdagmiddag, als hij de beide toegangshekken gesloten had, en op zijn zelfgetimmerde bankje – bij mooi weer buiten op het middenpad, bij smerig weer binnen in de werkplaats – de voorbije week overdacht, stak hij een Willem II op. Eerst de toebereidselen tot het genot: hij rook eraan, wikkelde behoedzaam het oranje bandje los. (Een oude schoenendoos met honderden banderoles bezit ik nog steeds). Op zijn gezicht al de gespannen verwachting van wie op korte termijn iets heerlijks tegemoet kan zien. Keek dan zijn sigaar aan, als was hij een oude kompaan. Hij stak 'm op, zijn blik vaag van genot. Allesoverheersende zaligheid (een woord dat híj in deze profane betekenis nooit in zijn mond zou nemen).

Ik was meer bij hem dan bij mijn moeder thuis, kende alle verborgen hoekjes in dit domein, kende de geuren van de in volle bloei staande heesters, volgde het glinsterende spoor van een slak, speelde met zelfgevouwen bootjes in het waterbassin, ontdekte soms een pad in de broeikas, zich koesterend vlak onder het glas, op het tablet. Dan waarschuwde ik in koortsachtige opwinding oom Theo. Een pad was bijna een heilig dier, hield de planten schoon van slakken. Maar liet zich een zomerseizoen geen pad zien en stond er vaak harde wind op de schuine vlakken van de kas, dan was de kans groot dat door tocht planten onder het ongedierte kwamen. Dat moest worden uitgerookt.

Altijd was ik bij hem, hielp hem, hoe klein ik ook was, met planten scheuren, dode bloemen uitsnijden, dahlia's 'dieven', de paden aanharken. Het was een ordelijk en fris bedrijf. De planten stonden ingegraven in onberispelijke rijen. Je kon er een meetlat langs leggen. Het inplanten gebeurde ook langs een lijn, die ik met een haspel mocht afrollen. Nergens lagen scherven van kapotte bloempotten die zo menig tuincentrum ontsieren. Tuinafval kruiden we naar de vuilnisbelten, uit het zicht, achter de kas, één voor de composteerbare resten, de ander voor de nietcomposteerbare resten. Van sommige planten was het blad zacht als warm bont aan mijn blote benen.

Nog liever zwierf ik tussen de hoge stammen van de zonnebloemen door. De onderste bladen van de stengels waren droog en krakerig omdat er geen zonlicht bij kwam. Ze leken op de gedroogde tabaksbladeren die in huis, op zolder, aan een oude waslijn te drogen hingen. Ik rolde ze voorzichtig op, zoog er een punt aan en stak de brand in mijn eigengemaakte sigaar. Ik imiteerde mijn vriend.

Nog één keer gingen we voor de schemer viel het land rond, controleerden de sloten van de toegangshekken, luisterden naar het gedempte gerucht van vrachtverkeer op de Hoofdstraat en vaak, als we door de bomen heen een glimp opvingen van Avondrust, zei hij tegen mij: 'Hoe bedenken ze toch zo'n vreselijke naam...' Gevolgd door: 'Daar hoop ik nou nooit terecht te komen.' Hij wilde thuis sterven. Dat is ook min of meer gebeurd. Maar wie dacht er aan sterven? Hij was in de kracht van zijn leven.

Ik was een jaar of tien. De zon stond te branden op de ruiten van de kas die tegen het scherpe licht ingekalkt waren. Er werd weinig verkocht. *Vrouwen bloot, bloemen in de goot,* zei oom Theo. Ik loerde op de komst van klanten. De zeldzame klant die kwam, werd door mij uitbundig begroet en ik hoopte dat hij veel geld zou besteden. De paden blikkerden stoffig, toen een echtpaar de kwekerij opkwam. Ze wilde nu een bos gladiolen meenemen en voor de volgende week een bestelling plaatsen.

'Ik zal Oosterwegel voor u halen,' zei ik gedienstig. Ik dacht hem net nog gezien te hebben, maar ik speelde bij het waterbassin en misschien was er toch wat meer tijd verstreken. In de werkplaats en aangrenzende kas was hij niet. Ik rende naar het woonhuis, kwam weer terug, riep zijn naam, keek opnieuw in de groene diepte van de kas, want daar had ik hem het laatst gezien, verwachtte: 'Ja, ik ben hier Sieje!' (zijn koosnaam voor mij, want in werkelijkheid is mijn voornaam Siebe), maar hij liet zich niet horen. Ongerust sprintte ik langs de broeikas op, kneep mijn ogen dicht in het schelle licht. Tuurde tussen de zonnebloemen door. In pre-alarm. Er zou hem toch niets overkomen zijn? Behalve mijn moeder was niemand mij zo lief als juist hij. Ik holde de richting van de rietmattenloods uit, de opslagplaats van bloempotten en inpakpapier, daalde in haast, met drie treden tegelijk, de loodrechte trap naar de stookkelder af. Maar wat had hij hartje zomer in de stookkelder te zoeken? 'Oom Theo,' riep ik zo hard mogelijk. Vervormd, vreemd, klonk de echo van mijn eigen stem. De klanten werden ongeduldig. Ik was bang dat ze weg zouden gaan. Ik had natuurlijk zelf de gladiolen kunnen afsnijden, maar oom droeg het tuinmes waarmee hij boeketten sneed altijd bij zich.

Hij moest er toch zijn! Als hij het dorp inging om blanke raffia te kopen of een pak asef waarschuwde hij me altijd. Ik smeekte de klanten nog niet weg te gaan. Want hij was er natuurlijk, was waarschijnlijk, hoe kon ik dat vergeten, eenruiters aan het repareren in de schaduw van de hoge hulst, die de afscheiding vormde met het park van Avondrust. Ook daar trof ik hem niet. Het echtpaar vertrok nadat ik hun de belofte had afgedwongen dat ze niet naar een andere zaak zouden gaan en over een uur terug zouden komen. Ik gaf het zoeken op. Was hij toch met de fiets het dorp ingegaan? Zijn fiets stond in de schuur. Ik zwierf over de kwekerij en wilde even bij de limoenappel kijken of er verpierd valfruit onder lag, dat vaak al geel en rijp was. Ik nam het smalle paadje tussen de mooi aangeheuvelde, flink opgeschoten tabaksplanten. Daar vond ik hem, voorover op de grond, het zelfgetimmerde bankje omgevallen, een half opgerookte sigaar smeulend tegen de kant. Wat was hier gebeurd? Er moest in ieder geval geweld bij te pas gekomen zijn. Ik knielde bij hem neer. 'Oom, Oom Theo, je bent toch niet...dóód!' Door die woorden hardop te zeggen probeerde ik het ergste te bezweren. Mijn hand had ik in zijn door de zon verbrande nek gelegd, die geruststellend warm aanvoelde. Nee, hij was vast nog niet dood. Door het gerucht van mijn woorden en mijn hand in zijn nek richtte hij zijn hoofd op. Zijn lichtblauwe ogen waren wijd opengesperd; verdwaasd keek hij mij aan, leek zich af te vragen in welke wereld hij verzeild was geraakt. Het was duidelijk dat hij van *elders* kwam. Zijn al licht grijzende haar zat in de war. 'Oom, oom, wat is er toch gebeurd? Ben je ziek? Er waren net klanten voor je, ik heb je overal gezocht...' Hij keek mij aan, maar het was of zijn blik naar binnen was gekeerd. 'Sieje,' zei hij na enige tijd, licht nahijgend, alsof hij iets onvoorstelbaars had gezien en er nog niet over uit kon: 'Sieje, ik heb net met God gesproken, in een geruis van onweer en stormwind...' Het was windstil en de hemel was stralend blauw. 'God heeft mij in mijn kraag gepakt en mij ter aarde doen storten... Het was vreselijk, en heerlijk...' Zijn ogen stonden verwilderd. Hij probeerde overeind te komen, leunde zwaar op mij. Alle kracht leek uit zijn benen te zijn weggevloeid. We slaagden erin de appelboom te bereiken. Langzamerhand kwam zijn kracht terug. Er hing een kalme extase in de warme lucht. Terwijl ik bankje en sigarenpeuk opraapte, voelde ik me klein en verloren bij deze grootse gebeurtenis. Zo vaak greep God niet meer direct in. Dat deed hij in vroeger tijden. Ik had er spijt van dat ik net bij mijn speurtocht deze plek had overgeslagen. Dan had ik kunnen meemaken hoe het gesprek tussen mijn buurman en God verlopen was. De kluiten grond flonkerden als gevernist in de onbarmhartige zon. Ik was trots op hem. Via mijn buurman had ik ook deel aan het onzichtbare.

Hierna veranderde hij. Hoewel opgewekt en blijmoedig was hij nooit het soort man geweest dat schaterlachend grappen vertelde, maar vanaf dat moment was hij veel ernstiger, had een dromerige blik in zijn ogen en sprak over zaken waar ik niets van begreep: aanbod van genade, aanmanende prediking, aanklevende zonden. Hij vertelde me dat hij zich slechts een *beginnende ziel* voelde. Hij had God dan wel persoonlijk ontmoet, maar deze bleef voor hem de Vreemde, de Andere, die niemand ooit geheel eigen werd.

Onverwacht kon hij soms, op een doordeweekse dag, in zijn zondagse kleren gehaast de straat uitlopen. Of hij achterna gezeten werd. Met de bus ging hij dan naar de naburige stad, nam daar de trein, vergat de tuinderij. Mijn moeder en ik zorgden zo goed en zo kwaad als het ging voor de planten, hielpen de weinige klanten.

Eén keer heeft hij me meegenomen. Ik zat toen al op de middelbare school. Hij wachtte bij het hek, zijn gezicht vertrokken. Ik had de indruk dat hij niet alleen durfde te gaan en mij bij zich wilde hebben. Wat stond ons te wachten? In de trein stak hij een Willem II op, hield de sigaar tussen zijn lippen, terwijl de rook nauwelijks zichtbaar omhoog kringelde. Ik waarschuwde hem als de askegel er bijna afviel. Hij zag nog erg bleek, maar leek een beetje tot rust te komen. Zo nu en dan legde hij een hand op mijn knie; ik knikte hem bemoedigend toe.

We stopten bij een klein station. Daar namen we de bus. In een gehucht waarvan ik nog nooit had gehoord en dat Nergena heette, stapten we uit. Tegen een heuvel lagen kleine boerderijen met omwalde akkertjes. Bij de laatste, vlak onder de top, werden we buiten op het erf door twee mannen in zwarte kleding opgewacht. Eén vooral zag er afschuwwekkend uit, met zijn ronde kale schedel en een uitwas zo groot als een duivenei vlak boven zijn stijve witte boord. Ze namen Oosterwegel mee naar de schemerige boerendeel. Van mij trok niemand zich iets aan. Er stonden wat stoelen opgesteld als voor een kerkdienst. Ze waren bezet door zwijgende, in het zwart geklede mannen. De man met de kale schedel begon een gebed. Mijn buurman werd daarna naar voren geroepen. Ik keek toe vanaf de betonnen rand van een varkenstrog, zag hoe hij knielde op de halfvermorzelde deelvloer. Er hing een absolute stilte. Buiten echter tsjilpten ontelbare vogels, zoemden bijen. 'Hebt Gij God waarlijk gezien?' vroeg de voorganger die, zoals ik later zou vernemen, in dit gezelschap de oefenaar heette. Mijn vriend knikte. De vraag werd tot driemaal toe herhaald.

Blijkbaar twijfelde men aan de geloofwaardigheid van de gebeurtenis. Nog steeds op zijn knieën moest hij een lange preek aanhoren. Daarna werd hem gevraagd of hij zich 'helwaardig' achtte. Theo knikte en mocht gaan staan. Strompelend kwam hij overeind. Twee schragen werden binnengedragen en daarop werden planken gelegd. Vier mannen gingen aan de hoeken staan.

Dat waren de tafelwachters. Wijn en brood werden binnengebracht om het Heilig Avondmaal te vieren. De oefenaar benadrukte dat wie zich niet voldoende ter aarde boog, door God geslagen werd zodra hij naderbij zou komen. Na deze preek durfden slechts twee mannen ter tafel te gaan. Mijn buurman bleef ook zitten. Maar in de trein terug stak hij, bijna uitdagend, een sigaartje op.

'Dat nemen ze me niet af,' zei hij en ik geloof dat ik hem nog nooit, met zoveel hartstocht aan een sigaar zag trekken. Boetedoening werd van hem gevraagd. In de winter die volgde stond hij zich bij tien graden vorst met ontbloot bovenlijf uit een emaille teiltje te wassen. Mijn moeder sprak er schande van. Dat zoiets van een mens gevraagd werd. Het leken wel de middeleeuwen.

Het was een erg strenge winter. De planten in de kas waren met de toch al niet moderne stookinrichting nauwelijks goed te houden. Oom Theo had de afgelopen zomer te weinig tijd besteed aan het aansmeren van de ruiten. Er waren te veel kieren waardoor de kou kon binnendringen. Moeder vond op zolder nog oude kleden die we over de zwakste plekken hingen. In de kas heerste schemer. De planten bevroren nét niet, maar er zat ook geen groei in.

Na de les fietste ik zo snel mogelijk naar huis. De vorst hield aan. Vaak ging ik niet eens eerst naar mijn moeder, maar direct naar hem. Ik was bang dat de ketels het zouden begeven, dat de hele cultuur voor de zomer daarmee verloren zou gaan. Mijn buurman zat rustig te werken aan de oppot-tafel, maakte zich geen zorgen. Zodra ik hem zag, zo rustig aan het werk, zijn trouwe sigaar in de mond, vielen ook van mij alle zorgen af en ging ik thuis mijn huiswerk maken.

Op een dag wilde ik vanuit school de werkplaats binnenlopen toen ik daar, behalve Theo, een in 't zwart geklede man aantrof. Ik bleef buiten staan, want beiden waren in gebed. Op de grond stond een rieten koffer, vastgesnoerd met een leren riem. Ik hield mij schuil in de sleuf tussen kas en loods, zoog uit verveling aan een lange ijspegel die vanaf de watergoot tot bijna op de grond hing, gluurde over de rand. Na het gebed maakte de man zijn koffer open, haalde een smoezelig uitziend boek tevoorschijn, prees het aan. Oom Theo pakte het geldkistje van het schap, en telde vier briefjes van tien voor hem uit. Dat vond ik veel geld voor zo'n tweedehands geval. De man sloot zijn koffer, trok de riem goed aan, en vertrok. Ik ging naar binnen. Hij liet mij het boek zien, keek er met bijna verliefde ogen naar. De titel luidde: *Geestelijke brieven*, geschreven door Jan Luyken in 1714. Nieuwsgierig wilde ik gaan lezen toen er op de ruit van de werkplaats werd geklopt.

'Kom maar verder,' riepen we tegelijk. We waren beiden verbaasd over zoveel inloop vandaag. De ons onbekende man droeg een camel winterjas. Aan zijn hele voorkomen was te zien dat hij een goede baan had. Hij gaf ons een hand, stelde zich voor. Hij was voorzitter van het bestuur dat Avondrust leidde. 'U bent toch de eigenaar?' Mijn buurman knikte. Ik hoopte dat deze elegante bezoeker een duur bloemstuk zou bestellen. De voorzitter van het bestuur haalde een pakje sigaretten tevoorschijn, tikte er één uit, bood ook Oosterwegel aan. 'Dank u. Ik hou me bij mijn sigaar.' 'Is in ieder geval gezonder,' zei de ander. Maar, dacht ik, als hij hier zo uitgebreid een sigaret opsteekt is hij geen normale klant en is de kans groot dat hij geen bestelling plaatst. Een onbehaaglijk gevoel overviel me.

'Ik kom 's een babbeltje met u maken,' vervolgde hij. Dat belooft niet veel goeds, dacht ik, en wenste hartgrondig dat hij uit

de werkplaats verdween. Hij stoorde ons samenzijn. Oosterwegel
dacht er net zo over, keek hem onwillig aan. De avond viel vroeg.
Een heldere hemel, het zou vannacht bitterkoud worden. Maanlicht stroomde over de nok van de kas. Boven onze hoofden was
een poel van geel vuur. Ik hield mijn adem in.

'Deze streek,' begon de bestuurder van Avondrust, 'is bij ouderen geliefd om haar grandioze natuurschoon. Niet voor niets
zijn hier zoveel pensions, hotels en bejaardentehuizen.' Hij nam
een trek, inhaleerde diep, liet de rook door zijn beide neusgaten
ontsnappen. Het was een manier van roken die ik bij mijn buurman gelukkig nooit had gezien. Deze man wilde imponeren.
Door zijn ligging in het eeuwenoude park trok Avondrust extra.
Het bestuur had na lang beraad besloten tot uitbreiding. Voor
het nieuwe gedeelte was er grond in het park zelf aanwezig. Een
glazen luchtbrug moest de beide vleugels verbinden en daarvoor
had men een oogje laten vallen op Oosterwegels stukje land dat
direct aan het park grensde.

'Daar kan geen sprake van zijn,' reageerde mijn buurman ver-
ontwaardigd.

'We bieden er veel geld voor. We willen zelfs ver boven de normale waarde uitgaan. Het ligt in de schaduw, zoals u zelf het
beste weet, en het is eigenlijk niet veel waard.'

'Dan moet het water me wel erg tot de lippen komen,' antwoordde Oosterwegel. 'Het land van mijn ouders! Ik heb daar als
kind gespeeld. Er groeide vlier, mijn vader sneed vlierdoppen
voor mijn pijlen en voor de boog gebruikte hij het taaie hout van
de treurwilg...'

Overbeleefd vroeg de voorzitter van het bestuur of hij nog een sigaret mocht opsteken. Die beleefdheid was beledigend.

'Hoeveel zou u ervoor willen hebben?'

'Het is mijn grond.' Korter kon het niet gezegd worden.

'We stáán erop...' Hoe durfde hij!

Oosterwegel gaf geen antwoord meer.

'Kom,' zei hij tegen mij. 'We gaan afsluiten.'

De man verliet de werkplaats. We keken hem na. Zijn lange, donkerblauwe auto stond voor de ingang, blokkeerde die. Ik had het geïrriteerde gebaar van zijn hand gezien. Zijn schouders schokten ongeduldig en zijn rug dreigde onbarmhartig: niet goedschiks, dan kwaadschiks...

Ik voelde een steek in mijn hart. Hoe moest dat aflopen?

Je hebt mensen die met een snierende stem iemand tot zwijgen kunnen brengen. Ik bezat die stem niet.

Buiten stonden de planten verstard in de ijzige kou. Wit licht vloeide uit tussen de met stro bedekte bedden. Ik onderdrukte een nerveus gevoel.

'En jíj hebt er gespeeld, Sieje,' zei hij. Wat was ik blij met die woorden. Deze grond zat in ons beider bloed. Net toen de voorzitter van Avondrust wilde wegrijden, draaide hij het raampje omlaag. Wij wachtten hem op, als twee jagers die een dier onder schot hielden. 'Denk erover na.'

Mijn buurman hoefde er niet over na te denken.

Het voorjaar kwam. Alle vrije tijd was ik op de kwekerij te vinden. Van Avondrust hadden we niets meer gehoord. Ze moesten daar begrepen hebben dat we onvermurwbaar waren. Oom Theo trok uit een rietmat een stengel van ongeveer tien centimeter. Met een mes sneed hij er een punt aan. In de punt maakte hij een inkeping. Eenvoudig maar essentieel gereedschap. Hij stond aan de werktafel, lichtte uit een rond stenen kweekbakje de nauwelijks zichtbare groene voorkiemen van een varenspoor, bracht dat nietige kiempje over in een kist met een mengsel van rivierzand en warme gekookte bladaarde, drukte het behoedzaam aan met zijn duim.

Ik keek een tijdje toe, ging toen via een tussendeur de broeikas binnen. In de planten kwam met de warmte meer groei.

Ik speurde of zich al een pad aandiende. Het werd zomer. De pad liet zich dit jaar niet zien. Op een dag constateerde ik groene bladluis en een grijze slak, en waarschuwde oom Theo. In de opslagplaats voor rietmatten stond een oud dressoir. Hij opende het met een sleutel. Op de onderste plank stond een groot vierkant blik met, in geel, de afbeelding van een doodskop boven gekruiste doodsbeenderen. Bladluis op de adianthum, grijze slak op de pellea rondiflora. Mijn buurman was tegen het gebruik van chemische bestrijdingsmiddelen. Hij paste in noodgevallen pure parathion toe. Samen liepen we de benauwde broeikas in. Met een maatbekertje deponeerde ik op de turfmolm van het tablet hoopjes lichtbruine poeder. Zo gingen we de hele kas door. Waar het meeste ongedierte zat kwam extra parathion.

We sloten de luchtramen voor een maximaal effect, staken de parathion aan, die kort en hevig opvlamde. Rook steeg op van tientallen plaatsen. Minivulkanen, die daar rustig lagen te smeulen. En na de laatste in brand te hebben gestoken, maakten we ons uit de voeten. 'We moesten echt maken dat we wegkwamen, het was levensgevaarlijk de giftige dampen in te ademen. Achter de tussendeur met zijn oude affiche van moederdag (een jongetje van een jaar of tien staat op de drempel, een bos bloemen achter zijn rug) keken we toe in een gedempt soort vrolijkheid. Sommige hoopjes, waarschijnlijk vanwege de doorweekte ondergrond van de turfmolm, vlamden vertraagd op. Helgele steekvlammen reten de dichte rokerige mist even uiteen. Roodsmeulende stroompjes gleden over het tablet. We moesten de tussendeur goed dichtduwen om de ondraaglijk zware lucht niet in de werkplaats te laten binnendringen. De broeierige damp sloeg toch nog op onze longen en buurman Oosterwegel moest zelfs zijn sigaar even uit zijn mond nemen. Een eindeloos, onophoudelijk geritsel werd nu hoorbaar. Het waren de bladluizen, ze sprongen uit elkaar. De zwakke plofjes daartussendoor kwamen van de slakken, die als van een glijbaan in bosjes naar beneden tuimelden... Na zo'n twee uur trok de mist op. We wachtten nog zeker een halfuur voor we naar binnen gingen.

We overzagen het slagveld. Van de parathion waren lichtgrijze, bijna witte askegels overgebleven die bij onze nadering al ineenstortten. We harkten het zieltogende en dode ongedierte bij elkaar. Het kwam niet vaak voor dat een tweede toediening noodzakelijk was.

'Wat wil je later worden?' vroeg hij me vaak.

Ik wist het niet. Ik moest er niet aan denken dat de school voorbij zou zijn, dat ik ergens ver weg ging studeren, en niet dagelijks meer op de kwekerij zou zijn.

Een schaduw gleed langs de kasrand. Ik herkende het silhouet, het valies. De in stoffig zwart geklede man gaf ons een hand en kwam bij ons zitten op de rand van het waterbassin. Ik ging wat terzijde staan. De zwartjas begon een lang gebed uit te spreken. met onuitsprekelijke verzuchtingen. Oom Theo vergat mij, ging geheel in die woorden op, gaf zich met huid en haar over.

'Wat wil je later worden?' Ik wist het niet. Hoopte hij dat ik zou zeggen: hovenier of tuinder of bloemist? Zag hij mij als zijn opvolger? Ik haalde slechts mijn schouders op. Mijn innigste droom durfde ik hem niet te vertellen. Eigenlijk wist ik het wel, had ik in mijn fantasie al plannen gemaakt om de oranjerie tegen de zuidmuur, bij de limoen, weer op te bouwen zoals hij eens moest zijn geweest. Achter haar schuinlopende voorgevel van glas zou ik in groene kuipen oleanders, citrusvruchten en de gele cassia uit Florida kweken.

Klanten zouden van heinde en ver toestromen om mijn reuzebananenboom te bewonderen, mijn vijgen, mijn rijpe citroenen. Van het verdiende geld liet ik een moderne stookinrichting aanleggen zodat we bij strenge vorst geen angst hoefden te hebben. En na het werk overdag zou ik mij in een schitterend palmbeach kostuum steken en de held zijn op weergaloze feesten.

Korte tijd later zei hij onverwacht: 'Studeer goed. Diploma's heb je altijd nodig. Dit is een zorgelijk bedrijf. Je bent te veel afhankelijk van de natuur...'

Dat hadden we die ochtend nog gemerkt. Toen ik om acht uur over de kwekerij fietste, op weg naar school, was de grond wit. Vorst aan de grond. De violen lieten hun kopjes hangen. Over enkele uren als de zon meer kracht kreeg zouden ze zich vanzelf weer oprichten. Maar een partijtje rode geraniums had een fikse klap gehad. Hoe warm het al overdag was, vóór IJsheiligen moest je geen geraniums buitenzetten, dahliaknollen poten of tabak planten. Die details wist ik. Zag ik mijzelf mijn hele leven als bloemist? Nee, ik had op school kennisgemaakt met Sartre en Camus. Ik wilde filosofie of Frans gaan studeren. Die studie combineren met een bedrijf leek me onmogelijk. Ideaal was de huidige situatie: deze kwekerij, ik kon er altijd terecht, zou er altijd mijn buurman vinden. Ik kon mij niet voorstellen dat de dingen anders zouden worden.

Komend uit de stad, via de Hoofdstraat, die middag, reed ik het pad in en zag net om de bocht bij het veld hoge tuja's twee colporteurs verdwijnen. Ze kwamen nu dus met z'n tweeën tegelijk! Ik stapte van mijn fiets en even later zag ik hun zwarte vlerken Oosterwegel omringen. De man met de kale schedel en uitwas was er niet bij. Maar ook deze twee waren onveranderlijk bleke mannen van een niet te schatten leeftijd, in glimmende versleten pakken, met hoge zwarte rijgschoenen. De hoeden die ze droegen waren van een zwarte, harige stof. Ze installeerden zich aan weerszijden van mijn buurman, op de rand van de waterbak, hun koffers aan hun voeten. Ze ontblootten hun hoofd, Theo legde voorzichtig zijn sigaar naast zich neer. Ze vouwden alle drie hun handen. Eén begon een lang gebed: 'O, aanbiddelijk Opperwezen, Gij hebt ons vandaag op deze prachtige dag samengebracht... wie zonder godsdienst is, is gelijk een beest... wie met zijn Formeerder twist...' De beide uitpuilende koffers van geel riet waren vastgesnoerd met een brede leren riem. Daarna begonnen die twee indringend op mijn buurman in te praten. Wat disten die lui toch altijd voor verhalen op? Waren dat vertegenwoordigers van God? Ik minachtte ze. Kijk hoe ze zich over hem heen bogen! Als vliegen kleefden ze aan hem vast. De koffers gingen open en er kwamen weer veel boeken van de Nadere Reformatie tevoorschijn, het ene nog verschimmelder dan het andere, maar wel gestoken in perkament.

Zoveel had ik mijn oom nog nooit zien kopen! Waarom was hij zo stom om het zo moeizaam verdiende geld uit te geven aan die duistere boeken die te vies waren om zonder handschoenen aan te pakken? Al het geld die dag verdiend ging eraan op! Ze sloten de koffer, baden en verlieten zoals altijd overhaast de kwekerij. Oom stak zijn sigaartje weer op, bracht zijn nieuwe bezit naar de werkplaats. Ik had wel belangstelling voor die wonderlijke boeken, afkomstig uit een ver verleden, las op het schutblad de naam van schrijver, titel en jaar van uitgave. Met één was hij bijzonder in z'n schik. Het schutblad was er uitgescheurd, maar de bedoeling van de auteur was nog leesbaar: 'Veel ernstige vermaningen tot zware boete, versmading der wereld en krachtige beelden om ons te doen verlieven op God en de zalige eeuwigheid.' Uitgeverij Weduwen Arentz en van der Sijs, boekverkopers te Amsterdam, 1691 (editie van 1926). Ook had hij zich dit keer een zwaar beschadigd exemplaar van Thomas à Kempis' *Imitatio Cristi* laten aansmeren.

Het dressoir met het blik parathion uit de loods versleepte hij naar de werkplaats, waar het droger was. Tijdens het werk wilde hij zijn boeken om zich heen hebben.

Het dressoir raakte al snel overvol. Mijn buurman had slechts vijf jaar lagere school, was nog nooit in een boekwinkel geweest, maar bouwde zich zijn eigen handbibliotheek van vroegzeventiende-eeuwse werken.

In dat voorjaar schoot het onverwacht in zijn rug. De huisarts constateerde spit. Hij kon zich niet bewegen en moest volstrekte rust houden. Op een van die dagen werd voor de nacht vorst aan de grond voorspeld. Op aandringen van Theo ging ik tegen tienen, vlak voor het slapen gaan, naar de tuin. In de heldere avond lichtten tussen de bomen door de ramen van Avondrust op. De maan stond vlak boven de hoogste sequoia.

Nog vóór het waterbassin hoorde ik een vreemd getik. Mijn eerste gedachte was dat die lui van het bejaardentehuis bezig waren steentjes tegen de ruiten van de kas te gooien. Ik kromp ineen, dook weg. Avondrust aasde op de grond: ze kregen die niet goedschiks en begonnen nu te pesten door in het geniep ruiten in te gooien. De binnendringende kou zou de kwetsbare, nog niet afgeharde planten aantasten en onverkoopbaar maken. Juist nu ik zijn plaatsvervanger mocht zijn, ging alles mis. Hoeveel mensen moesten niet aan de andere kant van de kas staan! Handen vol kiezel smeten ze op de ruiten. De wereld was vol gerucht van ijl getinkel. Tot ik ineens begreep dat er helemaal niet met stenen werd gegooid. Er ging niets aan gruzelementen. Door de plotseling optredende vorst zetten de ruiten die nog warm waren van overdag uit. Mij schamend voor mijn naïveteit controleerde ik in de stookkelder de temperatuur.

Weer buiten was het lawaai alleen maar toegenomen. Het leek of ontelbare staafjes van een luchter in de wind bewogen. Dan weer een harder salvootje.

In de uiterste hoek, zwevend boven de grondmist, tekende zich het silhouet van de limoen af, waar God zich bekend had gemaakt. Ik had nu wel naar die magische plek toe willen gaan, maar het was me daar te donker. Van onze leraar Frans op school hadden we onze eerste lessen literatuur gehad en hij had verteld over schrijvers die ervan uitgingen dat God niet bestond, dat de mens de baas was over deze wereld. Ik twijfelde, vroeg me af hoe die twee ideeën te verenigen waren. Voorlopig nam ik maar aan dat Hij daar werkelijk was geweest.

Ze zaten er weer. Hoeveel? Drie telde ik er. Die met de uitwas was er ook bij. Lange slagschaduwen vielen over de zaaibedden. Op de rand van het bassin lagen enkele boeken. Theo's ogen keken goddeloos begerig; hij haalde zijn portemonnee tevoorschijn; er zaten slechts enkele tientjes in. Hij hield hem open voor de colporteurs om te laten zien hoe leeg hij was, schudde mismoedig zijn hoofd.

'Het is een zeldzaam boek,' zei een van de mannen. 'Studies over het Schotse piëtisme vind je weinig. Je hart en je geest snakken ernaar, broeder.'

De man met de knobbel deed er drie tientjes af. Mijn buurman schudde zijn hoofd, keek toen hulpeloos mijn kant op. Ik gebaarde dat hij naar mij toe moest komen. Toen hij voor me stond, bood ik hem mijn spaargeld aan. 'Ik heb genoeg...' Hij wilde het niet accepteren. Ik vroeg de mannen hoeveel de boeken kostten. Ze maakten er een rond getal van. Voor honderd gulden mocht hij ze hebben. Ik rende naar huis en was binnen de kortste keren met het geld terug. De colporteurs wensten ons genadige zegen toe, haastten zich weg.

Vanaf dat moment rekende hij op mij. Ik nam een krantenwijk, zorgde ervoor dat er altijd geld was. Zijn bibliotheek dijde uit; hij timmerde zijkastjes aan het oude dressoir, waarin hij zijn nieuw verworven vettige folianten plaatste. Mijn moeder kon die mateloze passie moeilijk aanzien. Als zij vanuit haar kamer *die zwarte plaag,* zoals zij ze noemde, het pad zag inlopen, tikte ze hard met haar trouwring tegen het raam. Dan schrokken ze, en verdwenen.

Ze gingen wel weg, maar kwamen via het achterpad terug, klommen over een muur, of kropen onder een haag door. Ze wisten mijn vriend altijd te vinden. En hij kon of wilde zich niet aan hen onttrekken, ging altijd op hun avances in, onttrok zich op zulke ogenblikken in zekere zin aan mij.

De tabak deed het dat jaar erg goed, bloeide uitbundig, maakte dik gezond blad. We waren aan het schoffelen tussen de rijen. Soms hield Theo even op om de brand in zijn sigaartje te steken. Ik vond hem vandaag erg stil. Onverwacht zei hij tegen mij:

'Morgen ga ik weer.' Ik begreep dat hij weer naar zo'n tafeldienst ging.

'Zal ik meegaan?' bood ik aan.

'Nee, ik wil niet dat je erbij bent. Ik moet voor de vierschaar verschijnen.'

Ik zag hem weer voor me, die keer dat ik was meegegaan, bleek, gekniel, vernederd. Dat heette de vierschaarervaring. Voor de vierschaar! Waarom? Was zijn geloof niet groot genoeg? Las hij al niet genoeg in onleesbare, duistere boeken? Welk ontzagwekkend lot was hem door zijn krachtdadige bekering opgelegd? Voor de vierschaar! Hij, de zachtmoedigste van alle mensen die ik kende.

Over die laatste ervaring liet hij niets los. Maar hij was nog dagen erna gejaagd, had lange pauzes nodig voor hij een woord uitbracht en wat hij zei klonk vaak onsamenhangend. Zijn trekken waren dodelijk vermoeid, om de haverklap nam hij zijn sigaar uit de mond. Wat hadden ze met hem uitgehaald? Ik merkte op dat hij zijn werk wel deed, maar eerder mechanisch, als een plicht.

De zon brandde. Ik dacht dat hij in de schaduw eenruiters aan het repareren was, maar hij zat op zijn bankje te lezen in Thomas à Kempis' *Navolging van Christus*. 'Ontvlucht, zoveel u kunt, het rumoer van de wereld; want er schuilt gevaar in om de wereldlijke dingen te koesteren, zelfs met een zuivere bedoeling...'

Ik keek hem licht verwijtend aan.

'De jonge dahlialoten hebben het moeilijk,' zei ik. 'Ze hebben water nodig. Anders komt er niets van terecht.'

Dan ging hij met me mee, maar het initiatief moest van mij komen. Als de jonge dahlia's dropen van het water leek hij het oude plezier in zijn *kindertjes* weer terug te krijgen. Het moest eens misgaan. Er was nauwelijks inkomen. Maar de vaste lasten gingen door. Fabrikanten van eenruiters, bloempotten, bloemisterij-artikelen, rietmatten, raffia. Grossiers in etiketten, papier...

Nog andere schuldeisers stonden op de stoep. Geen dag ging voorbij... We waren bezig met het broezen van de tabaksplanten. De voorzitter van Avondrust kwam het land op. ''n Goeiemiddag.' Hij rookte zijn Dunhill, offreerde er, zo langzamerhand tegen beter weten in, óók een aan mijn buurman die niet eens opkeek. De voorzitter inhaleerde diep.

'Kom ik gelegen?' Ik zocht nadrukkelijk Theo's ogen, hoopte nog dat de reactie zou zijn: 'U ziet toch dat u op een verkeerd moment komt. We zijn aan het werk. U komt altijd op een verkeerd moment. U bent hier aan het verkeerde adres.' Maar haast afwezig klonk het:

'Hoeveel krijg ik ervoor?'

'Drie keer de normale prijs. Drie ton.'

'Accoord.' Zijn stem klonk vermoeid. Hij hijgde nu ook; zelfs bij de geringste inspanning.

Het was zaterdagavond. Ik had mijn examen van de middelbare school achter de rug en over enkele dagen zou ik naar Leiden verhuizen om mijn studie aan de universiteit te beginnen. De regen zat los. Het was een natte nazomer. Theo las aan de keukentafel in het plaatselijke krantje. De voorpagina toonde, heel prominent, foto's van de feestelijk geopende luchtbrug die de twee nieuwe vleugels van Avondrust verbond.

Het was me opgevallen dat de colporteurs zich al een tijdje niet meer hadden laten zien. Bovendien was hijzelf al in lange tijd niet meer naar een dienst geweest. Theo schonk koffie in en verklaarde:

'De oefenaar is overleden. De hele gemeente ligt uit elkaar. Hij was de bindende kracht. Ik ben daarom, zoals dat heet, thuiszitter en onkerkelijk geworden...' Ik had juist een artikel gelezen waarin gesteld werd dat ons land zich door zijn massale onkerkelijkheid van andere landen in de wereld onderscheidde. En mijn buurman noemde zich onkerkelijk omdat hij zich, door zijn extreem-orthodoxe geloof, in geen enkele kerk met enige organisatie thuisvoelde. Met een heftigheid die me niet verbaasde, raakte ik hem aan. Ik zei dat ik hem bewonderde en benijdde om zijn standvastigheid. Zijn lichtblauwe ogen leken heel even minder verdrietig. Buiten scheen het koude neonlicht van het vernieuwde Avondrust. We schonken er maar zo weinig mogelijk aandacht aan. Op zolder liet hij mij ruiken aan de eigen tabaksteelt van dat jaar.

Ik woon na jaren weer in mijn ouderlijk huis. Het is alsof ik thuis ben, maar mijn moeder leeft niet meer. De kwekerij van de buurman is ook niet meer wat ze geweest is. Het bassin is leeggelopen, op de bodem liggen geraamtes van dode vissen. Hun verre voorouders had ik ooit gevangen in een sloot. De afbrokkelende rand is met licht en donker mos overgroeid; de nog resterende rietmatten staan te rotten, de zaadbedden zijn overwoekerd met muur, steenanjer en raketgras, maar ondanks de wildernis is de oude orde daaronder nog goed te zien.

Alleen de kas is in redelijke staat gehouden. Ik ga iedere dag even langs. Theo kweekt op de tabletten vroege sla in het voorjaar, en 's zomers tabak, beide voor eigen gebruik. Binnen hangt nog steeds de curieuze, onvergetelijke mengeling van bloemengeur, sigarenrook en vochtige warmte die je nergens anders aantreft.

Het was onaangenaam koud en winderig.

'Wat ben je aan het doen?'

Mijn oude buurman stond op een ladder tegen de zijkant van het huis. Hij riep dat de dakgoot overliep, dat de afvoerpijp verstopt zat, gooide een handvol nat blad in een emmer.

'Dat doe ik wel voor je,' zei ik. 'Kom er nou af.'

Maar hij werkte onverstoorbaar door en toen hij eindelijk beneden kwam, waren zijn handen verstijfd van de kou. Ik heb ze in de keuken met flanellen doeken zachtjes moeten warmwrijven, zoals mijn moeder dat vroeger na het schaatsen bij mij deed.

In de dagen daarna kreeg hij pijn in zijn polsen en werden zijn vingers stijf. De huisarts zag het een paar weken aan en stuurde hem toen door naar een internist.

Bloedonderzoek wees uit dat hij aan gewrichtsreuma leed. Hij slikte grote roze Brufen-pillen om de pijn te verlichten. In het ziekenhuis werden nog goudinjecties geprobeerd.

Algauw vergroeiden zijn gewrichten, kreeg hij afschuwelijke knobbels op zijn vingers die vroeger, ondanks de aarde onder zijn nagels, bijna vrouwelijk fijn waren geweest.

'Jij nog een kop koffie?'

'Graag.'

Hij begon te schenken, met twee handen hield hij de kan vast. Toch moest hij haar eerst weer even neerzetten. Op dat moment ontglipte het ding hem.

Tenslotte had hij geen enkele kracht meer in zijn handen, die zoveel werk hadden verricht. Als hij wilde roken, stak ik een sigaar aan en duwde die behoedzaam tussen zijn lippen. Als hij wilde lezen in zijn religieuze literatuur, sloeg ik de bladzijden om. Maar was hij alleen, dan deed hij dat met zijn onderarm. Daar werd hij op den duur heel handig in. Zo lukte het hem na enige tijd zelfs met de keukenaansteker het gas aan te krijgen.

We waren gelukkig, keken naar de ingesluimerde tuin waar kikkers, padden en groter gedierte hun vaste banen hadden, waar uit zaad dat nooit gezaaid was, de mooiste bloemen bloeiden. Het had gewacht op de woestenij. Om Theo in beweging te houden, én om een opkomende weemoedige stemming te onderdrukken, gingen we die middag de broeikas in. Zonder veel te zeggen. Want we verstonden elkaar met een half woord. Vanuit de nokroeden daalde zachte intimiteit op ons neer.

Teruglopend naar zijn woonhuis wilde ik afscheid nemen om naar mijn eigen huis te gaan, toen we een auto hoorden stoppen. Even later werd aan Theo's voordeur gebeld. Ik deed voor hem open. Een mij onbekende man stond op de stoep. Hij vroeg mij of ik Oosterwegel was.

'Dat ben ik,' riep mijn buurman vanuit de kamer.

'Kom ik gelegen?'

'Dat ligt eraan.'

Hij stelde zich aan mij voor. Theo was erbij komen staan.

'Ik ben in mijn vrije tijd bestuurder van Avondrust. Mijn betaalde baan is wethouder van Bouw- en Woningzaken, de zogenaamde 7e afdeling, van deze gemeente.' Ik herkende zijn gezicht uit de lokale krant. 'Maar ik kom niet in die laatste hoedanigheid.' Hij probeerde het vriendelijk, maar zijn woorden klonken afgebeten alsof ze alle tegenspraak in de kiem wilden smoren.

'Zullen we naar binnen gaan?' stelde hij zelf voor. 'Dat praat gemakkelijker.'

Omdat we geen van beiden antwoord gaven, haalde hij een pakje Stuyvesant tevoorschijn, bood ons een sigaret aan. We weigerden. Hij stak zelf op, enigszins van zijn stuk gebracht. We bleven in de hal. De buitendeur stond wijd open.

'De kwestie is... Avondrust heeft grootse plannen.' Men had het oog laten vallen op het aanpalende terrein; op de grond wel te verstaan; voor de opstal was geen belangstelling.

We waren gechoqueerd door de onbehoorlijke toon, door zijn hele manier van doen die lawaaiig aandeed. Hielden die lui nooit op met uitbreiden?

'Geen sprake van,' zei Oosterwegel. 'Het ene stukje dat ik toentertijd heb moeten afstaan is mij al een doorn in het vlees.'

'We kunnen u een aantrekkelijk voorstel doen.'

Mijn buurman wendde zich, onwillig, half van hem af, had geen zin meer om verder te praten,

'Dit bejaardentehuis is een rijke instelling. Er zitten geen bejaarden die ons via de sociale dienst zijn toegewezen...'

We lachten hem vierkant in zijn gezicht uit. De ogen van de bestuurder annex wethouder van deze gemeente werden spleetjes.

'We zullen zien,' zei hij dreigend, aarzelde nog even, leek ons nog wat te willen toevoegen, beende toen haastig het pad uit. Hij reed weg in zijn zware BMW.

Enige tijd verstreek. Soms zei mijn oude buurman:

'Ik weet het niet, Sieje, het zint me niet. We horen niks van ze... ze bekokstoven iets...'

Ik was optimistisch, zei dat ze hem nooit konden dwingen weg te gaan, dat dit toch teelgrond was, alleen bestemd voor cultures in de kas en op de koude grond, dat het pad *eigen weg* was en het terrein een ingesloten enclave.

'Ze mogen er niet op bouwen. Het ligt niet eens aan de openbare weg!'

'En bestemming van grond kan niet één-twee-drie veranderd worden. Mijn vader had voor deze grond al teeltvergunningen...'

Zo pepten we elkaar op, liepen al pratend de kas in en het viel ons op dat de tabak er niet zo florissant bij stond. Enkele exemplaren vertoonden geel blad. We bekeken de achterkant van de bladeren, dachten luis aan te treffen, groeven een paar potten uit, meenden het slijmerige spoor van een solitaire slak te zien... Geen ongedierte te bekennen. We haalden herinneringen op aan de slagen die we geleverd hadden. Mijn buurman zei lachend:

'Ze tuimelden als van een oliegladde helling.'

Er kwam een officiële brief van Avondrust, waarin ze een bod op de grond deden. Wij bleven onvermurwbaar. Onwrikbaar.

'Ze krijgen me nooit weg,' zei hij. 'Die ene die toen hier was mag honderd keer wethouder zijn...'

Het was een stille grijze dag zoals je die in december hebt.

Er stond een zwak zuchtje wind, dat fijne rook meevoerde. Het kwam uit de richting van mijn buurmans land. Doodgewone rook, die opsteeg en werd meegevoerd en zich oploste. Oosterwegel verbrandde soms oude rommel. Toch bezorgd riep ik over de schutting:

'Theo...' Ik hoorde zelf de angst in mijn stem.

Nog wachtte ik, wilde mijzelf die angst niet toegeven. Ik vond het plotseling zo stil, kon een onbehaaglijk gevoel niet onderdrukken, liep snel achterom. Tegelijk wist ik dat er iets onherstelbaars was gebeurd én praatte ik mezelf de opluchting aan hem op het land te vinden, gewoon aan het werk. Langs de nokstangen van de kas stegen hier en daar dunne mistige sliertjes omhoog. Ik rende op de kas af, zag daarbinnen een vaal spookachtig daglicht, rukte in paniek de deur van de werkplaats open... De tussendeur zat van binnen op slot. Een helgele steekvlam sloeg door de dikke walm, als het lemmet van een mes. Met een hark sloeg ik een raam in. Theo lag voorover op het tablet, zijn hoofd tussen de tabaksplanten, zijn handen in de zachte turfmolm. Niets wees op een laatste pogen nog te willen ontsnappen – zijn hele houding was eerder een overgave aan de verraderlijke zeer giftige dampen. Het parathionblik stond op het tablet, leeg.

Toen ik hem optilde, ontsnapte een zucht uit zijn mond. Had ik hem niet eens eerder, lang geleden, doodgewaand? Maar buiten gaf hij geen enkel teken van leven meer. Ik tikte hard tegen zijn slapen, boorde mijn nagels in zijn pols. Aan zijn starre pupillen, de tong die uit zijn mond hing, begreep ik dat ik me geen illusies hoefde te maken.

In huis belde ik de dokter. Ik herinnerde me nu dat hij de hele ochtend druk in de weer was geweest, ik had hem ook aan het slot van de broeikas horen morrelen. Was dit dan de voleinding waar in zijn boeken zo veelvuldig over werd gesproken? Was het een uiterste boetedoening? Had hij een bericht voor mij achtergelaten? Mijn oog viel op een brief. Voor mij? Hij was afkomstig van de gemeente. B&W hadden besloten het bestemmingsplan van het kadastrale gebied ingesloten tussen Zandlaan en Rozendaalsingel, nummer K 2905, te wijzigen. Het was de bedoeling het bochtig verlopende pad over de kwekerij recht te trekken, te verbreden en als openbare weg aan te merken. Voor het aangrenzende gebied zou een versnelde onteigeningsprocedure in gang worden gezet...

Waarom schrijf ik deze dingen op? Waarschijnlijk om mezelf moed in te spreken, want de situatie is hoogst zorgelijk. Ik heb zijn plaats ingenomen. De strijd gaat nu pas goed beginnen. Alleen ík heb voortaan recht op deze grond. Avondrust heeft hier niets te zoeken. Wegwezen, alsjeblieft! De strijd is ontbrand, al was het alleen maar om die magische plaats bezijden de limoen-appel veilig te stellen. De limoen heeft dit jaar trouwens goed gedragen. Grote gele sappige vruchten, met op de schil rond het steeltje die verharde houtachtige plekjes, zo eigen aan deze ouderwetse soort. Dat is een goed teken. Ik heb zojuist mijn eerste bezwaarschrift de deur uitgedaan.

Weerloos

Hij schrok op en keek verbijsterd naar de kalme glimlach en de zenuwtrek bij de mondhoeken. Onhoorbaar als vallende as was ze naast hem neergestreken, had met haar hand zijn schouder aangeraakt en zich zover naar hem voorovergebogen dat hij de zachte indringende geur van haar nieuwe en zeer witte jack van generfd suède in zijn neus kreeg. De onrustige ogen, altijd wijdopengesperd, zonder echter verbazing of angst uit te drukken, vroegen:

'Je vindt het toch wel goed dat ik naast je ben komen zitten? Je bent toch niet bang voor mij?'

Hij wendde zijn hoofd af en zijn tenen maakten snelle halfcirkelvormige bewegingen. Dat zij naast hem zat, was zo'n blinde toevalligheid, zo'n wispelturigheid van het lot dat hij, in de ruit, radeloos naar het nerveuze, spitse gezicht staarde, naar de smalle, harde neus met de iets scheve boog en de sprietige vingers van de linkerhand die een sigaret rolden. Vingers die, tóén al, bruin van de nicotine waren.

Heel langzaam kwam hij tot rust. Hij kon krachtig verweer bieden; hij stond sterk, heel sterk zelfs, sinds gisteravond.

De trolleybus verliet de bebouwde kom, kwam in stille buitenwijken en daarna in dat onbestemde gebied tussen V. en de grote stad, in die periferie waar de verlichting spaarzaam is, het verkeer op dit vroege uur in de avond gering en de villa's ver van de weg, massief, donker en verlaten. Ze stak de sigaret aan en de vlam van de aansteker brandde hem in een zucht voor de helft weg. Ze inhaleerde de rook heel diep, met een zuigend geluid, de lippen van elkaar en op dat moment had hij zo sterk de indruk dat in die aanwezigheid naast hem zich de ondergang en de ontbinding manifesteerde dat hij het zwijgen verbrak en zacht mompelde terwijl hij naar de dunne beweeglijke mond in de ruit bleef kijken:

'Laat me met rust.'

'Idioot,' zei ze, 'ik begrijp je niet.'

Zonder die lage schorre stem leek het of achter het glas een vis naar lucht hapte.

'Hoe lang hebben we elkaar niet gezien?' Ze wachtte. Hij zag haar lange witte tanden. 'Je was me toch niet vergeten? Nee, je kunt me niet vergeten zijn. Zag je me niet bij de halte staan? Natuurlijk, je was weer zo met jezelf bezig. Zo vol, net als vroeger, van talloze, kleine gedachten. Je bent nauwelijks veranderd. Die iets argwanende oogopslag, dat trage gebaar van je linkerhand in de richting van je voorhoofd alsof je het langzaam wilt splijten...' Hij liet zijn hand zakken. '... heel typerend voor jou, heel aandoenlijk...' Met de hak van haar schoen trapte ze in het gangpad de sigaret uit. 'Herinner je je nog dat we in de hal van de school rookten. We rolden ze tevoren onder de les. We stonden er altijd het eerst, altijd op dezelfde plek, naast de deur van de stencilkamer. De anderen beschouwden het als onze plek. Jij was mateloos. Drie sigaretten rookte je in één pauze. Je gaf me altijd vuur en je zweeg. Nooit zei je één woord tegen mij.' En terwijl haar stem zachter werd en iets smekends kreeg, dacht hij: er viel niets te zeggen. Ja, ik gaf haar altijd vuur en ik zorgde er angstvallig voor haar daarbij niet aan te raken. Eén keer gaf ik haar vuur... maar ze liet de lucifer opbranden, ik keek haar aan, en begon iets te vermoeden. Ze had vreemde glanzende ogen. Ze sloeg de lucifer uit mijn hand en kuste mij onverhoeds, onstuimig op mijn mond... Zij dacht – hij was daar zeker van – nu ook aan die scène en opnieuw voelde hij zich gekleineerd, vernederd.

Toen begon ze weer: 'Jij had een bijna betoverende manier van roken, heel snel en heel sierlijk. Ik moest altijd naar je kijken. Hoe lang is dat geleden? Twaalf jaar? Dertien jaar? Jij bent net zo oud als ik. Achtentwintig. Die ivoorwitte broek en dat donkergebloemde getailleerde overhemd staan je goed. Rook jij niet meer? Het is allemaal al zo lang geleden en tegelijk nog zo dichtbij. Net of de tijd twee snelheden heeft. Rook jij niet meer? Nee? Ik heb aan een pakje shag per dag niet genoeg. Ik rook me kapot.'

Haar stem klonk anders, trilde. Hij keek haar aan. Hij zag op haar gezicht de sporen van een eenzaam bestaan. Hij dacht dat ze op het punt stond te gaan huilen en in een opwelling van medelijden, of uit een soort naïeve edelmoedigheid, die hem onmiddellijk speet, raakte hij heel even haar hand aan.

Op haar gezicht kwam de glimlach die hij zo goed van haar kende, vaag en verontrustend. Ze pakte zijn hand en hield die strak vast. Zo bleven ze zitten. Toen drukte ze haar nagels in de rug van zijn hand, hij begon te beven en daarna kwam een kille woede in hem op. Hij zou zijn hand weg moeten trekken, hij moest zich geen absurde ideeën in het hoofd halen. Onverschillig haalde hij zijn schouders op en keek weer door het raam.

De straatlantaarns werden talrijker. De stad kwam dichterbij. De bus maakte een zoevend geluid. 'Bronbeek' tehuis voor oud-Atjehstrijders waren ze al voorbij. Meer verkeer. Meer mensen op de trottoirs. Hij zag dat haar vingers een nieuwe sigaret rolden en ze zei:

'Herinner je je nog de schaatswedstrijden die de school had georganiseerd op de ondergespoten tennisbanen van Beekhuizen?' Ze stak de sigaret aan. Ze draaide ze los en heel dun. Hij ademde de scherpe geur van het verbrande papier in. Dit was toch belachelijk. Ze begon over schaatswedstrijden, op deze ongewoon lauwe herfstavond! Het had niets te maken met wat hij vanavond ging doen! Hij zat toch niet in de bus om háár te ontmoeten!

Na een vrij lang stilzwijgen ging ze verder: 'Je wilt natuurlijk niets horen! Bang voor het verleden? Jouw broer zat twee klassen lager. Hij had jou nodig. Hij vroeg of hij voor één keer jouw ijzeren noren mocht lenen, omdat hij ouderwetse rondrijders had die bovendien nog bot waren. Hij heeft het je drie keer gevraagd. Je weigerde. Je was bang dat hij betere tijden zou maken dan jij. Jouw broer kon de wedstrijd niet eens afmaken. Na drie ronden verliet hij, ver achteropgekomen, wankelend de baan, klemde zich vast aan de omheining, in de sneeuwrand, en begon te huilen. Jij verdedigde je luidruchtig: je had die schaatsen ingereden, ze gingen naar je voeten staan. Het waren originele Ballunggruds. Hoe hard en druk praatte je en hoe hol en schel klonken je woorden, maar je had medestanders omdat je goed kon schaatsen, omdat je een zekere populariteit genoot. Maar bij wie? Bij jongens met wie niemand wilde omgaan. De versmaden. Jij won die wedstrijden en het viel mij op dat er maar weinig waren die je feliciteerden. Al die tijd stond ik vlak bij jou. Je gezicht drukte tegelijkertijd triomf, teleurstelling en angst uit. Je deed heel overdreven. Men ergerde zich aan jou. Ik raakte je aan, je merkte het niet. Je zag me waarschijnlijk niet eens.'

Ze passeerden het girokantoor. Hij staarde in de ondergrondse parkeerhavens die bleekblauw verlicht waren en afliepen in een duistere diepte en het was of al die jaren niet voorbij waren: de bus veranderde in een klaslokaal en hij zat in de middelste rij achteraan en zij zat bij het raam, in de voorlaatste bank, aan het pad.

Haar lange benen, glad en hard als marmer, lagen buiten de bank over elkaar. De rechter altijd over de linker; de knie van het staande been boorde zich diep in de pezige holte van het andere en dat liggende been bewoog, in een gehaast ritme, soms een moment inhoudend om dan weer gejaagder door te gaan; als het op volle snelheid was en de neus van haar schoen – spits en ongepoetst – precies gelijk kwam met de bovenrand van de bank, hield de beweging meestal abrupt op. Haar rechteroog – het linker was van zijn plaats af niet te zien – was buitensporig groot, dreigde uit zijn kas te vallen alsof er vanbinnen tegen geduwd werd, haar mond hing open, de kaken gingen op en neer, leken zich los te maken uit dradig kauwgum. Haar bovenlijf was doodstil en kaarsrecht boven het blad van de bank. En op dat moment van volkomen rust begon het been opnieuw zachtjes te bewegen, als een vervreemd lichaamsdeel dat gehoorzaamde aan eigen wetten, een spastisch orgaan, een snelle slinger in een Empireklok.

Kees Lazonder glimlachte in zichzelf. Wat had hij met haar te maken! Voor zover hij zich herinneren kon, had hij nooit meer aan haar gedacht. Er waren in het leven altijd momenten dat je heel sterk voelde wie goed en wie kwaad wilde, wie vriend, wie vijand was. Wat suggereerde ze met dat verhaal? Wat wilde ze hem opdringen? Hem schuldgevoelens aanpraten! Met welk recht! Hij zou zich beheersen. Schaatswedstrijden in deze broeierige hitte!

Nog één halte en ze zouden de verlichte winkelstraat van de stad binnenrijden. Hij besefte dat hij niet naar buiten kon blijven kijken – hij verafschuwde haar nu vooral omdat zij hem tot infantiel gedrag aanzette – draaide zijn hoofd van het raam af en hield zijn ogen gericht op de rug van de chauffeur, ver voor in de bus.

'Kees, weet je wie zelfmoord gepleegd heeft?' Haar stem had een lugubere klank. In zichzelf herhaalde hij haar vraag, op dezelfde toon en gaf er in zijn gedachten een ridicule draai aan. Zo zou hij beter tegen haar bestand zijn. Voor een tweede keer zou ze hem niet treffen.

'Heb je het niet gelezen? Of wilde je het niet lezen? Je kende hem erg goed. Hij heeft zich voor de trein gegooid, net voorbij kasteel Biljoen, waar de landerijen beginnen. Je hebt daar een onbewaakte spoorwegovergang, heel eenzaam, 't was op zo'n lauwe avond als nu, nog geen maand geleden...' Hij was al niet meer in staat haar woorden te herhalen en ze daardoor krachteloos te maken.

'Wie?' onderbrak hij haar.

'De Franse leraar. Hij was met vervroegd pensioen. Na ons moet het in zijn lessen nog erger geworden zijn.' Ze hield nog steeds zijn hand vast. Ze wachtte en toen ging ze verder: 'Jij kon er ook wat van. Hoe vaak is het jou niet gelukt hem huilend, plukkend aan de naden van zijn broek, de gang op te krijgen. Als iedereen ophield, ging jij door. En dan keek je om je heen, als vroeg je om je verdiende applaus. Niemand draaide zich naar jou om, noch de jongens tegen wie je opzag, noch de meisjes van wie je zo graag een strelende, goedkeurende blik wilde opvangen. Je ging te ver. Je ging altijd te ver. Ze vonden je werkelijk een klier. Ik hield je in de gaten. Ik wist wat er in je omging, oh, hoe goed begreep ik jou.'

De bus reed de oververlichte winkelstraat binnen en in de klas gingen de lichten aan. Die ochtend was de lucht plotseling donker geworden, onweer trok stuiptrekkend langs de hemel en de regen sloeg tegen de ruiten. Ze hadden les van de leraar Duits, een man die zo volmaakt onverschillig was voor wat in de klas gebeurde – hij kende zelfs de namen van de leerlingen niet – dat het altijd rustig was. Iedereen las. Er heerste een sfeer van veilige beslotenheid en kalme intimiteit. Hij keek op van zijn boek. Haar been, in de weerschijn van de lampen, was bleker, langer, harder dan ooit. Heel langzaam, heel voorzichtig kwam het op gang. De beweging zette door, ging over in een rusteloos hoog-opgaand deinen dat zich ook aan de bank meedeelde die beefde en trilde en heel zachte, knerpende verzuchtingen slaakte. Het leek op jacht naar een onzichtbaar zich snel verwijderend doel. Hoofd en bovenlichaam vormden een strakke onbeweeglijke lijn. Ze keek voor zich uit. Om haar mond speelde een vage in zichzelf gekeerde glimlach. Hij wilde niet naar het been kijken, maar hij kon zijn gedachten niet meer bij het lezen houden. Telkens werd zijn blik naar het been getrokken. Toen leek ergens de bliksem in te slaan, de regen spoelde de ruiten schoon, de klas zat nietsvermoedend gebogen over haar boeken en het been kwam waanzinnig hoog boven de bank uit en dit keer was er niet de merkwaardige, abrupte stilstand, maar een rustig wordende beweging, als het kalme uitdruilen van een schommel waarop het jongetje of meisje mijmert, op een warme, trieste zondagmiddag. Ze draaide haar hoofd naar hem toe. Haar gezicht was vochtig en roodaangelopen. Ze keek hem aan. In haar ogen lag een doffe gloed, de glimlach was veranderd in een afzichtelijke grijns.

De afschuw die hij voelde, vermengd met de aantrekking naar dat geheimzinnige, met de schaamte om wat hij gezien had, was hij nooit helemaal meer kwijtgeraakt. Het was of hij nu pas begreep dat al zijn onzekerheid, al zijn verlangens en angsten zich hadden opgekropt en vastgezet in dat gespierde, tot rust gekomen, infame been waarvan de voet zich nog loom bewoog. In de klas had een gewelddaad plaatsgevonden. Een vreemde beklemming bleef hangen, terwijl het onweer wegtrok naar het oosten, over de rivier heen.

'...hij was onherkenbaar verminkt. Bloed zat op de rails en op de maïskolven van het land... Jij won maar je was altijd verliezer. Ik had bewondering voor je. Vooral omdat ik wist hoe bang je was voor de mensen en misschien voelde ik me nog wel het meest tot je aangetrokken sinds ik die vreemde manie van je ontdekte: een leraar riep je voor de klas, onmiddellijk bukte jij je, streek met je tong langs je vingers, alsof ze onverdraaglijk droog waren. Toen ik je de bus zag binnenkomen... ik heb je zo vaak willen bellen.'

Ze gooide haar sigaret weg, boog zich naar hem toe.

Vanavond ben ik in geen geval verliezer, dacht hij. Als ze eens wist waar ik heenging. Op het juiste moment in het leven had hij zich sterk laten gelden. Dat was gisteravond geweest. Hij was bijna dankbaar jegens zichzelf. Hij kreeg een bijna onbedwingbare lust om te vertellen dat hij direct een meisje zou ontmoeten met donkerbruine ogen en kleine, mooie handen en smalle polsen die hij wel zou kunnen breken, zó fijn, maar hij zou ze strelen, een meisje veel jonger dan hijzelf, dat veel lachte, dat zóveel lachte...

het had hem bang gemaakt en hij wist ook niet zeker of die donkerbruine ogen naar hem hadden gekeken. Ze waren op hem gericht geweest en tegelijk staarden ze langs hem heen om de omgeving in het oog te houden.

Over enkele minuten zou hij uitstappen en deze oude schoolkennis kwijt zijn. Voorgoed. Nee, deze ontmoeting had geen betekenis, zou geen sporen nalaten, was een puur incident. Zij behoorde tot een andere periode in zijn leven. Er was niets onherstelbaars gebeurd. Een plezierige onverschilligheid kwam over hem. Maar zijn hand lag nog steeds onder haar hand, als een weerloos insect in een vleesetende plant. Hij maakte zich kwaad omdat hij niet de moed bezat hem terug te trekken. Al moest hij ook toegeven dat het misschien van psychologische tact getuigde als hij de situatie niet bruskeerde.

Hij ging een grandioze avond tegemoet. Zij was alleen. En in een plotselinge behoefte om wreed te zijn zei hij: 'Ik heb een afspraak.'

Ze streelde de rug van zijn hand en antwoordde: 'Je liegt.' De bus reed langs de Singels, stopte voor Luxor. Mensen stonden in de rij voor de kassa.

'Ik ga naar de bioscoop, ga je met mij mee?' Ze keek hem rustig aan. Hij trok langzaam zijn hand terug. Ze stond op.

'Nou?'

Hij schudde zijn hoofd. Ze mompelde iets. Hij kon het niet verstaan. Ze sprong uit de bus en liep op de affiches af.

Ze simplificeerde. Zó was het niet gebeurd. De geschiedenis met zijn broer moest je in verband zien met hun hele verhouding. Dat hij die schaatsen niet had gegeven, daar had hij nog steeds spijt van. Maar hij wilde winnen. Hij moest toen winnen. Alles hing ervan af. Al kon hij zich niet meer precies voor de geest halen wat er allemaal van afhing, net zomin wist hij nog waarom hij toen met zijn broer altijd ruzie had. Als hij aan de schaatsen dacht, kon hij niet in slaap komen... Maar wanneer had ze hem in de gang gekust? Voor of na de scène met het been? Nog een moment pijnigde hij zijn hersenen af met deze vragen.

De bus reed het Stationsplein op: hotel Haarhuis, Carnegie, Bristol, Picard. Kees Lazonder beefde niet meer, z'n tenen maalden niet langer in zijn schoenen en hij geneerde zich. Maar hij had zich weer helemaal in de hand.

De rustige drukte van een provinciehoofdstad op zaterdag-avond: bussen die passagiers aanvoerden voor de vroege bio-scoop, wachtende taxi's, een helverlicht dienstgebouw op het midden van het plein, waarin mannen van het gemeentelijk ver-voerbedrijf telefoneerden. Geruststellende activiteiten. Maar de terrassen waren leeg. Dat was anders toen hij vroeger in de stad op school ging. Het werkelijke ontmoetingscentrum was sinds enkele jaren verplaatst naar het plein rond de oude Korenbeurs. Daar zou hij straks met haar naartoe gaan. Als ze haar ogen neer-sloeg, zag je hoe lang haar wimpers waren, bijna onnatuurlijk lang. En ze had gelachen, heel dicht bij zijn gezicht en hij had haar lippen tegen zijn wangen gevoeld.

En nu werd hij beschuldigd, min of meer, van de dood van de Franse leraar. Maar was het nodig die dingen uit het verleden op te rakelen? Wilde zij daarmee een band scheppen of een band nauwer aanhalen? Hij had niets, helemaal niets met haar gemeen en hij had het duidelijk laten merken. Hij had haar het hoofd ge-boden! Hij was sterk geweest!

Om kwart voor acht had hij afgesproken bij de ingang van het station tussen bloemenkiosk en fietsenstalling. Het was net zeven uur. Hij stond nog steeds op het midden van het plein. Het had nog geen zin die richting uit te lopen. Hij stak een smalle strook gazon over, liep langs de terrassen. Opeens bedacht hij dat zij misschien ook zo vroeg van huis was gegaan en op hem stond te wachten. Dan zou het werkelijk een volmaakte avond worden. Die mogelijkheid had hij uitgesloten omdat je nooit te veel moest verwachten.

Hij draaide zich om, deed een paar passen in de richting van het stationsgebouw. Hij zag haar niet. Natuurlijk niet. Ze moest uit O. komen, een plaats aan de andere kant van de stad. Hij keek omhoog langs de gebouwen die het plein omsloten. Bescheiden neonreclames trachtten een air van echt grote stad aan het toch provinciale plein te geven dat knus en intiem was en waar de stilte nu als een herfstblad neerdwarrelde. Hij bleef besluiteloos staan. In de lichtkringen van lantaarns zagen de petunia's er bleekpaars uit in de betonnen bakken. Langzaam, zonder plan, slenterde hij het plein af.

Hij woonde op kamers in een oud met klimop begroeid huis, onder aan een steile straat in V. Elke avond tegen elf uur stak hij de straat over en ging het café in. Hij had er geen echte vrienden, maar er waren toch genoeg bekende gezichten om er zich thuis te voelen. Hij vond het moeilijk om contacten te leggen en gisteravond als altijd, keek hij wat om zich heen, met de rug naar de bar staand, groette een habitué, dronk, en verpulverde het zoveelste bierviltje. Hoe het precies gegaan was, wist hij niet meer. Opeens stond ze vlak bij hem, met haar open, lachende gezicht en zei: 'Ik heb je wel eens vaker gezien. Ik heb bij je broer in de klas gezeten. Wat doet je broer nu?' Haar vriendin was er bij komen staan, een onaantrekkelijk meisje met vlekkerige wangen en loos gebabbel. Mooie meisjes hadden altijd lelijke vriendinnen. Dat leek een wet. Hij wist eerst niet wat hij zeggen moest. Hij had een droge mond en droge vingers. Hij bestelde bier. Hij voelde zich niet op zijn gemak. De meisjes keken hem ernstig en aandachtig aan. Hij wist niet wat hij zeggen moest en hij had toch iets gezegd over een boek dat hij pas gelezen had, alleen door alle verwarring was hij de titel vergeten, hij kon er absoluut niet opkomen en hij had over muziek gesproken. Maar wat hij over de muziek zei, had hij eigenlijk over het boek willen zeggen waarvan de titel hem nog steeds niet te binnen schoot; zóveel gedachten verdrongen zich in zijn hoofd, maar hij was niet dichtgeslagen, integendeel en hij had geen droge keel en geen droge vingers meer gekregen. En de meisjes hadden uitbundig gelachen. Het was hem gemakkelijk afgegaan. Misschien was het niet zó onsamenhangend geweest. Voor zijn gevoel was zijn verhaal van een griezelige incoherentie, maar misschien lag daar juist iets imposants in? Het was een fijne avond en omdat zij veel gedronken had, keek ze hem zo nadrukkelijk aan. Hij moest zich geen illusies maken. Iedere zo doorgebrachte avond was meegenomen. Zó dik zat hij er niet in. Vlak voor sluitingstijd ging de vriendin weg – sigaretten trekken – en toen had hij wel willen vragen: 'Zien we elkaar nog eens?'

Maar zij was het die hem vroeg: 'Ik zou het leuk vinden je nog eens te ontmoeten. Morgenavond. In de stad. 't Is daar zaterdags gezelliger.'

De lichten in het betoverde café gingen in één hoek uit. Er moest worden afgerekend. Maar omdat hij elke avond kwam, mocht hij altijd nog een uurtje blijven. Misschien met haar. Nee, ze moest naar huis. Ze zagen elkaar toch morgen. Morgen! Tussen bloemenkiosk en fietsenstalling. Het kon niet missen. Er waren zekerheden waar niet aan te tornen viel. Na het afscheid gisteravond was hij niet naar huis gegaan; hij zou toch niet in slaap kunnen komen. Hij had een taxi naar de stad genomen. De cafés rond de Korenbeurs waren dicht. Hij had overal naar binnen gekeken om een idee van het interieur te krijgen. Het was zijn idee dat je in het bijzijn van een meisje bij dit soort dingen nooit lang moest wikken en wegen. Dan koos je altijd het verkeerde. Hij liet niets, helemaal niets aan het toeval over. Hij zou met haar naar de Scarabee gaan. De glanzende, nachtblauwe hemel boven hem beschouwde hij als een gunstige wenk van het lot.

Vanmorgen toen hij wakker werd, was hij niet blij. Vaag drong het tot hem door dat alle initiatief van haar was uitgegaan. De hele dag had hij gebruikt om bepaalde momenten die hij zich heel goed herinnerde, uiteen te rafelen in een uiterste poging ze helemaal te doorgronden en ze in zijn geest vast te leggen. Hij verafschuwde deze extraluciditeit, maar kon er zich niet aan onttrekken. Ze had niets over zichzelf verteld, niets over zichzelf losgelaten en ze had maar gelachen. De gedachte aan haar deed hem beven van angst en genot. Toen verbeeldde hij zich, ja was ervan overtuigd dat hij deze 'relatie' ook aan zichzelf te danken had en hij onderging de heerlijke sensatie dat zij voortdurend bij hem was en in de groeiende intimiteit met die geheimzinnige, irreële aanwezigheid ontstond een wonderlijke mengeling van gevoelens: verbazing, blijdschap, onrust en de angst dat hij zich dankbaar getoond had.

'Ans,' zei hij zacht in zichzelf. Een naam die hem eerst tegenviel, maar bij nader inzien een simpele, doch warme, bijna wellustige streling was.

Hij bekeek de affiches van Luxor. Ongemerkt was hij een heel eind teruggelopen. De wachtende rij was verdwenen. De film was al aan de gang. Hij draaide zich om en keek naar de platanen waarin aan onzichtbare draden lampen hingen die groene doorzichtige diepten suggereerden. Een lome bries stak op, joeg de broeierige hitte van onder de bomen op de bioscoop af, de lampen bewogen. Het was of duizenden kleine vogels er hun nest hadden.

'Ik wist dat je zou terugkomen,' zei ze zacht en raakte met haar hand zijn arm aan. 'Ik heb in de garderobe gewacht.'

De stilte sloeg op haar woorden neer. Een moment meende hij inzicht in zijn situatie te krijgen, stond op het punt zich in ijzige kalmte aan haar prijs te geven. Toen begon hij te hollen in de richting vanwaar hij gekomen was, stond hijgend stil toen hij bij Lissone-Lindeman de hoek om was. Maar bang dat ze hem achterna zou komen, rende hij verder tot voor de ingang van het station.

Een taxichauffeur geleund tegen de kap van zijn auto waarvan de deuren wijd open stonden keek hem aandachtig aan. Om zich een houding te geven deed Kees of hij iemand zocht en tuurde langdurig over het plein. Zijn ogen bleven rusten op de stationsklok en in een plotselinge angst te laat te zijn – niet gerechtvaardigd door de tijd die de wijzers aangaven; het was tien over zeven – liep hij de geheel lege stationshal in. Langzaam kwam hij tot rust, keek op zijn horloge. Weer buiten zag hij dat de taxichauffeur verdwenen was. Op een bank naast de fietsenstalling zat een oude man, in elkaar gedoken, een nietige gestalte. Aan een korte lijn lag zijn hond met een lang lijf waarvan de verschrompelde tepels op de grond rustten. Met zijn kleine dobberende ogen volgde hij Kees, snauwde toen tegen de hond die zijn kop oprichtte, zijn bek langzaam opendeed waarin de man begon te spugen.

Om uit het gezicht van de degoûtante oude te komen en toch het station in de gaten te houden, ging hij op de stoep van een ongebruikte zij-ingang van hotel Bristol zitten, aan de korte kant van het plein, een beetje achteraf, in het donker.

Het behaaglijke gevoel waarmee hij vanavond op weg was gegaan, kwam terug. Natuurlijk, deze tweede ontmoeting had hem opnieuw zeer onaangenaam getroffen. De stationshal liep vol. Hij wendde zijn blik af, wilde voor zichzelf de verrassing groter maken. Wanneer hij direct opkeek, zou zij daar staan; hij zou op haar toekomen. De stroom mensen verspreidde zich over het stationsplein. Van de hal die nu weer leeg was, dwaalden zijn ogen naar de ingang. Hij zag alleen de oude man. Het was niet verstandig dat hij hier was gaan zitten. Liep ze daarginds niet? Hij stond op, stak schuin het plein over en zag dat de gestalte een oude vrouw was, opzichtig gekleed, opmerkelijk vitaal. Hij holde terug. Over tien minuten zou er weer een trein uit O. komen. Hij moest wat dichter in de buurt blijven van de ingang. Hij riste uit een bloembak de paarse kelk van een petunia, zoog de honing eruit, gooide de bloem weg en staarde naar een Surinamer met diepgegleufde cowboyhoed die tegen het dienstgebouw zat, één hand achter een brede koppel waarvan de gesp een wolfskop voorstelde, de ander om een fles bier geklemd. Boven hem, in het duister, klonk het aanhoudende gezoem van een ventilator, bijna als een weemoedig liefdeslied.

Hij speet hem dat hij haar niet gevraagd had dezelfde kleren aan te trekken die ze gisteravond droeg. Niet dat hij bang was dat ze tegen zou vallen. Hij dacht aan het gladde, gestileerde haar dat haar hele voorhoofd bedekte tot aan de wenkbrauwen, wat haar op een grappige manier een onbetrouwbaar uiterlijk gaf. Voor de derde keer liep hij zo langzaam mogelijk om het gebouw heen, nam zo veel mogelijk details op om zijn geest af te leiden.

Weer een trein was aangekomen. Er kwamen slechts enkele reizigers mee. Ze was er niet bij. Een jonge man bleef aarzelend voor hem staan en liep toen verend weg. De Surinamer zat midden op het trottoir; tussen zijn gespreide benen stond de bierfles op zijn kop. Hij duwde er zacht tegen, de fles dreigde om te vallen, bleef een moment in labiel evenwicht en kwam weer op zijn oude plaats terug. De Surinamer grijnsde, gaf een harde zet tegen de fles die kletterend het trottoir afrolde, het plein afrolde...

Ze had er allang moeten zijn. Ze kon zich vergist hebben in de aankomst- en vertrektijden. Hij ontweek een man die plotseling voor hem stond, in dat stadium van dronkenschap waarin hij ieder levend wezen een hand moest geven.

Het was doodstil op het plein. Kees voelde zich niet op zijn gemak. Het was als in zijn dromen. Hij werd achternagezeten door een wreedaardig beest; in krankzinnige vlucht wierp hij zich tegen een zware donkere deur die een gordijn bleek te zijn. De sensatie van een onmetelijke en tegelijk futiele krachtsinspanning die je onderging, onmiddellijk gevolgd door een gevoel van grote verlatenheid. Had hij al zijn verlangens gericht op iets wat er eigenlijk niet was, wat er niet was voor hem?

Om zijn eigen stem te horen op het bijna verlaten plein, zei hij in zichzelf: 'Liefste.'

Zou ze aan hem denken nu? Natuurlijk. Ze zat in de trein die op dit moment snel in de richting van de stad reed. Ze zou kwaad op zichzelf zijn omdat ze niet eerder van huis was gegaan. Iets van zijn zelfverzekerdheid kwam terug. Dat zij hem had opgemerkt, daar kon hij nog niet over uit. En waarom? In haar ogen had hij gelezen dat ze iets in hem zag. Hij zocht een verklaring voor deze plotselinge ommekeer in zijn eentonig, slechts door kleine decepties onderbroken bestaan. Eigenlijk bezat hij nu twee meisjes. Heel even kwam de overweging in hem op, dat ze *hem* 'bezaten'. Die gedachte verdrong hij snel. Hij wachtte. Wat duurde het wachten lang! Hij wist niet meer hoeveel treinen waren aangekomen. De twijfel kwam heviger op. In zijn schaduw verscheen een silhouet. Het raakte hem aan; hij keek opzij, blij verrast. Het was de dronken man die hem opnieuw de hand kwam schudden.

Hij dwaalde weer van het plein af. In de verte zag hij de lichten van de bioscoop. Hij bleef staan. Vanaf dit punt belemmerde het dienstgebouw het zicht op de ingang. Haastig draaide hij zich om. Zij zocht naar hem. Het was zo vanzelfsprekend dat zij er nu zou staan dat hij niet begon te rennen. Diagonaalsgewijs stak hij het plein over, dwars over het gras, vermeed naar de ingang te kijken.

Ze was er niet. Het was halftien.

Wat hij sinds zovele jaren had aangevoeld, drong nu werkelijk tot hem door. Hij stond buiten de lichte schimmenwereld die aan hem voorbijtrok op de Korenmarkt. Verward geroezemoes, uitbundig gelach golfde de donkere, smalle steeg in waar hij wachtte. Walgelijke geuren uit de souterrains van bistro's. De stad was verlaten. Alles wat jong en vrolijk was, verzamelde zich hier. Vanuit het duister zou hij zo in het licht kunnen stappen. Hij hoorde stemmen. Twee schaduwen bleven aan de ingang van de steeg staan. Ze fluisterden. Hij ving geen verstaanbare woorden op. Ze kwamen verder de steeg in, verschenen in de lichtkring van een kleine gele lamp. Ze lachte, maar op een heel andere manier dan tegen hem gisteravond.

Zijn voeten brandden op de stenen. De muren van de pakhuizen drongen op hem aan, hij begon zacht te kreunen als een dier dat gemarteld wordt; met zijn handen schuurde hij langs de muren en bleef nog wachten. Hij liep achteruit, weg van haar, weg van die afzichtelijke vrolijkheid en toen draaide hij zich snel om en holde gillend de steeg in en de verachting voor zichzelf werd groter omdat hij wilde dat ze hem hoorde. De duisternis nam toe. Verderop schopte hij, al hollend, in machteloze woede tegen de muur en om de pijn van zijn gekneusde voet te verdoven, bleef hij voortrennen, kwam terecht in een wirwar van bochtige straatjes die steeds smaller en dieper werden. Ergens holde iemand in een andere steeg met hem mee. Wanhopig schreeuwend liep hij tegen blinde muren, viel en zag een koud stuk hemel. Tenslotte wankelde hij het stationsplein op.

Het was druk bij de haltes. Hij stapte in de laatste bus naar V. en ging op de achterbank zitten bij het raam. De bus reed weg. De Surinamer zat naast de oude man op de bank, als een verdrietig gebogen beest. De hond sliep. De bierfles stond tussen zijn poten. De dronken man zwaaide naar de passagiers in de bus. Hij had troosteloze ogen.

Bij de halte Luxor stapte een lange, jonge vrouw in. Ze droeg een wit suède jack. Heel kalm, als zeker van zichzelf, wrong ze zich door de mensen in het gangpad en liep op de achterbank toe.

Hij kreeg een gevoel of zijn keel hardhandig werd dichtgeknepen, hij wilde opstaan, maar ze boog zich naar hem toe, drukte haar knieën tegen zijn knieën. Kees Lazonder begon te beven over heel zijn lichaam en zijn hand bewoog zich naar zijn voorhoofd en het beven wilde niet ophouden en hij had op dat moment maar één zorg: dat de mensen het niet zouden zien en hij drukte zijn knieën stijf tegen haar aan.

Het was nog een lange weg naar huis, de bus zou steeds leger worden, ze zouden samen overblijven.

Ze begon een sigaret te rollen, keek hem glimlachend aan en zei: 'Idioot! Was er iets dat meer voor de hand lag?'

Dromen van raffia

Zolang tegen hem niets werd gezegd bleef hij wachten en doodde de tijd met het kietelen van de vogel. Als de oude dame dan een nauwelijks merkbare beweging met het hoofd maakte en Vaarzon, zonder hem aan te kijken met zijn vlakke stem zei: 'Er is te weinig in kas, Minst, volgende keer beter' wist hij dat ze logen. Hij groette, wierp een snelle blik op de vogel die hem hulpeloos aankeek, deed de schuifdeur zo voorzichtig mogelijk open (maar het knarsen kon hij niet verhinderen), schoof hem dicht en ging naar huis. Het kwam niet in hem op zich kwaad te maken, zich te doen gelden, op z'n poot te spelen, voor zijn recht op te komen: allemaal uitdrukkingen die Fia hem al zovele jaren had toegebeten, onder zovele maaltijden, om lucht te geven aan haar verontwaardiging en om hem tot een mannelijker gedrag te bewegen. Hoeveel jaren? Hoeveel maaltijden?

Ze kon zo snibbig zijn. De laatste tijd nam haar slechte humeur toe. Ze viel zomaar tegen hem uit. Om niets. Ze bedoelde het niet gemeen; en dan verviel ze weer in een hardnekkig zwijgen en begon gejaagd het huishouden te doen. Bijna dertig jaar was hij met Fia getrouwd; hun enige zoon Wim had een vriendin: Eta van Voskuilen. Als ze het weekeinde kwamen zaten ze op de bank in de voorkamer. Wim dronk bier uit zijn eigen glas waar het wapen op gedrukt stond van zijn militaire onderdeel. Hij zat in Breda op de KMA. Laatste jaar. Wim was bijna luitenant bij de intendance. Dat had iets met bevoorrading te maken. Ze keken tv, ze fluisterden en Wim streelde Eta's hand. Met zijn vingertoppen gleed hij over haar arm. Minst zat altijd in de achterkamer; hij las in de oude boeken, verwonderde zich over de rijk bewerkte kapitalen. Wat een tijd werd daar vroeger aan besteed! Wat een godsvrucht lag daar niet in! En hij zag in gedachten de vingertoppen die zo heel zacht Eta's arm streelden.

Meestal kwam Minst met lege handen van de firma Vaarzon terug. Soms vroeg hij zich af waarom hij zo door hen werd vernederd. Ze waren katholiek, maar deden nergens meer aan. Diep in zijn hart vond hij dat geen bevredigende verklaring.

Maar zoals ze met de vogel omsprongen, dat was eigenlijk nog veel erger.

Onmiddellijk rechts bij de schuifdeur, naast een bos immortellen vol glinsterend stof, zag je de lange staaf met de scherpe knik in het midden, opgehangen aan staaldraden die tot het hoge matglazen plafond doorliepen. Rusteloos fladderde de papegaai langs een van de gladde kanten omhoog, trachtte houvast te vinden op de voerbakken, slurpte snel wat water, pikte een paar gepelde haverkorrels, maar gleed ondertussen alweer terug in de knik waar hij een moment versuft bleef staan, de ene poot op de andere. Hij krijste schor. Het leek op menselijk kreunen. De lengte van zijn ketting liet niet toe zich ergens aan vast te klampen. Voortdurend ondernam hij pogingen om verlichting te zoeken voor zijn gekneusde poten. Tenslotte zocht hij toevlucht tot het enige middel dat hem restte: hij ging aan de staaf hangen. Een lapmiddel want ook zijn klauwen hadden sterk te lijden van dit onnatuurlijke leven in zo'n vallei. Bovendien een verboden lapmiddel: hij mocht niet hangen. Wanneer de oude dame dat zag, tikte zij met haar trouwring kort en droog tegen het raam.

Vaarzon, haar ongetrouwde zoon (haar dochter was evenals haar man al jaren dood), klein, vadsig, bleek, draaide zich traag om en het stomme dier wist niet hoe gauw het weer overeind moest komen.

En als Vaarzon er niet was, kwam Jan Anams, de knecht, overeind. Sinds mensenheugenis was hij in dienst van de firma. Hij had de oude Vaarzon nog gekend, zei men. Door een heupkwaal bewoog hij zich gewoonlijk voort met zijn bovenlichaam evenwijdig aan de aarde; beide armen staken schuin naar achteren langs zijn zijden omhoog; anders zou hij vallen. Meestal was hij in de werkplaats te vinden, waar hij onafgebroken plantenafval bijeenveegde dat hij in een kist propte die onder de werktafel stond. Wanneer de grossier rozen had afgeleverd, kneusde hij met de platte kant van een kleine bijl de stengels: ze namen dan gemakkelijker water op en bleven langer houdbaar.

Op gezette tijden keek Jan Anams naar het raam; trok de oude dame haar smalle grijze wenkbrauwen op, dan liep hij naar de vogel toe, tikte met de platte kant van de bijl op zijn kop en ging weer aan het werk. De vogel begon oorverdovend te krijsen, werd stil en stootte even later een grove vloek uit. Vaarzon en Anams grinnikten en vanachter het raam klonk het schrille lachje van de oude dame. Minst, bij het horen van de godslastering, stond te trillen op zijn benen.

Minst hield niet van papegaaien. Ze herinnerden hem aan de tochtjes naar de dierentuin met Fia en Wim. Fia wilde er altijd op tweede paasdag heen. Tussen de drommen mensen die zich aan God noch gebod stoorden wachtte hij. Wim was niet weg te slaan van de papegaaien bij de ingang. Hij moest en zou ze iets laten zeggen en voerde ze in plaats van pinda's en zonnepitten senegalgierst. Die tijd was voorbij. Maar ook van nature was Minst niet op deze vogels gesteld: ze waren in staat als een mens te spreken en dat bracht Minst in de war. De Heere had duidelijk onderscheid gemaakt: de taal was de mensen gegeven, niet de dieren.

Maar met dit schepsel was hij begaan en langzamerhand had hij iets van liefde opgevat voor het scherp gelijnde, veelkleurige lichaam, voor de beweeglijke ondersnavel en de dikke gespierde tong.

Als Minst bij de deur stond te wachten, deed hij na verloop van tijd schuchter een pas naar voren, raapte een afgebroken takje op dat van de werktafel was gevallen, deed een pas terug zodat hij weer op dezelfde plaats kwam te staan (hij maakte daar vaak een spelletje van) en kietelde de vogel in de groene veren die in een krans om zijn nek lagen. Hij gaf hem ook de gelegenheid zo nu en dan uit te rusten op zijn arm. Het dier werd kalm en staarde Minst met een uitdrukking van bijna menselijke dankbaarheid aan.

Zag de oude dame wat hij deed? In het begin hoopte hij dat zijn aandacht voor de papegaai een goede indruk op haar zou maken, maar ze keek of het haar niet aanging dat hij daar stond. Ze keek altijd schuin langs Vaarzon de werkplaats in. Ze had zilverwit haar dat in kleine krullen als sneeuwvlokken op haar rimpelloze voorhoofd neerdwarrelde.

Steeds meer zag Minst tegen dit bezoek op. Hij wilde wel eens een zaterdag overslaan, maar dan werd Fia boos. Het zou vandaag ook wel niets worden. Als hij straks thuiskwam zouden Wim en Eta er al zijn. Wim zou zijn uniform aanhebben. In het begin had de uiterlijke glans van deze loopbaan Minst gefascineerd. Maar wat hij allang wist en wat na enige tijd door het uniform nog leek te worden benadrukt was dat het onbetekenende van hemzelf zich in zijn zoon herhaalde.

Hij was niet bij zijn geboorte aanwezig geweest; door een toeval dat hij zich niet meer herinnerde. Een buurvrouw hield hem op de weg aan en deelde opgewonden mee dat hij een zoon had, een opvolger in de zaak. Niets was natuurlijker dan blij te zijn. Een zoon! Maar hij was de hele dag in de broeikas gebleven. Hij had er niet toe kunnen komen naar Fia toe te gaan.

De jongen trok erg naar zijn moeder. Zij was trots op hem. Beiden volgden hem niet in het geloof. Eenzaam was hij in zijn eigen huis.

Sinds Wim in dienst was dronk hij vreselijke hoeveelheden bier. Dan kreeg hij ook dat gejaagde van Fia en begon hij hoogst bedenkelijke verhalen te vertellen waarvan het begin altijd aanleiding gaf om te denken dat hij er een heldenrol in vervulde.

Wims rol bleek echter altijd tragisch te zijn.

Eén keer had Minst een duidelijke droom gehad. Fia en hij woonden in Breda een ouderdag bij op de kazerne. Wim liet zien wat hij allemaal kon: de stormbaan nemen in 48 seconden, zijn kast in- en uitpakken in 42 seconden en revolverschieten op snel opkomende en flitsend verdwijnende poppen. Er vielen schoten. Minst stond naast Fia; twee verdwaalde kogels; Fia en Wim vielen dodelijk getroffen neer. De schietdemonstratie ging gewoon door. Minst had wel eens gelezen dat bij oefeningen op de schietbaan waar oorlogssituaties werden nagebootst een sterftecijfer van 1,4% was toegestaan door de legerleiding. Minst wist niet of er ook toeschouwers bij dit percentage waren inbegrepen. Hij had gedaan of hij de verongelukten die even later op brancards werden weggedragen niet kende. Met andere ouders was hij daarna het kazerneterrein afgewandeld om naar het imposante wagenpark te kijken: drietonners, AMX-tanks, Leopards... Buiten de poort stond Eta te wachten. Samen liepen ze weg.

De droom was in al zijn eenvoud slechts voor één uitleg vatbaar. Minst hechtte geen belang aan dromen. Maar van deze droom hield hij en hij kon hem niet uit zijn gedachten zetten.

Minst dacht vaak over de dingen, over de mensen en over zichzelf na. Van alles begreep hij steeds minder. Hij had graag een dochter willen hebben, maar er waren geen kinderen meer gekomen. Weerloos als de papegaai voelde hij zich.

Die zaterdagavond in augustus slenterde hij tegen zeven uur de lege winkelstraat in van de plaats waar hij woonde.

De lucht was nog opgewonden van de hitte, de zon lag als een brok rood vlees in de brede, spiegelende etalages. Hij bleef staan, liep weer door, keek in de ruiten, maar slaagde er niet in een beeld op te vangen waarin hij zichzelf herkende. Hij wist niet of hij daar blij om moest zijn. Hij droeg een schapenkleurig pak van een licht soort ribfluweel. Maanden geleden toen het koel weer was en er onophoudelijk regen viel, had hij het met Fia gekocht. Toen hij het in de winkel aanpaste stond het hem direct tegen, maar hij kon niet goed zeggen waarom en op het moment dat hij zijn mond wilde opendoen, zeiden de verkoper en Fia tegelijk: 'Als gegoten.' Stom voor het aangezicht van zijn scheerders was hij er eigenaar van geworden.

Ongewenst pak. Ongewenste zoon. En er was geen verklaring.

Fia leek de aankoop te zijn vergeten. Vanavond zei ze onder het afwassen: 'Voordat je naar Vaarzon gaat, wil ik dat je iets fatsoenlijks aantrekt. Het nieuwe pak hangt al maanden in de kast. Voor niets.'

Bijna dacht hij hardop: met zo'n hitte kun je toch geen ribfluwelen pak aantrekken.

Zijn indruk toen in de winkel was juist geweest. Het jasje hing zwaar op zijn schouders, de broek slobberde en maakte onder het lopen tussen zijn benen vreemde piepende geluiden alsof hij voortdurend een muis op de punt van zijn staart trapte.

Minst treuzelde. Nu zou hij langs de bloemenwinkel van Vaarzon komen. Vlak ervoor sloeg hij een smalle steeg in tussen twee hoge panden. Het was hier erg warm en het zweet sprong uit zijn voorhoofd. Halverwege weken de muren plotseling terug, het pad verbreedde zich, leek alvast te preluderen op een door ligusterhagen en loodsen omgeven binnenplaats. Hij liep door een zwerm onweersmuggen en kneep zijn ogen dicht.

Op de binnenplaats was het schemerig. De rommel van planten en dozen was zo veelzijdig en verkeerde in zoveel stadia van vergaan dat Minst elke week opnieuw meende op een plek te zijn gekomen die hij nog nooit eerder had gezien. Aan het rechterhuis was een soort serre gebouwd, twee etages hoog, opgetrokken van steen en vlak onder het matglazen dak onderbroken door kleine ramen. Neonlicht scheen erdoorheen en maakte de hele achterkant van het huis zichtbaar. Het leek van hier zelfs of het huis alleen maar een achterkant had, zó hoog en donker doorschijnend stond het er. De hemel leek hier blauwgroen en lag als IJslands mos op het dak.

Vol ontzag keek Minst naar de schitterende avondlucht en zei hardop: 'De Heere zij geprezen.' Hij schopte tegen een langwerpige doos waarop 'Aalsmeer' stond, een kleurige stofregen van vergane pepers steeg eruit op. Hij liep een korte trap op, deed zo voorzichtig mogelijk de schuifdeur open (het knarsen kon hij niet verhinderen), schoof hem dicht en zei vriendelijk: 'Goedenavond.'

Minst behoorde tot die mensen van wie eens gezegd is dat zij het aardrijk zullen beërven. In zijn geval zag dat er nog niet direct naar uit. Zijn groet werd niet beantwoord. Hij was nu in de werkplaats, bleef bij de deur staan en rook de scherpe geur van plantensap.

Vanaf zijn plaats kon je door een klein raam van in lood gevatte ruiten in de woonkamer kijken. Als altijd zat daar de oude dame. Onafgebroken keken de stekende ogen die als grijze bolletjes tussen de snel op- en neergaande oogleden zaten de werkplaats in. De leveranciers noemden haar onder elkaar 'duifje'. Minst deed dat niet. Hij had er een hekel aan mensen een bijnaam te geven. Hij had haar nooit anders dan op die plek aangetroffen. Als je langs haar hoofd keek viel je blik op een veel groter raam dat uitzag op de eigenlijke bloemenwinkel die de oudste van deze niet onaanzienlijke plaats was, met veel voorname klanten. Tot zaterdagavond laat werd altijd doorgewerkt.

De neonbuis boven de werktafel flakkerde. Vaarzon schikte een boeket. Zij volgde de bewegingen van haar zoon. Minst keek ook naar de schikking. Vaarzon had dikke handen en korte, brede vingers. In-wit alsof hij ze in een zak meel gedoopt had. Er werd van hem gezegd dat hij iets aan zijn geslacht had, dat hij daarvoor al enige malen was behandeld, dat hij daarom niet getrouwd was. Minst geloofde die verhalen niet zomaar.

Als het meezat en Minst kreeg wat geld dan was er nog altijd de afschuw dat Vaarzon het in zijn handen had gehad.

Minst wachtte zo onopvallend mogelijk, hield zich met de papegaai bezig, had geen idee van de tijd die voorbijging, staarde naar de uitgeslagen muren en naar zijn medemensen: de oude dame, rechtop, roerloos met roze wangen, Jan Anams, serviel, sluw, gebult en Vaarzon, slechts afkeer oproepend. Alle drie zonder duidelijke leeftijd. De oude dame moest al in de 80 zijn, de beide mannen tegen de 50. Niemand wist het precies. Minst kwam hier allang. Hij had ze niet anders gekend. Hier verstreek een andere tijd, een tijd die niet aantastte, die in een lus om de mensen heen lag. Zó waren ze op de wereld gezet, zó zouden ze de wereld verlaten.

Jan Anams sloeg een pot stuk. Er stak een dot fijne wortels uit – de plant had alle aarde opgebruikt.

Minst deed een stap vooruit om zich te vertreden en zijn broek liet, als straks op straat, het angstige piepen horen. Jan Anams stootte Vaarzon aan. Deze draaide zich traag om, keek met zijn kleurloze ogen – te kleurloos om werkelijk valsheid uit te drukken – Minst in zijn ribpak aan, keerde zich weer naar de tafel, ging verder met het arrangement en zei toen met zijn doodse stem: 'De meter is al opgenomen, Minst.'

Minst achtte meteropnemers, als ieder ander eerbaar beroep, hoog, maar hij was toch diep gekwetst. Op de binnenplaats schopte hij tegen een hele stapel dozen, trok een gek gezicht en toen werd het hopeloze gevoel iets minder. Naast deze nieuwe vernedering was er een kleine triomf. Hij was uit zichzelf weggegaan. Hij had zich niet laten wegsturen.

Thuis zei hij tegen Fia dat het niets was geworden, ging naar boven en trok iets anders aan. Door de vastberadenheid in zijn houding durfde ze niets te vragen. Ze ging vlug koffiezetten en later zei ze: 'Wim heeft gebeld. Hij zit voor een tentamen en hij heeft een zware oefening. Ze moeten misschien de groene baretten bestrijden.'

Fia werkte het hele weekeinde aan een meterslange tochthond voor bij de suitedeuren. Minst zat achter zijn bureau, een zestiende-eeuws 'Commentaar' voor zich, verschanst in zijn eenzaamheid. De tochthond moest op een Ierse setter lijken. Minst zag er slechts een geschoren schaap in. Heilige, profetische woorden maakten zich van de bladzijde waarnaar hij keek los en op de vleugelslag van ongewone dromen verliet hij door de donkere vensterruit de kamer.

Niet lang daarna harkte Minst op een zaterdagmiddag de paden bij tussen de bloembedden. Het was zijn laatste werkzaamheid van de week. Het hek dat vanaf de weg toegang gaf tot de kwekerij had hij al dichtgedaan. Er zou geen klant meer komen. De loop was eruit. Er kon geen knecht meer af. Hoe harder hij werkte hoe minder klanten er kwamen. Nooit had hij geld om iets te vernieuwen, tussen de dakpansgelegen ruiten en langs de roeden zat zoveel teer dat er op de planten binnen een duister licht scheen. De lasten waren te hoog. Geen naoorlogse regering was opgekomen voor de kleine middenstand.

'Begin een tuincentrum,' was hem aangeraden. 'Beplant het land met coniferen. Dat trekt. Anders word je weggesaneerd. Laat al die oude rommel afbreken.'

Ze hadden gelijk. Fia drong ook aan. Hij gaf er niet aan toe. Nog steeds maar met grote moeite hield hij het hoofd boven water. Hij was 58 jaar. Had alles eigenhandig gebouwd. De oude rommel afbreken...

Hij borg zijn hark op, ging in de scheefgezakte kas op de afgebrokkelde muur van tufsteen zitten. Uit de scheuren kropen pissebedden. Hij zag ze niet want hij had zijn ogen gesloten en bad. Heel lang en zijn bidden verliep in gemijmer... Eta was niet spraakzaam, ze keek de hele avond tv. Hij begreep niet wat ze in Wim zag. Ze had prachtig donkerblond haar. Hij dacht niet dat ze het ooit kamde; een verwaaid korenveld. Fia was tegen de verhouding. Ze vond Eta niet goed genoeg voor Wim. 'Ze zegt geen stom woord,' klaagde ze vaak. 'Ze biedt nooit eens even aan om samen af te wassen en ze kleedt zich ouwelijk. Ik loop de hele dag te rennen.'

Hij trachtte zich te herinneren hoe Fia er had uitgezien toen hij haar had leren kennen. Dat beeld wilde niet tevoorschijn komen.

Als hij in de achterkamer in zijn boeken zat te kijken, hoopte hij dat Eta plotseling achter hem zou staan en over zijn schouders zou meelezen. Hij zou haar vertellen over de machtige woorden die hij steeds maar herlas. Haar bovenlip krulde iets op. Wat zei Fia gisteren tegen hem?

'En jij met je kuren als zij er is. Net of je met je houding geen raad weet.'

Hij werd gloeiend heet onder zijn schedel. Ze had gelijk. Als hij Eta zag, was hij zichzelf niet meer. Als hij iets zei klonk zijn stem vreemd, heel kinderachtig. Minst voelde zich klein en middelmatig. Hij was niets. Hij was 58 jaar en hij bezat een bijna verlopen zaak. In de stilte van de hem omringende planten die stonden ingegraven in vochtige turfmolm waaruit een prikkelende geur opsteeg, begon een kleine gedachte te groeien, een droomgedachte waar hij niet goed raad mee wist, die hem een vreemd opgetogen gevoel gaf, die het onbereikbare bereikbaar moest maken. Hij wilde dat zij tegen hem opzag. Wim was haar niet waard. Als *hij* in haar ogen iets betekende...

Door een kier straalde de zon. Aan een verwarmingsbuis hing een bos raffia. Bij leven en welzijn zou hij daarmee maandagmorgen de dooreengewaaide dahlia's opbinden. Iets betekenen in haar ogen... hij schrok en zei hardop: 'Om Uws Naam Wil. Amen.'

Hij stond op en stootte gemeen zijn hoofd tegen de stang waarmee hij een nokraam kon openzetten. Toch had zijn stap iets veerkrachtigs toen hij over het tegelpad naar huis liep. Hij groette de buurman die in zijn achtertuin werkte. Het eten stond al op tafel toen hij binnenkwam. Ze aten zwijgend totdat ze zei: 'Het was zeker weer niets?'

'Ik wilde het maar een keertje overslaan.'

Ze keek hem aan.

'Uren sta ik te wachten op die paar rotte centen.' Na een hele tijd zei hij: 'Ik ga straks wel.'

'Je moet meer op je poot spelen. Je moet zeggen dat je het geld hard nodig hebt. Met een klein bedrijf als het onze mag er nooit zoveel geld onder de mensen staan. Je hebt er toch planten voor geleverd? Het is toch je handelsgeld. Zo komen we nooit een steek verder.'

Haastig begon ze de tafel af te ruimen. Minst had plotseling een moe gevoel in zijn benen en toen was het of hij even duizelig werd.

'Fladderde Jan Anams vanmorgen weer niet de tuin op?' ging ze verder, terwijl ze uit de lucifersautomaat die Wim vroeger op school had gemaakt een lucifer trok om het gas aan te steken.

'Ik zie hem liever gaan dan komen.' De duizeligheid was over, maar hij was helemaal nat in zijn nek.

Hij zei nog een keer: 'Ik zie hem liever gaan dan komen. Hij trekt alle planten los. Het beste is nog niet goed genoeg.'

'Wat heeft hij meegenomen?'

'Een paar varens.'

'En geen geld zeker.'

'Als ik hem van de tuin stuur krijg ik het andere geld ook niet. Je zit aan ze vast tot ze alles betaald hebben.'

'Zeg 't ze nog maar 's goed. 't Is te gek om los te lopen.'

Ze vouwde het tafellaken op en toen ze weer met de rug naar hem toestond vroeg hij: 'Komt Wim?'

'Ik denk van wel, anders had hij al gebeld.'

Minst liep kalm de steile weg af naar het centrum. De buurman stond nu aan het hek bij de voortuin. Ze groetten elkaar en in het voorbijgaan roemde Minst het aanhoudend warme weer.

''s Nachts moest er nog een buitje vallen,' zei de buurman.

'We hebben het niet in eigen hand,' antwoordde Minst.

'Is maar goed ook!' riep de buurman, want Minst was intussen langzaam verder gelopen. 'Anders kwam er nog meer heisa op de wereld.'

Minst bleef nooit met de buurman praten omdat deze altijd

opmerkingen maakte waar je niets op terug kon zeggen. De buurman deed bovendien nergens aan. Je kon het aan het woord 'heisa' horen.

Minst mocht hem wel.

Minst nu was een zachtmoedig man meer dan enig mens op de aardbodem. Hij deed zo voorzichtig mogelijk de schuifdeuren open, maar hij kon het knarsen niet verhinderen. Het knarsen klonk scherper dan anders. Er kon een kiezelsteentje in de gleuf zitten. De papegaai stond in het dalgedeelte, de immortellen glinsterden; een plantensproeier om de rozen een bedauwde indruk te geven, binddraad, afval... de dingen waren niet veranderd, maar stonden op het punt er niet te zijn. Ze hadden die zo merkwaardige, opgewonden en tegelijk berustende trek van het 'moment van afreizen'. Nog een enkel ogenblik en de reis begon en het leek of ze in die stilstand al op weg waren. Mengeling van pure beweging en pure rust waarin Minst zwijgend, argeloos en verbijsterd stilstond.

Oog in oog met een onbekende man van middelmatig postuur die op de werktafel zat, gekleed in een zwart, wel erg versleten kostuum van een ouderwetse, bespottelijke snit. Minst stak zich niet graag in wespennesten en zei met onvaste stem: 'Ik kom een andere keer wel terug.'

Tegelijk schoten door zijn gedachten afzichtelijke beelden van Dagon, Léviathan, Beëlzebub, het zevenkoppig monster uit de Openbaringen, heldere beelden van nog andere manifestaties van het Kwaad.

De man zat daar in rustige zelfverzekerdheid, de benen over elkaar geslagen, naast een half opgestoken bloemstuk van barok karakter. Terwijl hij een uitnodigend gebaar maakte om verder te komen zag Minst dat de broekspijpen van de onbekende buitensporig wijd waren. Overigens was er niets merkwaardigs aan de verschijning, niets duivels. Zijn ogen hadden een goedmoedige uitdrukking. Die hielpen Minst snel over zijn verwarring heen.

Hij dacht zelfs: ik herken hem. Die iets zalvende stem vol overtuigingskracht komt mij vertrouwd voor. Hij ziet eruit als de colporteur die twee keer per jaar op de kwekerij komt om mij boeken van de oude vaderen te verkopen. Die was veel eerder dan Minst krachtdadig bekeerd, wist tijd en plaats van zijn bekering heel precies aan te geven, iets waarop Minst min of meer jaloers was omdat zij bij hem via allerlei onmerkbare stadia verlopen was. Op een morgen had hij de zekerheid van de genade gehad. Ze was in de slaap gekomen. Ze had hem overvallen als een dief in de nacht. Fia wantrouwde de colporteur. Zij geloofde dat hij Minst bedroog met zijn aftandse boeken. Ze baden uren samen op de rand van de broeibak totdat Fia hem aan de telefoon riep. Minst bewonderde de colporteur vooral omdat deze wel eens visioenen had.

Wat was de kwekerij ver weg nu! De onbekende had veel weg van de colporteur, maar hij was het niet. Zoiets als een deun die door je hoofd heenzeurt en die je maar niet kunt zingen.

'Komt u wat dichterbij,' zei de man vriendelijk, 'dan kunnen wij elkaar begroeten.'

Wantrouwend deed Minst een stap naar voren, aarzelde en deed nog een pas. Hij gaf de onbekende een hand. Zoiets was hem hier nog nooit overkomen.

'Het is merkwaardig,' zei Minst tegen zichzelf terwijl hij de 'colporteur' aanstaarde.

'Wie bent U?' vroeg Minst.

'Ik ben de Waarheid.'

'U mag niet spotten,' zei Minst bestraffend. 'U zult worden geworpen in de buitenste duisternis, waar wening is en knersing der tanden.'

Ongevraagd had hij zijn mening gegeven. Hij besefte zijn welsprekendheid, maar beschouwde deze al als gewoon. Hij vroeg zich af of het misschien een nieuwe leverancier uit Honselersdijk was. Die plaats kwam geweldig opzetten in de bloementeelt. Deze overpeinzingen gaven hem nog meer afstand tot de gebeurtenissen die, dat voelde hij intuïtief aan, wel eens erg ingrijpend zouden kunnen worden.

'Ik ben het Recht,' zei de man die niet op Minsts banvloek inging.

'U spot opnieuw met de Heilige Schrift,' hield Minst die zich steeds meer op zijn gemak voelde, hem voor. 'Er is slechts één Rechter en Hij...'

De onbekende glimlachte.

Minst besloot er niet verder op in te gaan. Argumenteren was niet zijn sterkste kant. Hoe deze man over geloofszaken dacht was niet in de haak. Schoonschijnend en verwarrend. Hij herinnerde zich nog bitter de discussies met Fia en met Wim. Hoe lang was dat niet geleden en hoe ver weg waren Fia en zijn zoon! Zou Wim er al zijn, met Eta? Hij wilde niet te lang meer blijven hier; dat had geen zin.

'Laten we niet redetwisten,' zei de man. 'U had een afschuw voor de mensen hier?'

Waar zinspeelde hij op? Minst raakte liever niet verstrikt...

Zijn gedachten werden onderbroken door de stem van de 'colporteur': 'U verwacht Jan Anams aan te treffen bezig met zijn werk?'

'Ja,' antwoordde Minst, 'hoewel ik niet voor hem kom.'

De man wees naar de kist onder de werktafel. Minst bukte zich. Op het plantenvuil zag hij de knecht, een draad raffia om zijn benige nek gesnoerd; zijn bovenlip was opgetrokken tot voorbij het tandvlees. Minst dacht aan de dode kat die hij een tijdje geleden langs de kant van de hoofdstraat had zien liggen.

'Het is verschrikkelijk.' Minst deinsde achteruit. 'Jan Anams heeft zijn ouders nooit gekend, hij was met weinig verstand begiftigd, hij werd voor niet goed wijs versleten. Hij verkocht de sportkrant om er wat bij te verdienen. Hij werd als een hond behandeld.'

'Een steen die door de tempelbouwers verachtelijk was een plaats ontzegd?' De stem van de man had een hardere klank gekregen.

Minst wist niet wat hij daarop moest zeggen. 'Als een lamme vogel kwam hij de kwekerij opfladderen, hij trok alle planten scheef, hij had nooit geld bij zich, maar ik heb hem nooit een kwaad hart toegedragen.'

De man onderbrak hem kortaf: 'Kijkt u naast de kist, onder de tafel.'

Minst keek. Vaarzon in zijn volle paffigheid staarde hem aan, de kleurloze, dode ogen gericht op een punt achter de papegaai. Hij dacht aan het zieke geslacht van Vaarzon. Om zijn hals was een dubbel snoer raffia gedraaid. De omvang van zijn hoofd leek toegenomen, zijn gezicht vertoonde een kleur van gesmolten boter, zijn dikke handjes lagen op de binnenkant van zijn dijen.

In het hoofd van Minst klonken de woorden: 'Ongevoelig als vet is hun hart, maar ik verlustig mij in Uw Wet.'

'En hier!' zei de man en boog opzij.

Minst zag de oude dame. Haar roze wangen waren doorzichtig als glas. De oogleden stonden stil. Het voorhoofd was hard en geel als travertin. Om haar hals een dichte bos strakke raffiadraaisels, genoeg om een heel dahliaveld mee op te binden.

'Als in de namaakgrotten van een sprookjespark,' mompelde Minst.

'Het is net gebeurd, juist voor u binnenkwam.'

'Ze zien er zo onecht uit,' waagde Minst die de gezichten nog eens goed bekeek.

Toen begon de man te lachten en zijn lach klonk hoog op tegen het matglazen plafond en daarna tot de einden der aarde. Minst was met stomheid geslagen maar kon niet nalaten zijn metgezel tot kalmte te manen. De papegaai die al die tijd rustig was geweest, begon met zijn ketting te rinkelen. Na enig nahikken zweeg de man.

'Het zijn mensen. Het is niet aan ons om te oordelen,' zei Minst zacht.

'Het waren levens zonder belang. Levende belichaming van de tortuur.'

Minst kende het woord 'tortuur' uit de Exegesen, hoewel daar altijd van de geestelijke tortuur werd gesproken.

'Ze hebben een eeuwige ziel,' wierp Minst zwakjes tegen. De papegaai beet een pit kapot en het lawaai echode door de ruimte.

'Waar zijn de nota's?' onderbrak de man zakelijk.

Minst haalde uit zijn binnenzak een smerig bundeltje papieren, dik geworden van ouderdom, tevoorschijn, trok het zwarte brede elastiek eraf, vroeger voor Wim eens gesneden uit een oude fietsband, vouwde ze open en legde ze op datum naast elkaar.

'Nou,' merkte de man glimlachend op, 'er zijn zeker heel oude bij.' Hij raakte de gele doorgesleten vouwen aan.

'Sommige rekeningen zijn van jaren geleden.'

'Betaalde hij nooit?'

'Een enkele keer; dan keek Vaarzon naar zijn moeder, zij maakte een bepaalde beweging met haar hoofd en Vaarzon wees dan op goed geluk een briefje aan waarvan tien gulden mocht worden afgetrokken. Kijk!' Minst liet een briefje zien met aftrekkingen. Hij legde het weer neer. 'Het is toch mijn handelsgeld. Ik kan 't toch niet hebben als het onder de mensen staat.' Hij begon zich op te winden. Hij deed als Fia.

'Hoeveel krijgt u in totaal van de firma Vaarzon?'

Op die vraag had Minst niet gerekend. Moeizaam telde hij getallen op. Hij gebruikte daarvoor de achterkant van een nota. Het duurde lang want hij verrekende zich steeds en hij wilde geen fout maken waardoor hij een bedrag zou moeten noemen dat bij latere controle te hoog zou blijken.

'Opschieten,' drong de onbekende ongeduldig aan.

'Ongeveer 560 gulden en nog iets.'

'We maken er 600 van.'

Soepel sprong hij van de tafel en liep naar de zilverkleurige kassa die op een houten console stond in het nauwe portaal dat werkplaats met winkel verbond.

Minst deed een pas opzij, zijn blik volgde de man. Deze draaide aan een ebonieten hendel, de geldla schoot eruit als een lompe tong, tegen de buik van de man. Daarna hoorde Minst het rinkelen. Hij had het rinkelen eerst verwacht en dan daarna pas het tevoorschijn komen van de geldla. Dit detail drong zich zo sterk aan Minst op dat hij een moment de man vergat die alweer was teruggekomen en hardop het geld uittelde in zes briefjes van honderd. Minst schoof ze zonder iets te zeggen bij elkaar en stopte ze weg. De onbekende stak de nota's bij zich. Opnieuw liep de man weg. Nu rinkelde eerst de kassa en toen kwam de la. Minst vroeg zich af of hij zich straks vergist had.

Even later kwam de man terug en zei: 'Ik heb mij bedacht. Er zit zoveel geld in de la, u hebt hier zo vaak moeten wachten, men heeft u zo vaak gekrenkt.' Hij overhandigde Minst een bosje papiergeld die het onmiddellijk wegstopte zonder ernaar te kijken.

'Men moet van de gelegenheid gebruikmaken.' Minst reageerde daar niet op. Hij deed weer een pas terug, leunde tegen de werktafel, keek schuw om zich heen of iemand behalve de 'colporteur' het gezien had. Heel in de verte hoorde hij de winkeldeur opengaan en weer in het slot vallen. Minst voelde zich plotseling alleen en werd bang. Hij draaide zich om naar het enige levende wezen in de werkplaats, raapte een takje op, kietelde de vogel en maakte hem toen los. De papegaai maakte op de grond enkele tollende bewegingen, schudde zijn veren, hipte op Vaarzon en Jan Anams af, keek er verveeld, bijna hautain naar, sprong toen via een stapel vuil op de tafel en begon verwoed in de ruit te pikken. Het klonk als aanhoudende zware hagel op éénruiters.

Alle glaasjes waren uit het lood geslagen, de vogel rustte uit en krijste 'Godverdomme.' Daarna richtte hij zijn snavel op de ogen van de oude dame. Zijn tong, als een penseel gerafeld, kwam tevoorschijn. Hij stootte in het oog; het was doodstil. Minst dacht aan de bakker in de droom van de Farao. Via de ogen verschaft hij zich toegang, dacht hij, en pikt haar hele schedel leeg.

Minst groette, deed de schuifdeur zo voorzichtig mogelijk open (nog nooit klonk het knarsen zo zacht), deed hem dicht en op dat moment begon de telefoon te rinkelen. Zwermen muggen dansten in de hitte. De hemel was groen en er waren al sterren. Een weiland vol gele appels.

Kalm liep hij de steeg uit. Een auto reed door de hoofdstraat. Minst wachtte tot deze voorbij was. Toen stak hij zijn hand in de binnenzak en haalde het geld eruit. Hij omklemde het. Hij had er niet naar durven kijken. Hij kneep zijn hand zo hard dicht dat het bloed uit zijn vingers wegtrok. Hij keek de straat af in beide richtingen. Bij de halte van de trolleybus stond een man. Er kwam juist een bus aan. Minst draaide zich om, drukte zijn gezicht tegen de etalage van de bloemenwinkel. De warmte van de pui drong in zijn dijen. De bus reed voorbij. Minst bleef nog een hele tijd zo staan. Toen hij zich omkeerde zag hij dat de man verdwenen was. Op het trottoir aan de overkant liep een jongen met sprongen achteruit. Minst vroeg zich af welke hoge eis deze jongen zichzelf gesteld had: mochten zijn voeten alleen op de lichte gedeelten komen? Maar aan de overkant kwam helemaal geen zonlicht meer! De jongen zwaaide naar hem en terwijl Minst zich afvroeg wie hij kon zijn (zoon van een andere winkelier aan wie hij wel eens leverde?) bedacht hij dat de jongen gewoon zijn arm omhoog zwaaide om zijn evenwicht te bewaren. Minst ging op weg naar huis. Hij begreep ten volle dat hij daar liep, maar het begrip speelde zich op een ander plan af dan hij gewoonlijk de dingen begreep of niet begreep. Een slanke vogel daalde neer op een elektriciteitskabel boven de weg, veerde op en bleef wiebelend zitten. De jongen liep nu met kleine sprongen vooruit. Minst had een beetje medelijden met hem, omdat hij geen vriendjes had. Hij vroeg zich af hoe laat het was, liep tot onder de kabel naar het midden van de weg en keek naar de verlichte wijzerplaat op de toren van de katholieke kerk. Hij zag één wijzer. De andere zat er natuurlijk net achter. Omdat die grote wijzers van een torenklok snel liepen wachtte Minst. Na een hele tijd was de wijzer er nog niet achter vandaan gekomen. Minst bereikte het trottoir weer. Als vanzelf was hij alleen op de lichte plekken gaan lopen. Soms moest hij een kleine sprong maken. De buurman stond nog precies als straks bij het hek, zo precies hetzelfde dat Minst zich daarover verbaasde. Hij zag een detail dat hem verraste: de buurman stond met zijn ene voet op de andere. Minst perste het geld in zijn hand fijn; het brandde tegen zijn palm. De zon stond nu zo laag dat de lichte plekken op steeds onregelmatiger afstanden kwamen. Minst moest een heel scherpe bocht maken en kwam op grote afstand langs het hek van de buurman. Deze maakte heftige bewegingen met zijn mond.

'Haast, Minst?'

Minst luisterde met plezier naar die vertrouwde stem. De buurman bezat het geloof niet maar hij mocht hem wel. Hij begreep alleen niet dat deze het voor zichzelf kon verantwoorden om op zondagmorgen krijtlijnen te gaan trekken op de bijvelden voor de jeugdelftallen van de voetbalclub. Minst maakte een snelle zigzagbeweging om niet op het donkere gedeelte van de straat te komen en zei:

'Dag buurman, wat een hitte.'

Hij zou nu wel even willen leunen op het hek naast de handen van de buurman. Een klein meisje dribbelde een paadje uit, recht op hem af. Hij wilde over haar hoofd strijken. Ze was buiten zijn bereik. Hij had een sterke behoefte een ander mens aan te raken.

De lichte plekken werden zeldzaam. De steile straat werd steeds meer een trechter. Voor zijn huis waren de straatstenen helemaal donker. Zijn hand was vochtig van het geld. Hij zag dat Wim en Eta in de voorkamer zaten. Ze keken tv. Hij liep om het huis heen, het grind knirpte onder zijn voeten, hij deed de achterdeur open en kwam in de keuken waar Fia net koffie opschonk. Tv-stemmen klonken tot in de keuken door.

Zijn gesloten hand legde hij op tafel.

'En?' Hij keek strak naar zijn hand en op zijn gezicht verscheen een glimlach.

Ze deinsde terug alsof er iets ongehoords op tafel lag.

'Wat heb je in je hand?' vroeg ze en zó zacht en zó angstig had haar stem nog nooit geklonken.

'Kijk maar.'

'Doe je hand dan open! Je drukt zo hard, je nagels zitten in het vlees.'

'Je hoeft niet bang te zijn,' zei hij toen. Hij had de angst in haar ogen gezien. Zijn hand ging als vanzelf open en behalve het hardgroene takje waarmee hij de vogel gekieteld had was zij leeg. Hij begon zacht te huilen.

Dat weekeinde werkte Fia aan de tochthond. Hij las. Wim dronk grote hoeveelheden bier. Fia deed haar best om met Eta een gesprek te beginnen. Ze vroeg wat Eta van de kleur van de oren van de hond vond. En Eta zei alleen terwijl ze naar de tv bleef kijken dat ze later een tochtzuiger wilde aanschaffen. Wim vertelde dat hij een zware oefening had gehad in de Drunense duinen: 'We werden aangevallen door de groene baretten uit Roosendaal. Met mijn slapie ben ik gevangengenomen. We zijn verhoord alsof het in oorlogstijd was.' Hij begon opgewonden te praten en daarna schreeuwde hij: 'Ze maakten draden aan mijn kloten vast en joegen er schokken doorheen.'

'Mijn God, jongen toch, je drinkt zoveel, dat zijn we niet gewend, zet de tv wat zachter.' Haastig stond Fia op, de hond viel van haar schoot, zijn staart zwiepte. Ze bleef heel lang in de keuken.

Zondagmorgen bleven Wim en Eta tot twaalf uur op bed liggen. Het ontbijt gebruikten ze om één uur. In de loop van de middag was er een woordenwisseling tussen Wim en Eta. Minst begreep niet waarover. Plotseling stond Eta op en ze schreeuwde: 'Ik heet niet Voskuilen. Ik heet Ván Voskuilen'. Wim verklaarde lusteloos: 'Ze staat nu eenmaal op dat voorvoegsel.'

Minst voelde een vreselijke opwinding en woede over dat 'ván.' Weerloos, onmachtig keek hij naar de minachtend opgekrulde bovenlip.

Wim liep naar boven om zijn tas in te pakken.

Ze gingen samen weg. Wim groette nog met een rood gezicht.

Een nieuwe week begon. Minst was heel vroeg op de kwekerij. De nog grauwe dag kletterde op zijn nek als kille najaarsregen. In de broeikas had hij naar de bos raffia gekeken maar hij kon er niet toe komen naar het dahliaveld te gaan. Om acht uur daalde hij de weg af naar het centrum. In de etalage was Vaarzon al bezig anjers waaiervormig in een vaas te schikken. Minst groette, maar Vaarzon deed of hij hem niet zag.

Minst keerde terug naar de kwekerij. In de loop van de ochtend liep Jan Anams de tuin op.

De zon kwam laat door die dag. Toen werd het erg heet. Minsts pas vergane glorie weerspiegelde zich in de hitte die tussen de kassen hing. Hij bond de dahlia's op, bedwelmde zich met het werk.

Aan de dag kwam geen eind. Wat gebeurd was zou onverbiddellijk blijven meetellen. In zijn brandende ogen begonnen de bloembedden te golven en over de kwekerij woedde een storm van warme lucht.

Genegenheid

In zijn verbeelding stelde hij zich voor dat het kleine vertrek zich met het kabaal van de losbrandende revolver vulde, dat scheuren als donkere rivieren in het spiegelglas trokken en zij beiden, hijzelf en de vrouw, in splinters uiteenvielen... Met een glimlach op zijn ernstige, verwrongen gezicht luisterde hij naar de weerkaatsing van het tumult over hun vernietigde en toch intact gebleven lichamen. De glimlach verdween, zijn hand gleed langs de sprei die tot op de grond hing, zweet drong uit zijn voorhoofd.

Enige jaren geleden was Van Baak een ijzerwinkel binnengegaan en had lang staan kijken in de met een hangslot afgesloten vitrine, achter in de zaak, waar vuurwapens van velerlei soort waren uitgestald. Hij had zojuist het zoveelste bezoek aan de seksuoloog gebracht... 'Laat uw fantasie een beetje vrij, laat die het eigenlijke werk maar doen en neem rustig de tijd...' Hij wist van tevoren dat het toch niets zou worden, maar de arts deed heel bedrijvig, telefoneerde, spoelde flesjes om, liep heen en weer, waste uitgebreid zijn handen: allemaal met opzet uitgevoerde handelingen om hem af te leiden, opdat hij niet het gevoel zou krijgen dat de dokter op hem wachtte, iets van hem verwachtte. Zijn geest moest 'losjes' gericht zijn op de geslachtsdaad, zó 'losjes' dat het welslagen van die daad niet van het minste belang leek... 'Sluit uw ogen! Dat stimuleert de fantasie en het maakt u rustig...' maar hij sloot zijn ogen niet; van achter het plastic gordijn volgde hij met afkeer de groteske schaduw van de dokter; die ene keer kreeg hij een erectie; de oorzaak lag niet in de oproeping van het scherpomlijnde beeld van een wellustige vrouw. De bezige dokter irriteerde hem mateloos. Kille woede kroop in hem omhoog; als ik nu een revolver had, dacht hij plotseling, zou ik het gordijn openrukken en ik zou hem... Hij schoof kalm het gordijn open, de dokter draaide zich om, glimlachte, wreef in zijn handen en zei: 'Ziet u nou wel, de aanhouder wint!' Met zijn wijsvinger keurde hij de hardheid; Van Baak keek naar de nagel die glad was en roze met fijne kalkvlekken.

'Schitterend!' zei de dokter nog. Maar onder de strelende vinger en de goedkeurende blik schrompelde zijn geslacht ineen.

En hij was in de stad gaan lopen, de rechterhand in de zak van zijn loshangende regenjas, de vinger aan de trekker – in werkelijkheid omklemde hij de sleutel van zijn voordeur en schoot... een onafgebroken regen van grijze kogels... hij voelde zich sterk worden, een vreemde kracht leek bezit van hem te nemen, de somberte in zijn leven was op slag opgelost... hij moest zich zelfs bedwingen om niet enige danspasjes te maken... de laatdunkende trek op haar gezicht zou verdwijnen. De zojuist ontdekte truc bleek geen succes; hij kon haar doorzeven met kogels, schieten als een razende, tevergeefs.

Nooit had hij zich kunnen indenken dat hem zoiets zou overkomen. Als jongen al was hij ervan overtuigd dat vreselijke kwalen op de loer lagen om zijn lichaam aan te tasten; hij was 42, op die leeftijd kon je alles verwachten en was dankbaarheid passend voor elke dag zonder pijn. Zó was hij op veel voorbereid, niet op dit. Hij herinnerde zich die avond nog goed toen het voor de eerste keer misging; hij weet het aan de combinatie van moeheid en drank en ook een rol speelde, hij kon dat niet ontkennen, háár ontdekking van een hele jaargang 'Mamaloe,' het grote-borstenblad, in zijn bureaula, onder een klapper met rekeningen; en kort daarna was ze zijn kamer opgekomen (het schaamrood steeg opnieuw naar zijn kaken), het boekje had hij niet zo gauw meer kunnen wegmoffelen, was uit zijn broek gevallen, voor haar voeten... 'Ik doe zo zuinig mogelijk, meneer koopt dure, vieze boekjes...' Ze woonden in een kleine plaats vlakbij Utrecht. Zij werkte bij de sociale dienst in Amsterdam, bezocht gebroken gezinnen, belde steeds vaker op dat het gesprek uitliep, dat ze niet thuiskwam en trok tenslotte bij een man in die ze had helpen scheiden. In brieven die ze zo nu en dan schreef kwam nog een ander verwijt naar voren. Dat ze kinderloos gebleven waren, lag aan hem. De seksuoloog had haar toevertrouwd, eens, dat zijn zaad te schraal was.

Dan kwam het voor dat hij in de stad tegen een lantaarnpaal leunde, met de rechterhand in zijn jaszak en dat hij even heel werkelijk van plan was zich een wapen aan te schaffen, maar de mensen keken hem doordringend aan en hij haastte zich de buitenwijken in. Hij zou nooit een wapen kopen en dat moment van 'inkeer' had hem kinderlijk plezier gedaan, omdat hij van nature zachtmoedig was, maar vooral omdat hij nu zonder gevaar zijn fantasie de vrije teugel kon laten, desnoods op hol kon laten slaan, alle effecten van een schot tot in de kleinste details naar willekeur kon observeren.

Van de woonboten aan het Zandpad werd hij een vast bezoeker, de meeste prostituées kenden hem wel: altijd zorgvuldig gekleed, maar nooit zonder loshangende beige regenjas.

Het lawaai was weggezonken in de vale beddensprei. Op de vrouw na die zuchtend haar been verlegde, was het binnen stil. Buiten vlogen vogels met scherpe kreten aan over het water; in dichte zwermen zouden ze over de hoger gelegen weg, over het wegrottende hek in de berm, over een afgebrokkelde muur – laatste rest van een boerderijtje – in de diepte duiken waar de weilanden begonnen en, verderop, vervaagden tot een dode vlakte met flats in aanbouw.

De spiegel met weerkringen was de enige luxe in deze kale afstotende kamer; hij draaide zijn hoofd en zijn oog viel op een poster die een naakte vrouw afbeeldde in curieuze bokspringhouding. Ooit waren de wanden behangen geweest; resten zaten nog op het verbleekte, slecht in elkaar geschoven latwerk. Op de tafel bij de deur stond een schemerlamp zonder kap en een draagbare radio; hij hoorde de vogels weer en drukte zich tegen de vrouw aan; met het hoofd schuin kon hij het schijnsel blijven zien dat een neerslachtige intimiteit aan de kamer, eigenlijk vooronder, gaf. Onder de lamp lagen twee briefjes van 25 gulden.

Na binnenkomst werd er altijd onmiddellijk om gevraagd. Van Baak had de gewoonte aangenomen tevoren het geld uit zijn portemonnee te halen en met het geld duidelijk zichtbaar, mompelend, half bukkend, binnen te komen alsof hij het zojuist gevonden had op het pad dat van de weg steil naar de boot afliep. Het geld dat hij in zijn hand hield was niet eens van hem! En nu die briefjes daar zo lagen, hel verlicht onder de lamp, kon hij zich nauwelijks meer herinneren dat hij ze daar had neergelegd. Natuurlijk, zijn gedrag was erg kinderachtig, maar dit spelen met illusies was een noodzaak voor hem geworden.

Er was nog een ander voordeel aan deze handelwijze verbonden. Wat hij in zijn hand hield, was het bedrag dat hij wilde besteden. Meer had hij niet voor die avond. Om aan deze steeds dwingender 'uitspatting' financieel gehoor te kunnen geven, moest hij steeds vaker geld opnemen. Van Baak was een modale hoofdarbeider.

Ook buiten was het nu stil, de boot deinde en in die bewegende stilte verwachtte hij ieder moment dat de vrouw tegen hem zou uitvallen. Hij zou haar voor zijn, draaide zijn gezicht naar haar toe, sloot bijna zijn ogen en zei: 'Het gaat niet.' Hij richtte zich op en steunde op zijn armen.

'Niet zo gauw opgeven.' De ogen in het smalle gezicht onder leiblauwe wenkbrauwen hadden een vriendelijke uitdrukking. Buiten hoorde hij de vogels weer; in het schemerlicht zouden ze glanzend zwart en rond zijn; vogels of mensen, in grote aantallen waren ze altijd angstaanjagend. Bij deze vrouw was hij nooit binnen geweest. Hij deed er altijd heel lang over om zijn keus te bepalen, maar vandaag hadden de zo laag overvliegende, kwetterende beesten hem bang gemaakt. Zonder te kijken was hij hier naar binnen gevlucht. Hij verplaatste zijn gewicht van de ene arm op de andere, liet zich naast haar zakken, bespeurde in haar nek een ondiepe plooi, als een begerige kindermond, en hij was ontroerd; hij kreeg de geur van het geparfumeerde haar in zijn neus, was bang dat hij zou moeten hoesten en keek weer in de spiegel, zijn hoofd in de holte van haar arm. Ook als de vrouw lag, had ze erg opgetrokken schouders; ze ademde zwaar; hij dacht dat ze astmatische bronchitis had.

'Kom,' zei de vrouw schor.

'Het wordt niets vandaag,' zei hij. 'Ik hoef het niet te proberen, het komt door de vogels.' Hij lag doodstil, verwachtte eigenlijk dat ze schamper zou gaan lachen.

Na een hele tijd zei ze: 'En je hebt niet gedronken?' Haar stem was rustig, door de astma met een schijn van veerkracht.

'Nee.'

'Je hebt zeker te hard gewerkt?'

'Ja,' gaf hij toe. 'Het spijt me.'

'Als je moe bent, gaat het altijd moeilijk.'

'Ik geloof wel dat ik moe ben,' zei hij zacht en huilerig. Hij richtte zijn hoofd op, staarde naar de kale muur boven het hoofdkussen. Haar hand streelde zijn rug, hij strekte zijn benen, legde zijn hoofd weer op haar schouder.

'Ben je nerveus?' vroeg ze.

'Ja, ik had vandaag thuis moeten blijven.'

'Je moet je ontspannen en niet denken, kijk mij aan.' Hij keek naar het leeftijdsloze gezicht; ze trok zijn hoofd naar zich toe, drukte het tegen zich aan, hij voelde haar dunne hals en haar magere hand gleed over zijn lichaam. 'Het gaat niet,' zei hij. 'Mijn oogleden trillen, ik ben moe, het spijt me.' Ze keek hem aan, maakte een lichte beweging en hij dacht dat ze haar schouders ophaalde.

'Ik ben onrustig... als de vogels er niet waren geweest... het was net of ze uit het water kwamen, venijnige, zwarte beesten.' Hij deed een beetje verongelijkt, maakte een hulpeloos gebaar met zijn handen. 'Je bent bang, maar denk niet dat er iemand is die zich iets van jouw bangheid aantrekt. Je zult zelf meer...'

'Ik kan het niet helpen.' Hij zou over het haar van de vrouw willen strelen, maar het harde waas van de spoeling hield hem tegen.

'De volgende keer beter,' zei ze en bleef liggen.

'Ik stel me aan.'

'Je was nog niet eerder bij me geweest?'

'Nee, ik liep hier zomaar naar binnen.'

'Liep!' Ze had een peinzende manier van glimlachen. 'Het leek wel of ze je achterna zaten, je wist niet hoe gauw...'

'De vogels...'

'Ze streken vanmiddag aan de overkant neer, ze lijken heel kwaadaardig.' Ze dacht na en zei toen: 'Het lijkt of ze zich dood willen vliegen, misschien is het alleen in de schemer dat ze zo krijsen.' Ze keek hem een ogenblik aan en zei: 'Je hebt iets verdrietigs.'

Hij stond op van het bed.

'Waarom heb je nou opeens zo'n haast?'

'Ik schaam me.'

Van onder het bed kwam een poes; ze schurkte langs zijn benen, ze spon; het was benauwd in het lage vertrek en de schemerlamp brandde; hij streelde het beest. In de spiegel zag hij dat zij ook van het bed kwam. Om zich een houding te geven vroeg hij:

'Heb je er geen hekel aan?'

'Waarom?' Ze stond voor de wastafel.

'Met al die mannen?'

'Ik weet wie ik binnenhaal.'

'Hoeveel op een dag?'

'Je bent wel nieuwsgierig, maar je mag 't best weten; het is nou erg stil, op een dag dat er veel vaste klanten komen, zit ik gauw aan zo'n dertig, maar ik maak 't me soms gemakkelijk.' Hij aaide de poes, was gehurkt naast het bed gaan zitten, begon zijn overhemd aan te trekken.

'Hoe dan?' Ze begon te lachen; een hese lach die eindigde in een hoestbui, ze liet water in de washand lopen; in de spiegel zag hij dat ze de kraan dicht deed, het washandje in de bak liet glijden en op hem toekwam; het lichaam van de poes was warm.

'Het is anders een schuwe poes, ze laat zich alleen maar door mij aanhalen, ze houdt van jou, ik denk dat jij veel vrienden hebt.' 'Ik heb geen vrienden.' Hij wachtte. 'Ik heb een te sterke verbeeldingskracht.' Hij begreep niet wat die laatste zin op dit moment precies inhield; hij was verbaasd omdat hij zich op zijn gemak voelde op een vreemde manier.

'Je bent wel eigenaardig.' De kat huiverde, de vogels zwegen.

'Hoe oud ben je eigenlijk?' Over de rug van het beest heen, zijn ogen op haar gericht, zei hij: 'Tweeënveertig.' Van het hurken werd hij moe en hij ging met de poes op bed zitten; de vrouw was naar de wastafel teruggelopen, hij keek naar haar ingevallen rug.

'Tweeënveertig,' herhaalde ze. Hij kneep de kat hard onder de ruggenstreng, ze sprong kermend weg, kroop zich kleinmakend onder het bed.

'Wat doe je nou?' Ze nam hem van het hoofd tot de voeten op, maar hij kon niets misprijzends in haar ontdekken, alleen haar stem was ontdaan. 'Ik maakte een onverwachte beweging,' antwoordde hij moedeloos en boog zijn hoofd.

'Wat kijk je toch somber, zo'n man heb ik nog nooit gehad.' Ze deed een beetje kwaad. De vrouw ging naast hem zitten, buiten klonken voetstappen, het was gaan regenen; hij wist hoe de lucht in dit vroeg invallende najaar zou zijn: van achter de flats zouden donkere wolken komen aandrijven, opwiekend als enorme beesten, aan de onderkant beschenen door de laatste stralen van de avondzon; het was of al die wolken zich verzamelden voor een aanval op de eindeloze rij druipende, deinende boten om de schrille liefdeskreten te smoren. Hij keek in de spiegel, schrok, in zijn hand hield hij nog steeds zijn revolver; deze was niet zwaar met zijn ranke kobaltblauwe loop en gevlamde greep, hij stond op en liep naar zijn regenjas die aan een spijker tegen de deur hing en stopte hem diep weg in de jaszak. De vrouw volgde hem en schudde haar hoofd. De regen viel hard en monotoon, weer hoorde hij voetstappen, iemand luisterde aan het raam; het beeld van de koortsige hemel kwam terug; hij was bezweet en zag dat zijn handen trilden.

'Hoe laat is het eigenlijk?' Ze pakte zijn rechterhand, draaide de pols een kwartslag om en keek. 'Tien over zeven. Stilste tijd van de dag.' Ze legde zijn hand op haar blote, knokige knie. 'Probeer het nog één keer.' Hij keek naar zijn overhemd dat hij bezig was dicht te knopen.

'Hou dat maar aan.'

'Ja,' zei hij zonder overtuiging. Hij lag weer naar zichzelf te kijken en naar de vrouw die haar uiterste best deed.

'Gewoon aan niets denken en ook niets doen; je bent helemaal nat van het zweet.'

'Het is warm.'

'Het vertrek heeft een lage zoldering, met de straalkachel is het gauw te heet.'

'Je kunt de temperatuur moeilijk regelen in zo'n klein vertrek,' zei hij, 'een straalkachel heeft maar twee standen.'

'Stilliggen,' gebood ze, ze deed heel streng, bijna dezelfde toon als zijn moeder vroeger.

'Mijn vrouw...' zei hij en zweeg.

'Nou...!'

Hij zweeg. 'Je hoeft niets te vertellen, maar áls je iets kwijt wil, ik kan luisteren, dat heb ik geleerd, ik ben hier, denk ik wel eens, nog eerder om te luisteren...' Hij bleef zwijgen. 'Ook goed... mij om 't even...'

'Nee,' zei hij plotseling.

'Wat nee?'

'Het gaat niet, echt... het spijt...'

'Zit je je weer te verontschuldigen?' Ze deed opnieuw boos, keek hem in de spiegel aan. 'Je hoeft je niet te schamen, je bent alleen moe, we zijn allemaal wel eens moe.' De regen kletterde op het dak en tegen de kleine ruit. 'Trek alsjeblieft niet zo'n hulpeloos gezicht, je lijkt wel een kind.'

'Ik had het vandaag niet moeten doen, ik had het kunnen weten.'

'Je bent een beetje over je toeren, je moet naar huis gaan.' Hij stond onmiddellijk op, liep naar de stoel waar zijn kleren op lagen en trok er zijn broek met een snel gebaar af. De vrouw bleef liggen en zei: 'Zie je nou wel, nou doe je weer zo paniekerig.' Hij staarde naar het geld onder de lamp, op de tafel bij de deur, hij hoefde zijn hand maar uit te steken.

'Misschien kom ik morgen al wel weer terug,' en er trok een lachje over zijn gezicht.

'Ik laat je niet binnen.'

'Je laat me wel binnen.'

'Ja, ik laat je wel binnen,' gaf ze toe en glimlachte nadenkend.

'Dat ik nou net vandaag zo moe ben, terwijl ik hier voor het eerst kom.'

'Luister eens,' zei ze, 'nou moet je met het gezeur ophouen.'

'Mag ik wat water drinken, ik heb een droge mond.'

'Het is ervoor.' Hij liep langs het bed waarop nog steeds de vrouw lag, hield zijn hoofd schuin onder de kraan en dronk; hij zag het geld; waarom had ze het niet meteen opgeborgen? Hij dronk gulzig, veegde zijn mond af en zei: 'Het spijt me.'

'Hou op, alsjeblieft.' Ze stak een lange sigaret tussen haar lippen. Het was de laatste tijd sterker geworden, de manie zich voor elk woord, elke daad te verontschuldigen.

'Weet je wat het bij jou is?' Hij schudde zijn hoofd. 'Gebrek aan zelfvertrouwen.'

'Misschien.' Halfgebogen stond hij bij de wastafel, met sokken aan en dichtgeknoopt hemd, ridicuul en onwaardig, vol afkeer voor zichzelf. Ze zei: 'Je bent nog steeds bang en de vogels zijn allang niet meer te horen.'

'Ik ben altijd bang,' en hij trok zijn broek aan. 'Ik heb veel strijd te voeren,' zei hij met een ironisch lachje. Het leek of de vrouw over iets nadacht.

'Het is heel gek,' zei ze, 'ik ben nooit bang, ik krijg wel vaker klanten die dat hebben en dan denk ik bij mezelf: waarom heb ik dat niet? Die angst en dan zit ik te piekeren en dan lijk ik bijna bang te worden en dan zeg ik tegen mezelf: verdomme meid, stel je niet aan, je laat je door al die mannen van de wijs brengen...' Ze wachtte. En toen voegde ze eraan toe: 'Ik ben alleen bang om benauwd te worden.'

'Angst is vreselijk,' zei hij. Hij wilde nog iets zeggen, maar er schoot hem niets te binnen.

'Als ik ziek word, dan zie ik het wel, dood ga je vanzelf, je moet er alleen niet aan toegeven.'

'Praat je altijd zoveel met klanten?'

'Soms.' En het geld lag daar maar onder de lamp. Als ik het terug had, dacht hij, als... en hij ging door met zich langzaam aan te kleden, maar zijn handen beefden zo dat hij even op moest houden. Het regende niet meer, hij dacht weer voetstappen te horen. De vrouw was opgestaan, er werd tegen de ruit getikt. Hij trok zijn regenjas aan. 'Je ziet er wel netjes uit,' zei ze. 'Ik weet wie ik binnenhaal.' Hij lachte een beetje schaapachtig en zei: 'Het geld groeit me niet op de rug... ik ga nu maar,' en liep naar de deur. Maar ze was hem voor. 'Wacht,' zei ze, ze duwde hem opzij, 'ik ben nog niet klaar.' Gebogen stond hij bij de deur, bijna slaafs en de revolver voelde zwaar in zijn jaszak; hij wachtte, ze kwam zijn richting uit en op dat moment wilde Van Baak nog een opmerking maken, over de knusheid van de kamer of over haar, dat ze niet allemaal waren als zij, dat ze zoveel geduld had, dat hij bij de anderen meestal na 5 minuten weer op straat stond, maar hij zei niets en keek naar de deur. Hij hoorde dat ze het geld van de tafel nam, het langzaam opvouwde, hij durfde niet te kijken, ze stond achter hem, raakte zijn arm aan, ademde moeilijk, haar hand gleed in zijn jaszak, ze greep zijn vingers, hij liet de sleutel los en voelde het geld. 'Smeer 'm,' zei ze, 'en zie 'k je nog 's terug?'

Ze deed de deur van het slot.

Achter hem ging de deur dicht, het gordijn werd opengetrokken en ze keek hem na; hij klemde het geld in zijn handen, om hem heen was het stil en leeg, hij had niet de moed om te kijken; boven de weg hing een koele geur, de maan wrong zich tussen de wolken door, wierp flarden licht op de dode vlakte en maakte een schuimend afwateringskanaal zichtbaar. Helemaal alleen stond hij op de weg waar de wind overheen trok. Met de grootste moeite hield hij zich staande; achter de muur had zich raadselachtig licht opgehoopt alsof er een vuur gestookt werd, zo fel was de gloed en toen zag hij dat hij niet alleen was. Gestalten, haast onzichtbaar door de bewegende schaduwen die de boten op de weg wierpen keken hem nieuwsgierig aan; sommigen waren neergehurkt, roerloze, onheilspellende fantomen; in de modderige stroom water tussen weg en berm dreef een kikker. Waarom keken ze hem aan? Hoeveel mannen wachtten daar? Was hij te lang binnengebleven? Hadden ze het op hem gemunt? Wat had hij met ze te maken? Uit een holte van donkerte maakte zich een man los met diplomatentas en wandelstok, liep in de richting van de vrouw die Van Baak zojuist had verlaten. Midden op de weg hield hij stil, liep terug als bedacht hij zich, bleef staan. Binnen de veilige beschutting van zijn handen stak hij een sigaret op, zijn gezicht lichtte op boven zijn handen, in zijn ogen de verbaasde blik van iemand die zich afvraagt hoe hij hier terecht is gekomen. Hij porde in de glanzende buik van de kikker, liep toen resoluut op het raam af en ging naar binnen.

Van Baak herinnerde zich dat de poes zich niet meer vertoond had; hij begaf zich langzaam in de richting van zijn auto; voor de strak op hem gevestigde ogen had hij geen belangstelling meer, noch voor het overvloedige licht dat de maan achter de muur wierp. Door het vocht leken de woonboten opgezet; hij wendde zijn blik van dat alles af, deed nog enkele passen. In zijn hand klemde hij het geld dat ze hem teruggegeven had; ze had het in zijn hand laten glijden en hij had het gevoel gehad alsof het zijn lichaam binnengleed...

Hij begon opnieuw de weg af te lopen; op zijn horloge zag hij dat het halfacht was; hij had nog een hele avond voor zich; hoog en ver, tegen de grijze lucht bewoog zich een zwerm vogels.

Hij keerde zich om.

Een vrouw opgebouwd uit grote bruine bollen tikte tegen het raam, traag en verleidelijk; de regen begon weer te vallen; van het water kwamen damppluimen af alsof grote dieren ademden in winterlucht; een zwaan geschapen uit kleine witte bloesem trachtte zich blazend te ontdoen van een condoom dat zich om zijn snavel had gewikkeld. Hij knikte.

In zijn ogen kwamen tranen en voordat de donkere vrouw de deur opendeed, laadde hij met een snelle beweging zijn revolver.

Man en vrouw in oktoberlicht
op voetbalveld

De vrouw leunt op de ijzeren stang rond het voetbalveld waarop twintig kleine jongens achter een bal aanstormen. Het veld is soppig, de voetballers glibberen. In de kluwen die op het middenveld uiteenzwermt, weer bij elkaar komt en een afbuigende beweging maakt naar een van de hoeken, tracht zij haar zoon te ontdekken.

Op het moment dat zij hem ziet, krijgt hij juist de bal voor zijn voeten die hem onmiddellijk afhandig wordt gemaakt. Hij is traag en schutterig, hij doet zijn best, maar hij is astmatisch. Het zit in de familie van haar man. Soms verdraagt ze het niet een ziek kind te hebben. Ze heeft wel eens de indruk dat terwijl haar man zich begraaft in zijn werk, zij te veel zorg aan de jongen besteedt, te veel gevoelens aan hem spendeert, maar ze is trots dat ze hem hebben opgesteld, dat hij daar op grote afstand te midden van andere jongens meedraaft. Het is zijn eerste wedstrijd.

Gisteren lag het clubblad *De Blauw-Geler* in de bus. Hij was ingedeeld bij het E-elftal van de pupillen. Juichend en een beetje hijgerig was hij in de keuken gekomen.

'Mamma, kijk mijn naam staat er ook bij.'

En ze had zijn naam gelezen en was ontroerd geweest. Ze had over zijn haar gestreken dat altijd wat vochtig aanvoelde en ze herinnerde zich de lange nachten aan zijn bed.

Ze trok hem naar zich toe, boog zich om hem een kus te geven, maar hij draaide zich afwerend van haar af. De jongen was elf jaar.

Ze zag hoe krijtwit hij was en hoe dik de wallen onder zijn ogen.

'Maak je alsjeblieft niet zo nerveus!' had ze geërgerd gezegd, 'hou je nou maar rustig, anders kun je morgen niet eens voetballen. Laat maar eens aan pappa zien dat je staat opgesteld.'

Hij ging naar boven, naar de studeerkamer van zijn vader. Toen hij even later beneden kwam en hij onmiddellijk wilde doorlopen naar de tuin om te gaan spelen, hield ze hem tegen en vroeg opgewekt: 'Nou, wat zei pappa?'

'Hij was heel trots op mij,' zei de jongen en wilde snel doorlopen.

'Zei hij nog iets?' en ze keek hem zo lief mogelijk aan, terwijl ze trachtte haar stem heel neutraal te laten klinken, niet vleiend.

De jongen haalde zijn schouder op, keek haar niet aan, trok zijn hoofd opzij en ademde zwaar.

'Hij doet altijd zo gek, zo overdreven.'

'Hoe gek?' vroeg ze en ze kon haar ergernis niet bedwingen. 'Hoe gek, lieveling?' herhaalde ze op vlakke toon.

'Hij begint me overal te kussen, en dan moet ik opeens weg en gaat hij weer aan zijn werk.'

Ze kneep haar lippen samen en onderdrukte een snel opkomende hevige agressie. De jongen vroeg: 'Jij gaat toch morgen mee als ik moet voetballen?'

'Of zal ik je wegbrengen en je na afloop van de wedstrijd weer ophalen. Ze weten daar toch precies wanneer het afgelopen is.' Ze sprak half overredend, half aanhalig. De jongen werd nog bleker en begon bijna te huilen. 'Ik wil dat je de hele tijd blijft.' En ze zag hoe rooddoorbloed de rand van zijn onderste oogleden was.

'Natuurlijk,' zei ze en trok hem tegen zich aan.

In een flits ziet ze dat een schoen hem in zijn maag raakt. Hij krimpt ineen, maar loopt door. Het spel zwenkt af naar de verste hoek. Ze wendt het hoofd af.

Alles is nat van de dauw. Ze staat in het zachte, vochtige gras en leest op een bordje dat dit veld B is en de druppels vallen op die oktobermorgen met korte tikkende geluiden uit de hoog opgeschoten ligusterstruiken achter haar. Een lange vrouw loopt zenuwachtig langs de lijn heen en weer, brengt met veel vertoon de handen aan haar mond en schreeuwt rasperig: 'Japie, kom jong, pak ze...' Ze heeft treurig hangend haar.

De wedstrijd is om elf uur begonnen en vijf minuten bezig. Haar gezicht wordt scherp door de zon beschenen. Met het hoofd iets schuin tuurt ze in het licht. Naast dit veld ligt een ander voetbalterrein met lichtmasten en een kleine tribune. Dat is natuurlijk voor het eerste elftal, het zal het A-veld zijn; het is ook omgeven door struikgewas, met doorgangen naar andere velden, trapsgewijs aflopend. Het is een heel complex. Een complex dat diepte heeft. Met een lang roffelend geluid passeren onzichtbaar achter haar twee treinen.

Voorbij de tribune, loopt een sterk hellende weg, aan één kant beplant met pezige populieren, die zijn hoogste punt bereikt bij de ingang van het terrein. Na enkele flauwe bochten houdt de weg abrupt op, afgekalfd als een slecht onderhouden rivierkrib.

De weg doet behalve om bij de velden te komen geen dienst meer. De oude loop in de richting van de spoorbaan wordt nog aangegeven door een paar alleenstaande bomen, scheefgezakt, bijna dood, reeds ontschorst tot vlak onder de top.

Daar voorbij, een waaier van kleine landwegen uitlopend in een woest en vlak landschap. Vanaf het hoogste punt van de weg loopt een steile betontrap naar het clubhuis.

Er klinken schoten. Er wordt gejaagd op hazen. Ze denkt aan jachtpartijen en vraagt zich af in welke roman ze daar vroeger over gelezen heeft. In moderne romans komen geen jachtpartijen meer voor.

Op het hoofdveld speelt haar dochtertje met een ander meisje. Het weinige publiek heeft zich teruggetrokken in de omgeving van de hoekvlag waar het spel zich voorlopig lijkt af te spelen.

Links van haar echter staat een man op enkele meters afstand, die in bijna dezelfde houding als zij op de stang leunt. Hij heeft een ringbaardje, halfgrijzend, sluik haar dat in de nek over de kraag van zijn jas valt. Hij kijkt naar de meisjes die in de verte de tribune op- en afklauteren.

Ze denkt: het meisje met wie mijn dochter speelt, is zijn dochter. De man krijgt een bijzondere betekenis voor haar. Haar blik dwaalt over het veld, maar ze zoekt haar zoon niet. Het zou zelfs ondoenlijk zijn hem te ontwarren, omdat het licht zó fel is dat het de voetballers bijna aan het oog onttrekt.

Toen ze pas in deze plaats was komen wonen, had ze hier in de buurt wel eens gefietst. De voetbalvelden lagen te midden van weilanden en boomgaarden. Nu waren ze aan drie kanten ingesloten door flats. Niet één was gelijk van vorm, kleur of hoogte en ze waren gemaakt van glad, glinsterend materiaal.

Oranje en diepblauwe zonweringen worden uitgerold en staan als strakke vlaggen in de gloed van licht. Eén flat treft haar in het bijzonder vanwege zijn terugwijkende terrassen. Hij staat op het punt om te vallen, maar lijkt door het licht te worden tegengehouden.

Haar blik komt weer bij de weg. De bladeren van de populieren, zilver met gouden randen, zijn in voortdurende beweging, weerspiegelen zich in de ramen van het clubhuis. De beweging is zo constant dat de ramen in de muren beginnen te dansen. Ze is een beetje verdoofd door de warmte. Haar gezicht gloeit weldadig en het spel lijkt zich in de verte te hebben vastgezet. Er klinkt geschreeuw dat als door een dichte muur tot haar komt. De voetballers voeren vertraagd een soort volksdans uit en de bal, onzichtbaar eerst door de wirwar van benen, springt als een dolgeworden rond donker insect tevoorschijn en rolt over de zijlijn.

De jeugdtrainer schreeuwt met de handen aan zijn mond en met de nadruk op elk woord: 'Verspreiden-gooi-die-boel-uitmekaar.' Zijn stem schijnt hen niet te bereiken. Het licht dempt de woorden.

De vrouw heeft krullerig haar dat roodachtig glanst, in de tint van tamme kastanjes waar de zon op schijnt.

Aan deze kant van het veld staat de kleine keeper, met felrode trui en zonneklep, het ene been voor het andere, geleund tegen de goalpaal. Het ziet er niet naar uit dat hij veel te doen zal krijgen. Misschien dat hij daarom wat gedeprimeerd over het immense veld staart waar het licht groen van afspringt. Voor zijn voetballende vriendjes kan hij geen belangstelling meer opbrengen en hij kijkt in de richting van de vrouw. Zij staart zonder interesse naar de jongen en dan naar de vijf hoge aluminium palen achter het doel, naar boven toe sprongsgewijs afnemend in dikte, waartussen een net hangt om de ballen die niet in het doel worden geschoten te verhinderen in de verwilderde struikgroei te komen of zelfs op de spoorbaan die hier vlak achter schuin van het veld wegloopt. Tegen een van de palen staat een jongetje met een trainingspak aan. Rood afgebiesd. Hij is reserve, hij verveelt zich, hij zal zich tekortgedaan voelen, en uit verveling en uit onderdrukte woede slaat hij zijn handen in het net in een regelmatige, achterwaartse beweging.

De jongen kijkt van de man naar de vrouw.

Ze denkt: die jongen is als mijn zoon vanmorgen in grote opwinding naar het voetbalveld gegaan, hij kon vannacht misschien niet slapen van de harde schoten die hij loste, van de doelpunten die hij raakte en nu staat hij doelloos te wachten.

Haar jongen voetbalt, hij holt met de anderen en ze heeft hem zo vaak meegemaakt, kokhalzend van angst en benauwdheid... Ze heeft hem zover gebracht dat hij hier voetbalt, zich hardnekkig teweerstelt, zich inzet. Ze stond er alleen voor, ze was overdreven voorzichtig misschien. Dat irriteerde haar man, maar dat had ze zichzelf aangekweekt, en de jongen zou er misschien overheen groeien, na zijn puberteit.

Ze ziet dat de man met grote aandacht naar een bepaald punt op het veld tuurt... Bang te veel notitie van hem te hebben genomen, draait ze zich half van hem af.

Heel ver weg, bij de andere goal, moet een matte stemming heersen, want de bewegingen zijn er trager geworden, horterig, en in scherpe tegenstelling met de vloeiende lijnen van de flats die als immense objecten, ontdaan van hun bestemming, lijken te zweven, afwachtend, in een ochtendhemel witgloeiend als gesmolten goud.

Met halfgesloten ogen, zonder gedachten, slaat ze de voetballers gade. De populieren zijn glanzende pijlen geworden en de weg zelf een glinsterend slakkenspoor. Schoten klinken en hun drukgolf snijdt de lichtbundels. Ze zou hier een eeuwigheid willen blijven. Het ziet er zelfs naar uit dat ze hier nooit meer weg zal gaan. Ze krijgt het zo warm dat ze haar hand over de vochtige buis laat glijden en haar gezicht bet. Als ze een stap achteruit zet, zou ze in de koele schaduwzone van de struiken staan.

De reservespeler loopt op de keeper toe. Tussen de man en de vrouw heerst volkomen stilte. De twee meisjes klimmen als razenden de tribune op en af en in de voetballers is veel meer beweging gekomen: ze draven radeloos door elkaar, rennen voor- en achteruit en komen nauwelijks van hun plaats. Voor de bal lijkt geen ontsnapping mogelijk.

De man staat onbewegelijk. Ze weet dat hij vanuit zijn ooghoeken naar haar kijkt, ze steekt een sigaret op, inhaleert diep en een uitgelaten stemming overvalt haar. Omdat ze beseft dat dit samenzijn niets te maken heeft met een moeizame verhouding, dat ze ontdaan is van problemen, vrijblijvend, heel doorzichtig als het licht dat onbelemmerd op hen schijnt. Ze inhaleert weer, ze moet proberen gewoon te doen. Ze is een moeder die naar haar voetballende zoon kijkt. Ze moet ervoor oppassen geen onzekerheid aan te brengen in iets wat niet bestaat. Het moet een veilig avontuur blijven, zonder verlangens, zonder verwachtingen.

Alsof aan weerszijden van het veld sterke lampen worden aangestoken, slaat het licht nu in haar gezicht. Ze is een moment van haar stuk gebracht en haalt diep adem. Hij is niet knap, maar zijn gezicht komt haar al als heel vertrouwd voor. De voetballers zijn verre figuurtjes, geknipt uit veelkleurig sitspapier. Ze klemt een hand om de stang, de knokkels trekken wit weg, met haar voet trapt ze de sigaret uit. Ze doet gejaagd.

Een snelle glimlach van de man. Het stadium van vrouw-die-naar-zoon-kijkt-die-voetbalt is al voorbij. De twee jongens hebben elkaar gevonden, liggen op het gras naast het doel. Met hen en met de man staat ze buiten het werkelijke gebeuren.

Ze mag de ontmoeting ook niet het perspectief van een avontuur geven en toch kijkt ze opnieuw op om te zien of hij aandacht voor haar heeft. (Of om hem uit zijn tent te lokken?)

Hij wendt zijn blik onmiddellijk af. Hij heeft argeloze ogen, een scherpe neus, een smal gezicht. Ze doet alsof ze langs hem heen kijkt, maar ze blijft hem aan de rand van haar blikveld zien.

De jeugdtrainer stoot onverstaanbare kreten uit en buigt zich over de reling als over een onoplosbaar probleem.

Deinende gebouwen. Diffuus wit licht dat diepte en afgeslotenheid suggereert. In de schittering worden de trossen bessen grote matzwarte bloemen. De struiken staan in bloei!

Vanmorgen om zeven uur had de jongen al bij haar bed gestaan, geheel in voetbaltenue. Ze had zich kwaad willen maken, maar ze was bang dat hij door de opwinding misschien zo benauwd zou worden dat hij niet meer mee kon doen en dat verdriet wilde ze hem en zichzelf niet aandoen. Haar man sliep. Haar benen waren als verlamd, maar ze was opgestaan, ook omdat ze zag dat de lucht blauw was en de ochtendzon een roestrode kleur aan de Amerikaanse eik voor het slaapkamerraam gaf. Ze vraagt zich af of ze zal trachten hem te verleiden. Het was haar de laatste tijd weer sterker opgevallen dat mannen in de winkelstraat omkeken als ze voorbijliep en niet zo lang geleden was ze zonder haar man op een feest geweest. Ze had de hele avond gedanst met een jongen die veel jonger was dan zij. Hij had haar complimenten gemaakt en ze was met hem naar zijn kamer gegaan. Hoewel ze hem erg aantrekkelijk vond, was ze niet met

hem naar bed geweest. Uit een gevoel van plicht? Verantwoordelijkheid? Ze had tegen hem gezegd: 'Ik heb mezelf niet in de
hand als ik eenmaal begin; ik weet niet waar het op uitloopt.'

Als toen dringt de gedachte aan ontrouw zich bij haar op; ze
moet zich dwingen geen stap in zijn richting te zetten, ze verdraagt niet dat ze zich hulpeloos voelt als nu, de voetballers rep-
pen zich lachwekkend op de cornervlag af, zwenken in scherpe
bochten daarginds over het veld en er zijn laagvliegende libellen,
vlinders in tere tinten en doorzichtige insecten met dubbele vleugels die op en neer dansen. De zon drukt op haar slapen.

Ze zegt, terwijl ze voor zich uit tuurt in verblindende witheid,
plotseling hardop: 'Ik begrijp niet dat ik mijn zonnebril heb kunnen vergeten.'

Ze ziet dat hij heel waakzaam naar het veld kijkt en ze denkt:
ik gedraag me als een schoolmeisje.

Weer die snelle glimlach. De meisjes zwaaien vanaf de hoogste
bank op de tribune. De man en de vrouw zwaaien terug en dan
kijken ze elkaar aan. Aan zijn opmerkzame blik meet ze zijn gevoel voor haar af. De scheidsrechter fluit. Gegil van de voetballers; de bal rolt over de zijlijn. Warm licht strijkt over het gras. Er
is een nieuwe stemming ontstaan. De schaduw van de struiken
reikt nog maar tot halverwege de looppruimte achter hen.

'Ik heb een trap in mijn buik gehad,' klaagt de jongen. 'Er was een
jochie dat de bal wilde wegtrappen, maar een ander trapte de bal
weg en toen kreeg ik...' Gele flits, geraas van een trein dat alles
overstemt, snel wegtrekt, nevel uiteenscheurt en flarden licht het
veld opjaagt. Ze ziet dat zijn slapen bonzen; zijn oogleden hangen
zwaar, zijn bovenrug bolt. Hij probeert op adem te komen.

'Je hebt goed gevoetbald,' sust ze hem, 'ik heb je steeds gezien,
je hebt vaak de bal gehad. Maar je bent helemaal vies!'

'Moet je zien hoe vies hij daar is. Hij is veel viezer dan ik.' En
hij wijst op een jongetje dat voor hem staat. Hij wrijft in zijn
ogen. Zijn oogkassen zijn rooddoorlopen.

De jeugdtrainer zegt: 'Ze voetballen al aardig, maar ze hebben nog geen schot. Toch komen er al een paar naar voren die iets met een bal doen.'

Een van de ouders zegt: 'Ze laten zich nog te snel wegdrukken en ze hebben de scheidsrechter tegen.'

Hij staat weer tussen de jongens en dan ziet ze de zwarte band om zijn arm. Ze loopt op hem toe en vraagt: 'Waarom draag je die band?' Minachtend, zijn lippend vooruitstekend, schudt hij zijn hoofd en zegt: 'Doe niet zo stom... ik ben aanvoerder... ga nou maar weg...'

Ze begrijpt het. Ze moet zich niet opdringen. Zijn gezicht staat van paniek strak en gezwollen. Ze kan toch niet nalaten hem te zeggen: 'Veeg je hoofd af, je bent helemaal nat, heb je geen zakdoek?'

'Nee, die ligt in de kleedkamer, geef de *joune* maar.'

Ze kan haar tranen niet inhouden omdat hij in zijn kindertaal van enige jaren geleden terugvalt. Er wordt een te zwaar beroep op zijn uithoudingsvermogen gedaan. Hij voelt zich ongelukkig. Ze moet zich inhouden hem niet dicht tegen zich aan te drukken.

De zoon van de man ziet eruit als zijn vader, klein van postuur, donkere huid, fel, met verbaasde donkere ogen. Hij praat met de jongen, geeft hem een klap op z'n schouder en de jongen kijkt naar hem op.

Ze kijkt de man aan en ze heeft medelijden met haar eigen man, boven aan zijn bureau, boven zijn eeuwige dissertatie.

Het stelt enigszins gerust dat alle jongens vermoeid zijn, onhandige bewegingen maken en roze wangen hebben.

De voetballers verdwijnen in de kleedkamer waar ze limonade krijgen. De ouders drinken koffie in het clubhuis.

De meisjes komen op de man en de vrouw afhollen en het dochtertje van de man vraagt: 'Mag ik een Bounty?'

Met z'n vieren gaan ze het clubhuis binnen.

'Hij is astmatisch,' zegt ze als een soort excuus.

Hij bestelt koffie en een Bounty, aarzelt en vraagt aan de vrouw naast hem aan de bar: 'Mag uw dochter ook?'

'Ja hoor,' en ze lacht, 'ik probeer 't wel een beetje tegen te houden, het snoepen.'

'En nog een koffie,' bestelt hij.

De meisjes gaan naar het tafelvoetbalspel en hij loopt met haar naar een tafel bij het raam met zicht op de velden. Ze blaast de damp van de koffie en houdt het suikerklontje zo krampachtig vast dat het breekt. Hij zegt: 'Kinderen vermaken zich altijd.' Ze kijkt naar zijn scherpe gezicht, zijn mooie mond, het fijne profiel van zijn voorhoofd, maar het opmerkelijkst vindt ze zijn ingehouden manier van praten, alsof ze slechts het uiterste topje van zijn gedachten te horen krijgt. De voetballers verlaten de kleedkamer en hollen het veld op. De ouders verlaten in groepjes het clubhuis. Thuis zit haar man achter zijn bureau. Hij doet niets met de kinderen, hij knutselt nooit iets, maakt geen vlieger, geen zeepkist, geen... hij maakt niets. Maar hij houdt wel van ze. De scheidsrechter fluit. De wedstrijd wordt hervat. Ze zegt:

''t Is misschien kinderachtig dat ik het u vertel, het doet er ook niet veel toe, maar ik ben geen type om naar het voetballen te kijken, ik ben nog nooit naar een wedstrijd geweest.'

'Ik ga zelf ook nooit naar wedstrijden, alleen het geschreeuw al en al die mensen bij elkaar, maar als jongen heb ik veel gevoetbald, op veldjes...'

Ze merkt dat ze vat op hem heeft.

'Mijn man heeft vroeger ook gevoetbald, maar hij schijnt dat helemaal vergeten te zijn, hij heeft er in ieder geval geen belangstelling meer voor.' Ze weet niet of ze er goed aan doet over haar man te beginnen, maar ze vervolgt: 'Hij kan er niet tegen een zoon te hebben die altijd iets mankeert.'

Hij kijkt haar aan en zegt: 'Het voetballen is alweer begonnen.' Hij staat op en in een bijna te snelle reactie brengt hij de twee kopjes terug naar de bar. De barkeeper glimlacht en kijkt hen aan. 'Er speelt maar één elftal thuis, alleen het E, zo'n zaterdagmorgen kan ik me niet herinneren, zo stil, zo buitengewoon stil, anders zijn alle velden bezet; als het E niet had hoeven te spelen, had ik thuis kunnen blijven.' Hij kijkt hen vragend aan, ze weten er geen antwoord op. Hij gaat verder: 'Ik ga mijzelf een lekkere fricandel-speciaal maken.' Zijn blik is afwachtend en als ze blijven zwijgen, verdwijnt hij in het keukentje achter de bar en laat hen alleen. De man en de vrouw glimlachen tegen elkaar. Buiten hollen de twee meisjes onmiddellijk naar de lege tribune. De man en de vrouw lopen in de hitte het veld op, zij met snelle lichte passen, hij soepel verend. Ze denkt: ik zou z'n hand willen vasthouden en ze is er zeker van dat hij deze gedachte nu ook heeft.

Ze leunen weer op de reling, bijna op dezelfde plaats. Het vertrouwelijke gevoel dat opkwam toen de barkeeper tegen hen sprak, taant weg. Het gesprek moet opnieuw op gang gebracht worden. De stilte die tussen hen heerst, is opmerkelijker dan voorheen.

Na enig aarzelen trekt het spel zich in de oude hoek terug. Misschien zijn de opstellingen gewijzigd? Misschien loopt het veld af? Of is er magie in het spel?

Deze keeper heeft geen zonneklep, zodat hij de handen als een afdakje boven zijn ogen houdt, de duimen tegen de slapen, de vingertoppen tegen elkaar. Hij is erg klein in de immense goal. Na enige tijd als hij ziet dat voorlopig geen schot op zijn doel zal worden afgevuurd, wendt hij zich tot de reservespeler achter het doel.

'Mijn man,' zegt ze in een nieuwe roekeloze opwelling, 'kan zich niet meer inleven in de jongen, geloof ik.'

De trainer met rauwe, gescandeerde stem tiert naar de zwerm voetballers: 'Uit-elkaar en kijk-waar-je-schiet!' Hij maakt een ontredderd gebaar in de richting van de chaos.

'U heeft twee kinderen?' vraagt hij. De vraag is onverwacht en ontroert haar.

'Ja, de jongen en het meisje.' Ze trekt haar wenkbrauwen op, schudt het hoofd om het haar wat wilder te maken en vraagt glimlachend:

'En u?'

'Ik heb ook nog een meisje van twaalf.'

'U heeft drie kinderen?'

Het zonlicht spat uiteen op de stang en ze kijkt hem door het licht aan. Ze zou haar hoofd op de koele stang willen leggen. Met hem hier zijn, was spannend, hield beloftes in. Op het braakliggende terrein wordt nu aanhoudend geschoten, de flats worden door het licht vermorzeld; ze heeft wel eens gedroomd: een onmetelijke ruimte binnenstappen, een zaal, tegelijk onbegrensd en van een verrukkelijke intimiteit... De twee jongens zitten bij de penaltystip en kijken in de richting van de meisjes. Machteloos bewegen de voetballers zich op de uiterste grens van het veld, ze wordt een beetje duizelig van de grote vlakte voor haar, de flats vervagen nog meer, er lijkt een paarsachtig scherm voor te zakken en ze daalt een trede af in de groen gepolijste zaal. Ze knippert met de ogen tegen de helle glinsteringen en een brede zwarte vlek doemt op, hoog boven haar, en ze zegt: 'Het is heel onzinnig, maar als de lichtmasten nu werden aangedaan, zou je niet eens kunnen zien dat ze branden.'

De man lacht onhoorbaar en antwoordt: 'Ik denk 't ook niet.' Hij kijkt heel ernstig naar haar. Ze wilde zeggen: ik ben altijd zo vreselijk onzeker, ieder moment van mijn leven heb ik het gevoel de verkeerde stap te zetten, het verkeerde woord te zeggen. Ik heb helemaal geen eigen oordeel. Mijn man neemt me dat kwalijk.

Een golf licht spoelt over het veld. Ze heeft niet de flauwste notie van het effect van haar woorden. Ze had bijna weer over haar man gesproken. Op het hoofdveld wordt een vreemd wit karretje voortgetrokken in scherpe hoeken, langs lijnen, de meisjes lopen erachteraan. Ze pijnigt haar hersens af naar een zinnig woord, ze hoopt op meer toeschietelijkheid, de mogelijkheid van ontrouw verdiept zich. De hemel is lichtblauw en onbeweeglijk; over alle terrassen zijn nu schermen uitgetrokken, maar er vertoont zich niemand. Ze probeert zich op het spel te concentreren, maar ze ziet onherkenbare, nietszeggende figuren die zich zigzaggend bewegen.

Ze denkt: de terrassen daar zijn in het klein een afbeelding van de velden hier en ze verbaast zich over deze nauwkeurige registratie omdat haar anders nooit bijzondere dingen opvallen. Wel dingen waar ze niets mee kan beginnen en die haar dan een neerslachtig, teleurgesteld gevoel geven. Zoals ze soms na het uitrazen van een driftaanval van haar man zich even vreemd gelukkig voelt, maar dan niet weet wat ze met dit gevoel aan moet.

Na een vluchtige blik om haar heen, kijkt ze hem recht in zijn ogen, een gevoel van onmacht trekt in haar benen omhoog: 'Ik liep gisteren onder de voetgangerstunnel door, vlak bij ons huis. Net voor ik er uitkwam, had ik in de gaten alleen te zijn en toen heb ik hardop gegild, net als ik vroeger deed toen ik een klein meisje was.'

'Waar woont u?' vraagt hij met een glimlach, maar zijn stem klinkt heel ernstig.

'Bij de snelweg, na de spoorwegovergang, de eerste weg rechts, op de hoek.' Ze is er zich van bewust dat ze ongevraagd te veel details geeft, dat hij die vraag niet zo bedoeld heeft.

'Er zijn altijd kleine angsten, kleine obsessies, dingen die doorwerken.'

Het is geen overgave aan een fantastische droom, het is een zacht wegglijden in een zalige toestand. Ze strijkt met de muis van haar hand langs haar voorhoofd. Hij verlegt zijn handen op de stang, ze heeft de indruk dat hij dichterbij is gekomen. Ranken kamperfoelie, in een tweede bloei, verspreiden een doordringende zoete geur. Die hand roept bij haar een scherp beeld op: de bevalling van haar eerste kind, de voetballende zoon, was zwaar geweest. Vlak erna onderging ze een operatie en kwam op de recoverzaal bij kennis. Op armlengte afstand stond een bed waarop een man lag in diepe slaap; zijn gezicht was op het plafond gericht, een strak gespannen laken bedekte zijn benen tot onder de knie; een weerloze, naakte man, met een bleek ontspannen gezicht; ze had lang naar hem gekeken, maar ze kon zich, ook nu niet, zijn trekken herinneren; zijn buik ging in nauwelijks merkbare ademhaling, in een lange beweging op en neer; ze had haar arm uitgestrekt om hem aan te raken en daarna had ze haar hand in die van hem gelegd en was ingeslapen. Het was een ervaring als het wandelen van twee geliefden in een leeg, koel berglandschap, onder een strakblauwe hemel, op een met korstmossen bekleed pad. Misschien was ze hem eens tegengekomen, misschien was hij allang dood. Het was een moment van volmaakte erotiek geweest en ze speelt een moment met haar verlangens zoals toen met de hand van de onbekende man. Ze heeft het erg warm en ze doet een knoop van haar jack los.

'Ik had een zonnebril moeten meenemen,' zegt ze, 'dan had ik de jongen beter kunnen zien.'

De schemer van de druipende struiken is vol zilverkleurige vlekken. Ze denkt: ik hou van die man daar, van zijn onaantastbare rust, van zijn zwijgzaamheid, ik zou op hem toe willen lopen, hem willen aanraken. Ze zou een stap achteruit willen doen, want de verlokking van die koele reep schaduw wordt groter. Zij zou de ervaren minnares zijn en hij onhandig en passief. Er zijn zoveel banden: de meisjes, de radeloos dribbelende voetballers, het licht, de vallende druppels en het gras dat oogverblindend schittert.

Hij kijkt haar nadenkend aan. De keeper en de reservespeler liggen nu als kleine veelkleurige bespottingen van wat redelijk is naast de doelpaal en kauwen op een graspriet. De man kijkt nu langs haar heen naar het voetballen, zij draait haar hoofd ook die kant op. Het lijkt of de voetballers zich buiten de lijnen hebben begeven, alsof ze het veld ruimen. Misschien zoeken ze de bal onder de struiken. Dan stokt alle beweging.

'Van het spel is weinig meer over,' zegt hij.

'Nee,' zegt ze, 'ik had me dat anders voorgesteld.' Ze glimlacht en zuigt de lippen naar binnen.

De flats zijn steeds minder flat geworden, twee treinen passeren vlak achter haar langs, de geweerschoten klinken dichterbij. Het verlangen om te schreeuwen is groot, maar ze beheerst zich, laat haar wang op de koele stang rusten, haar gezicht van hem afgewend. De paniek wijkt. Ze beseft dat dit gebaar des te sterker de betekenis van een soort knieling moet hebben, van een ongeduldig smeken. Ze is er bijna zeker van dat hij zachtjes op haar toeloopt, zijn hand om haar middel legt, haar dan met een ruwe beweging in de struiken zal trekken en haar zal verkrachten.

Gegil in de verte. De scheidsrechter fluit. De trainer ernstig kijkend komt met haar zoon op hem toelopen. Ze ziet hem aankomen, ze wil een andere kant opkijken, hem met geen blik waardig keuren. Ze vraagt zich af of het werkelijk haar zoon is.

'Mevrouw, hij kan de wedstrijd niet uitspelen.' De trainer weet niet wat hij zeggen moet. Hij is met de jongen begaan.

Ontnuchterd richt ze haar hoofd op. Op het gezicht van de jongen ziet ze de sporen van ontreddering: diepe blauwe kringen, uitpuilende ogen die glanzen als stuiters, een wezenloze blik van angst en uitputting. Ze begrijpt dat de gebeurtenissen hun climax al bereikt hebben. De jongen kan geen woord uitbrengen, maar hij is diep gegriefd en probeert nog een soort verontwaardiging in zijn houding te leggen. Zinloze poging. Hij leunt huilend tegen haar aan. Ze zegt tegen de trainer:

'De dokter zegt dat voetballen goed voor hem is, de buitenlucht, geen stof, maar hij is allergisch voor bijna alles, misschien had hij beter alleen de eerste helft kunnen spelen.'

Hij geeft haar gelijk en haalt met voorzichtige, terughoudende gebaren de aanvoerdersband van zijn arm. Hij gaat naar de voetballers.

Tegen de man zegt ze: 'Ik moet gaan.'

'Kan ik u helpen? U heeft een auto?'

'Ja.'

'Ik zie u volgende week?' zegt hij zacht.

'Misschien, als hij niet ziek is, zo'n aanval kan lang duren en voor hij helemaal op krachten is om weer te kunnen voetballen...'

Hij zegt: 'U hebt het niet gezien, maar hij maakte bijna een goal, juist voor hij uitviel.'

Haar glimlach wil niet komen omdat ze een verwijt in zijn woorden proeft. Ze luistert naar de gejaagde ademhaling van haar zoon, hij zal zeker een week moeten binnen blijven, ze zal zelf nauwelijks buiten komen. Hij wil de jongen over zijn haar strijken. Ze doet een stap met de jongen achteruit; zijn ogen staan schichtig; vanonder het benedenooglid kruipt helderrood bloed omhoog; zijn neusgaten zijn opengesperd.

'Hij verdraagt geen vreemden met zoiets.' Ze is een moment besluiteloos. Plotseling verlangt ze hevig naar huis.

Een lang salvo dat aanhoudt. De schoten versplinteren cirkelvormige schitteringen rond de aluminiumpalen. Ze draait zich snel om en begint het veld over te steken, langs de jongens, langs de doelpalen, langs de witte kar die stilstaat op het hoofdveld; ze kijkt op haar horloge en ziet dat het bijna twaalf uur is. Haar dochter met het andere meisje lopen op haar toe. Een schijnpoging van de jongen om rustig te ademen. De wedstrijd wordt afgefloten.

'De wedstrijd is voorbij, je hebt hem bijna helemaal uitgespeeld.' Tegen het vreemde meisje zegt ze: 'Je pappa staat daar' en ze draait zich om, te nadrukkelijk. De man kijkt haar aan. Snel opkomend gevoel van verlatenheid dat samengaat met de verknochtheid aan de jongen en aan de onverbiddelijkheid van zijn ziekte. Ze begint in de richting van de kleedkamer te lopen. Ze zegt tegen zichzelf: 'Het is gevaarlijk een droom binnen te vluchten waar ik mezelf niet meer ben. Ik bijt mij te veel vast in dit soort mijmeringen, ik stel mij te kwetsbaar op; het is mijn manier me op de been te houden, een wrede manier.' Ze legt haar arm om de jongen heen.

'Jullie gaan vast naar de auto, ik ga de kleren halen.' Uiterlijk onbewogen registreert ze haar terugval en het verlangen naar huis, naar haar dagelijkse bezigheden – zenuwslopend, veeleisend, maar van een overtuigende zekerheid – wordt sterker. De ruiten van het clubhuis spiegelen, de lucht is helderblauw, het licht is veranderd: zonder frisheid, zonder waas, doods. De flats staan scherp afgetekend, vreemd herkenbaar, heel dichtbij, tegen de roerloze hemel. Als ze in de auto zit, ziet ze dat boven de spoordijk nevel opstijgt als de dunne, witte rook van een berkenbastvuur en ervoor staat de man tussen zijn twee kinderen. Met een schuldbewuste glimlach kijkt ze naar haar zoon, haar gedachten zijn helemaal op hem gericht, ze is vol zorg voor hem en dan komt het beeld in haar geest terug van de slapende man op het ziekenhuisbed en het dringt zich met zo'n kracht en met zo'n helderheid op dat het zweet haar uitbreekt.

Ze remt en kijkt uit over het diepliggende terrein. Verzwakte echo's van geweerschoten bereiken haar. De man steekt het verlaten veld over. Zijn kinderen hollen voor hem uit.

De jongen naast haar zegt huilend: 'Nu kan ik volgende week niet spelen.' Zijn gezicht is verwrongen. Ze buigt zich naar hem voorover, kust hem op zijn voorhoofd en zegt: 'We gaan gauw naar huis, ik zal je gauw weer beter maken, ik zal ervoor zorgen dat je de volgende week weer voetballen kunt.'

Ze strijkt over zijn haar dat doornat is. Dan draait ze zich om en zegt tegen het meisje dat in een boek kijkt, een blos op haar wangen: 'Jij gaat voor mij naar de apotheek als we thuis zijn.'

Ze rijdt door bijna lege straten. Tussen kille, vijandige flats hangt een bijna witte zon. Ze voelt zich als na een uitputtende droom.

Ze zegt plotseling terwijl ze recht voor zich uit blijft kijken: 'Vertel aan pappa dat je de hele wedstrijd hebt uitgespeeld. Hij zal heel trots zijn.'

How high the moon

'Wij hebben geen behoefte om uitstapjes te maken. Allemaal onrust van deze tijd.' Haar bijtende stem vulde de kamer.

'Hè, Divendal?' Ze noemde haar man altijd bij zijn achternaam. Divendal zette zijn kopje neer, koffie liep langs zijn mondhoeken. Hij knikte instemmend, maar over zijn hele gezicht lag zo'n starende, wezenloze uitdrukking dat het leek of hij zijn aanwezigheid wilde ontkennen.

'Veeg je mond af,' zei ze zonder hem aan te kijken. Ze hield het oog op haar dochter gericht. Divendal nam een punt van het servet dat om zijn hals zat geknoopt. Hij hield het na het warme eten om tot hij koffie had gedronken. 'Dacht je dat wij het altijd leuk vonden om hier te zitten, boven een drukke zaak?' vervolgde ze tegen haar dochter.

'Daarom vragen we jullie juist een eindje om te rijden. Er is zoveel in Den Haag veranderd. We kunnen over de boulevard rijden en in het Kurhaus een kopje gaan drinken.'

'U heeft het gerestaureerde Kurhaus nog niet gezien,' zei Sombogaard, de schoonzoon.

'U moet er toch eens uit!' Aan de stem van zijn vrouw hoorde Sombogaard dat ze haar drift nauwelijks beheerste. Hij glimlachte in zichzelf en keek naar zijn schoonvader die vandaag tachtig was geworden. Als altijd had hij zijn alpino met salamander op. Het beest hing half voor zijn hoofd omdat de voorpoten uit de daarvoor bestemde lusjes waren geschoten. De dochter keek ook naar de vader. Al haar aandacht concentreerde zich zonder dat ze het wilde op die afschuwelijke, helgroene, plastic salamander.

'We hebben over het Kurhaus gelezen,' zei de moeder die de vorige maand tachtig was geworden. 'Wij zitten hier goed. Niemand zit om ons verlegen. We zitten hier al meer dan veertig jaar, we hoeven niet weg. We willen geen plekjes zien. Goddank niet. Zo zien wij de wereld.' En ze wees met haar hoofd naar het spionnetje.

'Zo zien wij de wereld,' bauwde Divendal zijn vrouw na.

'En Divendal gaat elke dag naar het kanon,' zei ze. 'Hij gaat er elke dag even uit. Naar het kanon en naar de bakken met geraniums voor paleis Noordeinde. Ze zijn dit jaar mooier dan ooit. Ik blijf hierboven. Je kunt toch niet alles alleen achterlaten.'

'U probeert mij te ergeren,' zei de dochter hard. Haar blik had zich met kracht van de bungelende salamander losgemaakt, schoot naar de morsige, vormeloze jurk van haar moeder. Ze deed geen poging de uitdrukking op haar gezicht te verzachten.

'Jullie hadden vandaag niet moeten komen, met die drukte,' zei de moeder. Haar stem was lief berispend, vol opoffering.

'We komen toch voor pappa's verjaardag.' Op het voorhoofd van de dochter stonden druppels zweet. Sombogaard keek naar zijn vrouw en dacht aan het moment dat zij hem voor het eerst weigerde.

Divendal liet het servet tussen zijn benen op de grond glijden.

De dochter beheerste haar drift niet langer. 'Ik begrijp niet dat u ons in zo'n jurk durft te ontvangen. Ik ken u alleen in dat smerige vod.' De jarige boog zich naar voren, keek met onbestemde blik naar een punt buiten de kamer. De voorpoten van de salamander sloegen tegen zijn voorhoofd. 'Wie draagt er nou zo'n gekke pet in huis?' schreeuwde de dochter. 'Met dat beest.'

'Jij ziet er ook niet zo verzorgd uit,' zei de moeder kalm.

'Niemand geeft om mij, niemand let op wat ik draag.' De schoonzoon ging verzitten, keek naar buiten. Het Noordeinde was op zondagmiddag een verlaten straat met twee rijen geparkeerde auto's. 'Niemand geeft om mij. U was te lui om mij op te voeden, te lui om mij als kind een verhaal voor te lezen, te lui om meer kinderen te krijgen.' De dochter was bleek van woede en schudde woest haar hoofd dat breed en zwaar was als dat van haar moeder.

'We hadden een drukke zaak, kindje.'

'Jullie hebben je de zaak afhandig laten maken.'

'Nee kindje, we mogen tot onze dood hier zitten. Op deze etage waar onze enige dochter geboren is en opgegroeid, en heeft mogen studeren. Dat hebben we bedongen.'

'Jullie zitten hier maar de godganse dag.'

'Wat moeten we anders. Deze etage hebben we bedongen, de maandelijkse toelage is aan de lage kant maar we redden het, hè Divendal?'

Divendal vouwde zijn servet op.

'Daar gaat het niet om,' riep de dochter, wanhopig.

'Waar gaat het dan wel om, kindje?'

'U hield niet van mij. U liet het zelfs aan een ander over mij naar bed te brengen. Nooit heeft u mij voor het slapen gaan een verhaal voorgelezen.'

'Er was de zaak en aan je vader heb ik al die tijd niets gehad. Hij typte nota's, achter in het kantoortje. De boekwinkel liet hem koud.' De dochter stond op. Ze was vijftig en begon het zware, vormeloze lichaam van haar moeder te krijgen.

'Goddank kan je vader elke dag naar het kanon kijken.'

'We gaan,' zei de dochter.

'Het is nog een uurtje rijden,' zei de schoonzoon.

'Het kanon is buitgemaakt bij de Vierdaagse zeeslag,' zei de oude man. Daarna zocht hij de blik van zijn vrouw. Ze maakte een nauwelijks merkbare beweging met het hoofd. Divendal stond op. Uit een la van het dressoir haalde hij iets wat hij achter zijn rug hield. Hij kwam op zijn dochter toe. De schoonzoon was ook gaan staan.

'Nee,' riep de dochter.

'Het komt jullie toe,' zei de moeder en zweeg om de woorden

die ze nog zou zeggen goed te laten doordringen. 'Voor jou, Lees. Voor jou. Alles is zo duur. Geef het, Divendal!'

Hij hield de handen nog steeds achter zijn rug. De blik van zijn vrouw boorde zich in een punt van het vloerkleed vlak voor zijn voeten. Divendal deed nog een stap. De blik van de moeder bleef rusten op hetzelfde punt. Ze negeerde de dochter. De schoonzoon wendde zijn gezicht af naar het raam, zag de dubbele rij geparkeerde auto's en verder weg, voor het paleis, op affuit, het stompe kanon met de groen uitgeslagen rand, ooit veroverd bij een zeeslag.

'Geef het, Divendal, ze hebben er recht op.'

Divendal aarzelde. Machteloos stond de dochter voor hem. 'We hebben geen zeep nodig,' gilde ze en haar grote wangen trilden.

De schoonzoon trok het vel onder zijn kin samen.

'Geef het.'

'Kijk je vader aan, Lees. Hij wil je wat geven.' De dochter kreunde.

'Alsjeblieft,' zei de oude man. Hij stopte zijn dochter twee stukken Palmolive in de hand, met een heimelijk gebaar, als vertrouwde hij haar iets toe waar ook anderen op loerden. 'Voor jullie.' De mond van de dochter verstrakte van afkeer, haar ogen waren spleten in het vlezige gezicht. 'Sul,' mompelde ze.

'Je zou ook een beetje dankbaar kunnen zijn. Zo breed hebben we het niet. We hebben je laten studeren aan de universiteit. In een tijd dat het niet vanzelfsprekend was meisjes zo'n opleiding te geven. Maar je hebt er niets mee gedaan. Zeven jaar studie en daarna ben je getrouwd. Zeven jaar studie voor niets.'

De dochter stond daar met de stukken zeep, gewikkeld in groen crêpepapier. De moeder keek nu ook naar de straat onder haar. 'Wat een auto's,' zei ze. 'Dat jullie met die drukte nog hiernaartoe gekomen zijn.'

'God, wat een auto's,' zei de oude man.

In de auto naar huis haalde de dochter de stukken zeep uit

haar handtas. Sombogaard klemde de handen om het stuur toen hij zag dat ze het raam omlaagdraaide.

'Daar is een parkeerplaats,' zei hij en begon sneller te rijden, beide handen in korte rukken over het stuur bewegend.

'De sul,' herhaalde ze.

'Gefixeerd gedrag uit de oorlogsjaren. Ze bedoelen er niets mee.' Hij probeerde zijn woorden een grappige toon te geven.

'Ze doen het om mij te vernederen. Bij elk bezoek krijgen we zeep. Moet je zien hoe hij erbij staat met de handen op zijn rug.' De dochter zuchtte van machteloze woede.

'In de oorlog was je blij met die zeep.'

'Ik kan me niet herinneren dat ik toen zeep van ze heb gehad.'

'O jawel.'

'Ze hebben nooit iets om mij gegeven, ze hebben nooit aandacht kunnen opbrengen voor andere mensen. Ik kan me niet voorstellen dat ze ooit iets om elkaar hebben gegeven.'

Sombogaard zei niets. Hij was er tenslotte in geslaagd zich in elke situatie te beheersen.

'Ze hebben zich de zaak afhandig laten maken maar ze denken dat ze o zo slim zijn.'

'Achteraf gezien hadden ze er meer uit kunnen halen. In die tijd was het toch heel redelijk.'

Ze haatte zijn redelijkheid. Ze zei: 'Ze zijn alleen maar lui. Daarom ben ik enig kind gebleven.'

Sombogaard parkeerde de auto, zette de motor af. Hij zei: 'Misschien mocht je vader niet meer met je moeder naar bed.'

Hoe had ze met deze man kunnen trouwen? Hoe had ze met deze man ooit kunnen slapen? Ze haalde haar schouders op. Negen jaar was ze met hem verloofd geweest. Ze kon er niet toe komen het portier te openen en de auto te verlaten. Hij zou elke stap, elk gebaar gadeslaan.

'Wil je de zeep nog weggooien?' vroeg hij tenslotte met afgewend hoofd. Een ogenblik keek ze opzij naar de man die ze haar kinderloosheid verweet en wie ze al jaren gemeenschap weigerde.

Ze haatte hem niet eens, ze had geen gevoelens voor hem. 'Ik bewaar de zeep.'

Hij startte de auto en reed rustig de parkeerplaats af. Ze reden naar huis en bewaarden beiden zonder moeite een hardnekkig zwijgen. Thuis ging hij onmiddellijk naar zijn studeerkamer waar een divanbed stond. Zij probeerde op de bank in de huiskamer in slaap te komen.

Precies een week later, juist toen Divendal zijn ogen wilde sluiten voor een slaapje, overleed zijn vrouw. De diepe zucht die hij hoorde kon hij onmogelijk als een teken van het einde beschouwen omdat ze na het eten secondenlang zwaar ademde. Ook de plotselinge afwezigheid van elk geluid bracht hem niet op de gedachte dat het leven bezig was onverbiddelijk uit haar weg te vloeien. Het idee was nooit in hem opgekomen dat er een dag zou komen dat hij niet in haar aanwezigheid verkeerde. Hij trok de alpino over zijn ogen en doezelde verbaasd weg.

'Ik wil pappa zo dicht mogelijk bij me hebben,' zei de dochter. Aan de rand van de stad waar ze woonden werd een pension gevonden met een uitstekende reputatie, dat geleid werd door Paans, een vrijgezel van middelbare leeftijd, klein en breed, met goedige ogen achter dikke brillenglazen, en voorganger van de Volle Evangelie Gemeente. Alle kamers waren bezet maar Paans was bereid een pijpenla-achtig vertrek aan de noordkant van de villa te ontruimen.

'Zodra er een kamer aan de voorkant vrijkomt mag uw vader daar zijn intrek nemen.'

'Een geschikte man,' vond Sombogaard.

'Ik ben er zeker van dat pappa hier goed wordt verzorgd,' zei de dochter. Daarna gingen dochter en schoonzoon terug naar Den Haag om te zien of er nog dingen waren die in de familie moesten blijven.

'Ik heb pappa gevraagd of hij op iets gesteld was,' zei ze. 'We moesten maar doen wat ons goed leek. Hij is aan niets gehecht, is niet in staat zich aan iets te hechten. Pappa houdt niet van oude dingen, niet van moderne, hij houdt van niets.' Ze stampte op de vloer van de bovenverdieping.

Ze brachten een middag op de etage door en besloten dat op een paar sieraden na alles geveild kon worden. In Châlet-Suisse, een fondue-restaurant schuin tegenover de winkel waarvan de oude familienaam nog in de pui stond, gingen ze eten. Hij bestelde na lang wikken en wegen een Médoc, proefde de wijn en deed gewichtig.

'Lenie,' zei hij, 'dit heb ik gevonden.' Hij haalde een envelop voor de dag. Er zat een foto in die hij eerst zelf bekeek en toen aan haar gaf. De dochter zag zichzelf toen ze een jaar of vier was. Ze zat naast een jonge man in wit uniform. Het meisje hield zijn uniformpet op schoot. De man had kleine donkere ogen en een smal, zwart snorretje. 'Knappe verschijning,' zei hij.

Ze herinnerde zich haar vader alleen in het kantoortje achter de winkel. Voor hij bij zijn schoonvader in de boekwinkel was gekomen had hij in Hellevoetsluis een opleiding tot machinist gekregen. Na zijn eerste zeereis was hij 'in de war' geraakt, had lange tijd bij familie gewoond om op verhaal te komen. Pa had een zwak zenuwgestel, kon niet tegen het ruwe leven op zee. Mamma heeft die foto voor mij verborgen gehouden. Ze had nooit foto's van hem in uniform gezien, kon haar ogen niet van die mooie onbekende man afhouden. Hij pakte de foto uit haar handen en maakte aanstalten hem te verscheuren.

'Niet doen,' zei ze en greep haar man bij zijn arm. Hij duwde de hand weg, maakte opnieuw de beweging hem te verscheuren.

'Als je het doet,' siste ze.

'Zo lief ben je nou ook niet voor hem geweest.'

'Ik wil de foto bewaren. Ik ben blij dat ik hem nu dicht bij me heb.' In de week daarop werd de inboedel geveild.

Villa Louise was omgeven door een weelderige vegetatie van bomen, struiken, bloemperken en een rotstuin met banken en rode slingerpaden van geklopte baksteen. Het pronkstuk van de tuin was een budleya die niet alleen zeldzame vlinders maar ook kunstschilders aantrok. De violette trossen reikten tot aan de bovenkant van de serre. In de serre, vooruitgeschoven post links van de voordeur, woonden de dames Eisberg, een oude moeder met haar ongetrouwde vijftigjarige dochter. Ze zaten in een rolstoel omdat ze door een ongeluk waarvan de afzichtelijke omstandigheden nog steeds onderwerp van gesprek waren in het pension, hun benen hadden verloren. Het haar van beiden was dun, schuin opzij gekamd, met de scheiding recht en hoog. Ze hielden hun hals gestrekt en op hun gezicht lag altijd een uitdrukking alsof ze uitzagen naar iets wat hen onmogelijk kon interesseren. Het was bekend dat de Eisbergs dronken. Dan trokken ze zich terug in de aangrenzende kamer die vol en schemerig was.

Rechts van de voordeur woonde de tweeënnegentigjarige meneer Schaap, een corpulente man met een plomp, roze gezicht die hartverwarmend, verrukt kon lachen bij de tv die hij, 's middags om twee uur aanzette en onafgebroken aan liet staan tot Paans hem kwam uitdoen aan het eind van de avond. Schaap had zeven kinderen en ontelbare klein- en achterkleinkinderen die hem allen trouw opzochten.

Op de eerste etage woonden gasten die zich zelden vertoonden omdat ze ziekelijk of schuw waren. Hier had Divendal aan het einde van de gang zijn kamer. Een hoog raam keek uit op de blinde muur van een aangrenzende villa. Een buitenspiegel maakte het mogelijk een fragment straat te zien.

Divendal zat voor het raam en trommelde op de leuning van zijn stoel. Hij dacht aan niets. Plotseling hield hij op met trommelen. De kat van Paans sprong op de schutting die de twee tuinen scheidde, en sloeg zijn klauw in de rug van een vogel.

'Goed zo, poes,' zei Divendal hardop. Hij keek zo ingespannen dat hij zijn dochter en schoonzoon niet had horen binnenkomen. Hij negeerde even hun begroeting en wendde zich toen naar hen. Zij legde een pakje op tafel. 'Dit heb ik voor je meegebracht,' zei ze.

'Dank je,' zei hij dociel. 'Jullie zijn zo goed voor me.' Ze zag dat hij niet van plan was het pakje open te maken. Divendal stond op en verliet de kamer om naar het toilet te gaan. De dochter zei tegen haar man: 'Hij is te bot om het direct open te maken. Mamma deed dat ook nooit. Waarom heb ik zo'n vader?' Ze hoorde hem urineren. 'Waarom moet hij net naar de wc als wij komen?'

'Omdat wij komen,' zei de schoonzoon.

'Hij draagt ook hier die alpino met dat vieze beest.'

'Waarom zou hij die hier niet dragen?'

'Ik haat die nietszeggende, van alles afgekeerde, vage man.'

Ze sloot even haar ogen. Divendal kwam terug. De dochter vroeg of hij zich hier goed kon wassen.

'Natuurlijk,' zei hij verbaasd en wees op een rondlopend gordijn waarachter een wastafel was verborgen.

'De kamer is te klein. Ik hoop dat je gauw wat anders krijgt.'

'De kamer is goed genoeg, Lees,' zei hij en boog het hoofd.

'We komen je elke woensdag halen. Die dag ben je bij ons. Je moet ook een ander pak hebben. Ik wil me niet voor je schamen.'

'Ik heb toch genoeg kleren.'

'Je kleren ruiken. We gaan samen andere kopen. Wat moeten de mensen hier anders wel denken?'

'Dank je, Lees, je bent erg goed.'

'Het is vandaag woensdag. Trek je jas aan, dan gaan we.'

'Weet Paans dat ik met jullie meega?'

'Dat hoeft Paans niet te weten.'

'Ik zal het even zeggen,' zei de schoonzoon. 'Hij hoeft vandaag met het eten niet op vader te rekenen.'

Ze liepen de trap af. Divendal had zijn jas over de arm.

'Hou je alsjeblieft goed aan de leuning vast. God, wat een steile trap. Ik zie je nog een keer verongelukken.'

Beneden kwamen ze Paans tegen die koffie rondbracht. De schoonzoon bedankte hem voor de snelle inrichting van de kamer en handelde nog enige zakelijke dingen af.

'Uw vader zal hier snel wennen,' zei Paans.

'Mijn dochter heeft gestudeerd,' zei Divendal. 'In een tijd dat het niet gewoon was dat meisjes aan een universiteit studeerden.' De dochter ging door de grond maar glimlachte. 'Kom nou maar, pa.'

's Avonds brachten ze hem terug. Paans maakte de volgende dag een praatje met hem en nodigde hem uit voor de huisdiensten van de Volle Evangelie Gemeente.

'In Den Haag was ik lid van de kerk,' zei Divendal.

'Meneer Schaap is zaterdag jarig. Hij nodigt u uit bij hem koffie te komen drinken.' Paans raakte opgewonden bij de gedachte aan alles wat hij zou kunnen doen voor de oude man. 'U hoeft de diensten niet bij te wonen. Ik wil alleen dat u zich hier gelukkig voelt.' Hij legde een folder op tafel. 'Hier staat alles in over de wijze waarop wij ons geloof beleven.'

Divendal vroeg of er in de omgeving een kanon was. Paans verwees hem naar het Atjeh-monument in het stadspark, vlak bij de winkelstraat. Divendal bedankte en boog.

Hij vond het kanon, las de inscriptie, streek over de loop, over de affuit, en de gekruiste koperen klewangs, gemetseld in de sokkel met borstbeeld van Van Heutz. Ook de dag erop maakte hij deze wandeling. In die paar dagen was zijn huidskleur al beter geworden en hadden zijn ogen meer uitdrukking gekregen.

Paans kon zijn ogen niet geloven. Op de dag van Schaaps verjaardag kwam Divendal de trap af in een smetteloos crème Palm Beach-kostuum. Over zijn arm hing een mooi ingesneden wandelstok van notehout. In zijn hand een doos bonbons, Mon Chéri.

'Zou meneer Schaap mij al kunnen ontvangen?'

'Meneer Schaap kijkt al naar u uit.' Paans was blij. Divendal was in korte tijd onherkenbaar ten goede veranderd. Hij keek hem na. Voordat Divendal op Schaaps deur klopte nam hij zijn vilten hoed af.

Het bezoek aan Schaap was een succes. Al zijn getrouwde kinderen waren aanwezig. Divendal zat naast Schaap.

'Ça fait du bien,' zei hij enige malen toen hij zijn gebakje op had. Hij zei het heel licht, heel mooi, iets geaffecteerd. Hij vertelde over het oude Den Haag, maar ook over de vernieuwing, over de restauratie van het Kurhaus en de pas geopende winkelpassage.

'Mijn jonge vriend,' zei Schaap ontroerd, en hield zijn hand vast. Divendal nam afscheid en had voor allen een vriendelijk woord. Schaap nodigde hem uit om tv te komen kijken. Daarna verliet Divendal de villa voor een wandeling naar het kanon. Voor het zijraam van de serre bleef hij staan, stak zijn wandelstok schuin omhoog en wees naar de bloemen van de vlinderboom. De serredeuren stonden open en hij schudde de beide dames de hand.

'Het zonnetje. Ça fait du bien.'

De dames Eisberg, rood van de hitte achter het raam, leken glimlachend over deze verklaring na te denken. Een grote, kleurige vlinder vloog op de budleya af. Ze zeiden dat ze een zwak voor vlinders hadden. 'Zo fragiel, zo poederachtig.'

Divendal vertelde dat hij op zijn reizen vlinders had gezien zo groot als een hand. Hij groette hen, stak buiten een natte vinger in de lucht om te zien waar de wind vandaan kwam, en liep de tuin door, aandachtig naar de perken kijkend. De dames keken hem na. Buiten het hek trachtte een kunstschilder het mauve van de vlinderboom weer te geven.

'Hij is zo fijn gebouwd,' zeiden de dames Eisberg tegen elkaar en begonnen te dromen.

De volgende woensdag kwamen meneer en mevrouw Sombogaard hun vader weer halen. De handen hingen tussen zijn knieën. Hij droeg zijn alpino, zijn oude broek met gemorste koffie en een vest waarvan hij alleen de onderste knoop had dichtgedaan.

'Waarom draag je de grijze broek niet die ik met je gekocht heb?' Van kwaadheid struikelde de dochter over haar woorden.

'Och Lees, ik had geen andere kleren nodig.' De handen waren nu tussen zijn dijen.

'Zeg geen Lees tegen me.' Ze zag op tafel het blaadje liggen van de Volle Evangelie Gemeente.

'Dat kreeg ik van Paans,' zei hij snel. Ergens in de villa klonk psalmgezang.

'Je gaat daar toch niet heen,' zei ze op geprikkelde toon.

'Och, je weet dat ik niets om die dingen geef.'

Daarna gingen ze samen de trap af. De dochter keek telkens om of haar vader wel de leuning vasthield en herhaalde dat het geen trap voor oude mensen was. De schoonzoon dacht: ze is zo verschrikkelijk bang dat hij valt omdat ze hem liever dood onder aan de trap heeft liggen.

De dames Eisberg reden juist achter elkaar de serre uit toen Divendal de voordeur uitkwam, in slobberige broek, zielig en gebogen. Hij stelde de dames aan zijn dochter en schoonzoon voor. 'Mijn dochter heeft gestudeerd. Ze heeft alleen geen gelegenheid gehad er iets mee te doen.'

'Wat heeft u gestudeerd?'

'Kunstgeschiedenis,' zei de dochter moeizaam. De dames wezen op de kunstschilder buiten het hek en daarna op de struik met de diverse kleurige vlinders. De dochter rilde.

'Mijn schoonzoon heeft voor notaris gestudeerd. Vier keer is hij voor het laatste examen opgeweest, maar men heeft hem afgewezen. Men houdt het aantal notarissen bewust laag. Een gesloten groep waar niemand tussen kan komen.'

'Wat doet uw schoonzoon nu?' De dames keken van Divendal naar Sombogaard.

'Mijn man is hoofd van de afdeling verzekering van Slavenburgs Hypotheekbank.'

Behalve op woensdag droeg Divendal altijd zijn Palm Beach-kostuum. Men prees zijn beschaafde manieren, zijn fijngebouwde gestalte, zijn levendige bruine ogen. Je hoorde onmiddellijk dat hij niet in deze stad geboren was. Men was verrukt van de manier waarop hij zijn wandelstok bewoog. Hij straalde iets uit, hij bracht een vleugje aristocratie in huis. 'Ça fait du bien.' Dat vederlichte zinnetje deed snel de ronde, zelfs tot in de omringende villa's die ook als pension waren ingericht. Over zowel kleine als grote dingen verkondigde hij meningen. Hij werd gerespecteerd. Zijn gedrag op woensdag baarde even opzien maar wende snel bij de andere gasten.

In villa Louise werd alleen nog over Divendal gesproken. De dames Eisberg kamden hun haar koket opzij, zorgden ervoor geen voetstap van hem te missen. Er kwam in het pension een soort vrolijkheid waarin ook het onverwachte overlijden van een bedlegerig man geen moment verandering bracht. Paans zei tegen mevrouw Sombogaard dat hij graag de vrijgekomen kamer voor haar vader in orde wilde maken, maar hij was nauwelijks groter dan de pijpenla. De dochter wilde liever wachten tot de kamer van Schaap vrijkwam.

Divendal bracht iedere dag bij Schaap door. Hun stoelen stonden naast elkaar. Schaap was enige malen voor groene staar geopereerd maar zijn gezichtsvermogen nam met de dag af. De nieuwslezer hield hij voor een cowboy te paard. Divendal las de programma's aan hem voor. Schaap legde zijn zware hand op de fijne pols van zijn jonge vriend en vaak zeiden ze dingen zonder erbij na te denken.

'Geen beter dan een goed leven.'

'Tam zomertje.'

Schaap had grote oren die van zijn hoofd afstonden, zijn wangen waren vol en hadden de tint van ketchup.

Paans bracht koffie en legde het orgaan van de Volle Evangelie Gemeente op tafel. Een themanummer, helemaal uitgevoerd in striptekeningen. 'Schuilplaats voor de storm.' Ontroerd keek hij beide mannen aan en prees zich gelukkig zulke gasten te hebben. Divendal zei: 'Bidt en zingt u voor ons. Wij zijn te oud.' Divendal hielp Schaap met drinken.

'De laatste vijand die teniet wordt gedaan is de dood,' zei Paans. 'Ik zal voor u bidden.' Het wond hem op te bidden voor deze lieve mannen. 'Gij zult de dood niet zien,' riep hij bijna in extase en verliet het vertrek.

'Denkt u vaak aan uw vrouw?' vroeg Schaap elke avond.

'Ik ben erg gedeprimeerd,' antwoordde Divendal altijd en wreef afwezig over zijn voorhoofd. Hij was de kleur van haar ogen en de klank van haar stem vergeten.

Schaap dommelde in, schrok wakker als op de tv werd geschoten. Buiten wikkelde de tuin zich in duisternis, psalmgezang steeg in de villa omhoog als in een kathedraal, de bedwelmende geur van de vlinderboom drong de kamer binnen en maakte slaperig. Divendal vertelde zacht over alle kanonnen die hij in zijn leven had gezien, Schaaps hoofd zakte weg tegen de schouder van Divendal. Tenslotte viel ook Divendal in slaap. In hun slaap spraken ze soms. 'De wereld staat op zijn kop,' mompelde Schaap. 'De wereld staat helemaal op zijn kop,' herhaalde Divendal bijna letterlijk. Vaak werden ze tegelijk wakker en keken elkaar verbaasd aan. Buiten een smalle lijn van bossen en dan niets dan lucht, helemaal leeg op de maan na die precies boven de tuin stond en de stammen van de bomen scherpe omtrekken gaf.

'How high the moon,' zei Schaap en wees met zijn wandelstok naar buiten. 'How high the moon,' herhaalde Divendal.

Schaap, breed, vaderlijk, beschermend, Divendal, fijn, smal, tenger.

'Er is vanavond een herhaling van de maanlanding,' zei Divendal.

'Er is nooit een landing op de maan geweest. Dat was een truc. Ze hebben de mensen toen mooi voor de gek gehad.' Divendal die er nooit aan had getwijfeld dat Armstrong als eerste mens voet op de maan had gezet, keek even op van deze gedachte en nam toen Schaaps overtuiging zonder aarzelen over. 'Ik heb ook nooit in de maanlanding geloofd. Allemaal onzin.' 'De wereld wil bedrogen worden.' Ze lachten luid, keken naar Neil Armstrong en Edwin Aldrin. 'Een oude droom van eeuwen heeft zich zojuist gerealiseerd onder de verbaasde ogen van de wereld.' De mannen sloegen zich op de knieën van het lachen. In de villa werd gezongen.

'Fluitje van een cent, wat een onzin allemaal.'

'Fluitje van een cent, o, o.' Ze zogen op de binnenkant van hun wang, klapten met hun gebit en lieten lange harde winden. Ze hadden plezier als kleine jongens die kattekwaad uithaalden. Schaap zei: 'De dames Eisberg kijken uit hun ogen of ze de mooiste benen van de wereld hebben.'

'O, o,' zuchtte Divendal.

'Als men zo lelijk is als de dames Eisberg zou men geen toestemming mogen hebben zich in het openbaar te vertonen.'

Tegen halftwaalf kwam Paans behoedzaam de kamer in. Hij vouwde zijn handen toen hij beide mannen zag en dankte God dat ze onder zijn dak verkeerden. Daarna maakte hij ze wakker en liep met Divendal naar diens kamer.

Op een avond zei Paans tegen hem: 'Het wordt een strenge winter, er komen veel beukennootjes. Ik vind het vervelend dat u zo'n kleine kamer heeft, ik zal in ieder geval uw radiator vernieuwen.'

Paans was handig en maakte alles zo veel mogelijk zelf. Het kwam de bewoners ten goede. Iedere vernieuwing moest wettelijk worden doorberekend in de prijzen. Omdat hij weinig onkosten maakte hoefde hij de prijzen van de kamers nauwelijks te verhogen.

'Ik betaal de nieuwe radiator voor u,' zei Divendal.

'Nee hoor, komt niets van in, u betaalt ook al uw kamerhuur.'

Zodra Paans de kamer had verlaten schreef Divendal een cheque uit. Vier dagen later kwam het dagafschrift bij Paans binnen. Op zijn rekening was duizend gulden bijgeschreven.

'Dat mag ik niet aannemen,' zei hij tegen zichzelf en stortte het geld per kerende post terug.

De dochter kwam haar vader halen. Hij droeg zijn oudste kleren. Hij liep gebogen en ze zag zijn versleten nek. Toen ze Paans in de gang zag begon ze met een punt van haar zakdoek een vlek van zijn vest te vegen. Hij onderging de attentie lijdzaam. 'Mijn dochter heeft gestudeerd,' zei hij toen.

'Loop vast even door, pa,' zei de dochter, 'ik wil iets met meneer Paans bespreken.'

'Ik vind dat hij niet fris ruikt,' zei ze. 'Wast hij zich wel goed?'

Paans zei dat hij erop toezag.

'Hij ruikt,' zei ze. 'Zou er geen wijkverpleegster moeten komen die hem eens in de week helemaal wast?'

Paans verzekerde haar dat het nog lang niet zover was.

In de auto zei ze tegen haar vader: 'Je hoeft niet altijd te zeggen dat ik heb gestudeerd.'

'Je hebt toch gestudeerd, Lees?'

'Je hoeft het niet steeds te zeggen. En je stinkt ook!' schreeuwde ze en klemde haar vingers om het stuur. Thuis ging hij onmiddellijk in de grootste stoel zitten. Ze meed hem zo veel mogelijk, bleef lang in de keuken, weigerde tegen hem te spreken.

Aan tafel zei hij: 'De maanlanding is een truc. Allemaal onzin. Ze houden de mensen voor de gek.'

De dochter keek hem sprakeloos aan. Sombogaard lachte en zei: 'Ik heb laatst gelezen dat ook in Amerika, in West Virginia bijvoorbeeld, veel mensen geloven dat het een politieke stunt is. Bedacht, verweg, in New York.'

Divandal had zijn ondergebit niet in. De dochter keek naar zijn tandvlees als hij at alsof de verklaring van alles in die tandeloze onderkaak lag. 'Hij wast zich niet goed,' zei ze.

'Laat die man met rust.'

'Ik laat hem niet met rust. Hij moet toch verzorgd worden.

Het is mijn vader. Jij trekt je nergens wat van aan. Als ik op zijn kamer kom, komt de morsigheid me tegemoet. Hij hoort daar niet. Als ik hem wil ophalen zit hij altijd bij Schaap.'

'Ze hebben aanspraak aan elkaar. Wees blij dat hij iemand gevonden heeft.' Divendal keek voor zich uit alsof het gesprek hem niet aanging.

'Aan jou heb ik niets.'

'Hij voelt zich daar beschut. Hier kan hij moeilijk zo'n gevoel hebben. Jij slaat met deuren, je praat niet tegen hem.'

'Ze spannen daar tegen mij samen.' Ze keek hem verbeten aan. 'Ze willen vader daar van mij verwijderd houden. Dat hij bij Schaap zit voel ik als een belediging.' Ze constateerde met voldoening dat hij niets meer zei. 'Ik wil dat pappa schoon is.'

Toen vroeg ze haar vader op sussende toon: 'Heeft Schaap dat gezegd van die maanlanding?'

'Ja, Lees.'

'Geen Lees.' Haar mond vertrok.

'Om gods wil, Lenie, laat die man. Hij heeft daar een soort vriend gevonden. Een nieuw kanon en een nieuwe vriend. Wat wil je nog meer.'

'Hij stinkt.'

'Je bent bang hem aan het pension te verliezen. Voor jou krijgt de aanwezigheid van je vader daar steeds meer het idee van een confrontatie. Dat je dat niet in de gaten hebt.'

'Hij is daar om mij beschaamd te maken. Hij doet niets, hij zit maar. Andere oudere mensen hebben hobbies, tonen belangstelling. Ik heb een vader die gedachteloos voor zich uitstaart, zijn ogen geklonken aan het niets, een vader die als ik hem iets voorzet alleen kan mompelen: "Dank je, Lees."'

In die week werd op een morgen voor alle kamers gebak bezorgd. Voor de dames Eisberg waren er bovendien twee fijne toefjes bloemen van roze en witte bouvardia. Divendal trakteerde omdat hij een maand in villa Louise was. De dames Eisberg hadden moeite om niet in tranen uit te barsten en verslikten zich in de anisette. Nooit waren ze in hun leven zo bedacht.

Divendal wuifde joviaal naar iedereen. Op die prachtige augustusdag verkeerde het pension in een feeststemming. Met de dames dronk hij anisette. Hij was een onderhoudend causeur: 'Ik voer op de mijnenveger HM Zeefakkel, een schip dat deel uitmaakte van de zeegaande slagvloot. Ik was dekofficier en voerde het bevel over de detectie-apparatuur.'

Daarna kreeg hij slaap en had moeite zijn ogen open te houden. Hij was niet gewend aan sterke drank.

Paans had een brief van de inspectie gekregen. De brandladder aan de achterkant van het huis voldeed niet meer aan de eisen en moest vervangen worden. Was dit niet binnen een halfjaar gebeurd dan zou de vergunning worden ingetrokken. Met de post was ook een bijschrijving van Divendal binnengekomen. Opnieuw duizend gulden. Paans bad, dacht aan zijn brandladder en stortte het geld niet terug.

De wandelingen naar het kanon schoten erbij in. Behalve het avondeten en de lunch gebruikte Divendal nu ook het ontbijt op de kamer van Schaap.

'Ik zal u een geheim toevertrouwen, jonge vriend, ik ben nooit gelukkiger geweest dan nu.' Schaap gaf hem een amicale tik op de schouder en greep zijn pols. Zo verzekerde hij zich van Divendals aanwezigheid, die er niet meer toe kwam zich naar buiten te begeven. Het werd avond en tussen beide silhouetten schitterde de tv met kracht en helderheid. Ze wisten niets van elkaar, ze hadden geen verleden, ze leefden met wat ze zagen en namen elkaars woorden over. Ze zaten er heel tevreden bij en met de beweging van de wisselende beelden, met de fijne regen buiten, vertraagde de gedachtegang en viel deze samen met het trage ritme van het huis.

Schaaps grove hand lag in de fijngebouwde van Divendal. Ze keken het liefst naar circusnummers met dodensprongen. Van films vielen ze in slaap. 'Allemaal trucage,' had Schaap Divendal bijgebracht. Soms maakte Schaap een smerige opmerking, en lachte. Divendal lachte mee. Ze keken of ze het leven een streek hadden geleverd.

Algauw waren hun gesprekken teruggebracht tot losse woorden en gebaren, algauw herinnerde een programma aan een ander programma dat ze eerder hadden gezien. Tenslotte vielen ze met elkaar samen, een lang onafgebroken programma waarin een steeds vreemdere wereld aan hen voorbijtrok. Twee mensen, alleen op aarde, en niets uit die bizarre wereld raakte of roerde hen.

'How high the moon,' zeiden ze tegelijk, gefascineerd, en konden tegen middernacht niet geloven dat alles alweer voorbij was. Een enkele keer werd een snelle passie gewekt door een geïsoleerd beeld, een vrouw, een cowboy. Onbetamelijke woorden volgden, wangen glommen.

Zo zaten ze hand in hand, vol aandacht na de laatste uitzending, voor de leegte van het dol flakkerende scherm. Dan, ongemerkt en vaag en vergeefs richtte zich hun aandacht op de dood. Zonder werkelijke aandacht voor wat er te zien was, noch helemaal ingekeerd in zichzelf.

Op een avond kwam de dochter onverwacht. Paans was er niet en ze klopte op de deur van Schaaps kamer. Naast Schaap zat een dame. Ze excuseerde zich en ging naar huis.

Die avond trof Paans hem in een jurk van groene zij. Hij nam zich voor er niets van tegen de dochter te vertellen.

Drie dagen later richtte Schaap zwijgend zijn wandelstok naar buiten, naar de maan, en toen om zich heen alsof hij macht over de dingen wilde uitoefenen, alsof hij ze wilde bevelen. In de villa klonk gezang van een verlossingssamenkomst. Even nog, als zoveel avonden ervoor, deed Schaap onbeholpen de geluiden van de tv na. Daarna kneep hij hard in de hand van Divendal, die weer zijn jurk aan had. Divendal werd bang omdat Schaaps hand hard als steen was. Hij hoorde ook huilen en het gezang in de villa was zo luid dat Divendal dacht dat ze achter de deur stonden te zingen.

'Jonge vriend.' Wat was Schaaps stem schraal. Alleen nog maar flinters geluid.

Die avond ging Divendal wat eerder weg, hoewel het programma nog niet afgelopen was.

'Hij huilde,' zei Divendal.

'Stervende mensen huilen niet,' zei Paans.

De dochter verbood haar vader naar de begrafenis te gaan. Die dag nam ze hem bij zich in huis, stond uren in de keuken om lekker eten te maken, ging een uur bij hem in de huiskamer zitten. Divendal bedankte haar verscheidene malen.

Van Schaaps familie kreeg hij de tv die te groot voor zijn kamer was.

'U krijgt nu de kamer van Schaap,' zei de schoonzoon tegen Divendal. 'Dat is afgesproken.' Divendal boog zijn hoofd en zei niets.

Bij Paans kwam een nieuw bedrag van vijftienhonderd gulden binnen. Terwijl hij zich afvroeg op welk moment precies hij mevrouw en meneer Sombogaard moest waarschuwen kwam Divendal. 'Ik wil op mijn eigen kamer blijven,' zei hij. 'Zou u dat tegen mijn dochter willen zeggen?'

Omdat Paans het al moeilijk genoeg vond Divendals dochter te vertellen dat haar vader niet van zijn eigen kamer afwilde, zweeg hij over het ontvangen geld. Er waren ook zoveel uitgestelde klusjes, lekke goten, hout dat nodig in de grondverf moest, de brandtrap.

Het warme najaar ging onverwacht over in winters weer. Iedereen trok zich terug op zijn kamer. Sneeuw joeg tegen de ruiten, de toppen van de coniferen bewogen.

Divendal ging 's morgens voor de tv zitten die de hele hoek bij de deur in beslag nam. Paans had een oude rieten stoel speciaal voor hem opgeknapt. Als het woensdag was plaatste Divendal de stoel zo dat de dochter bij het binnenkomen er onmiddellijk tegenop liep.

Het Palm Beach-kostuum droeg hij niet meer. De dochter belde elke dag. 'Hij wast zich toch wel? Wast hij zich wel goed? Ziet u er wel op toe dat hij niet als een oude man gaat ruiken. Dat vind ik het ergste, een oude man die ruikt.'

Weer een bedrag. Drieduizend gulden. Het dagafschrift vernietigde hij. Naar het eindbedrag durfde hij niet te kijken. Paans ging snel door met het ontwerp voor een nieuwe brandtrap die hij in het voorjaar zelf wilde plaatsen.

De dames Eisberg hadden zich in de achterkamer teruggetrokken. De anisette stond die ochtend net op tafel toen Divendal binnenkwam. Onverwacht stond hij midden in de kamer, in de lange jurk van groene zij, ging op een stoel tussen hen in zitten en wreef langdurig over het beklede deel van de armleuning.

'Wat doet u nou?' zeiden ze tegelijk. Hij begon de jurk los te knopen. Ze keken naar de fles en waren niet bij machte hun arm uit te strekken. Nooit eerder had de anisette hun een heerlijker uitkomst geleken. 'Nee, nee, wat gaat u doen! Doe weg dat ding!'

De arts die Paans raadpleegde zei: 'Hij realiseert zich niet wat hij doet. Of eigenlijk is het anders. Hij weet dat hij iets stouts doet. Net een kind. Impulsen van opflikkerende seksualiteit. Ik focus op verstoring van het evenwichtsmodel. Het betreft hier een kortdurende emotie, het behoefteprobleem, het-zin-hebben-in, eerder dan een relatiestoornis. Ja, de mens is een raar beestje, Paans.' Na deze woorden durfde Paans niet meer over de jurk te beginnen.

Er kwamen hevige stormen die dagen duurden. Het huis stond stijf van de kou. Uit gesprekken die Paans opving begreep hij dat alle pensiongasten regelmatig bedragen op hun rekening kregen bijgeschreven.

Op een morgen scheen de zon, helder en vol gouden stralen. Een donderdag. De dochter kwam haar vader voor een tochtje halen. In zijn jurk van groene zij kwam ze hem op de gang tegen.

Een moment bleef ze verstijfd staan. Toen duwde ze hem de kamer in. 'Trek dat uit,' barstte ze los. 'Trek dat uit!' Hij bleef daar maar staan, tussen rieten stoel en formidabele tv. Bij zijn adamsappel zat een plukje haar. Ze zag het. 'God, ik kom zo vaak, ik bel, ik doe alles voor je, wat krijg ik ervoor terug? Trek het uit!'

Paans luisterde op de gang.

Ze begon aan zijn jurk te sjorren. 'Hoe kom je aan dat ding? Ik offer me op, ik doe mijn plicht, je bent niet wie je denkt dat je bent. Je bent geen vrouw. Je bent mijn vader.' Een golf van angst en woede belette haar het spreken. Ze haalde diep adem.

De ogen van Divendal waren zonder uitdrukking, bleven op de vrouw rusten die zijn dochter was. Die ogen tasten haar af alsof hij bezig was zich af te vragen wie zij was. Hij kon niets bekends aan haar ontdekken en sloot zijn ogen.

'Kijk me aan!' schreeuwde ze. De ogen waren even op haar gevestigd, helemaal leeg, leken toen los te schieten in hun kassen en draaiden rond. 'Hij is ziek,' kreunde ze, 'o God, hij is ziek, ziek.' Met niemand zou ze hierover kunnen praten. Ze stond in het leven overal alleen voor. 'Trek dat uit.' Ze rukte de jurk van zijn lijf. Hij droeg alleen een onderbroek. Divendal opende zijn mond maar zijn stem zat in een te hoog register, gleed trillend uit. Een aanhoudend gepiep dat hij zelf niet kon horen. De dochter schudde woest haar hoofd, hief haar zware arm op en haalde uit over de magere, ineengeschrompelde schouders, die van kurk leken. Paans hoorde bizarre geluiden die de gewone bedding van de mond niet meer volgden.

De bijschrijvingen hielden kort daarna abrupt op, bij Paans en ook bij de pensiongasten. Het geld is op, dacht Paans ontzet. De dochter en schoonzoon zouden er achterkomen waar het geld van hun vader was gebleven. Die avond bracht Paans hem koffie en trof hem in zijn pyjamabroek met ontbloot bovenlijf, gebogen, roerend in een pannetje op het gasstel dat Paans hem nog nooit had zien gebruiken. Een walgelijke geur van aangebrande melk en gesmolten plastic kwam in zijn neus.

'Wat doet u?'

Paans liep snel op hem toe, zette het gas uit. Divendal liep zonder iets te zeggen langzaam naar zijn bed en kroop erin. Paans keek in het pannetje. Met een vork viste hij er Divendals gebit en losse tanden uit. De oude man was diep onder de dekens verdwenen. In de vensterbank lagen koperen pinnen en losse tanden, waaiervormig gerangschikt. Paans begon te huilen. Toen hij de anderen in huis koffie had gebracht, ging hij terug naar de kamer van Divendal.

Hij lag niet in bed maar eronder, dicht tegen de plint, met opgetrokken knieën. Paans schoof het bed opzij, tilde hem voorzichtig op, sprak tegen hem, een arm om zijn schouder. De kastdeur stond op een kier, de avondjurk van groene zij hing geknoopt over het Palm Beach-kostuum. Paans gaf hem te drinken, dekte hem toe en stelde zich voor hoe de dochter en schoonzoon deze kleren en de lege rekening zouden ontdekken, en hem in de gang zouden opwachten en aanspreken.

Tegen middernacht ging hij nog even naar Divendal. Hij lag naast zijn bed en bloedde uit een snee boven zijn oog. Paans haalde bloedstelpende watten, waste het gezicht, deed een pleister op de wond. Toen hij hem neerlegde begon de wond weer te bloeden. Paans was lange tijd met hem bezig.

Daarna ging hij naar beneden, controleerde of ramen en deuren gesloten waren, deed de serre van buiten op slot. Tot het licht werd zwierf hij door het huis. Toen een grijsblauwe lijn zichtbaar werd, verweg, en de lucht op een paar witte wolken na nog helemaal leeg was, ging hij terug naar de kamer van Divendal en vond hem in de houding waarin hij was neergelegd.

Terwijl hij hem tegen zich aandrukte greep het vuur op de verdieping om zich heen; een donkere massa rook verduisterde de ramen, zakte langzaam en drong tenslotte de vertrekken op de begane grond binnen. De villa zwol, puilde uit haar voegen. Dichte, zwarte mist ontsnapte. Ramen sprongen, muren spleten en zwarte flappen doorschoten van vuur, kwamen naar buiten.

Het huis brandde tot de middag. Toen de dochter kwam tuurde het haar door de onnatuurlijk gespreide vingers van verwrongen gebinte aan.

Eindexamen

Twee fietsers passeerden elkaar in tegengestelde richting. Robert kon alleen hun benen zien. Toen ze voorbij waren kwam hij uit zijn liggende houding overeind maar bleef op zijn hurken zitten. Hij keek uit over een smalle strook gras die hij direct zou moeten oversteken zonder dat struikgewas hem beschermde tegen blikken vanuit de flats. Door zijn knie trok een vlijmscherpe pijn als streek lucht over een blootliggende zenuw. Hij ging snel rechtop staan. Alles sliep hier. Zijn aanwezigheid had in zekere zin elke beweging op subtiele wijze lamgelegd. Hij stond te midden van hoge laurierstruiken, nog nooit gesnoeide tulpenbomen en wildgroei van blauweregen. Hij had de indruk in een verlaten park te zijn. Een vogel trok vlak voor zijn voeten een bleke worm uit de aarde die zich om de snavel wond, heftige bewegingen maakte, maar toen traag, onverbiddelijk, lijdzaam kronkelend naar binnen gleed. Robert glimlachte omdat hij zich een uitspraak uit de laatste les van Tijdgat herinnerde: zich voeden is slechts een afgeleide handeling, oorspronkelijk is: alles in zich willen opslokken.

De glimlach bleef op Roberts gezicht. Eind april. De laatste week van het schriftelijk. Hij was bezig een heel goed examen af te leggen. In de vierde klas was hem nog door Oterdoom, de rector, te verstaan gegeven dat hij er beter aan deed het atheneum te verlaten. De resultaten waren te gering. Nu was de kans groot dat hij als een van de besten zou slagen.

Over zijn plannen na het eindexamen had hij met niemand

gesproken. Niet met Arthur, zijn vriend, niet met Reinier en Jacques die zonder er iets voor te doen zoveel prestige op school hadden. Juist aan hen had hij er graag iets over verteld, maar angst voor hun spottende blikken en cynische opmerkingen had hem weerhouden. Niemand wist dus dat hij enige tijd geleden een brief uit La-Chaux-de-Fonds had gekregen waarin stond dat hij daar in de stationsrestauratie als buffetbediende kon komen werken. Hij had ook brieven naar Parijs en Lausanne gestuurd. Alleen uit dit kleine horlogeplaatsje in de Jura had hij bericht gekregen.

Iedereen ging na het eindexamen studeren. Daarom wilde Robert iets anders doen. Hij ging naar het buitenland. Als hij na een jaar terugkwam, zou hij een vreemde taal perfect beheersen. Misschien kwam hij pas na jaren terug, moeizaam naar Nederlandse woorden zoekend, gekleed in een licht kostuum, rijdend in een crèmekleurige Saab. Hij was iemand anders geworden. Die dromen. Op het pad weerklonken voetstappen. In de zeer bijzondere stilte van deze plek waar leerlingen nooit kwamen, waren de geluiden anders, zachter, vielen samen met het vertrouwde geluid van de dubbele rij populieren met hun onophoudelijk gemompel.

Robert hield zijn adem in. Geheimzinnige sfeer van feestelijkheden. Deze wereld was van hem. Hij hoefde de glanzende bladeren maar aan te raken en ze zouden weer wakker worden. Hij had hier een eeuwigheid kunnen blijven, rekte zich uit, keek in een leeg lokaal waar de stoelen op tafels stonden. Hij kon ook de lege nissen in de gang zien, met hier en daar een vergeten jas, gymschoenen achter een kapstokhaak geklemd, een grijze stapel Lodewicks: *Literatuur, geschiedenis en bloemlezing voor het vwo.*

Een moment keek hij met verdrietige verbazing naar deze dingen. Ze hadden een rol gespeeld, waren verbonden geweest met de zes jaar die hij hier had doorgebracht. Deze middag had evengoed al in het verleden kunnen liggen. Iemand bleef op het pad stilstaan dat langs de zijkant van de school liep.

'Wat doe jij daar?'

Robert kon het gezicht niet onderscheiden. Ik hoef hem niet te antwoorden, dacht hij, maar het idee door iemand geobserveerd te worden die hij zelf niet kon zien, gaf hem een onbehaaglijk gevoel.

'Ik observeer vogels voor een scriptie biologie. Net zag ik een vogel zonder staart, waarschijnlijk op het nippertje ontsnapt aan de wielen van een auto. Mijn leraar heeft graag dat wij zulke realistische details waarnemen.'

De onbekende bleef nog even staan, liep toen zonder iets te zeggen door. Lange ogenblikken gingen voorbij. De zon bedekte de grond met lichte, bewegende schijven.

Wat had Arthur tegen hem gezegd? Of je wilt of niet, je bent aan mij gebonden. Er is tussen ons een band die boven haat of liefde uitgaat. Alles wat met jou gebeurde ging via mij. Robert dacht: Arthur haatte mij toen hij zag dat ik aarzelde. Ik zal dat moment nooit vergeten. De spijt en de ingehouden paniek die uit Arthurs blik sprak. Zijn nauwelijks bedwongen angst dat ik zou weigeren. En het meest verrassende was dat hij, die altijd zo perfect formuleerde, even niet uit zijn woorden kon komen. Zó opgewonden was hij!

Misschien had Arthur een fractie van een seconde gewenst dat hij Robert nooit had leren kennen, dat Robert nooit zijn vriend was geworden. Hij zou hier nog lang willen blijven, tussen deze flats en de muren van de school waar hij voor het eerst een scherp besef kreeg van de ligging van lokalen en hun volmaakte symmetrie, besef dat hem des te meer plezier deed omdat niemand waarschijnlijk ooit diezelfde vreugde zou kennen. Ze was vermengd met een immense verwachting. Robert beheerste zich, maar hij kon wel juichen.

Ik kan nu ook teruggaan, dacht hij, en tegen hem zeggen: 'Arthur, het spijt me, maar er was iemand in de klas van Tijdgat. Ik denk een leerling die bezig was het kaartsysteem van de uitleen bij te werken. Echt, het spijt me, je weet... ik heb het voor je willen doen, ik heb toch alles voor je over.'

Het was zonderling licht onder de struiken. Robert verkeerde in een gesloten ruimte waar steeds meer hitte binnenkwam die zich rond zijn hoofd opstapelde. En nu ontsnapten werkelijk juichkreten aan zijn lippen. Nooit eerder had de wereld zoveel vorm gehad, was ze zo stevig en helder verlicht geweest. Zijn wangen gloeiden, insecten waren druk in de weer.

Drie poorten van baksteen geven toegang tot een binnenplaats waarvan de hele lengte in beslag wordt genomen door een veld met korfbalpalen, een gehavend bouwwerk van autobanden en drie acacia's met mollige rondgeknipte kronen zoals je die aantreft voor Zuid-Franse cafés. Rondom staan lage huizen, aaneengesloten, zonder voortuin. De zuidzijde van dit rechthoekige blok wordt gevormd door een schoolgebouw dat het plein geheel beheerst. Waar aan beide zijden de huizenrij ophoudt begint een ijzeren hek dat tot de school loopt. Achter het hek zijn overdekte fietsenrekken.

Een stoep van vijf treden leidt naar de hoofdingang. Zelfs vanaf de hoogste tree kun je de stad niet zien. Maar op nog geen honderd meter achter de middelste poort die aan de overkant precies tegenover de school ligt, in één lijn met de acacia's loopt een drukke snelweg die het centrum van de stad met de rivierbrug verbindt. Het verkeer is niet te horen.

Uit een van de poorten komt een jongen het plein opfietsen. Er is die beweging, die stilte, de dunne, blauwe hemel en het gebladerte van de bomen, te roerloos, te groen, bijna onecht. In die verlichte kooi waar te weinig beweging is om de huizen met hun kleine ramen en overdadige vitrage werkelijk te bezielen, is er de spanning van een jongen die hier voor het eerst komt.

Zes jaar geleden. Die eerste dag. Drie kwartier te vroeg. Die afgeslotenheid van het Verschuerplein, met zijn omheining van huizen, dubbele rij populieren en flats, had Robert dadelijk getroffen. De lege straten kwamen hem als holle gangen van een verlaten theater voor. Wat had Arthur die eerste dag tegen hem gezegd? 'Hier,' en hij had over het plein gewezen, 'hier zou ik willen zingen. Hier zou ik zelfs geen microfoon nodig hebben.' Robert had bewonderend tegen hem opgekeken. Alleen de gedachte al dat je stem over dit plein klonk.

'Wat zou je dan willen zingen?'

Als antwoord had hij zijn arm om Roberts schouder gelegd. In al die jaren had Arthur op schoolavonden gezongen. Aria's van Schubert. 'Mädchens Klage', dat prachtige lamento... zoals Arthur zei. In de kale feestzaal van Tivoli. De bewondering voor die stem was heel geleidelijk maar onmiskenbaar verdwenen. Geconsumeerd. Op.

De sirene van een boot. Ook de rivier is dichtbij.

Tegen elf uur 's morgens was het gewoonlijk drukker. Leerlingen wandelden om het plein heen of zaten op de lage muurtjes die van de huizen naar de straat liepen. Nu was het stil. De paasvakantie was al begonnen.

Alleen de zesde klas vwo had die morgen het laatste examenonderdeel: Nederlands, tekstverklaring.

Een groep jongens en meisjes stond bij de ingang. Ze waren net naar buiten gekomen, staken een sigaret op.

'Hoe heb jij het gemaakt?' Robert was gevleid omdat Reinier het woord tot hem richtte.

'Ik heb geen idee.'

'En jij Seters?' Reinier trok zijn bovenlip zo hoog op dat hij zijn hele gebit prijsgaf.

Arthur zweeg.

'Of heb je het blaadje blanco ingeleverd?' Het was vaker voorgekomen dat Arthur onder een proefwerk plotseling in één brede armzwaai alles van zijn tafel schoof, in drift het lokaal verliet en de deur achter zich dichtsmeet. Het kwam vooral bij Tijdgat voor, omdat zijn Nederlands zwak was. Tijdgat keek dan afwezig de klas in, met een glimlach die langzaam in de diepe plooien van zijn gezicht wegzonk, terwijl hij het vel onder zijn kin samentrok. De linkerpunt van zijn boord stak als altijd omhoog tegen zijn kaak. Hij scheen dat nooit in de gaten te hebben. Dan raapte hij Arthurs spullen op, legde ze terug op zijn tafel. Later mocht Arthur het werk inhalen.

Zelfs Reinier en Jacques hadden ontzag voor de lessen van Tijdgat waarin hij meestal niet meer dan één of twee zinnen zei en voor de rest stil naar de klas zat te kijken. Soms deed hij het voorstel Lodewick te openen maar zover kwam het nooit. Hij was vrijgezel, midden veertig, hoewel hij er veel ouder uitzag en het gerucht ging al jaren dat hij op het punt stond te worden ontslagen omdat zijn manier van lesgeven geen genade kon vinden in de ogen van de rector.

Achter deze verhalen zat wat anders. De rector, ook leraar Nederlands, was jaloers op de natuurlijke populariteit van Tijdgat. Als hij de klas binnenkwam om iets mee te delen begon hij altijd met het geijkte mopje: 'Wie is de mens? Een homo sapiens, een homo faber, een kind Gods of een aan hoogmoedswaanzin lijdende roofapensoort? In ieder geval iets wat voor opvoeding vatbaar is.' Dan beroemde hij er zich op dat hij ondanks alle drukte dagelijks drie boeken las.

Tijdgat keek hem dan meewarig aan en hij die nooit meer dan drie of vier woorden achter elkaar sprak, zei de laatste keer heel koel (maar Robert had voor het eerst emotie in zijn stem gehoord): 'Cultuur bevindt zich niet in boeken, cultuur is een manier van leven. Eten, drinken, slapen, liefhebben, haten, denken, dromen, dat is cultuur.'

'Je leverde je werk zo vroeg in, Seters,' drong Reinier aan.

Arthurs reactie was afwerend, hautain.

'Ik heet Arthur.'

Jacques zei laconiek: 'Laten we naar het terras van Rembrandt gaan.' Ze haalden hun fietsen; Robert wilde ook meegaan, maar Arthur die zich van de groep verwijderd had kwam op hem toe.

'Kom 's.' Hij wenkte met zijn hoofd. Robert was liever met de anderen meegegaan.

'Kom,' herhaalde hij en greep Robert bij zijn arm. Ze liepen tot aan de linkerpoort. Robert bleef staan, keerde zich nog één keer om en zag de anderen de rechterpoort uitfietsen, in de richting van de binnenstad.

'Laten we naar de rivier gaan.' Arthur, imponerend, een hoofd groter, liep snel. Hij had die gemakkelijke wijze van bewegen, die natuurlijke manier van gebaren die Robert typerend achtte voor de wereld waar hij uit kwam. Zijn vader was hoogleraar. Sinds diens laatste huwelijk had Arthur een reeks half- en zelfs 'derde' broertjes die hij net zomin als zijn vader ooit zag. Arthur woonde op kamers in de stad en kreeg een maandelijkse toelage. Zijn moeder leefde, hertrouwd, in België. Hij wist niet waar.

Arthur begon sneller te lopen, hield opnieuw Roberts arm vast zodat hij hem bijna meesleepte. Robert zei niets omdat hij kwaad was, hij had nu op het terras van Rembrandt kunnen zitten. Zijn woede zakte toen hij Arthurs gekwelde gezicht zag.

Ze knipperden met hun ogen tegen het licht waarvan de scherpte toenam naarmate ze een rij rood gemeniede zandtrechters, bergen wit zand, helgele kif en juist opgezogen rivierklei naderden. Langs de kade lag een witte rondvaartboot.

Ze bleven staan. Arthur gaf Robert een sigaret.

'Neem je zelf niet?'

'Ik rook helemaal niet meer. Ik geloof dat Jezus andere dingen van mij vraagt.' Arthur behoorde sinds kort tot de sekte die zich de Ware Volgelingen van Christus noemde. 'Hier, hou het hele pakje maar.'

Robert besefte de buitensporigheid van deze daad en dacht aan Arthurs kamer waar een hoek was ingericht met altaar en knielbank. Robert keek daar altijd met een mengeling van angst en nieuwsgierigheid naar. Een bus met schoolkinderen stopte.

'Rook je echt niet meer?'

Arthur zweeg. Zijn lichtbruine ogen waren levendig en opgewonden door een nog ongedeeld geheim dat hem zo in beslag nam dat hij Robert scheen te zijn vergeten. Toen zei hij onverwacht terwijl hij Robert ernstig aankeek: 'Je hield een erg goeie afscheidstoespraak in Tivoli. Heb je er nooit spijt van gehad dat je voorzitter van de schoolvereniging bent geworden?'

De bestuursoverdracht had al maanden geleden plaatsgevonden. Toen had Arthur niets over zijn toespraak gezegd, wat Robert wel verwacht en gehoopt had.

Arthur ging verder: 'Het was erg goed. Als je eens wist hoe je veranderd bent. De anderen zijn een paar jaar ouder geworden, maar jij...,' zijn handen lagen nu op Roberts schouders, 'jij bent anders geworden. Je was een klein, vaag jongetje toen je op school kwam.' Hij bewoog zijn zware kaken. 'Je bent gelukkig, hè?'

Robert knikte.

Toen veranderde Arthurs toon, werd vlak en koel. 'Zonder mij kun je je nog niet handhaven. Nog niet op het niveau waarop ik je gebracht heb.'

Robert wilde niet herinnerd worden aan zijn eerste jaren op school, verborg zijn ergernis door zijn gezicht naar de zon te draaien, die klein en wit als achter een glazen plaat hoog boven de brug aan de hemel stond.

'Het was voor jou geen sinecure op school.'

De kinderen liepen joelend over de loopplank het dek van het schip op. Vlaggen wapperden. VAREN OP DE RIJN. BOATTRIPS ALONG RHINE. SCHIFFSREISEN AUF RHEIN. MOONLIGHTCRUISES... 'Ik herinner me nog zo goed je wantrouwende en gulzige blik. Je zou iedereen naar je hand willen zetten, willen opvreten, maar je durfde niet naar voren te komen. Niemand had dat door, behalve ik. Toen kwam die avond op school. Dat is de doorbraak geweest.'

Gladde ronde golven sloegen kalm tegen de boot. De kinderen schreeuwden, hun geluiden droegen ver.

Dubbele horizon van het water en de brug met de eentonige,

droomtrage beweging van de auto's die leegte en verdoving suggereerde. Toen, in die dubbele tegenstelling van de roerloosheid van het land en de waterlijn én de beweging van de boot die zich van de kade losmaakte – met de kinderen die zich ver over de reling bogen – in dat gefixeerde, aan de grond genagelde leven, zei Arthur: 'Ik heb mijn Nederlands verknald.'

Robert bleef naar het kielzog van de boot kijken, kon zijn vreugde nauwelijks bedwingen. 'Heb je het blanco ingeleverd?'

Aan een ketting om Arthurs hals schitterde een zilveren kruis. In sombere overgave stond hij nu tegen de pijler van de zandtrechter. De boot lag dwars op de stroom, de masten bewogen tegen de doorzichtige hemel, de kinderen waren stil.

Roberts vreugde ging over in een klein gevoel van melancholie. Omdat het misschien de laatste keer was dat hij hier met Arthur stond? Door het contrast van rust en beweging?

Arthur schudde zijn hoofd als om zich te ontdoen van een plotseling opkomende gedachte, sloeg zijn handen achterwaarts tegen de stalen pijler als wilde hij zich onmiddellijk voor die gedachte straffen. Hij zei: 'Als ik dit niet haal kan ik het examen wel vergeten. Robert, het moet voor jou een kleinigheid zijn mijn werk uit Tijdgats tas te halen. Hij staat in zijn lokaal.'

'Hij doet zijn klas altijd op slot.'

'Je kunt door het raam. Alleen jou kan ik het vragen, jij bent lenig. Zelf zou ik met geen mogelijkheid door het raam kunnen.' Hij keek, dacht Robert, met afschuw naar zijn grote lichaam.

Klamheid steeg op van het land waar vergeten, dode, nutteloze dingen als vaten, kabels, dode meeuwen en verroeste laadbakken van een dragline lagen.

Robert aarzelde: 'Maar hij heeft natuurlijk gezien dat je het leeg hebt ingeleverd.'

'Tijdgat stond achter in de zaal. Ik was niet de eerste, ik heb het blaadje tussen de andere geschoven.'

'Misschien heeft hij ze wel alfabetisch gelegd, om na te gaan of hij het van iedereen gekregen heeft.'

'Hij heeft alles zo in zijn tas gestopt. Je kent hem toch!'

Tegen de hemel reed een trein en vlak voor hen was er de langzame beweging van de boot tegen de stroom in, die enorme krachtsinspanning in de stilte.

'Hij kan het in zijn klas gecontroleerd hebben.'

'Ik heb hem gevolgd. Hij heeft zijn tas in het lokaal gezet, kwam er onmiddellijk weer uit, deed de deur op slot en is weggegaan.'

Robert dacht: Arthur heeft Jezus gevonden. En dan nu zoiets willen doen. Uitgerekend bij Tijdgat die schitterende en soms onbegrijpelijke dingen over schrijvers en boeken zegt. Een leraar die nooit in de docentenkamer zijn brood eet maar altijd alleen om het plein loopt of in zijn klas blijft.

Onverwacht omklemde Arthur met zijn brede hand Roberts smalle gezicht. Om de woorden die hij wilde horen eruit te persen. Arthur begon te lachen. 'Helemaal beduusd hè?' Hij liet Robert los, kwam dichter met zijn hoofd naar hem toe: 'Je hebt geen werkelijke reden om te weigeren. Luister, jij haalt jouw werk er ook uit en dan kan ik het overnemen.'

Ze hoorden de sirene van de boot. Het leek of hij verweg in de bocht stillag.

Robert keek om zich heen, zag boven de school uit de toren van de grote kerk. Het was of Robert de hele stad bezat. Arthur vertrouwde hem deze missie toe.

Eerst die enorme verrassing, onmiddellijk daarna de verwarrende gevoelens: De tocht was ook niet zonder risico en het was een vorm van verraad, dit verzoek. Maar ook, de perspectieven die deze daad bood! Hij voelde zich als de jonge Nero die de kans aangrijpt zich te ontdoen van de laatste invloeden van zijn moeder Agrippina. Voor het eerst in zijn leven had hij iemand in zijn macht.

Hij begon de zijmuur te volgen, passeerde gebukt het natuurkundelokaal, kon niet nalaten voorzichtig op te kijken. Oplopende rijen tafels vormden een klein amfitheater. Hij had naast

Arthur op de tweede bank gezeten. Eens had Tijdgat in dit lokaal een avond georganiseerd met spelers van de stedelijke toneelgroep. Arthur had Robert speciaal op deze avond met een lezing en rollenspel voorbereid. 'Als er iets wordt gezegd waar je op in wilt gaan, doe je je mond open. Als vrijwilligers worden gevraagd voor een rol sta je onmiddellijk op en ga je naar voren.'

Tijdens de lezing waren er bij Robert genoeg vragen opgekomen, maar hij had toch niets durven zeggen in de discussie. Arthur had hem in de pauze apart genomen, in de verste hoek van de school. Hij had Robert voor lafaard uitgemaakt, hem onverwacht bij zijn kin gegrepen en die samengeknepen om er de reeds gevormde woorden uit te drukken en Robert had gezien hoe Arthur zich met de grootste moeite beheerste hem niet te slaan. Razend had hij voor Robert gestaan. Harde leerschool.

'Je wilt je mening toch formuleren, je hébt toch een mening, zeg dan wat! Ik weet hoe graag je dat wilt.'

Stilte.

'Je wilt laten merken dat je er bent.' Hij had gedreigd zijn vriendschap op te zeggen. 'Ik trek m'n handen van je af.' Wrede leermeester.

Daarna werd zijn houding meer bemoedigend. 'Stel gewoon een vraag die bij je opkomt.' O, de wijze pedagoog.

Robert had tenslotte inderdaad iets gezegd, timide, te snel, nauwelijks verstaanbaar. Het was het begin geweest. Versneld was zijn opmars begonnen. Klassenvertegenwoordiger, voorzitter van 'De Drie Poorten', de schoolvereniging. Maar het had hem niet de vriendschap met Jacques en Reinier opgeleverd. Zijn relatie met Arthur verhinderde dat. Gemiste kans die nog steeds pijn deed.

Langzaam was Robert gaan beseffen hoe Arthur steeds meer beslag op hem begon te leggen naarmate hij zich eigenzinniger gedroeg.

'Je houdt ervan jezelf als schouwspel te geven.'

'Jíj hebt mij zover gebracht.'

'Je bent overmoedig, je kent geen maat. Ik geloof dat jij in staat bent tot elke vorm van verraad. Ik ben bang dat jij eens slachtoffers zult maken.'

Robert moest nu langs de deur van een zijvleugel die nooit gebruikt werd. Hier had Arthur hem toen zo dramatisch toegesproken. Robert glimlachte, in onverwoestbaar zelfvertrouwen. Hij zag Arthurs brede rug aan het eind van de gang voor het lokaal van Tijdgat. Als een leraar liep hij heen en weer, handen op zijn rug. Hij had zoveel, hij had alles aan hem te danken. Hoe zou hij Arthur in de steek kunnen laten?

Hij sloop verder, weggedoken tegen een muur die warm aanvoelde van de middagzon, sloeg een hoek om en kwam aan de achterkant van de school. Een decor zonder verrassing: struiken, flats en populieren, oplopend als een panfluit.

Het lokaal van Tijdgat. Hij hees zich op de vensterbank, duwde het raam dat iets openstond verder omhoog. Tafels met diepe blauwe kerven. Tijdgats tas. Robert vond het examenwerk, spreidde het op tafel uit. Hij hoorde voetstappen in de gang. Arthurs hoofd verscheen voor het raam van de deur. Hij keek ernstig maar maakte geruststellende gebaren. Robert was niet bang. Hij had nog geen ogenblik angst gevoeld. Arthur verdween.

Even later, in de schaduw van het fietsenrek, bood Robert aan: 'Ik zal het ook voor je terugbrengen als je alles hebt overgenomen.'

'Ik wil niet dat je opnieuw risico's loopt.'

Robert verkeerde in een hachelijke maar dierbare situatie. 'Jij zou niet eens door het raam kunnen.'

Arthur sloeg zijn arm om hem heen. 'Wil je het werkelijk terugbrengen?'

'Natuurlijk.'

Arthur keek hem lang aan. Besefte hij dat deze onderworpenheid voor de toekomst tot niets verplichtte?

Robert bracht het werk een halfuur later terug.

Arthur vroeg of hij meeging naar zijn kamer. Robert zei dat hij naar huis moest. Hij fietste nog langs Rembrandt maar zag niemand die hij kende.

De volgende dag zat Robert op het terras van Chez Armand. Een dichte menigte liep door de winkelstraat. Er waren veel meisjes op de brede trottoirs, vrolijk gekleed, in het zachte licht tussen de huizen. Die meisjes zouden er ook in La-Chaux-de-Fonds zijn.

Eind mei was het mondeling examen. Hij zou onmiddellijk daarna vertrekken, iedereen verbaasd achterlatend.

De straten waren wit en roze, de toren van de kerk was gesneden uit glanzend rood sitspapier. Hij dronk een glas bier, keek met bijna gesloten ogen naar de stad. De mensen dansten als schaduwen voor zijn ogen. Hij was het middelpunt. Wat had Tijdgat eens over de oorsprong van de macht verteld: er bestaat een soort wulpsheid van de zwakke om zich aan de sterke te onderwerpen en zo, onbewust, zijn deel van de macht aan zich te trekken. Er is geen ambtenaar die niet de plannen van de minister doorheeft, geen korporaal die niet beter dan zijn generaal inzicht heeft in de te volgen strategie.

Misschien kwam hij hier nooit meer terug, reisde hij vanuit La-Chaux-de-Fonds naar Parijs.

Een groep mannen en vrouwen spreidde vlak voor zijn voeten midden op straat een kleed uit. Een man in een zandkleurig Vichykostuum deelde folders uit. Het waren de Ware Volgelingen van Christus. De man begon te spreken. 'Lieve mensen, als ik eens in uw hart kon kijken.'

Robert dacht: hij zou zien dat ik net als Jacques en Reinier de wereld onder controle heb; ook dat ik het nooit zal afleren jaloers op hen te zijn. Onverwacht raakte een vrouw in een lila jurk met jongensachtig gezicht en het haar in uitgegroeid pagemodel hem aan: 'Bekeert u!' Hij keek aandachtig naar haar op. 'Misschien ben ik wel bekeerd.' Ze liet hem los. Iets in zijn toon stond haar waarschijnlijk niet aan. De mensen en de dingen brachten hem niet meer in verwarring en tot zijn verbazing zag hij dat de vrouw niemand anders tot bekering aanspoorde maar zich in de kring terugtrok.

Zag hij er zo zondig uit?

Jacques en Reinier staken de weg over. Ze gingen links en rechts van hem zitten, bestelden bier, ook voor Robert. Nu ik wegga, nu ik me onverschillig opstel, komen ze naar mij toe. Ze dronken en Reinier tikte Robert op zijn knie.

'Geruchten van oorlogen,' riep de prediker over de zonnige stad.

Achter hen mompelde een man: 'Hij heeft gelijk. Het rommelt overal.'

Reinier ontblootte zijn tandvlees, streek met de tong langs zijn verhemelte: 'Iemand heeft examenwerk uit de tas van Tijdgat gehaald.'

'Er komt oorlog,' schreeuwde de prediker. 'Kon ik, o, kon ik maar in uw harten kijken!'

Het hart van Robert werd hardhandig samengeknepen. De prediker was vlak bij hun tafel komen staan en schreeuwde de zorgeloze stad toe: 'Vroeger hadden wij een grote trommel, die zetten we daar neer – hij wees op het kleed – en we vroegen de mensen erbij te knielen. Nu ligt er slechts een kaal tapijt.'

'Bezuiniging,' riep de man achter hen. Er werd gelachen. Jacques en Reinier schoven dichter naar Robert toe en keken hem strak aan. Robert dacht even aan de onbekende die hem op het pad naast de school had aangesproken, maar hij was er zeker van dat deze man hem niet had verraden.

De prediker hief dreigend beide armen omhoog.

Reinier raakte weer vluchtig zijn knie aan. 'We waren net op school. Oterdoom heeft al naar je huis gebeld.'

'Je hebt het voor Seters gedaan, hè?'

'Ik zag dat hij je meenam naar de rivier.'

'Hij heeft je er ingeluisd.'

'Hij heeft je gebruikt.'

'Was met ons meegegaan.'

'Je hebt niets aan hem te danken.'

'Helemaal niets.'

Robert boog zijn hoofd alsof hij wilde bidden. De prediker krijste. Zijn lippen trilden van opwinding. Om Roberts lippen trilde de verwarring. In zijn mond proefde hij een onbekend, gemeen, bitter gevoel.

Oterdoom stond achter zijn bureau. Hij had een gezonde gelaatskleur, golvend dun haar, was gezet. Het pycnisch type. Maar met een belangrijke afwijking. Zijn schedel was klein en het gezicht eivormig zodat het gemoedelijke bij hem altijd verontrustend was en de vaderlijke toon luguber.

'De inspecteur is hiervan op de hoogte gesteld. Je wordt van het examen uitgesloten.' Hij kwam vanachter zijn bureau. De toon van een vader: 'Wat bezielde je in vredesnaam?' Robert zweeg en keek door het raam naar de krijtblauwe hemel. 'Je stond er zo goed voor.' En onder de hemel, de groene acacia's. Robert besloot niet langer zijn mond te houden.

'Ik heb,' zijn stem klonk rustig en hij had nu weer genoeg zelfvertrouwen om te weten dat hij helder zou formuleren, 'ik heb hier één keer eerder gestaan. Precies op deze plek. Ik had uw raad nodig. De eerste jaren op deze school was er slechts één ding dat mij werkelijk bezighield: niet meer die angst kennen dat mij plotseling gevraagd zou worden iets te zeggen. Ik wilde mij opgeven voor de cursus Rhetorica. Om verder te kunnen, moest ik eerst van die verlegenheid af. Ik had me daar veel van voorgesteld. U zei alleen: "Zorg maar eerst dat er minder klachten over je binnenkomen."'

Oterdoom kon zich niet herinneren dat Robert hier ooit geweest was, anders dan om hem te berispen voor zijn gedrag in de klas.

Terwijl Robert werktuiglijk de gang van de school inliep – alsof hij er nog iets te zoeken had – dook Tijdgat op uit een nis. De zon die via de bomen en het raam de school binnenkwam gaf zijn vale haar een vreemde lichtrode glans, de plooien in zijn gezicht waren dieper en de linkerpunt van zijn boord stak omhoog tegen zijn kaak.

Robert zei ontroerd: 'Het spijt me.'

Tijdgat gaf geen antwoord, liep met hem mee tot het eind van de nooit gebruikte zijgang waar slechts een kast met glazen deuren stond.

'Ik heb Arthur Seters vanmorgen gesproken. Hij belde me op.' In de kast stond eenzaam een droevige vos. 'Ik weet nu dat je het voor hem gedaan hebt. Maar begrijp het goed, Arthur had geen enkele scriptie ingeleverd, hij kon nooit slagen, al haalde hij een tien voor Nederlands. Hij heeft van jouw werk voor de schijn maar een gedeelte overgenomen. Toen hij zag dat het je ook zou lukken het weer in de tas te stoppen zonder ontdekt te worden is Arthur naar Oterdoom gegaan. De rector heeft jou het raam zien binnenklimmen.'

Een onzichtbaar mes sneed op Robert in. Ze stonden tegenover elkaar in de uiterste hoek van de school.

Opnieuw Tijdgats afwezige, bijna blinde stem: 'Arthur verdroeg het niet dat hij nog een jaar op school zou moeten blijven, zonder jou.' Voorzichtig raakte hij Robert aan. 'Ik heb lang met Arthur gepraat. Toen hij ophing ben ik dadelijk naar zijn kamer gegaan. Ik was te laat.'

De ogen van Tijdgat waren rood zonder tranen. Robert zag buiten de laurierstruiken waaronder hij gisteren zo'n grote vreugde had gekend, zo'n groot gevoel van almacht. Ze hoorden de haastige voetstappen van Oterdoom.

'Hij zal nu ook op de hoogte zijn.' Tijdgat trok Roberts hoofd naar zich toe, sprak vlak boven zijn donkere haar: 'Die uitsluiting zal natuurlijk ongedaan worden gemaakt maar ik kan me voorstellen...'

Zo trof de rector hen aan.

Later zat Robert op het terras van Chez Armand. De Ware Volgelingen van Christus zaten op het tapijt en aten broodjes. De lila vrouw sloeg het ritme van een strijdlied op een tamboerijn. Hij zag Jacques en Reinier op zich af komen en vluchtte. Toen hij op de weg kwam die naar de rivier afdaalde hield hij in.

Veel later – de zon was boven het water ondergegaan en de schemering had zich over de stad gelegd – hoorde hij muziek uit George's jazzcafé en ging naar binnen.

Arthurs stem: er zijn zoveel manieren om de waarheid te vertellen zonder haar helemaal prijs te geven.

Arthurs verleidelijke stem: je hebt het recht niet te zeggen dat ik er geen eind aan mag maken. JE WEET NIETS VAN MIJ.

Roze en rode neonflitsen tekenden scherp de contouren van de stad. Robert bloosde, beet op zijn lippen. Zijn hoofd voelde warm aan, als de muren van het café.

Arthurs sonore, verleidelijke stem: kijk me niet zo aan. Je moet vannacht blijven.

Dan bleef Robert op Arthurs kamer tot de nieuwe dag aanbrak. Ze spraken over God en zwegen lange tijd. Ze spraken over school, over meisjes en weer over God. Of hij bestond.

Robert verliet het café. Een kapsalon in het centrum weerspiegelde de stille stad oneindig en afgegrensd, tegelijk transparant en ondoorzichtig. Hij kon niet naar huis gaan. Wat moest hij zeggen? Tijdgat zou hem geld kunnen lenen. Hij kon morgenvroeg de eerste trein naar het zuiden nemen.

Arthur!

Zoals hij gisteren bij de rivier had gestaan, met het kortgeknipte haar glinsterend aan de wortel, zijn fonkelende ketting en het kruis, zijn overhemd dichtgeknoopt tot aan de hals. Onvergetelijk beeld, groots, grotesk, verdrietig.

Arthur!

Zoals men iemand in een droom vastgrijpt zonder dat echt te willen, maar ook zonder de macht zich van hem los te kunnen maken.

Boven de rivier de nachtblauwe hemel met een overdaad aan sterren. Was dat nu de bevrijding? Robert had nooit kunnen denken dat ze hem zo weinig vreugde zou geven.

Mijn eerste liefde

In verband met de verkoop van mijn ouderlijk huis, een week voor Kerstmis, moest ik na lange tijd weer in mijn geboorteplaats zijn. Het mij onbekende notariskantoor was gevestigd in een pand aan de Hoofdstraat die met zijn winkels van Jamin, Bensdorp en modehuis Hermien, en met zijn trolleydraden nauwelijks veranderd bleek te zijn en nog steeds dwars door Velp liep. Een trolley passeerde, blauwe vonken spatten van de draden, die bevroren waren. Ook het huis waar ik moest zijn, herkende ik direct; aan de ijzeren spijlen die de glazen voordeur beschermden, aan de travertinstoep van drie halfronde treden, aan de hal van wit marmer. Alleen de gebeeldhouwde bank van donker notenhout, met leuningen die eindigden in een leeuwenkop, was verdwenen en vervangen door een zitje van grijze clubfauteuils.

Het grote raam naast de voordeur bestond ook nog steeds. Ik zag kantoormeubilair. Het was vroeger de wachtkamer voor patiënten die niet particulier verzekerd waren. Het grote vierkante vertrek was toen uiterst karig ingericht. Twintig ongemakkelijke stoelen stonden tegen de muren, die slechts één decoratie kenden; een karikaturale prent, in felle tinten, van een dronken soldaat die met zijn baret scheef op zijn hoofd een soldatenlied brult en een afgrijselijk gebit vertoont van slechts bruine en zwarte stompjes tand. Een zeer suggestieve plaat. En als die plaat er niet in zou slagen mij te dwingen regelmatig mijn gebit te laten nakijken door de tandarts, dan was er ook nog een saneringskaart. Wie niet elk halfjaar zijn gebit liet nakijken, raakte zijn kaart kwijt en moest de behandeling zelf betalen. Mijn moeder hield die deadline angstvallig in de gaten. Tussen voordeur en raam hingen toen onder elkaar twee zwarte marmeren platen, waarop in gouden letters stond gegraveerd:

J.C. Veenstra, Tandarts. Spreekuur 9.00 – 11.00.

En in klein sierlijk schuinschrift:

Mevrouw J.G. Veenstra-Valk, Tandarts.
Behandeling alleen volgens afspraak.

Ik poetste zorgvuldig mijn tanden. Moeder gaf me het mapje met sanerings- en ziekenfondskaart. De eerste was groen, de andere geel. Ik was extra vroeg opgestaan en om kwart voor zeven stond ik al voor het deftige pand aan de Hoofdstraat. Ik was zo vroeg, want ik wilde als een van de eersten aan de beurt zijn om zo min mogelijk lessen te missen. Eén keer heeft mijn moeder aan tandarts Veenstra gevraagd of ik, omwille van de school, een keer 's middags behandeld mocht worden. Zijn antwoord was dat hij geen uitzonderingen kon maken. Van kinderen met een saneringskaart werd het gebit 's morgens tussen negen en elf nagekeken. Dat was een haast goddelijke verordening en lag dus onwrikbaar vast.

Hoe vroeg je ook was, altijd waren er mensen die je vóór waren. Die keer had ik bijzonder veel pech. Er stond al een rij van tien patiënten. Om acht uur pas deed de assistent de deur open en iedereen liep via de marmeren hal naar de wachtkamer. Vaak duurde het tot tien over negen voordat het lampje boven de deur aan ging en de eerste patiënt naar binnen mocht. Ik heb daar nooit enig gemor over gehoord. Men accepteerde dat het ontbijt van tandarts Veenstra weleens wat uitliep. Ook dat mevrouw Veenstra haar patiënten persoonlijk in de hal begroette. En mocht ze met een behandeling bezig zijn, dan kwam de assistente naar beneden om te zeggen dat mevrouw zo kwam. De cliënt werd gevraagd enkele minuten op de gebeeldhouwde bank plaats te nemen.

Ik wachtte. Keek wat schoolwerk door – ik zat in de tweede of derde klas van de middelbare school –, staarde naar de prent aan de muur, of naar buiten. Het was een zonnige dag en de trolley-draden werden in het wegdek weerspiegeld. Soms kwam de assistente binnen en las een naam van een lijst. Vaak was dat iemand die na mij binnengekomen was. Om onverklaarbare redenen waren er toch mensen binnen de sociale kaste waartoe ik behoorde die voorrang kregen. Misschien waren het noodgevallen. Mensen die krepeerden van de pijn of bedreigd werden door ernstige zwellingen. Dat was ze nooit aan te zien. Als ieder ander zaten ze te bladeren in *Arts en Auto...* wel waren ze enigszins beschaamd als hun naam werd genoemd. Iets gebogen, zonder de achterblijvers te groeten – wat toch de gewoonte was – verdween men achter de assistente de hal in. Het werd erg laat die ochtend, en het toeval wilde dat ik ten slotte als enige overbleef. Ik begon heen en weer te lopen, in de hoop dat men mij zou horen. Op de klokkentoren van de katholieke kerk in de Emmastraat zag ik dat het al ver over elf uur was. Hoe ver kon ik niet zien door een boom die mij het zicht op de grote wijzer ontnam.

Ik wachtte, tikte eerst zacht, toen harder tegen een van de muren, opende ten slotte de deur naar de hal. Op dat moment kwam mevrouw Veenstra naar beneden. Haar witte, vlekkeloze tandartsenjas hing open. Ze droeg een rok van beige linnen en een kleurige blouse. Ze keek me verbaasd aan en vroeg wie ik zocht. Ik registreerde haar stem, meer dan haar woorden; de klank ervan was natuurlijk, vriendelijk, van een vanzelfsprekend gezag.

'Mijn man is je toch niet vergeten?'

Hij was mij dus vergeten. Hij had die ochtend nogal haast gehad omdat hij naar een dressuurwedstrijd moest. (De behandelkamer van de tandarts keek uit op een paardenstal. Het was vanaf de stoel een aardig gezicht als het paard zijn hoofd naar buiten stak. Het leidde je ook af!)

'En hoe laat was je vanmorgen hier?'

'O, pas om halftien, mevrouw.'

'Je hebt dan toch al die uren school gemist?'

'Dat wel, mevrouw. Maar dat geeft niet.'

Ze liet mij voorgaan. Halverwege de trap keek ik achterom (verwonderd dat ik zomaar hier naar boven mocht). Ik zag haar gladde, brede gezicht met de donkere ogen. Ze volgde mij. Haar lichaam was eerder tenger, maar haar gebaren waren energiek. Wat keek ze me nadrukkelijk aan op de overloop, waar ik haar opwachtte. Ik was een en al verbazing: dat een vrouw het zo ver kon brengen. Mijn moeder had zes jaar lagere school.

Ze knoopte die bijna onverdraaglijk witte, vlekkeloze, gesteven tandartsenjas dicht en vroeg mij glimlachend in de stoel plaats te nemen. Die glimlach liet gave, witte tanden zien. Met diezelfde glimlach bond ze mij ook een wit servetje om, met behulp van een kettinkje. Ik proefde al aan de privileges van de rijken. Ik was de koning te rijk, liet mijn achterhoofd op het leren steuntje rusten, liet mijn blik over het hoge, witgestucte plafond dwalen. Hield mijn ogen op het plafond gericht terwijl haar vingers in mijn tandvlees woelden, en hoorde een tijdlang niets anders dan haar ademhaling, soms een krassend geluid in mijn mond, en verstijfde in een godzalige roerloosheid.

'Een klein gaatje,' zei ze. 'Nauwelijks een gaatje, maar voor alle zekerheid...'

'Maar niet verdoven,' zei ik direct. Ze glimlachte.

Ik omklemde de beide leuningen, ik leed, afschuwelijke pijnen, perste mijn oogleden op elkaar. Maar ik voelde hoe behoedzaam ze te werk ging. Omdat ik een kleine onverwachte beweging maakte, gleed haar boor over het tandvlees. Ik spuwde een glas vol bloed. Ik kreeg een tampon in en toen het bloed gestelpt was, heeft ze als extra service wat tandsteen verwijderd. Ze complimenteerde mij met mijn sterke gebit en ik zei dat ik van mijn moeder elke week kalkpillen moest slikken. Ze tekende mijn saneringskaart af, en samen liepen we weer over de overloop. Op de deurklink raakten onze handen elkaar een moment.

'Dank u,' mompelde ik, 'dank u voor alles.' En zij: 'Je hebt je kranig gedragen.'

De wereld buiten zag er opeens bizar reëel uit.

Het is te zwak uitgedrukt als ik zeg dat ik vanaf die dag onophoudelijk aan haar dacht. Mijn gedachten werden geheel en al beheerst door het verlangen haar terug te zien, die kamer terug te zien, en ik werd zo door dit verlangen geobsedeerd dat ik op sommige momenten zelfs uit het oog verloor wat de oorzaak van mijn obsessie was. Nog op dit ogenblik zou ik de geur herkennen die van haar jas opsteeg, als zij zich nu over mij heen zou buigen!

Voortaan bezocht ik de tandarts vaker en koos altijd een dag uit waarop het zonnig was. Ik zorgde ervoor op dezelfde tijd aanwezig te zijn, en nam plaats op dezelfde stoel, in de hoop natuurlijk, in die mooie bijgelovige hoop van hen die altijd te veel verwachten, dat dezelfde omstandigheden ook dezelfde gevolgen zouden hebben. Die berekening klopte niet. Een innerlijke waanzin, die men misschien alleen op die leeftijd meemaakt, sleepte mij mee. Die dag! Even voor de middag. De tandarts was met zijn paard vertrokken. Ik belde aan, stelde mij feestelijke gebeurtenissen voor, maar toen ik haar voetstappen hoorde, in die waterval van fonkelend wit, en ik probeerde, op het moment dat zij de deur opendeed, mij een klein glimlachje aan te meten – mijn befaamde glimlach van verlegenheid – gleed ik weg in een staat waar alles in aangename en angstige verwarring dooreenliep.

Ze keek me vaag onderzoekend aan, met de blik van iemand die gestoord wordt. Ik zweeg, hield mijn hoofd omlaag, als een schaap, dat stemmeloos is voor het aangezicht van zijn scheerder.

'Ik vermoed dat je bij mijn echtgenoot moet zijn.' Ze kende me niet meer.

'Dat vermoed ik niet,' antwoordde ik zacht en hield mijn smalle jongenshoofd nog steeds omlaag.

'O nee?' Ze keek op een nogal onverschillige manier heel verbaasd.

'Ik wil door u geholpen worden!' schreeuwde ik, terwijl ik van de stoep afsprong. 'Ik wil door u geholpen worden...'

Ik klopte de sneeuw van mijn jas, liep de drie halfronde treden op en belde aan. Een donkere, niet onknappe vrouw deed open, kennelijk een secretaresse, want ze droeg blouse en rok. Ik noemde, enigszins verlegen, mijn naam en ik zei dat ik een afspraak met de notaris had. Ik mocht plaatsnemen in een van de grijze clubs in de hal. De vrouw ging een vertrek binnen en kwam even later terug.

'Komt u mee, de notaris verwacht u.'

Op de trap liet zij me voorgaan.

Halverwege hield ik een moment mijn passen in en moest mij bedwingen om niet achterom te kijken.

Roversbende

Het enkel spoor dat E. met Amersfoort verbindt, slingert zich, hoewel onrendabel, nog steeds in lange bochten door het oude centrum en sluit het marktplein af aan de zijde van de nieuwe winkelgalerij. Café Marktzicht is herrezen onder de oude naam. Hoe anders is de sfeer nu! Geen plankenvloer meer waarop dagelijks vers zand werd gestrooid. Ook zijn de langwerpige panelen met verweerde spiegels, de ijzeren tafels met witmarmeren blad verdwenen. Maar het is het enige café in de omtrek. De stad telt nu over de honderdduizend inwoners, maar het aantal cafés houdt geen gelijke tred.

Ik, Oscar Kristelijn, drijf een vaste bloemenkraam. Hard werken. Dagelijks, tegen drieën 's morgens, vertrek ik naar de veiling in Aalsmeer of Rijnsburg om een heel specifieke keuze uit het ruime aanbod van bloemen te maken. Soms gaat mijn zoon mee. De kraam is onlangs verbouwd, zodat de bloemen in de winter achter glas staan.

Weinig oude collega's van De Vallei, een brede scholengemeenschap, komen door de week nog over het marktplein. De school, zo fraai gelegen aan de voet van de Paasberg-heuvel – ontstaan in de laatste ijstijd; vroeger werden de paasvuren erop afgestoken – staat leeg en is grotendeels gesloopt. Het college gaat in de toekomst een nieuw gebouw aan de periferie betrekken. Het is een algemeen verschijnsel: publieke gebouwen verdwijnen uit het centrum van de steden. Voorlopig is De Vallei gevestigd in een leegstaand kazernegebouw.

Als zovele collega's bezat ik ook de ambitie om schrijver te worden. Soms kreeg ik het gedaan dat een kort verhaal – eerder een schets – in een obscuur en efemeer tijdschrift werd geplaatst. Mijn rector, Ernst Brandsma, lange tijd mijn vriend, was van die aspiraties op de hoogte. De geplaatste verhalen liet ik hem lezen en hij zei ze intrigerend te vinden. Aan hem dankte ik, toen de school haar vijftigjarig bestaan vierde, de opdracht voor een feestnovelle. Die zou worden uitgereikt aan de talloze reünisten, onder wie ministers en leden van de Hoge Raad. Ik heb die novelle inderdaad geschreven, tot volle tevredenheid van de rector, maar hij werd door collega's en bestuur van de school toch niet geaccepteerd.

Mettertijd verdween die literaire ambitie. Te weinig talent. De behoefte om, geheel voor mijzelf, opvallende details te noteren bleef. Min of meer regelmatig hield ik een dagboek bij.

Al heel wat jaren zijn voorbijgegaan sinds ik mijn vaste baan aan het bloeiende college opgaf, alle schepen achter me verbrandde, mijn pensioenrechten grotendeels verspeelde, om in het zweet des aanschijns mijn brood te verdienen. Ik wenste risico's te lopen. Geen vast salaris meer. (Ik vond het altijd buitengewoon gênant als ik na een maand vakantie in het buitenland thuiskwam en op mijn rekening een maand salaris bijgeschreven zag.)

Op een dag heb ik dat besluit officieel in het docentenboek aangekondigd. Mijn collega's waren verbaasd. Ik had toch geen problemen in de klas en we konden het doorgaans toch goed met elkaar vinden? Dat was waar.

Ik geloofde ook dat ze nogal tegen me opkeken. Ik bezat een doctorstitel. Wie op een Nederlandse school voor middelbaar onderwijs kan dat nog zeggen? Ondanks een groot reservoir aan intellect wordt er niet meer gepromoveerd. Docenten zijn vooral druk met *teamwork*. Aan studie komen ze niet meer toe.

Vlak voor mijn vertrek maakte ik een scène mee die voldoende aangaf dat ik daar weg moest, dat mijn tijd op De Vallei *vol* was (*vervuld*, om het wat bijbelser te zeggen).

Nietsvermoedend liep ik tijdens een vrij uur de docentenkamer binnen om in het keukentje een kop koffie te halen. Ik trof daar toevallig de rector, die op mij afkwam en fluisterde: 'Kom direct even op mijn kamer.'

Ik was, na een aantal nogal vervelende affaires, weer *on speaking terms* met hem en soms, als anderen ons in de gang tegenkwamen, moesten we wel de indruk wekken zelfs weer goeie maatjes te zijn. Maar nu trof zijn effen toon mij. Net of er iets heel onaangenaams gebeurd was.

Op zijn kamer hoorde ik dat er klachten van leerlingen waren binnengekomen. Ik zou te vroeg met de les ophouden, niet hard genoeg werken, verward uitleggen. Ook werd mij een wat afstandelijke opstelling verweten. Kortom, een rotzooitje.

Even kon ik, verbijsterd, geen woord uitbrengen. Dit moest een misverstand zijn. De vier-atheneum die hij noemde, was een plezierige groep. Leerlingen van goede wil. Met twee zwakke broeders die een schooltype te hoog zaten. Was er nog tijd vóór de bel, dan spraken we over hun toekomstverwachtingen. Nooit een wanklank in deze klas. Onlangs werd de Parijs-reis gepland. De leerlingen vroegen direct of ik meeging. Je hebt dat elk jaar: een klas waar het bijzonder mee klikt. Je hebt weer het gevoel uiterst zinvol werk te verrichten. Ik kan nog zeggen dat ik de klas kort daarvoor bij mij thuis had uitgenodigd.

Tweemaal per week spoedde ik mij dus opgewekt naar vieratheneum. Was daar ineens de klad in gekomen? Nogmaals, hier moest een misverstand spelen. Dit ging niet over mijn, noch over deze klas.

Maar de rector hield vol dat enkele leerlingen uit die groep met zeer negatieve uitlatingen over mij bij de conrector van hun afdeling waren geweest. Wie, kon hij niet zeggen. Hij zou de betreffende conrector erbij moeten halen.

Ik dacht bij mijzelf: twee minuten geleden was ik nog vrolijk, voelde ik mij ontspannen, en nu dit. Ik probeerde een luchtige houding aan te nemen, maakte een grapje tegenover Ernst

Brandsma. Hij kon er niet om lachen. Het was geen tijd voor grappen.

De conrector kwam binnen, trok de deur achter zich dicht. De rector drukte op een knop die onder het bureaublad zat. Nu brandde boven de deur rood licht. We konden niet gestoord worden.

De conrector, in een vaalrood truitje dat hem te krap zat, keek eerst de rector, daarna mij aan, wachtte nog ettelijke seconden, en onthulde toen plechtig de namen. Het waren de beide jongens die zwaar onvoldoende stonden en het onderwijs niet konden volgen. Van die beide leerlingen viel het me tegen. Die ochtend nog had ik ze geholpen, buiten de les om, vlak daarna waren ze dus gaan klagen, en de conrector, als een echte korporaal eerste klas, had dit direct gemeld aan zijn baas. In plaats van ze naar mij toe te sturen. In die geest uitte ik mij.

De conrector negeerde mijn woorden, stelde een gesprek voor in aanwezigheid van beide leerlingen, van mij plus de rector en hijzelf. Hij hield ervan op zijn strepen te staan, had er zin in er een echte zaak van te maken.

Ik weigerde dat. Ik wilde een gesprek met de hele klas erbij. Dat voorstel werd door beide stafleden sterk afgeraden.

'Die twee leerlingen...' bracht ik uit, mijn woede nauwelijks beheersend, 'zijn niet in staat het onderwijs te volgen en gaan nu achter mijn rug om... Nou goed, een démarche uit wanhoop... Ik begrijp ze.'

Vooral de conrector bestreed deze zienswijze. Die leerlingen waren juist bezorgd geweest, wilden goed onderwijs. Dat was hun recht. Hij wilde ook nog wel kwijt dat men vond dat ik daar te weinig repetities gaf.

'Ik doe alles voor ze! Moet ik soms ook nog met ze naar bed?' Ik schreeuwde bijna. De rector, in een slobberig colbert van een ondefinieerbare tint, en zijn conrector keken elkaar aan, richtten toen hun blik naar buiten, op het voormalige exercitieveld met vlaggenmast. De conrector betoogde zonder mij aan te kijken dat het juist mooi was dat op De Vallei zo'n laagdrempeligheid heerste. Men was niet bang voor autoriteiten. Hij wendde zich naar mij. Hij moest mijn diepe minachting gezien hebben, want hij sloeg zijn ogen neer.

Weer buiten op de gang kwamen de beide leerlingen naar mij toe. Ze wilden mij spreken. Ze erkenden dat zij naar de conrector waren gestapt, hadden daar spijt van en gingen hem dat meedelen. Voor mij was daarmee de kous af.

Voor de conrector niet. Hij bleef op een gesprek staan. Er moest klaarheid komen. Immers, er waren beschuldigingen geuit. Gesprekken volgden. Mét mij, zonder mij, met de staf. Om niets. Mij beving een grote onverschilligheid. Hoe konden volwassenen zich zo druk maken? Waarom die hang naar macht? Naar bevestiging?

Het was meer dan tijd om weg te gaan. Het vertrek onderging ik als een bevrijding. Toch voelde ik ook iets van weemoed. Zoals dat gaat met dingen die definitief voorbij zijn.

Het werd een bloemenkraam, want ik had uitgesproken ideeën over bloemen. En de kraam die mij voor ogen stond was geen gewone, maar een die niet onderdeed voor een dure, elegante bloemenzaak. Ik wilde slechts bloemen in één tint verkopen, afhankelijk van het seizoen: geel in het voorjaar, blauw in de zomer, het najaar brons, de winter wit. Ik was vooral verrukt van bloemen die opengaan, zich ontvouwen, zoals rozen, papavers, lelies.

Chrysanten verkoop ik alleen in de herfst. Het is toch een gruwel om in een voorjaarsboeket chrysanten te stoppen. Van alle bloemen heeft de blauwe Himalayapapaver *(Meconopsis)* mijn voorkeur. Direct gevolgd door de gentiaan. Bloemen uit het hooggebergte, dicht bij de hemel. Ze zijn altijd blauw. Was het niet Rilke voor wie de blauwe bloem gold als symbool voor geluk?

Die bloemenkraam was een oude, hardnekkige droom. Het

was ooit de droom van mijn vader dat ik hem zou opvolgen op zijn eigenhandig opgebouwde kwekerij. Maar er kwamen grote schulden; ze waren niet helemaal aan mijn vader te wijten. De tuinderij in Velp werd *gesaneerd* (letterlijk 'gezond gemaakt'). Ze hield op te bestaan. De teeltvergunningen moesten verkocht worden.

Mijn vrouw had niet veel op met het 'nieuwe' leven. Ging er kort na de opening vandoor met een tekendocent die zich bovendien een groot kunstenaar waande. Mijn dochter heeft algauw de zijde van haar moeder gekozen. Twee vrouwen kwijtgeraakt. Toch zijn er veel tederheden tussen ons geweest. Het vertrek heeft mijn zoon en mij niet onberoerd en niet ongedeerd gelaten. We waren toch diep met elkaar verbonden?

Dat huwelijk van ons? Geen meedogenloze strijd, nauwelijks ruzie. Evenmin saai. En toch.

Ik stond in de keuken, tegen het aanrecht waarop ze het briefje had achtergelaten. Ik stond daar op een verschrikkelijke wijze dood te gaan. Had ik schuld? Ik ben opgehouden daarover na te denken. Op een dag was ze er niet meer. Ze schreef dat er allang iets tussen ons veranderd was. Maar het was toch niet alleen de illusie van een gelukkig gezin? We wáren een gelukkig gezin. Het was een nazomerse middag, rillend van zon en schaduw. De zon daalde al naar de toppen van de bizar gevormde dennen op de top van de Paasberg. Ik wist niet beter of we zouden een heel leven bij elkaar blijven. Door zoveel dingen hadden we ons van elkaars genegenheid verzekerd. Het bleek later dat ze de tekenleraar al langer, in het geheim, ontmoette. Dan kwam ze thuis, en ik, naïef, had niet in de gaten dat mijn vrouw met dat stralende gezicht – als van binnenuit verlicht – zojuist uit een ander bed kwam. Kon je gebeurtenissen maar gewoon uitwissen! Ze was een vrouw die mannen aantrok. Mooie, fiere vrouw. Zoals zij de zonnebril op haar voorhoofd schoof... De brede, zachte mond. Op een dag was ze er niet meer. Subversieve actie. Nu weet ik de kleur van haar ogen niet meer, de klank van haar stem... u begrijpt me wel...

Sander is bij me gebleven. Ik kan me niet herinneren dat ik hem ooit bestraft heb. Onze natuurlijke camaraderie heeft ongetwijfeld met de gemeenschappelijke vijand, de moeder, te maken. Hij koos onvoorwaardelijk voor mij.

Sander is deze zomer geslaagd voor zijn eindexamen gymnasium. Curieus vakkenpakket, dat zelden gekozen wordt: Grieks, geschiedenis, wiskunde, economie, Nederlands en de drie moderne talen. Zijn voorkeur heeft geschiedenis, maar het vak heeft weinig toekomst. Hij heeft zich laten inschrijven aan de economische faculteit in Rotterdam. Ik sta volledig achter die beslissing.

Komende maandag verhuist hij. Ik zie op tegen zijn vertrek. Ik heb gelukkig mijn werk en mijn aanspraak van klanten, maar thuis zal ik in het vervolg alleen zijn. Ik kan daarover inzitten (ik zit daarover in), over piekeren, de situatie verandert er niet door. Ik ben trots op hem. Hij gaat een universitaire studie volgen. Ikzelf heb mijn eerstegraads bevoegdheid via moeizame avondstudie verkregen. Ik kijk vooral op tegen zijn zelfvertrouwen, zijn geloof in de toekomst, de gemakkelijke manier waarop hij met mensen omgaat. Dat kan ook met de veranderde tijden te maken hebben. Ik was in mijn jeugd altijd onzeker, verlegen, kroop te snel weg in mijzelf.

Sander heeft mij goed geholpen. Hij is handig, gaat plezierig met klanten om. Met dit wat koelere weer – het weer is je koopman – waren we vandaag wat eerder 'los' dan anders. En nu zaten we op onze vaste plek in Marktzicht. Ik bestelde twee biertjes, we spraken over de vlotte verkoop. Toen ineens die zin van mij, zonder directe aanleiding: 'Weet je nog dat ik je vroeger voorlas...?'

'Uit *Koning Arthur*...' Hij citeerde direct: 'Parcival betrad de grote zaal van de burcht en zag onder een kaarsenkroon de burchtheer op de rode troon, omringd door twaalf ridders...'

Uren las ik hem voor, legde de christelijke symboliek van de graal en de bloedende lans uit, een uitleg die hij altijd onderbrak met de woorden: 'Pappa, doorlezen.' En tijdens vakanties bezochten we de ruïnes waar volgens de overlevering Arthur met zijn twaalf ridders zou hebben gewoond: Montségur in de Franse Pyreneeën, Ile d'Avalon in Bretagne, Bamburch Castle in Northumberland. Ik vertelde. Ik wist er veel van. De open mythe, met een held die op stap gaat en avonturen beleeft, sprak mij altijd meer aan dan de tragedie, die gesloten is.

Sander heeft zojuist de dagopbrengst geteld. De ober bracht nieuwe glazen. Het café ziet uit over het plein, waar de gemeentelijke dienst de kramen afbreekt, de schragen stapelt in een hoge ijzeren kooi. Ik deed opgewekt, hief het glas op de nieuwe fase in ons bestaan die weldra zou aanbreken. Wij toastten, de jongen zette zijn glas neer, leunde achterover, als om al wat afstand te nemen, staarde vaag door het raam over het marktplein.

De spoorbomen gingen dicht. De kleine rode lichten waren rode tongen in de opkomende mist. Een trein uit de richting Amersfoort passeerde de overgang. Het licht in de coupés trilde. De trein onttrok de aflopende zaterdagmiddagmarkt even aan het gezicht. En toen hij om de bocht verdwenen was en het zicht weer vrij, zagen we de rector van De Vallei. Mijn ex-vriend haastte zich over het plein, geloofde dat hij niet gezien werd. Op weg naar *art gallery* Indigo, gevestigd in de nieuwe winkelgalerij. Ik heb me lange tijd prettig gevoeld in zijn gezelschap. Hij was net als ik van eenvoudige afkomst. Zijn vader had op het Friese platteland, in een melkfabriek, als boterdrager gewerkt. Mijn rector was zo intelligent dat hij én op de lagere school én op de middelbare school een klas mocht overslaan. Hij promoveerde op zijn vijfentwintigste en was de jongste schoolleider die ons land ooit gekend heeft. In zijn schaarse vrije tijd vertaalde hij Kavafis. Nu stond hij voor de kunstwinkel, opende snel de deur, trok hem achter zich dicht, zou zich in de armen van zijn vriendin werpen. Ik kon er nog niet over uit dat de dingen zo gelopen waren. Het opvallende uithangbord, diep donkerblauw, wierp schijnsels op de spoorbaan.

Mijn zoon keek me tersluiks aan, zweeg nog, woog zijn woorden. Toen, volledig onverwacht voor mij, deze mededeling: 'Ik ga bij het corps. Ik heb me al opgegeven.'

Pijnlijke stilte. Ik wendde mijn hoofd af. Op de markt probeerden de laatste klanten nog koopjes te halen. Wat moest ik zeggen? Ik had geen woorden voor deze beslissing. In de tijd dat ik nog les gaf, was ik respectievelijk voor de Ronde Tafel, de Lions, de Rotary gevraagd. Dat soort herenclubjes stond mij van nature tegen en ik was op die verzoeken nooit ingegaan. Zonde van mijn tijd. Nog steeds staarde ik over het plein, ik durfde Sander niet aan te kijken. Ik dacht aan mijn vader die allang niet meer leefde en aan wie Sander nauwelijks herinneringen had. Een leven lang had hij voor een schijntje moeten werken. Toen hij zich op een dag bekeerde tot een somber calvinisme annuleerde hij direct alle verzekeringen. Dezelfde dag nog trof een hagelbui zijn kwekerij. Geen ruit meer heel. En er was geen cent kapitaal. Ik moest ook denken aan de jongste broer van mijn vader, zo mogelijk nog strenger in de leer. Maar oom Carel leefde nog, bezat in Huissen, achter de dijk, een kleine boerderij, en had onlangs uit versterving zijn twee koeien tot één teruggebracht.

Nu keek ik Sander schichtig aan, wilde die abrupt verstoorde intimiteit zo snel mogelijk herstellen, deed mijn best mijn stem zo luchtig mogelijk te laten klinken (een heftige afwijzing zou hem alleen maar verder van mij verwijderen) en stak tegelijk mijn arm over de tafel naar hem uit: 'Maar je had dat toch eerst met mij kunnen overleggen?'

'Pappa, ik wist van tevoren dat je ertegen zou zijn. Ik wil sowieso bij het corps.'

'Waarom bij het corps?'

Geen antwoord.

'Er zijn andere verenigingen. Of niet soms?' Ik draaide het glas om in mijn hand, concentreerde daar diep teleurgesteld mijn aandacht op, voegde er nog aan toe: 'Daar zit een bepaald type jongens bij. Het is niet de geest waarin jij bent opgegroeid...'

'Ik begrijp heus wel dat je het niet leuk vindt.'

'En toch doe je het?'

In mijn stem klonk irritatie door. Uit ergernis daarover liet ik me ontglippen dat hij me behoorlijk tegenviel. Het was een impulsieve reactie die Sander wel van me kende. Driftige woorden die ik doorgaans snel wist te verzachten. Nu niet. Eenmaal op die weg kon ik niet meer stoppen, gewaagde van Dachautje spelen, van brasjasjes, de gevreesde roetkap, van foeten die zich een weg door vers slachtafval moesten banen. Ik had me niet meer in de hand, liet me gaan.

De jongen stond op, zei nog: 'Als het zo moet...'

Hij liet me alleen achter. Ik volgde hem met mijn blik, hoopte dat hij zich zou bedenken, terugkwam. (We hadden samen een harmonieuze dag beleefd.) Sander had vooral het laatste jaar steeds meer trekjes van zijn moeder gekregen: rijzig postuur (ik was gedrongen van gestalte), klassiek gezicht, én een bepaalde manier, een bijna hooghartige manier van lopen. Nee, hij draaide zich niet om. Dat obstinate trekje had hij ook van haar.

Anders dan bij zijn vrienden was er bij hem in de afgelopen jaren geen spoor van revolte tegen het vaderlijk gezag geweest. Voor zover ik dat min of meer onbewust uitoefende. Ik beschouwde hem veel meer als mijn vriend, mijn maatje. Brak nu alsnog die neiging door zich tegen mij af te zetten? Wilde hij me bewust pijn doen door lid van het corps te worden, afstand scheppen om die jarenlange vriendschap tussen ons in één keer teniet te doen?

Mijn voetstappen weergalmden in de lege straten, ik proefde de geur van regen die naderde. Was het echt zo vreselijk om lid van het corps te worden? Zat daar van mijn kant ook niet een portie jaloezie bij? Als zoon van een kleine middenstander die zijn leven lang onder de armoedegrens leefde had ik mij niet als student aan een universiteit kunnen inschrijven, had ik niet de gelegenheid gehad om met anderen een gedegen vriendschap op te bouwen. Mijn zoon kreeg die kans wel. En kon ik in alle eerlijkheid zeggen dat ik over het Rotterdams studentencorps ooit iets kwalijks had gehoord? Een 'pilsje' heette in dat milieu een 'biertje', als men het glas hief werd er geen 'proost' maar 'goedemorgen' gezegd. Dat soort dingen. Nou, stak daar enig kwaad in?

Ik ontspande mij een beetje, kwam thuis. Op de keukentafel lag een briefje. Sander was met vrienden uit zijn gymnasiumklas naar de stad. Ik probeerde mij te concentreren op een artikel over rozenteelt in het *Vakblad voor de bloemisterij,* dacht aan het moeizame leven van mijn vader, aan mijn bizarre oom, die geloofde dat God deze zondige en verdorven wereld door een tweede zondvloed zou doen vergaan, ondanks de belofte van de regenboog...

Sander kwam laat thuis die nacht. Ik was opgebleven, wachtte hem op in de huiskamer. Hij, verbaasd mij te zien, schaamde zich een beetje. Hij had te veel gedronken. Aarzelend, als zocht ik de juiste toon, sprak ik hem aan, verontschuldigde mij voor de uitval die middag, stalde haastig alle argumenten uit die ik bedacht had en die moesten aangeven hoe acceptabel het corps wel niet was.

Hij onderbrak mij, wilde zich aan mij onttrekken.

'Ja, ja, het is al goed...' Ik voelde mij klein onder de wat onverschillige en licht arrogante toon.

Na drie weken ontgroening kwam hij uitgeput thuis, sliep een gat in de dag, hielp niet mee in de kraam. Pas aan het eind van de zaterdagmiddag verscheen hij op de markt, weer aanspreekbaar. Na sluitingstijd dronken we een pilsje op het terras van café Marktzicht.

Ik toonde mij oprecht belangstellend, vroeg om details, leerde zo dat een kruisfoet een foet met een kwaaltje was en dus iets minder hard aangepakt diende te worden, dat ze hem voor *knor* hadden uitgemaakt, omdat hij direct na de ontgroening de trein naar huis had genomen, dat in de sociëteit de KC'ers – de kroegcommissarissen – de orde moesten handhaven. Voor die KC'ers moest je oppassen. Ook al hield je je keurig aan de regels, ze konden je ineens, zomaar, om niet, volkomen onverwacht een mep verkopen, je zonder de geringste reden, zonder reserve, met de volle hand in het gezicht slaan.

Ik probeerde mijn irritatie niet te verraden, moest mijn lippen op elkaar persen.

'En je mag,' ging hij verder, 'onder geen beding de stoel van de senaatspresident aanraken.'

'Wat een onzin,' liet ik me ontglippen.

'Ja, dat zijn nou eenmaal de mores.'

'En wat buiten die mores valt, is klein en benepen?'

'Ja, zo ongeveer wordt gedacht. Maar pa...' onderbrak hij zichzelf direct, 'ik heb helemaal geen zin om daar met jou over te discussiëren. Ik zie het aan je gezicht, je ergert je aan dat soort verhalen. Je kunt het ook alleen echt begrijpen als je erbij hoort...'

Ik bond in, om de lieve vrede, ik benadrukte dat ik nieuwsgierig was naar het leven op zo'n sociëteit.

'Maar dat onverwachte slaan, gratuit, dat moet jou toch ook tegenstaan, Sander? Voor het overige, ik wou dat ik vroeger in jouw schoenen had gestaan, het studentenleven vanbinnen had kunnen meemaken, de vriendschappen die je daar opdoet, die vaak een leven lang standhouden. Ik zou ook wel eens willen weten hoe de sociëteit er vanbinnen uitziet.'

Hij zei dat er in het najaar een ouderdag kwam. Die ontvangst zou plaatsvinden in Hermes, het sociëteitsgebouw van het Rotterdams Studentencorps.

Vanbuiten had het massieve gebouw met zijn ronde, betraliede vensters veel weg van een kazemat of fort. Met weinig verbeelding kon je in die ronde ramen schietgaten zien met daarachter boogschutters. Een brede trap van grijs beton, vol donkere vlekken van gemorst bier, voerde naar een ommuurd bordes. Wat zich daar afspeelde was vanaf de straat niet te zien. Boven de toegangsdeur hing een groen schild. Daarop was een hoorn afgebeeld waaruit rode wijn stroomde.

Te midden van andere ouders daalde ik met Sander via een sterk hellende vloer af in een lage gewelfzaal. In het midden stond een gedekte tafel met brandende kaarsen. Aan het hoofd een soort sinterklaasstoel, waarvan rug- en armleuningen bekleed waren met verschoten rood fluweel. (Je vindt ze in elk dorpsgebouw, in elke school, op het podium achter de coulissen.) Boven de tafel, vaag zichtbaar, een kroonluchter. De zaal was, afgezien van de tafel met kaarsen, in duisternis gehuld. Buitenlicht viel door de ramen hoog in de wand. Ik zag pilaren die een gaanderij schraagden met woorden in Germaanse lettertekens.

'De beginregels van ons avondlied,' fluisterde mijn zoon.

Wij willen allen Goden zijn
En in Walhalla leven.

Ik telde dertien borden op tafel, en dertien kaarsen.

Zacht zei ik: 'Weet je nog? Koning Arthur met zijn ridders.'

Op dat moment verzocht een potige jongen met blonde krullen, die bij de bar stond, om stilte. Op de gaanderij boven ons werden voetstappen hoorbaar.

Ik was dan wel nieuwsgierig, ik had toch tegen de hele bijeenkomst opgezien. Maar de sfeer tot nu toe beviel me wel. Ik voelde me op mijn gemak. Vlak voor we naar binnen waren gegaan, nog op het bordes, had Sander mij voorgesteld aan Charles de Ruyter, een jaarclubvriendje, en zijn vader, directeur van De Ruyter muisjes en anijstabletten. Met de vader had ik enige woorden gewisseld. Sympathieke man. Omwille van Sander had ik gezegd docent te zijn op een gymnasium. Sander op zijn beurt had nog de gelegenheid gevonden mij in te fluisteren dat ik best had mogen vertellen dat ik met bloemen op de markt stond.

In diepe stilte daalde de senaat de trap af. Een lichtbundel volgde de senaatsvoorzitter, die in zijn handen een kleine gouden hoorn droeg. Het rituele spel dat de leden van dit gezelschap opvoerden beviel mij ook wel. Het gezicht van de president stond strak. Om zijn mondhoeken zweefde een licht dédain. Zijn aandacht voor de Umwelt was nihil. Dat hoorde natuurlijk allemaal bij het plechtige spel. Gevolgd door de andere leden van de senaat schreed hij als een hogepriester naar de gedekte tafel. Ze stelden zich achter de stoelen op. Nu was alleen nog het geluid te horen van de KC'ers die spiedend rondliepen. Wie nu nog de stilte durfde te verstoren was niet waardig de ceremonie bij te wonen. Met zijn rug naar de ouders mompelde de president iets onverstaanbaars, strekte een arm uit, leek iets te bezweren, hing de hoorn op aan de kroonluchter. De hooghartige houding deed mij denken aan een oudere neef tegen wie ik vroeger erg had opgezien. Deze Fried (van Godefridus) had, toen hij in hoge kringen kwam te verkeren, zijn voornaam officieel in Godefroy veranderd.

De president ging zitten en op dat moment barstte gezang los, dat tegen de kale betonmuren weergalmde als in een lege kathedraal.

Wààààlhalla
Was de schoonste zaal
Van alle schone zalen
Daar dronken Goden
Allemaal
Hun most uit hersenschalen

Op het lied volgde gestamp van voeten. Het laatste woord werd zevenmaal herhaald. Mét het onbestemde daglicht veranderde de ruimte in een middeleeuwse kasteelzaal, werd het corpslied een hymne uit heroïsche tijden, leek de senaat, staande rond die verlichte tafel – in die magische alleen voor haar toegankelijke zone – in ridderlijke uitrusting gestoken.

Toen zetten de ridders zich aan tafel en een burgerbediende, in wit jasje met rode schoudertressen, kwam aangelopen met een fles wijn, ontkurkte die, liet de president proeven. Sander legde me uit dat de hoorn als een heilig voorwerp werd beschouwd en fel begeerd werd door 'buitenlandse', dat wil zeggen andere Nederlandse corpora.

Goudbruin wildbraad werd opgediend. Wij ouders en de eerstejaars, vanachter dikke touwen, zagen toe, gegeneerd. Een vader probeerde iets bij de bar te bestellen, maar zolang de senaat dineerde mocht onder geen beding iets worden geschonken.

'Vlegelachtig gedrag,' hoorde ik achter mij zeggen. Ik was het in mijn hart met die woorden eens. Velen waren van ver gekomen. Bij aankomst was ons nog geen kopje koffie aangeboden.

'Stijlloos, hè?' fluisterde Sander mij in het oor. Hij ging bij zijn vriend informeren. Charles had ook gedacht dat de president de ouders welkom zou heten, dat er een informatieve toespraak zou worden gehouden.

Overal klonk nu licht gemor. Met welk recht zaten die jongelui daar te eten, terwijl de genodigden al meer dan een uur hadden moeten staan? Waarom was niet aan zitplaatsen gedacht? Had men hen soms laten opdraven om naar die magere, pralerige show van een senaatsmaaltijd te laten kijken? De gasten voelden zich gebruikt.

'Nou, mij valt het allemaal flink tegen,' zei Sander. De jongen was zichtbaar teleurgesteld. Ik troostte hem, antwoordde dat ik nu toch een idee van de sociëteit gekregen had. Ik kon zo opgewekt zijn omdat ik niet al te bang meer was dat mijn zoon zich geheel en al door de geest van het corps zou laten meeslepen, genoeg kritische zin zou blijken te hebben om de leegheid van de rituelen hier te doorzien. Het kon wel eens zijn, dacht ik, dat in Sanders passie voor het corps al een eerste bres geslagen was.

Ik was de emmers aan het omspoelen. Een laatste klant. Het liep al tegen achten die vrijdag. Het centrum van E. was uitgestorven. Kort na achten kwam er ineens wat levendigheid op het plein. Docenten van De Vallei spoedden zich naar een opgegeven adres, om daar het voorgerecht te genieten. Het wisseldiner. Geïntroduceerd door de rector, die een jaar lang filosofie had gedoceerd aan een kleine Amerikaanse universiteit en daar, op de campus, het wisseldiner had leren kennen. Elke nieuwe gang genieten bij een andere collega, je was de hele avond met je partner aan het rondrennen. Het lot kon je aan een tafel brengen bij collega's met wie je absoluut niet aan tafel wilde zitten. Misschien had ook het concept van het wisseldiner mij ooit doen besluiten de school de rug toe te keren.

Of had ik te vroeg gejuicht? En was mijn zoon toch behoorlijk in de ban geraakt van die *jeunesse dorée*?

Weekenden lang kwam hij niet thuis. Wanneer ik hem opbelde, klonk zijn stem hautain, afstandelijk. Als hij eens belde, leek het of ik de stem van mijn vrouw hoorde, ik voelde me onzeker worden, ik wist ook niet of hij er behoefte aan had om met mij een praatje te maken of dat deed uit puur plichtsbesef. Verkrampt, in de war, kon ik mijn normale vertrouwelijke gesprekstoon niet meer vinden.

Nu vroeg Sander mij aan de telefoon: 'Och pa, zou jij in de kast kunnen kijken of er nog colbertjes hangen die jij toch niet meer gebruikt. We moeten ons elke avond in de sociëteit vechten...' Ik moest bij die woorden ineens denken aan het moment toen hij vlak naast mij tijdens de ouderdag in krijgshaftig gezang was losgebarsten en hard (niet wat ingetogen omwille van mij) met zijn voeten had gestampt.

Ik wist niet wat ik aan de telefoon moest zeggen nu, zocht in gedachten naar de toon uit die andere tijd – toen Sander nog thuis was: 'Juist dat soort dingen...'

'Ik zou graag willen dat je daarover ophield.' Zijn stem klonk ijzig. Die ijzigheid deed me pijn. Ik had geen zin me in te houden, kón het ook niet. Ik voelde dat ik hem al kwijt was en daarom durfde ik grote woorden te gebruiken: 'Een erecorps... koning Arthur en zijn ridders... met een ethiek gebaseerd op eergevoel. (Ik voelde wel hoe zwak ik stond met dit soort argumenten, maar ik wilde ze toch gezegd hebben.) Maar waar jij bij zit... dat is negatieve ethiek, dat is alleen maar flauwekul en blaaskakerij. Ik had nooit kunnen denken dat jij...'

De jongen brak het gesprek abrupt af. Ik dacht: nou goed, ik wil ook niets meer met jou te maken hebben.

Het was eind oktober. Ik ontdoornde rozen, stalde witte potchrysanten uit. De katholieken zetten ze met Allerzielen op de graven. Ik dacht aan mijn overleden vader. Hij kweekte zelf ook witte potchrysanten en kreeg een mooie bestelling van een bloemenwinkelier uit de Bovenbeekstraat in Arnhem. Hij zocht zorgvuldig de mooiste planten uit, zette ze ingepakt in kisten met houtwol op de bakfiets en reed naar de stad. Hij droeg de planten omzichtig van de bakfiets naar de werkplaats. Het was op een maandag. De eigenaar vroeg, om mijn vader te treiteren: 'En Kristelijn, gisteren nog naar Vitesse geweest?' Hij wist dat mijn vader niets om voetballen gaf, dat mijn vader, die bekeerd was, op zondagmiddag niet op een voetbalveld rondhing, maar in Thomas a Kempis' *Over de navolging van Christus* las. Mijn vader gaf de bloemenwinkelier geen antwoord, want elk antwoord zou hij bespottelijk vinden. Mijn vader zweeg. Dat zinde de winkelier niet, die ineens zei dat de planten die hij gebracht had niet deugden, dat ze te ver of te weinig ver in bloei waren, dat ze te dik of te weinig dik in het blad zaten. Hij zocht een stok om een onschuldige hond te slaan, hij pakte zo'n prachtige broze plant bij de kroon op, die brak, hij schopte tegen de andere en schreeuwde toen dat mijn vader met die hele klerezooi van hem terug naar huis moest. Vernederd. Geen cent verdiend.

Goed, ik wilde niets meer met hem te maken hebben. Weer een weekend alleen. Ik had genoeg administratie te doen. Aan mijn tuin had ik een tijdje niets gedaan. Er lag een nieuw boek over de Bataafse republiek dat ik nog niet gelezen had. Ik ging naar de slaapkamer boven en vond in mijn klerenkast een stuk of wat colberts die ik nooit meer droeg. Ik deed ze in de boodschappentas en reed die zaterdagavond naar Rotterdam. Ik trof hem niet op zijn kamer aan het Heemraadsplein en reed door naar Kralingen, waar de sociëteit was. Op enige afstand van het gebouw parkeerde ik mijn auto. Dichterbij gekomen hoorde ik zo'n gekrijs uit de bunker (fort, kazemat) komen dat ik even terugdeinsde. Mijn zoon was daarbinnen. Het leek of er varkens werden gekeeld. Het hoge krijsen binnen ging over in een kreet – iets van wóóóóóh. Waarschijnlijk een verworden, eindeloos uitgerekt walhalla. Ik overwoog terug te gaan naar huis, maar ik was ook nieuwsgierig, wilde wel eens weten wat zich daarbinnen precies afspeelde. Ik beklom de treden van de brede, vlekkerige trap, liep met de tas vol brasjasjes het bordes op. Ik had de eerste stap nog niet gezet of de buitendeur met daarboven het schild met de rode most werd opengesmeten en een tiental studenten, onder wie Sander, werden het bordes op gejaagd. Ik kon niet meer tijdig wegkomen. Ze zagen mij daar allemaal onhandig en beschaamd staan. Sander kwam op mij af: 'Ga alsjeblieft weg. Wat doe je hier?'

Ik stamelde wat, draaide me om, haastte mij de betontrap af, dacht aan het moment dat zijn moeder mij verlaten had.

De volgende ochtend ging ik naar het postkantoor om de jasjes te versturen, overhandigde de loketbediende het keurige pak dat ik ervan gemaakt had, hoorde weer het gezang en geschreeuw, het botte, nutteloze gekrijs, zag de boze, haast vijandige blik van mijn zoon. Ik wist zeker dat die mij, wat er ook gebeuren zou, mijn hele leven zou bijblijven.

Lusteloos kocht ik op de veiling bloemen in. Tot voor kort kende ik nog de opwinding, die de wonderlijke overdaad aan bloemen in de veilinghal – *Gypsophila, Montbretia, Bouvardia,* iris, *Delphinium.* Zachte namen die melancholiek stemden. Een kweker van hanenkammen sprak mij daar aan. Een mooi verhaal. De afgelopen week had hij een delegatie Iraniërs op bezoek gehad. Ze waren speciaal uit Teheran gekomen, met een onderminister. De onderminister had een koffertje opengemaakt, gevoerd met blauw satijn. In doorzichtig vloei gewikkeld een zuiver witte hanenkam. Kalkoenbaard, zoals ze die daar noemen. De kweker had zoiets nog nooit gezien. Een witte mutant. Hanenkammen zijn doorgaans rood, met allerlei varianten naar oranje en geel. De delegatie had er geen twijfel over laten bestaan dat deze uiterst zeldzame mutant een direct geschenk van Allah was. Ze vroegen de Nederlandse kweker of hij voor vermeerdering kon zorgen.

Ik luisterde aandachtig. Het was een mooi verhaal. Maar ik zag intussen steeds de vijandige blik van Sander.

Sander schreef een brief waarin hij zijn excuses aanbood. 'Pa, je begrijpt toch wel dat je daar niet kón zijn. Ik moet me daar zelf zien te handhaven...' De brief deed me goed. Hij had gelijk: ik had daar niets te zoeken. (Wat niet waar was. Je zocht je zoon.) Vergevingsgezind dacht ik: wie zou niet verstoord kijken als je vader daar ineens voor je neus staat met een oude boodschappentas? Alles bij elkaar kon ik hem weinig verwijten. De jongen studeerde goed, haalde zijn tentamens op tijd, zeurde zelden om extra geld. Hij had nu eenmaal voor dat corps gekozen. Daar hoorde een bepaald soort gedrag en vermaak bij. Ik moest leren hem eens los te laten.

De keren dat hij thuiskwam, bereidde ik zijn lievelingsgerechten en vermeed in onze gesprekken zo veel mogelijk het onderwerp van het corps. Soms hielp hij op zaterdagmiddag en dronken we na het werk een glas bier in Marktzicht. Dan leek alles als van-ouds. Maar hij droeg 's avonds wel de helblauwe stropdas met de woorden Joint Venture, de naam van zijn jaarclub. We zaten thuis, op onze vertrouwde plaatsen, maar de oude vertrouwelijk-heid wilde niet terugkomen. De wederzijdse standpunten leken onwrikbaar, al eerder hadden we geprobeerd van beide kanten die afweerhouding te doorbreken.

Sander zei tijdens zijn bezoek de vorige zondag: 'Die ouderdag was een faliekante mislukking, de schuld van de sociëteit, maar de Pa-Zoonendag organiseert de jaarclub zelf. De organisatie is nog niet helemaal rond. Dat wordt wel eind volgend jaar.'

'Het komt vanzelf wel,' zei ik, en ik hield me op de vlakte. Ik had het niet op zo'n Pa-Zoonendag begrepen. 'Sander, ik zal er zeker bij zijn.'

'Zie het niet als verplichting.'

'Integendeel.'

'Je moet dan wel onze stropdas dragen. Tenzij je daar echt be-zwaar tegen maakt.'

'Natuurlijk draag ik jullie das.'

'Er worden nieuwe bijgemaakt. Als ze klaar zijn, stuur ik er eentje.'

'Het is nog lang niet zover, maar moet ik een speciaal donker kostuum dragen?' Ik bleef onzeker als het de dingen van het corps betrof.

'Gewoon je eigen kostuum. Iets waarin je je prettig voelt.'

Hij was niet lang thuis geweest. In het voorjaar kwam hij onver-wacht door de week langs. Toen we afscheid namen, zei ik, een beetje plagerig (maar het was een hartenkreet): 'Dat zou je 's va-ker moeten doen.'

Kort na dat onverwachte bezoek vertrok hij met zijn jaarclub naar Frankrijk, waar de ouders van Charles net onder Dijon een vakantiehuis bezaten. Er liep een woeste rivier langs waarop ze zouden gaan 'raften'.

De zomer ging voorbij. Sander was betrokken bij de ontgroening van een nieuwe lichting studenten.

Ik ontdoornde rozen, stelde boeketten samen.

Iedereen deed vrolijk inkopen op de markt. Aan het einde van de zaterdagmiddag zat ik in Marktzicht, staarde over mijn glas, langzamerhand werd het leeg in het centrum. Ik voelde bitterheid. Als een bekende mij groette, dan durfde ik, uit angst dat mijn stem zou beven, nauwelijks te antwoorden.

Het werd weer eind oktober. Ik kocht op de veiling witte potchrysanten in, stalde ze uit, mooie gedrongen planten, dik in het blad en met veel knop. Ik verkocht goed. Het werd december. De uitnodiging voor de Pa-Zoonendag kwam met de post.

Wij werden met koffie ontvangen in Locus Publicus. Daarna vertrokken we met de andere vaders en zonen voor een wandeling door de stad. Er stond een harde wind schuin over de straat. We hielden het hoofd gebogen om de natte sneeuw te vermijden. Iedereen was, onder de sneeuwlucht, vol bewondering voor de vermaarde skyline. We kwamen langs diepe bouwputten, een vogel met hoog opgeblazen donsveertjes klampte zich aan de leuning van een brug vast.

Ik liep naast De Ruyter. De directeur van De Ruyter muisjes dreigde in de sneeuw uit te glijden, ik greep hem bij zijn arm. We moesten beiden lachen.

Sander, attent, kwam steeds even naast mij lopen en vroeg hoe het met me ging. We bezochten Boymans van Beuningen en kregen in Tropicana zwarte zwembroeken uitgereikt bedrukt met Joint Venture. Op een bepaald moment was ik alleen in het warme buitenbad. De damp sloeg van het water en ik keek uit over de stad. Ook hier klonk zachte muziek uit de luidsprekers: *Sweet Romance*. Ik had diezelfde week een mooi verhaal van een Rijnsburgse kweker gehoord. Hij was op een ochtend zijn broeikas binnengekomen en had te midden van alle witte rozen een roze gezien. Speling van de natuur. Mutatie. Het was een gelovige kweker geweest en hij had gezegd: 'Zoiets word je geschonken. Daar moet je iets mee doen. Je mag je talenten niet onder de korenmaat zetten.' Vier jaar had hij in het diepste geheim aan de vermeerdering van die fondantroze mutant gewerkt. Daarna was de roos in Wageningen twee jaar geobserveerd om te zien of de nieuwe eigenschappen niet verliepen. Hij had een licentie verkregen en een naam voor de nieuwe roos bedacht: Sweet Romance. Hij zou volgend jaar op de markt komen.

Tegen vijven verschenen we, in de roes van de sneeuw, op de sociëteit. Aan de bar heerste op dat moment grote drukte en vrolijkheid. Ik stond met een glas in de hand tussen de andere vaders in. Sander, verderop, knipoogde naar mij.

Onder de kroonluchter werd de tafel voor de senaat gedekt. Even later werd door KC'ers van alle kanten luid om stilte geroepen. De bar sloot, de kaarsen op tafel werden aangestoken, het licht ging uit.

In doodse stilte daalde de senaat de trap af, de president hing de hoorn op, het avondlied klonk, voeten stampten. Yells. Nou ja, de mores van het corps. Ze waren mij intussen bekend.

De kaarsen brandden. De senaat at. Wij, de studenten van jaarclub Joint Venture en hun vaders, trokken zich terug in de aangrenzende rode zaal.

Ook hier kaarsen, lange Goudse, op eikenhouten tafels, afgesleten, met diepe gleuven, maar glanzend geboend. Fakkels in de hoeken, op biertonnen. Ik zat naast Sander. Twee bedienden serveerden zwijgend. Bewegende schaduwen op de muren, flakkerend kaarslicht; ik boog me naar Sander, fluisterde: 'Een roversbende die op het eten aanvalt...'

'Nee, koning Arthur met zijn paladijnen...' Ik staarde op dit gelukkige moment naar de spiraal van een kaarsvlam, zuiver wit aan de uiterste punt en donker in het hart. Een van de vaders was gaan staan en begon een toespraak. Hij sprak luid, vergeleek het

huidige corps met dat uit zijn eigen tijd en kon slechts vervlak-
king constateren.

Sander boog zich naar me toe, zei zacht in mijn oor: 'Wat een
bralverhaal, hè!'

Hij schonk mij witte wijn bij. Ik zei: 'De dag mag voor mij
nog heel lang duren.'

Hij zou nog heel lang duren. Na het diner gingen we terug
naar de grote zaal. Daar begon het eigenlijke feest. We luisterden
naar de harde wind die om het gebouw raasde.

Onder de kroonluchter door staken we de lege ruimte van de
grote zaal over. De ontruimde senaatstafel was met de stoelen
achteloos aan de kant geschoven. Jaarclub Joint Venture had zijn
vaste plaats tussen de derde en vierde pilaar. Gerekend vanaf de
bar was dat een afstand van zo'n twintig meter.

Een biervat werd aangeslagen. Met een vers getapt pilsje liep
ik op De Ruyter toe. Eerder op de dag had ik hem al verteld dat
gestampte muisjes voor mij nog steeds een geliefd broodbeleg
vormden. We waren toen in het gesprek van de gewone glanzende anijsmuisjes op de blauw-witte variant gekomen. Nu, in verband met de vraag van het publiek en het begrip marketing dat
deze dag al vaker gevallen was, beweerde ik dat zo'n oud, degelijk
merk altijd verkocht werd. Ook zonder de support van dure of
ergerniswekkende tv-reclame. Wat goed is, verkoopt zichzelf. De
Ruyter, dankbaar, legde een arm om mijn schouder en zei mij als
een goede vriend te beschouwen.

Samen begaven we ons in de richting van het vat voor een
nieuw glas bier. Een weldadig gevoel, in lang niet gekend, be-
kroop mij. Dit feestje moest nog heel lang duren.

Die gedachte kwam tegen middernacht weer opzetten toen ik
meende te bespeuren dat de verrukking van die lange dag – in
het begin van de avond nog aangewakkerd door de overdadige
maaltijd – toch ongewild aan het inzakken was. Alle bier dat

werd gedronken was niet in staat de ontstane intimiteit te continueren. Het leek wel of iedereen steeds nuchterder werd en er een zekere matheid, een lichte droefheid over dit samenzijn viel.

Voelden de anderen dat net zo aan? Werden de glazen daarom sneller leeggedronken en sneller weer gevuld? Waren daarom plotse yells te horen uit schemerige hoeken of barstte daarom in een sombere nis onverwacht het avondlied los? En werd, omdat de gesprekken begonnen te verlopen, daarom zo naarstig naar nieuwe gespreksstof gezocht?

Nog even en we zouden afscheid van elkaar nemen. Ik zag mij al op weg naar het hotel waar ik voor deze gelegenheid een kamer had gereserveerd. Alleen zou ik weer zijn.

Was het verbeelding? Ik had het idee dat het licht van de kroonluchter lager was gedraaid en dat de verlichting aan de bar, in de verte, waar de senaat en de ouderejaars zich ophielden, nog gedempter was.

Aan de rand van de grote, lege middenruimte zag ik De Ruyter staan, alleen. Treurde die ook over het feest waarvan de glans definitief aan het verdwijnen was en al zijn mogelijkheden leek te hebben uitgeput? Waar was het vuur van weleer? Ikzelf, moe van het voortdurende staan, ging op mijn vriend toe, ook omdat ik in zijn buurt een stoel zag staan.

We stonden bij elkaar, hieven het glas, wisten niet zo goed meer wat we zeggen moesten, glimlachten naar elkaar. Ik legde een hand op de armleuning van de stoel. Ik wilde, om iets te zeggen, nog een opmerking maken over de turquoise variant van de ouderwetse muisjes, die het in zijn parelmoeren verpakking met het archaïsche lettertype ook heel goed lijkt te doen... We glimlachten weer, volgden toen met onze blik de potige, blonde kc'er die vanaf de bar de zaal in liep, onze richting uit kwam en eenmaal voor ons mij kortweg gebood die stoel los te laten.

Ik liet mijn hand liggen.

'Ik verzoek u de stoel van de senaatspresident niet langer aan te raken.' Hij stak arrogant zijn neus in de lucht.

'Pardon?'

'U toucheert de presidentszetel.'

Ik leunde al niet onbevangen meer, leunde nu om ongehoorzaam aan de mores te zijn, was benieuwd naar de reactie van de ordehandhaver, ik wilde prikkelen, stennis, rotzooi, wilde dat de nacht weer tot leven kwam.

'Ik zou u toch echt willen verzoeken...' In zijn stem lag een flinke portie dreiging.

Ik liet mijn hand op de leuning.

De ordehandhaver, onzeker, keek achterom naar de bar, waar druk werd overlegd. Nog twee KC'ers, boodschappers gezonden door de senaat, staken met venijnige passen de zaal over, recht op ons af.

Drie KC'ers nu. Mijn hand op het verschoten rood van de leuning. En De Ruyter die mij te hulp kwam: 'Wij zijn toch gasten?'

'Met u zijn we niet in discussie,' zei de blonde.

Sander en de anderen kregen in de gaten dat rond de stoel ongewone dingen gaande waren, kwamen snel onze kant op. Andere jaarclubs, in verre uithoeken, niet. Die hieven in opperste verveling, voor de zoveelste keer, het Walhallalied aan, stampten op de kale betonvloer – expressie van clubgevoel, van solidariteit of van existentiële leegte misschien? Die oprispingen verdwenen even snel als ze waren opgekomen.

Onverwacht viel de blonde, gedekt door de twee, tegen mij uit: 'En nu poten van de stoel! Afgelopen met dat gedonder!' Als reactie legde De Ruyter zijn hand naast die van mij op het verschoten rood fluweel. Als antwoord daarop en op mijn spottende blik, tastte de jongen in een razendsnelle beweging over de stoel heen naar mijn colbertje. Ik gooide in een impulsieve reactie mijn glas leeg in zijn gezicht. Hij was even van zijn stuk gebracht en zijn arm, net nog zo beweeglijk, verstijfde een moment. Rond ons was het volkomen stil geworden. Achter een pilaar was het gedruppel van een bierkraan te horen. De president, met zijn gevolg, kwam nu persoonlijk poolshoogte nemen. (Het was werkelijk of ik mijn arrogante neef Fried, in zijn villa met zijn immense kamers, op mij af zag komen.)

De blonde schreeuwde: 'Buiten de pilaren met hem!' (Buiten de pilaren gelden andere mores, is handtastelijkheid officieel toegestaan.)

Zijn twee collega's kwamen op me af. Sander ging voor me staan, werd hardhandig weggeduwd. Twee, drie KC'ers stortten zich op hem. Bevelen klonken. Er werd aan mijn arm getrokken. Ik verweerde mij. De Ruyter deelde een tik uit. Vanaf dat moment sloegen we wie we maar konden raken en binnen de kortste keren was er in de hele zaal niemand die niet op de vuist ging. Misschien was er ook geen mens die deze zo traag verlopende nacht niet een grandioos slot wilde geven. Hard, zonder reserve, werd er geslagen. De strijd verplaatste zich snel naar het zwak verlichte middenveld – een echt Champ de Mars. Wat nog ontbrak waren vaandels, schetterende trompetten, een vuurrode avondhemel.

Vanaf het begin was het niet duidelijk wie tegen wie vocht. Ik zag dat er flink op Sander werd ingehakt. De jongen struikelde. Ik wilde hem te hulp schieten, maar een onbekende met een woeste grijns dook voor me op, versperde mij de weg. Het was menens. En kwam een krijger even alleen te staan, dan voelde hij zich buitengesloten en zocht snel de strijd weer op. De vloer trilde als het dek van een schip, de kroonluchter met de gouden hoorn schommelde vervaarlijk. De een zwaaide met een stoel boven zijn hoofd, een ander krijste, een derde strompelde met een van pijn vertrokken gezicht naar een stil, donker hoekje. Wie van buiten binnenkwam moest denken dat de revolutie was uitgebroken, dat de inname van de Bastille werd overgedaan.

Moe van het slaan nam ik even afstand, keek toe van de zijlijn. Ik had deze strijd ontketend. De sociëteit was een reusachtig, vaag verlicht hol met daarin een donker grommend beest. Ik zocht Sander. Waar was hij? Al enige tijd was ik hem uit het oog verloren.

Ik trof hem buiten, op het maanbeschenen bordes. De blonde ordehandhaver hield zijn handen vast op de rug. De beide anderen sloegen hem om beurten in zijn gezicht, terwijl de president van een afstand koel toekeek. Toen hij mij zag, beval hij de jongen los te laten.

'Wat is dit allemaal?' schreeuwde ik in de richting van de president.

'Hij moet zich aan de regels houden. *And that's all.*'

Sander liep op mij toe.

'Kom, we gaan weer naar binnen.'

De senaatspresident gaf een teken. De drie KC'ers blokkeerden de deur.

'Geen sprake van,' zei de blonde. 'Je komt er niet meer in.'

'Ik ben lid van het corps.'

'Je vader mag naar binnen. Hij is gast. Jij niet, jij bent nog niet van ons af.'

Sander wilde zich met geweld een weg banen. Zijn gezicht was wit weggetrokken. Hij werd tegengehouden.

'Ik heb het recht...'

'Dat heb je verspeeld. Jij bent verantwoordelijk voor de gast die je hier binnenbrengt. Die verantwoordelijkheid kun je nog niet aan. Je vader kan naar binnen. Wij zullen voor hem zorgen. Jij niet.'

We doken de nanacht in. De storm was gaan liggen. Rotterdam was ondergesneeuwd. De Boven-Oostzeedijk lag te schitteren in vredig licht. We stapten met opzet in nog niet platgetrapte rulle sneeuw die we als kwajongens voor ons uit schopten. De wereld, zo voelden we, was sinds de vorige dag wijder geworden. Ik bukte me, raapte een handvol sneeuw op, begon ervan te eten. De jongen volgde mijn voorbeeld. Twee natuurlijke bondgenoten.

Het was tegen vijven toen we aan de Boven-Oostzeedijk een broodjeszaak binnengingen.

'Gevochten, heren?' begroette de eigenaar ons opgewekt.

'O, er ging even iets mis,' antwoordde ik.

We bestelden zwarte koffie en broodjes rosbief. We keken elkaar aan. Sander had de binnenkant van zijn hand opengehaald, ik had schaafwonden in mijn gezicht.

'Die smerige stoel,' zei mijn zoon.

Bij mijzelf vermoedde ik bloed aan mijn scheenbeen en mijn beide enkels voelden ook pijnlijk aan. Daar was een paar keer lelijk tegenaan geschopt. Wat maakte het uit. We hadden zij aan zij gevochten. Het was een meeslepende nacht geweest.

We bestelden extra koffie en broodjes. Toen vroeg ik bezorgd: 'Je krijgt hier toch geen last mee?'

'Ze zullen me wel voor een tijdje de toegang ontzeggen. Op de buitendeur wordt een proclamatie opgehangen. Persona non grata. Maar het is de vraag of ik er ooit nog naar binnen wil.'

Ik legde even mijn hand op zijn arm. Buiten schitterde de maan en het was helder als op klaarlichte dag. Van een huis aan de overzijde waarop een lantaarn lakzwarte schaduwen wierp, waren zelfs de contouren van de rode bakstenen te onderscheiden. Het vredige gekraai van een stadshaan was te horen, misschien in de war gebracht door het ongewoon heldere licht.

'Wat eigenlijk erger is,' vervolgde de jongen, 'zo'n senaatsvoorzitter en de hele senaat, die vatten dit heel hoog op. Voor hen is dit geen spel, zelfs geen ernstig spel. Wij hebben ons niet aan de afgesproken mores gehouden. Dat is onvergeeflijk in hun ogen. Zeker is dat ze op ons neerkijken. Zou ik een van hen later in het bedrijfsleven tegenkomen, dan zou die dit incident alsnog tegen me gebruiken...'

Het gekraai van de haan werd beantwoord door een al even matineuze soortgenoot.

De eigenaar zette een verbanddoos op onze tafel.

Villa Ruimzicht

...En sla rechtsaf de Cortenoeverse weg in. Raak dan een moment in de war. Rijksweg 4, die Arnhem met Zutphen verbindt, was er dertig jaar geleden nog niet. Een viaduct. Dan ben ik weer op bekend terrein. De Bronkhorsterweg is nog steeds smal en slingert tussen weilanden door. Nog honderd meter. Nog vijftig meter. En sta voor villa Ruimzicht. Villa Ruimzicht? Ik vergis me. Ik moet me vergissen. Een bord in de tuin: De Wijde Landen. Maar ik herken de villa: zijn vijvers, zijn gazons aflopend naar de rivier, zijn eeuwenoude acacia's, pergola's, colonnades.

Een boer passeert op zijn tractor. Ik houd hem staande door een hand omhoog te steken. De boer stopt, zet zijn motor af.

'Dit was toch vroeger villa Ruimzicht?' 'Het heeft al jaren een andere naam. Sinds de dood van de "strieker".' 'Meneer Lever is dus dood.' 'Heeft u hem gekend?' 'Nauwelijks,' zeg ik. 'Hij kwam van niets heen. Was eerst boerenknecht in Leuvenheim en ontdekte bij toeval dat hij geneeskrachtige gaven bezat. Hij genas niet alleen mensen, ook kreupele paarden en kwijnende planten. Hij was algauw zo rijk dat hij in dit huis kon wonen.'

'Dank u, dank u,' zeg ik. 'Och, ik was toevallig in de buurt, ik wilde alleen maar wat kijken.'

Het begint te regenen, die middag achter in november. De acacia's hebben al geen blad meer. Op de ovale vijver voor het huis drijven twee zwarte zwanen, met oranje sneb. Als toen.

De boer is al uit het zicht verdwenen. Hij heeft nog wel een paar keer achterom gekeken. Nieuwsgierig. Ik sta nog steeds midden op de weg en langzamerhand vult de tuin zich met geluiden. Flarden zigeunermuziek dringen tot mij door, geknetter van harstoortsen, stemmen.

Ja, bijna dertig jaar geleden. Op die al warme ochtend in augustus. Het leek of alle gasten voor het huwelijksfeest van Henk Gerritsen en Lies Baak, dochter van een gezeten Brummense boer, elkaar hadden doorverteld zich te verzamelen op de parkeerplaats van hotel-café-restaurant De Roskam in Worth-Rheden, om vandaar gezamenlijk op weg te gaan naar villa Ruimzicht. Overal liepen kleine groepjes gasten. Vol bewondering voor de oude roskamer, wat lacherig over de grote, rode paddenstoel waarin ijs verkocht werd. In de gesprekken was steeds dezelfde toon te beluisteren. 'Die is met de neus in de boter gevallen.' Och, de normale dosis jaloezie van ieder gezond mens; veel verder dan deze gemakkelijke clichés kwam men niet.

Als op een geheim teken stapte iedereen in de auto. Op de Arnhemse Straatweg vormde zich een lange stoet. Dat had iets van een samenzwering, van een officieel defilé, van een rally voor plattelandsartsen. Twee dozijn Citroëns DS, evenveel rode cabriolets, een Bentley, een Rolls, een Oldsmobile met blauw gecoate ramen. Zoiets had zich in deze concentratie hier op de provinciale weg nog nooit vertoond.

Rheden. De Steeg. Ellecom. Dieren. Spankeren. Leuvenheim. De vaak hoogbejaarde, broze gasten in de glazen serres van de vele hotels en pensions keken hun ogen uit, moesten zich oude, zeer oude tijden herinneren.

Ik reed in die stoet in een blauw eendje, waarvan ik de kap had teruggeslagen. Zon op mijn hoofd. In koortsige opgetogenheid. Ook op weg naar dat society-huwelijk. Ook op weg naar het huwelijk van mijn vroegere buurjongetje Henkie Gerritsen. Maar op de uitnodiging stond: Henri Garrets.

We zaten beiden op de christelijke ulo in Velp, aan de Oranjestraat. Op een dag werd Henk definitief van school gestuurd. De directe aanleiding ben ik vergeten. Als ik me goed herinner, had hij voluit 'godverdomme' tegen een van de leraren gezegd. Het was de druppel die de emmer deed overlopen. Vooral in dat derde jaar was hij altijd aan het klieren.

Vanaf zijn vijftiende kwam hij in het leerwinkeltje dat zijn moeder in de Emmastraat dreef. Of hij was bij zijn vader die als trouw- en begrafenisrijder bij een stalhouderij wat extra's verdiende.

Op een zaterdagavond stapte Henk op de trolley naar de stad. Op het moment dat hij in de Vijzelstraat Rutecks wilde binnenlopen, raakte een meneer hem aan en vroeg zijn adres. Henk aarzelde. De onbekende zei dat het hem geen windeieren zou leggen. Henk gaf zijn adres.

Enkele dagen later stopte een donkere limousine voor het armetierige winkeltje waar aan doorzakkende lijnen riemen en tassen hingen. Een chauffeur opende het achterportier en meneer Lever stapte uit. In de kleine achterkamer vertelde de deftige meneer dat hij in Brummen woonde, een grote praktijk had als magnetiseur en bij Henk dezelfde kracht had ervaren, alleen al toen hij hem in de binnenstad rakelings was gepasseerd. De term 'fluïdum' viel.

Meneer Lever bleef erg lang. Hij had dan ook grootse dingen met hun oudste jongen voor. Hij had zelf geen kinderen en dus geen opvolgers, zijn vrouw leefde niet meer. Hij wilde Henk in huis opnemen, hem na die mislukte ulo-opleiding een particuliere opvoeding geven. Natuurlijk blééf hij hun zoon.

Natuurlijk maakten zijn ouders bezwaar, maar het gezin telde nog vijf kinderen. Eén zou zo al mooi onder dak zijn. Henk werd 'verkocht'.

Bebouwde kom van Brummen. Marktplein, Zegerijstraat, Cortenoeverse weg. Op de kruispunten waren smalle, witte borden geplaatst, die in een hand met uitgestoken wijsvinger eindigden. Op de smalle, bochtige wegen werd steeds langzamer gereden.

Men gaf elkaar kushandjes door de open raampjes. Villa Ruimzicht was in de verte al te zien. Gerem dat volgde veroorzaakte een algehele opstopping. In de file kwam geen beweging meer. Na een tijdje werden de auto's in de steek gelaten en vertrok men in luidruchtige groepjes, een beetje gegeneerd, een beetje lacherig, frivool nerveus, de vrouwen met opgetrokken feestjurken, door het hoge gras van de berm. Toen dwars door het land. Gelach. Luid gelach. Onsamenhangende klanken. Vogels die boven die ongeordende stoet rezen en daalden. Dat hele schouwspel had een 'air de folie'.

De entree. Juist als ieder op zijn mooist wil zijn. Schoenen onder de klei. Onder de klitten, de grasjes, de vogelpoep. Weg hoogtepunt van ieders hoogstpersoonlijke 'mise-en-scène'. Maar het was hun eigen schuld. Eigen schuld, dikke bult. Gelukkig, bediendes schoten toe, met schoen- en kledingborstels. Kwamen door gangen waar het tapijt zo dik was dat men de indruk had met zijn voeten in vers vlees te stappen, door vertrekken met gewelfde plafonds, gedecoreerd met achttiende-eeuws stucwerk, met witte canapés. De begroeting vond plaats op het hoofdterras van geel travertin.

Op het gazon paradeerden een paar witte pauwen. En krijsten. Daar stonden voor een podium ook rijen stoelen. Ik telde vijfentwintig rijen van tien stoelen, gescheiden door een middenpad. Toen iedereen zat, waren alle stoelen bezet. Het podium was bekleed met een rood tapijt, als voor de avondmaalstafel in een kerk. Dit was een kerk. Meneer Lever en de dominee, in toga, de bruid en bruidegom, de ouders van de bruid, rijzig, hoekig, zelfbewust, de ouders van de bruidegom, klein, onopvallend, verfrommeld. En andere familie. Een kerkdienst in de open lucht. Een hagenpreek.

Ten slotte vroeg de dominee het bruidspaar naar voren te komen en te knielen. 'Wilt gij, Henri Garrets (hij sprak het op zijn Frans uit: garè) tot uw vrouw nemen...' In de verte voer de pont naar Bronkhorst.

De dag verliep snel. Tussen de middag was er een koffietafel. Om vijf uur volgde een warm buffet. De gasten floten tussen hun tanden. Dit was 'le grand genre'. Dit huwelijk was, begreep men wel, het voorlopig slot van een onverwacht en onvoorstelbaar avontuur. Want de bruidegom bleek inderdaad over geneeskrachtige gaven te beschikken en genas als de oude meneer Lever even gemakkelijk mens, dier en plant. Daarnaast bekwaamde hij zich ook in de echte geneeskunde, speelde quatre-mains met deftige dames van wie hij de dikke enkels bestreek.

Henk toonde mij de wonderen van de borders, de passiflora, de campis, de buxusboompjes die gevogelte voorstelden. Toonde mij ook de oude loofgang aan de noordzijde om de tuin af te schermen tegen de koude wind. Ik was vol bewondering.

Nog zag ik hem verslagen de klas uitlopen en nu stond hij hier en ging om met de happy few alsof hij nooit anders had gedaan.

'Jij bent heel interessant,' zei hij. 'Je schrijft mooie boeken.' 'Dank je,' zei ik. 'En wat vind je van mij?' vroeg hij. 'Jij bent ook heel interessant,' zei ik. 'Jij hebt het veel verder gebracht dan ik. Jij bent een rijk man. Dat had niemand ooit kunnen denken. Ik zie je nog...' 'Mondje dicht,' zei hij.

Net op dat moment kwam meneer Lever langs en mijn oude buurjongetje sprak hem aan: 'O, pappa, zou jij even...'

Het orkest van Tata Mirando was zich aan het installeren op het podium in de tuin. Ik was na het warm buffet even bij Henks ouders gaan zitten. Ze zagen er beiden wat kouwelijk uit en ik had niet de indruk dat ze volledig deel hadden aan de feestvreugde. Ik vond dat de rimpels van zijn vader nog dieper waren. Bijna gestolde lava. Een traan uit zijn ogen zou niet over zijn wang rollen, maar in een van die gleuven blijven liggen.

Ik had ook geen deel aan het feest. Ik liep wat tussen de perken met gevlekte canna's, keek even later belangstellend naar de mannen die de harstoortsen aanstaken. Toen alle toortsen brandden, werden tegelijk schijnwerpers aangestoken die de villa verlichtten. Hun lichtstralen isoleerden het massieve huis van het omringende duistere landschap. Een verlicht schip. Toen kwam volgens plan – of omdat een natuurwet dat wilde – ook nog de maan op en maakte gazon en gasten bleek.

Glazen, handen, gezichten. Hier en daar maakten de slapende pauwen de takken wit als sneeuw. Je hoorde: 'O, heel artistiek. Wel heb ik ooit! O, hemeltje!'

Sommige bloemen in de borders geurden als de parfum van sommige dames.

Henk, mijn oude buurjongen, begroette een echtpaar dat net was gekomen. Ik stond in de buurt. Ik zag Henks vader onze kant oplopen. Hij bleef op een meter van zijn zoon staan. Henk onderhield zich met het echtpaar op fluistertoon. Het leek wel een conciliabule. Het leek wel of over een kerkschisma gesmoesd werd.

Zijn vader wachtte. Henk had zijn vader wel zien staan, maar bleef met het deftige echtpaar praten. De vrouw had overal verspreid in haar hals grote moedervlekken, als de gevolgen van een schot hagel. De man had kaken als een buldog.

Zijn vader, zag ik, kon niet langer wachten. Misschien wilde hij zeggen dat het een prachtige dag was geweest, maar dat het nu tijd was om op te stappen. Misschien was Henks moeder niet goed geworden... In ieder geval wilde hij dringend iets zeggen. De vader raakte even de arm van zijn zoon aan. Een moment nog deed Henk of hij zijn vader niet zag. 'Henk...' zei zijn vader.

Henk keek naar zijn vader of die een enorme wind gelaten had. Direct daarna scheen die blik te zeggen: maar wie bent u eigenlijk? Hoort u wel op dit feest? Toen, na lange aarzeling, brak bij de bruidegom een glimlach door en met een lichte gejaagdheid in zijn stem, in dat gedempte netwerk van al die andere stemmen, zei hij: 'Och, wilt u even wachten oom, ik... loop zo even met u mee...'

Die scène heeft voor mij nog steeds het bewogene van een slechte foto. Dus misschien is het niet waar. Het is waar.

Die scène, die twee gezichten. De vader met een schrikachtige trek op zijn gezicht. Eén hoek van zijn mond die zenuwachtig bewoog. Hij stond op het punt om te grienen als een klein kind. Je zag dat in zijn hoofd gedachten achter elkaar aanjoegen. De vader zo onverbloemd oud opeens. De zoon, verstoord.

Het vertrek waar we stonden leek opeens 'gelucht', ontdaan van alle elegante bedrog, van alle charmante illusie. Uit instinct isoleerde mijn blik direct dat gruwelijke toneeltje van het overige gezelschap.

Ik keerde in paniek de bruidegom en het hele feest de rug toe, rende de tuin door. Op de weg pas bleef ik stilstaan en draaide mij om. In de tuin brandde groen Bengaals vuur. Ik keek omhoog en zag dat er ander weer op til was. Boven mij was een beweeglijke hemel, met een onafgebroken stoet van wolken, waar de maan soms spottend tussendoor scheen. Een hemel die alles met zich meevoerde...

Daar komt de boer weer aan, op zijn tractor. Ik houd hem staande. 'Henk Garrits...?' 'Ha, dokter Henri. Die had een tijdlang een goeie naam in het dorp. Maar toen meneer Lever doodging, was het ook met dokter Henri gedaan. Het leek of zijn geneeskracht op slag verdwenen was. Algauw kreeg hij geen patiënten meer. Hij moest het huis verkopen en is toen weggetrokken van hier. Meer weet ik er niet van.'

Late afrekening

Ik zocht moeder elke dag op. Bij mooi weer zaten we buiten, met de rug naar de oude kwekerij, die na het faillissement en vaders dood in een opslagplaats voor autobanden was veranderd. Er hing altijd een zwarte wolk boven het land waar vroeger de bedden met scabiosa bloeiden. Autobanden smeulen, maar branden niet.

Het was vandaag een extra zachte dag. De oude lemoen bloeide roze. We zaten dicht tegen elkaar, op de tuinbank; ik wist dat moeder niet lang meer te leven had. Als altijd haalden we herinneringen op.

'Daar stond mijn schommel,' zei ik en wees achter mij, naar een haag van bessenstruiken, die nauwelijks meer droegen. 'Ik weet nog dat vader hem voor mij gemaakt heeft. Het was de hoogste schommel uit de buurt en iedereen kwam bij mij spelen. We maakten hoge en verre sprongen en wie het verst kwam was "luipaard". Weet je dat nog, moeder?'

'Natuurlijk weet ik dat nog. Jij kwam een keer zelfs in de bessenstruiken terecht en toen bedachten jullie een dier dat in jullie ogen nog sterker, nog soepeler was dan een luipaard.'

'Wat bedachten wij?' Ik was nieuwsgierig, want ik was de naam van dat dier vergeten.

'Een lynx.'

'Een lynx? Echt, ik was dat volkomen vergeten en als jij dat nu niet tegen mij gezegd had, zou ik er waarschijnlijk nooit meer op gekomen zijn. Een lynx! Wat een fantastisch woord! LYNX. Dat is sterk, snel, geheimzinnig. Ik keek natuurlijk heel trots.'

'Ja, je keek heel trots. Ik had pappa juist thee gebracht op de tuin en we keken vanuit de cyclamenkas.'

Ik was blij met moeders herinnering. Ik dacht er een tijdje over na, vroeg toen: 'Herinner jij je ook nog het moment dat ik uit de schommel sprong? Ik bedoel het moment dat ik het plankje losliet en door de lucht zweefde. Ik kan me wel voorstellen hoe het ongeveer moet zijn gegaan, maar ik herinner mij die sprong zelf niet meer.'

'O ja, ik zie dat nog voor me. Ik stond met pappa te kijken. Je ging zo hoog dat de schommel bijna over de dwarsbalk heensloeg. Ik wilde nog roepen... toen sprong je eruit, je ging eerst omhoog en met een grote boog kwam je verder dan alle anderen. Ik was bang dat je je benen zou breken. Maar je had sterke benen.'

Ik drukte moeder tegen me aan, terwijl ik me dat allemaal weer voor de geest haalde. Zij was zelf niet meer in staat om vanuit het huis naar de bank te lopen. Ik had haar gedragen. Ik zag mijzelf in mijn korte broek en sportkousen, die ik tot net onder de kuiten droeg om die beter te laten uitkomen. Ik was een jaar of tien. Die kuiten waren mijn trots. Ik had mij een katachtige manier van lopen aangewend in die tijd om ze een extra ronde vorm te geven. Ze waren zo hard dat je er een spijker op kon kromslaan. Ik liet moeder los, liep in de richting van de bessenstruiken en wees de plaats aan waar vroeger mijn schommel had gestaan. Ik mat de afstand tot de struiken. Zeven meter. Veertig jaar geleden zweefde ik hier door de lucht en kwam daar terecht. Een lynx! Het lenigste, maar ook het geheimzinnigste dier dat zich in liet denken. Een sprong door niemand geëvenaard.

En nu liep ik al tegen de vijftig. Er gingen tijden voorbij dat ik niet aan mijn kuiten dacht. Vader was er niet meer, moeder zou er algauw niet meer zijn en het paradijs met zijn scabiosa en velden gipskruid was veranderd in bandenservice Vulcano.

Er kwam wat wind opzetten en het werd iets kouder. Moeder

rilde en trok de zwarte omslagdoek, die ik haar op haar laatste verjaardag had gegeven, wat steviger om zich heen. Ik stelde voor om naar binnen te gaan.

Ik tilde haar op.

'Vroeger,' zei moeder, 'als je in een heel vrolijke bui was, tilde je me ook op en droeg me door de kamer.'

We zaten aan weerszijden van de kachel in de huiskamer. We zeiden een tijdje niets en toen zei moeder: 'En nu kan ik niets meer. Ik kan niet eens een kopje thee voor je zetten als je op bezoek komt. Soms, als ik binnen wat zit te suffen, is het net of ik vaders klompen in het pad hoor, ik kijk op en ben er zeker van dat hij de kamer zal binnenkomen.' We zwegen weer een tijdje. Ik keek naar de bekende schilderijen aan de muur. De mooiste was een vaas met klaprozen. Ik hoorde moeders stem: 'Ik ga straks naar pappa toe.' Ze herhaalde de zin enige keren, met nadruk, alsof ik of een ander, onzichtbaar, haar die overtuiging betwistte. Maar ik geloofde het met haar. Ze zou pappa terugzien. Zoals zij het zei, zou het gebeuren. Dat was aan haar stem te horen.

'Ja,' zei ik een beetje vaag. Ik wilde niet aan die toekomst denken, ik hield er meer van om met moeder herinneringen op te halen en daarom begon ik, meer om moeder een beetje af te leiden: 'Zaterdag, aan het eind van de middag, sloot vader het hek van de kwekerij; jij had een teiltje met lauw water klaarstaan. Een wit emaillen teiltje, dat nog steeds in een van de aanrechtkastjes staat. Op de plekken waar het email afgesprongen is, zit roest. Vader zat op de keukenstoel en liet zijn voeten weken. Bij mooi weer bleef de deur van de keuken openstaan om zicht op de tuin te houden. Dan ging je op je knieën zitten en begon je vaders voeten een voor een af te drogen en in te wrijven met een mengsel van glycerine en kamferspiritus. Je wreef net zolang tot de harde, pijnlijke plekken die de klompen veroorzaakt hadden weer zacht en soepel waren. Ik zie jullie nog bezig, jij op je knieën, vaders voeten op jouw bovenbenen. Zo was het toch?'

'Zo was het.'

'En wat ging hij dan doen?' vroeg ik moeder, want ik wilde dat zij ook weer wat zou zeggen.

'Pappa ging naar boven om zijn zondagse kleren aan te trekken en dan ging hij aan zijn bureautje zitten om een psalm onberijmd te lezen als voorbereiding op zaterdagavond.'

'Maar je vergeet iets, moeder. Voor hij wilde gaan zitten, kwam jij uit de keuken en zei: Nee pappa, eerst... en je wees naar de straat. Vaders gezicht, verheerlijkt bij de gedachte aan de mooie psalm (hij las bijna altijd op dat moment "'k Hef mijn ziel. O God der goden") en de kostelijke zaterdagavond, die de nog kostelijker zondag aankondigde, verstrakte...'

'Ik deed toch niet naar tegen pappa?'

'Je was op dat moment streng voor hem en je moest streng zijn, want hij wilde aan zijn bureau gaan zitten en hij wilde niet naar Wesseling, ik denk dat hij een weeklang bezig was om de gedachte aan die man te verdringen. Nou, dan stond hij met tegenzin op, en liep de straat af, naar Wesseling, die een bloemenzaak aan de Hoofdstraat had. Zo was het toch, moeder?'

'Ik heb die Wesseling nooit gemogen. Pappa was blij toen hij hem als klant kreeg... Maar in het begin was het moeilijk om hier een voet aan de grond te krijgen. Je was blij met iedere klant. In het begin betaalde hij ook goed... Als hij alle geleverde planten op tijd had afgerekend, zou vader op tijd de kolenschulden hebben kunnen betalen... Altijd stonden er rekeningen te kraaien...'

Ik liep naar vaders bureau aan het zijraam. In de bovenste la lagen de nota's die Wesseling nooit betaald had, per jaar bij elkaar gebonden, met een stukje vliegertouw. De vroegste dateerden van 1951: *tien cyclamen f* 20,- *tien takjes bruidsgroen f* 5,- et cetera. De woorden en de cijfers waren nauwelijks meer te lezen op de smoezelig geworden briefjes, waar vader zo vaak mee in zijn hand had gestaan.

'Waar woont Wesseling nu?'

'In zijn zaak zit een ander. Ik heb nooit meer iets van hem gehoord.'

Ik legde de nota's terug in de la. Vijf- tot zesduizend gulden, waar hard voor was geploeterd, waren nooit betaald. Waarom niet? Grossiers die bij hem leverden betaalde hij contant. De bloemen die hij zelf op de veiling in Aalsmeer haalde moesten contant betaald worden. Ik heb zelf gezien hoe hij daar zijn dikke portefeuille uit de binnenzak van zijn stofjas trok.

'Ik geloof dat ik de krant hoor,' zei moeder. Ik haalde voor haar *De Velpse Courant*, die ze al jaren samen met de buurvrouw las. Ik gaf hem aan moeder, terwijl ik naar de keuken ging om water voor thee op te zetten. Ik wachtte tot het water kookte. In de tijd dat ik zo mooi uit de schommel sprong, nam Wesseling mij mee naar de veiling in Aalsmeer. Hij was enige jaren jonger dan vader, een slanke man, met haar dat strak over zijn schedel zat gekamd en een scheiding precies in het midden had. Hij imponeerde mij omdat hij mij een beetje aan Dick Bos deed denken, de jiujitsu-held uit mijn jeugd.

'Als die jongen van jou eens zin heeft om mee te gaan...' zei hij tegen vader. Ik was niet zo erg benieuwd naar de veiling, maar ik ging vooral mee omdat ik hoopte dat hij dan ook veel planten van vader zou kopen. Pappa had zich toen nog maar net in Velp gevestigd. Ik was wel een beetje bang voor dat strak gekamde haar en die onberispelijke scheiding, maar hij was heel aardig en die eerste keer praatte ik honderduit. Ook genoot ik van het uitzicht in de hoge, ruime cabine van zijn bestelwagen met rolluiken. Hij vroeg wat ik later wilde worden, en toen ik zei dat ik het nog niet wist maar misschien wilde doorleren, voorspelde hij mij een mooie toekomst. In het veilinggebouw legde hij mij uit hoe alles werkte, en als een mooie partij voorbijkwam mocht ik op de knop drukken. Hij kende veel mensen daar, sprak druk, haalde zijn portefeuille tevoorschijn, zwaaide met bankbriefjes. In het restaurant trakteerde hij mij op een biefstukje met gebakken aardappels. Daarna droegen we samen de gekochte planten naar zijn auto. Hij noemde mij zijn kleine medewerker, 'zijn kleine luitenant', maakte me een compliment over mijn kuiten en trok mijn kousen op als ze naar zijn idee te veel waren afgezakt. Ik begreep ook wel waarom hij op mij gesteld was. Hij was getrouwd, maar had geen kinderen. Wesseling was natuurlijk graag met zijn eigen zoon naar de veiling gegaan!

Dan reden we terug. Omdat we 's morgens om vier uur vertrokken waren, werd ik algauw slaperig in de warme cabine. Tegen hem aan viel ik in slaap. Als hij moest inhouden of stoppen werd ik wel een beetje wakker, maar ik durfde mijn ogen niet open te doen. Zo gauw mogelijk probeerde ik weer zo diep mogelijk in slaap te komen. Het was de enige manier om zijn hand niet te voelen. Ik vond het niet onaangenaam, maar ik schaamde me als ik aan vader en moeder dacht. Voor we de bebouwde kom van Velp inreden, stopte hij de auto altijd. Hij bracht onze kleren in orde en hij ging rechtop zitten. Thuis laadden we de planten uit; hij gaf mij een gulden en vroeg of ik de volgende week weer meeging. 'Hoeveel primula's mag mijn vader dan deze week brengen?'

Twee zomervakanties lang ging ik met hem mee. Toen ging ik naar de ulo. Hij betaalde vader steeds onregelmatiger. Ik liep op een dag zijn winkel binnen en vroeg of ik nog eens mee mocht. Ik hoopte hem zover te krijgen dat hij vader net als alle andere leveranciers zou behandelen. Maar hij zei dat hij de veiling niet zo vaak meer bezocht en pakte een machientje om de doornen van de rozen te rissen. Hij vroeg ook niet hoe het op school ging; hij had alle belangstelling voor mij verloren. Ik droop af.

We dronken samen thee. Ik keek weer de kamer rond. Op het dressoir stonden foto's, op vaders bureau een marmeren inkthouder en houten tabakspot.

'Lees dit eens,' zei moeder en ze gaf mij de krant. Ik las de overlijdensadvertentie van Wesseling. Tien jaar had hij vader overleefd. De zachtmoedigen zullen het aardrijk niet beërven. Dat had ik wel aan mijn vader gezien. De anderen zullen het ook niet. Dat was toch een kleine troost. De dode lag opgebaard in het Monuta-centrum.

'Hij nam je vroeger mee naar de veiling,' zei moeder. 'Ik heb me daar vaak grote zorgen over gemaakt. Pappa vond dat ik overdreef, omdat Wesseling toch een getrouwd man was.'

'Je hebt je zorgen om niets gemaakt, moeder. Hij trakteerde me...'

'Op een bepaalde dag wilde hij je een keer 's morgens om drie uur ophalen om naar de veiling te gaan. Ik heb het verboden. Je was heel boos dat je niet meer mee mocht...'

'Omdat ik bestellingen voor vader van hem loskreeg...'

Een hele tijd zeiden we niets. Ik verschoof mijn stoel zodat ik recht tegenover moeder zat. Het leek net of we een beetje ruzie hadden gekregen. Haar voeten stonden op een stoof. Ik legde mijn handen op haar knieën. Ik zei: 'Wesseling had niet eens de beleefdheid om vader te groeten als die op zaterdagmiddag met de nota's kwam. Wesseling was altijd druk bezig met het schikken van bloemstukken en graftakken en bruidsboeketten en hij deed of hij vaders groet niet hoorde. Dan liet hij hem een halfuur of een uur wachten zonder iets tegen hem te zeggen. Meestal kon vader zonder geld weer naar huis. In het gunstigste geval liep hij onverwacht naar de grote nikkelen kassa en draaide aan de slinger. De geldla sprong met een belletje open en hij greep er nonchalant wat bankpapier uit. Ik ben er zelf bij geweest dat hij de briefjes voor vaders gezicht op de grond liet neerdwarrelen. Vader bukte zich om zijn "eigen" geld op te rapen, geld dat hem toekwam, van de smerige vloer, vol potscherven, rozendoorns en misschien een fluim van Wesseling.'

'Dat heeft pappa mij ook verteld. Het was een beest van een man. Nu is hij dood.'

Ik las de overlijdensadvertentie van Wesseling nog eens over. Van zes tot zeven vanavond was er voor belangstellenden gelegenheid tot condoleren.

Ik schonk nog een keer in, reikte moeder haar kopje aan. We waren het weer helemaal met elkaar eens. Omdat ik niet zo lang stil kon zitten, liep ik weer naar vaders bureau, haalde uit de la met nota's ook een van vaders geliefdste boeken: *Negen predika-tiën* van Lodensteyn, uitgegeven in 1669. Terwijl ik het boek opensloeg bij de tweede predicatie en tegelijk in de la met nota's keek, kwam ik op een idee. Ik werd er warm van. Bij de aanhef van de tweede predicatie: *Ik heb mijne voeten gewassen, hoe zal ik ze weder bezoedelen* (Hooglied 5:3) stond mijn naam. Vader had het daar neergeschreven, schuin in de marge, krachtig, op de dag van mijn geboorte. Ik hield het boek in moeders richting zodat ze zou zien dat het mij alleen om het boek te doen was. Ze wilde het boek ook even inzien. Ik bracht het haar, liep terug naar de bureaula, stak alle bosjes nota's bij me.

Even later liep ik de straat uit naar het centrum. Ik moest ook voor moeder naar de apotheek. Voor Monuta bleef ik staan. Het was halfelf. Ik belde aan. De begrafenisondernemer deed zelf open. Ik stelde mij voor en gebruikte daarbij moeders meisjesnaam. Kort vertelde ik dat ik van het overlijden van de heer Wesseling had gehoord, dat ik juist in Velp moest zijn, dat hij een grote rol in mijn leven had gespeeld. Ik presenteerde mij zo aimabel mogelijk, zo voordelig mogelijk, verdrietig ook vanwege Wesselings verscheiden.

'Ik weet dat het condoleancebezoek pas vanavond is... Zou ik hem even mogen zien.' De begrafenisondernemer aarzelde.

'Het is niet de gewoonte... Officieel zou ik zelfs toestemming van de naaste familie moeten vragen. Het stoffelijk overschot is ons toevertrouwd...'

Ik wist dat ik het al gewonnen had. Hij moest tegenstribbelen om zijn functie nog belangrijker te maken, een heerser over de doden en de levenden...

'Ik weet zeker dat de familie toestemming zal geven... ik zou ook iemand kunnen bellen als u mij het nummer geeft...'

Ik mocht binnenkomen en hij ging mij voor over zachtrode vloerbekleding, tussen grijze wanden van vezelplaat, schoof een fluwelen gordijn opzij dat van de zoldering tot op de vloer hing.

Ik naderde. Ik keek. Daar lag Wesseling, nog goed herkenbaar, een kinband hield zijn mond zo strak gesloten dat hij geen lippen meer had. Lippen die hadden geweigerd om vader te groeten, lippen die mij hadden gezoend.

'Hij ligt er mooi bij,' zei de begrafenisondernemer. 'Doden zijn altijd mooi.'

Ergens in het gebouw ging een telefoon en hij excuseerde zich. Ik boog mij naar Wesseling toe. De huid rond zijn ogen was gerimpeld en op zijn voorhoofd zaten een paar druppeltjes condens. Ik keek naar zijn bleke handen, hoog op de borst gevouwen. Veertig jaar geleden hadden ze tussen mijn benen gelegen. Terwijl ik bleef kijken, begonnen zijn handen te bewegen. Behoedzaam maar snel haalde ik de nota's tevoorschijn en begon de glazen plaat ermee te bedekken. Algauw waren zijn gezicht en zijn handen aan het gezicht onttrokken. Ik had zoveel nota's dat ik de hele kist kon afdekken. Nog hield ik over. Ik liet ze op de kist neerdwarrelen. Toen werd ik bang, want het was doodstil om mij heen. Ik trok het gordijn achter mij dicht, zag nog door de wind die ik maakte een paar briefjes opwaaien, haastte mij door de gangen, en toen ik meende in een zijgang de voetstappen van de eigenaar van Monuta te horen, begon ik te rennen, kwam bij de voordeur en rende nog op het pad langs moeders huis. Ik gaf moeder de medicijnen. Ze zag dat ik beefde en zei dat ik dicht bij haar moest komen. Ik schoof mijn stoel nog dichterbij, legde mijn hoofd in haar schoot en liet mij strelen. Toen ik weer wat rustiger was geworden, hoorde ik haar stem boven mijn hoofd: 'Het is goed dat je die nota's hebt opgeruimd.'

Met afgewend hoofd

Voor J.L.W. van der Haas

Ik heb op dit moment geen zin om van houding te veranderen. Wel zou ik mijn linkerwang willen verplaatsen. Ik weet niet of het harde ding dat mij hindert een kei of een dode tak is. Op dat detail na lig ik goed. Om mijn linkerwang te bewegen zou ik mijn hoofd moeten oprichten, maar dan bestaat de kans dat mijn nek pijn gaat doen, of mijn hals, of mijn ogen. Je ligt zelden precies zoals je wilt. Straks, als ik wat meer ben uitgerust, zal ik mijn hoofd anders leggen.

Ik ruik de geur van vochtig gras en overrijpe appels. En een andere geur... die ik niet thuis kan brengen. Vlak bij mijn gezicht moet in het gras een toef van die bloemen met blauwe klokjes staan. Ze groeiden onder mijn appelboom. Mijn broer weet wel hoe ze heten. Daniël kent de namen van alle bloemen. Hij was het die vader altijd hielp, hij was het die vader verving toen deze zich steeds meer aan de kwekerij onttrok. Ook toen Daniël getrouwd was en zijn dissertatie voorbereidde, kwam hij dagelijks langs om te zien of hij bij kon springen. Hij hield van de kwekerij, kon niet in slaap komen als planten stonden uit te bloeien, presteerde het zelfs om in slappe tijden klanten weg te lokken bij een drukbeklante concurrent aan de Hoofdstraat. Hij was begaan met vader, met de zaak. Ik niet.

Ik ging liever naar bars, in de stad. Daniël wist mij daar te vinden. Onverwacht stond hij naast mij, legde een arm om mijn schouder, kuste mijn voorhoofd. Ik bood hem iets te drinken aan en we spraken over zijn studie, over Lise, over zijn dochter Lisette. Ik zei tegen hem dat hij een grote steun voor vader was. Hij vond die steun vanzelfsprekend. Tegen sluitingstijd veranderde zijn toon. Hij begon mij te berispen. Ik deed vader en moeder verdriet door altijd in bars rond te hangen. Dat hadden ze toch niet aan mij verdiend? Waarom was ik bezig mijn lichaam door drank en sigaretten te verwoesten? Hij, Daniël, rookte en dronk ook. Maar met mate. Ik kon toch ook matigen?

Ik beloofde beterschap.

De geur van vochtig gras, van overrijpe appels, van campanula's komt in mijn neus. Ik noem ze maar campanula's, maar ik vergis mij natuurlijk. Ik vergis mij altijd in de namen van planten.

Stemmen. Soms vang ik een flard op.

'...ligt er ontspannen bij...' Ik herken zonder moeite de stem van Lise.

Ja, ik voel me ook heel ontspannen. Ik voel me prima, op dat harde ding onder mijn wang na. Maar waarom praat ze met zo'n harde stem? Ze staat toch vlak bij mij! Ik ga direct mijn ogen opendoen om te laten zien dat ik haar hoor. Ik wil het donkerrode haar en de groene ogen van Lise zien. Maar ik weet niet meer wat ik moet doen om mijn ogen te openen. Het is normaal dat je dat niet weet. Je hoeft alleen maar te denken: Ik wil mijn ogen opendoen en ze gaan gewoon open. In het schemerdonker waar ik mij nu bevind ben ik bang in paniek te raken. Toch blijf ik kalm. Ik weet dat ik niets aan mijn ogen heb. Als ik blind ben, zou ik dat wel voelen. Toch wil ik mijn ogen opendoen.

Vlak bij mijn oor wordt gepraat. Nee, aan mijn gehoor mankeert niets. Ik doe direct mijn ogen... Ik ben nu te moe. Ik zou nog heel lang kunnen slapen.

Ze praten over mij, niet tegen mij: ik ben het voorwerp van hun gesprek. Die indruk roept een onaangename herinnering in mij op... Officieren van de luchtmachtbasis, in de Rijnbar. Naast mij een slanke man, met een smal donker snorretje. Ik had hem hier niet eerder gezien, maar bij binnenkomst was hij mij opgevallen. Op de drempel bracht hij de militaire groet. Ik heb dat Daniël ook een keer zien doen. Hij was reserveofficier bij de Intendance. We gingen samen naar de stad. Voor we op het terras van Carnegie gingen zitten, bracht hij de hand aan zijn pet. Gelukkig schonk niemand aandacht aan hem. Ik schaamde me een beetje voor mijn veel oudere broer. Ik was verbaasd dat van het terras geen hoongelach opklonk. Daniël was zo trots op zijn uniform met de ster. Tijdens het weekeinde hield hij het aan. Ik ben achttien maanden soldaat geweest. Ik was bij de kaderopleiding ingedeeld, maar op de eerste dag in het depot had ik geen zin om halt en front te maken voor een kapitein en ik werd van de opleiding verwijderd.

De luchtmachtofficier ging naast mij aan de bar zitten. Ik denk dat ik iets gezegd heb over zijn opvallende manier van binnenkomen. Ik had wat gedronken. Hij ook. Toen we tussen de brokstukken van de bar op de politie stonden te wachten, had ik dezelfde gewaarwording als nu.

De bezoekers in de bar zeiden tegen elkaar: 'Die met die krullen is begonnen...' Ik was die met die krullen. Ik had het gevoel van een ander ras te zijn dan zij die over mij praatten. Ook toen werd ik op afstand gehouden.

Ik heb geen pijn. Ik ben alleen moe. Het lijkt of ik met zware bepakking door de Drunense duinen heb lopen zeulen. Maar geen pijn. Eerst uitrusten voor ik mijn ogen opendoe. Ik ben k.o. Heel broos. Ik zou niet op mijn benen kunnen staan.

Nee, ik ben niet in staat mijn ogen te openen. Maar ik kan redeneren. Dus ben ik niet bewusteloos. Ik zie heel duidelijk mijn appelboom. Als ik me niet hoefde om te draaien zou ik een appel uit het gras kunnen oppakken. Ik zie de broeikassen, de bedden met violen, madelieven, duizendschonen. Kijk, ik ben nog aardig op de hoogte van de namen. Ik zie ook de haagbeuk die de kwekerij van de begraafplaats scheidt. In de winter zag je door de kale haag de grafstenen. Ik weet precies waar Pietje de Heer ligt. Vlak achter de haag, de laatste in een rij. In een uitsparing achter glas zit zijn foto. Achter het glaasje is snel condens gekomen en zijn gezicht was na de eerste winter al onherkenbaar. In de steen stond gegrift: Het lokkende water, dat ons zo'n grote weldaad kan zijn, werd voor dit kind een onverwachte en vroegtijdige dood.

Hand in hand gingen we naar de kleuterschool, Pietje en ik. Moeder zette ons de Hoofdstraat over. In de tweede klas van de lagere school is hij verdronken. Zijn vader nam hem op een zaterdagmiddag mee naar het Lathumse veer. Op het moment dat ze samen het water in zullen gaan, ziet de vader een bekende en begint een praatje. Als hij zich omdraait, is zijn zoon verdwenen. Uren later wordt hij opgedregd. De vader komt zonder zijn zoon thuis. Iedereen weet toch dat de oevers van de IJssel gevaarlijk zijn. Nu zie je bij het veer om de vijftig meter reddingsgordels. Ze hangen in glazen vitrines.

Waar is mijn vriendje nu? Als ik doodga en ik zou op dat kerkhof begraven worden, is het niet ondenkbaar dat ik in zijn buurt kom te liggen. – Na vaders dood is de kwekerij verkocht aan de gemeente. De kassen zijn afgebroken, de appelbomen van mij en Daniël zijn omgehakt en de haagbeuk is tot de grond toe afgezaagd. Het terrein ligt nog steeds braak, maar het plan om de begraafplaats uit te breiden bestaat nog altijd –

Waar is hij nu?

Wacht hij op mij? Natuurlijk niet, maar op dit terrein ben ik volslagen kind gebleven.

Kon zijn vader niet beter op hem letten?

Met het nieuwe schooljaar kwam ook een nieuwe jongen op school, die ons vertelde dat zijn vader bij Shell in het buitenland werkte en dat hij in Velp bij een tante in huis kwam. Hij heette

Bobby Scheurleer, had een deftige manier van spreken en droeg dure kleren. Uit een oude boodschappentas haalde hij de eerste dag het gebit van een rat, het complete skelet van een konijn en de scherf van een mammoetdij.

De plaats naast mij was nog leeg en Bobby werd mijn nieuwe vriendje.

Ik denk dat bij de allereerste ontmoeting van mensen direct een geheime hiërarchie ontstaat van meerdere en mindere. Bobby was superieur, mijn *nederlaag* was onvermijdelijk. Bij alles wat ik deed zocht ik als bezegeling zijn blik.

Na de lagere school verhuisde hij naar Den Haag omdat zijn vader een baan had gekregen op het hoofdkantoor van Shell. In de zomervakantie logeerde hij bij zijn tante.

Na een heidebrand zwierven we over de geblakerde hei bij de Posbank. In zijn rugzak verzamelde hij karkassen van dieren die door het vuur waren verrast. Thuis kookte hij in een teil zijn kadavers uit. Hij was weinig spraakzaam. Soms een opmerking over de staat van zijn vondsten. Zijn hobby liet me koud. Maar ik heb later naar die glorieuze dagen terugverlangd. Hun smaak, hun sfeer zal ik nooit meer vergeten.

Na onze zwerftochten zochten we verkoeling in de IJssel bij Lathum. We pikten boten op die ons meenamen tot de Rijnbrug of nog verder. Daar doken we in het water, lieten ons op onze rug afdrijven en stapten bij het veerhuis rillend van de kou uit het lauwe water. We liepen om roeiboten heen, die omgekeerd op de wal lagen, onder de aangekoekte modder, en zochten een krib uit die ver de rivier in stak. We gingen op de uiterste punt liggen. In het zonlicht waren de weilanden wit. Het rode dak van een boerderij dat net boven de dijk uitstak, leek gewassen. Water kabbelde tegen het basalt. De veerman voer vlak langs ons heen om van de tegenstroom gebruik te maken, begon toen traag de oversteek.

De boot vervoerde een boer met een paard. Op grote hoogte volgde een vliegtuigje de rivier, stroomopwaarts. Aan onze voeten zag je onder een dun vlies van drijvend stof en plantenresten een donkergroene diepte met bewegende flitsen. Scholen grondelingen schoten langs de krib, verspreidden zich plotseling in alle richtingen. Ik moest denken aan het fijne zilveren servies van moeder in het theekastje. Een huwelijksgeschenk dat nooit werd gebruikt. De zon stak.

Ik ben in slaap gevallen en algauw voelde ik onder mijn handen, uit brokjes verweerd basalt, water sijpelen. De rivier begon aan alle kanten langs mij heen te stromen en ik deinde rustig op de golven. Toen zag ik de roeiboot met een ontzaglijke vaart op mij afkomen. De veerman zou mij nooit meer kunnen ontwijken. Met een schreeuw stak ik mijn hand uit, zocht houvast. Bobby greep die hand. Direct voelde ik een andere hand op mijn buik. Hij vond. Zocht. Liet los en dook met een snoeksprong van de krib. Hij kwam pas weer boven water in het midden van de rivier. Bobby had formidabele longen.

Ik dook ook van de krib en zwom naar hem toe, maar hij hield mij op afstand door met zijn vlakke hand een muur van water in mijn richting te stuwen. Ik dook onder om aan die barrière te ontkomen, kreeg hem onder water toch te pakken en trok hem aan zijn voeten omlaag.

Dit soort watergevechten hielden we vaker en we wisten wat we aan elkaar hadden: hij was sterker, ik vlugger. We namen risico's en gingen daarin ver. Het kwam er niet alleen op aan om elkaar onder water te krijgen, we probeerden elkaar zo lang mogelijk onder water te houden door op elkaars schouders te gaan staan. Met zijn grotere lichaamskracht was hij altijd in het voordeel. Maar als je onderging met een helder hoofd en een flinke hap adem, was er niets aan de hand.

Hij kreeg mij toen onder. Ik was nog onder invloed van mijn slaap en had vergeten diep in te ademen. Ik voelde zijn voeten op mijn schouders. In paniek wrong ik mijn lichaam om aan zijn greep te ontkomen. Zijn tenen waren klauwen die zich in mijn vlees hadden geslagen. Ik liet alle hoop varen en bood geen verweer meer. In die overgave heb ik natuurlijk verwacht dat hij alsnog los zou laten, maar Bobby is geen type dat loslaat. In de roeiboot van de veerman ben ik weer bij kennis gekomen.

Hoe oud was ik toen? Vijftien, zestien misschien? Bobby heb ik uit het oog verloren. Ik telde bijna het dubbele toen ik hem weer tegenkwam.

Ik ben er zeker van dat die *murder-party* in de IJssel meer is blijven meetellen dan ik zeggen kan. Bobby en ik hebben er nooit een toespeling op gemaakt. Het geeft waarschijnlijk aan dat wij vermoedden hoe ingrijpend zij was.

Ik herinner me als de dag van gisteren dat mijn broer Lise thuis kwam voorstellen. Hij droeg zijn uitgaanstenue van reserveofficier van de Intendance. Een leren riem liep dwars over zijn borst waarop twee onderscheidingen zaten: het Vierdaagse Kruis en het MLV-speldje. Wie de betekenis van de decoraties niet kende, kon geloven dat Daniël een held was.

Daniël heeft altijd een bijna triomfantelijke manier van doen gehad. Die keer ook struikelde hij van opwinding over zijn woorden toen hij mij vroeg wat ik van Lise vond. Lise was een mooie vrouw. Ik heb alle gelegenheid gehad haar te observeren.

In die tijd hield ik van dammen. Lise was op haar mooist als ze op verlies stond. Dan zakten haar mondhoeken een beetje omlaag, begonnen haar lippen te trillen en sloeg ze haar opgemaakte oogleden neer. Dat alles eindigde in een glimlach als ik een dam haalde.

Ik heb Daniël en Lise meegenomen naar de Rijnbar. Eerder op die avond hadden we vader in het ziekenhuis opgezocht. Thuis maakte moeder koffie. Daarna wilde Daniël zich terugtrekken op zijn kamer om zijn tijd nuttig te besteden. Moeder zei dat hij ook eens aan Lise moest denken. Hij hoefde toch niet altijd te studeren.

De Rijnbar is boven de rivier gebouwd. Het water stroomt onder de glazen dansvloer door en wordt door schijnwerpers verlicht. Soms zie je een school vissen, soms hobbelt een plank op de golven voorbij, of een mat waterplanten. Lise was opgetogen. Ze had lange tijd niet gedanst.

Daniël raakte algauw in gesprek met een luchtmachtofficier. Lise en ik dansten. Ik tilde haar kin met twee vingers omhoog. Ze zei dat ze niet tegen dat gebaar kon en legde haar hoofd in mijn hals. Het orkest heeft tot de ochtend gespeeld. Lise vergat Daniël.

Tijdens de eerste serie dansen moet Daniël gedacht hebben dat we elk moment weer naast hem aan de bar zouden komen staan. Tegen twee uur vertrokken de officieren. Daniël zat alleen, wriemelde aan een bierviltje. De barkeeper had het kleine drama in de gaten en knipoogde naar mij. Ik observeerde Lise en Daniël. Lise gaf zich aan mij, in aanwezigheid van Daniël, en hij had niet de moed zich om te draaien. Het orkest kondigde de laatste dans aan en Daniël liet zich van zijn kruk glijden. Met afgewend hoofd verliet hij de Rijnbar. Wij gingen pas weg toen boven de rivier kleine wolkjes damp met de stroom meedreven. In de opkomende zon zagen ze er roze uit.

Kort daarna is vader uit het ziekenhuis thuisgekomen. De voorkamer werd ingericht met een bed op klossen. Vader kon zich al niet meer scheren. Dat deed Daniël.

Weer die geur van bloemen! Campanula's, denk ik toch. Nee, ereprijs. Het wemelt ervan in het gras onder mijn appelboom. Het zijn echte woekeraars. Mijn kostuum moet er vreselijk uitzien! Waarom ben ik met mijn witte kostuum in het gras gaan liggen? Moeder zal zeggen dat ze de vlekken er nooit meer uit zal krijgen.

De ochtend dat vader stierf kwam ik terug uit de stad. Ik zat naast de vrouw die er in die tijd voor zorgde dat ik veilig thuiskwam. De datum vergeet ik nooit meer: drieëntwintig augustus is vaders geboorte- en sterfdag. Zij parkeerde haar auto op het pad naar de loods, onder mijn appelboom. Het gras dat vader altijd maaide, stond bijna een halve meter hoog. De vrouw zei dat het gras warm aanvoelde. Ze had gelijk, het was nog warm van de vorige dag en het had niet gedauwd.

Het was licht toen de vrouw het pad uitreed. Achter het huis stond de auto van Daniël: hij waakte bij vader.

De eerste vogel. In een heg. De zon stond net boven de loods. De vogel zweeg. Om ons huis hingen zomerse geuren. Ik kon ze niet thuisbrengen. Wat een kleinigheden! Ben ik bekrompen als zulke details aan mij blijven hechten als klitten? Alle vogels kwamen zingend uit de bomen toen ik zo voorzichtig mogelijk de achterdeur opendeed. Daniël zou de auto op het pad hebben gehoord en hij zou mij verwijtend aankijken. Ik sloop de huiskamer door, wierp als altijd een blik op vader.

Vader staarde mij met wijd open ogen aan. Zijn ademhaling was zo snel dat het op zacht hikken leek. Ik ging naar hem toe. Daniël was in diepe slaap op het divanbed. Ik hield vaders handen vast. Precies zoals Daniël altijd deed. Zijn beide handen omringd door de mijne. Even later slaakte hij een diepe zucht en viel zijn hoofd opzij. Daniël is niet wakker geworden.

Later kwam Daniël mij wekken.

'Paul, Paul,' zei hij. 'Vader is net gestorven. Ik heb het moment van vaders overgang meegemaakt.' Hij heeft de neiging zich theatraal uit te drukken. Ik vond ook dat hij zich op het kerkhof iets meer had moeten inhouden. Ik vind het sinister als een dode wordt toegesproken. Maar hoe durf ik hem verwijten te maken! Alles heeft hij voor vader en mij overgehad.

Ik besef dat er gevaar dreigt. Ik heb geen idee waarom deze gedachte in mij opkomt. Is het nacht, is het dag? Schijnt de zon? Ik heb absoluut geen idee van de tijd.

In de verte hoor ik wel een zacht ononderbroken rommelen, een geluid dat op en neer golft. Niet onaangenaam. Ik heb zin in een sigaret. Ik ga direct een sigaret opsteken. Ik heb verbazend veel zin in een sigaret. Diep inhaleren... Het water komt me in de mond.

Een zekere tijd is voorbijgegaan sinds de vorige gedachte.

Daniël zegt: 'Ik zal dat beeld nooit vergeten. Moeder en ik liepen met zware gieters water te sjouwen. Er stond een schrale wind en de grond leek as. Een week daarvoor had vader dahliastekken gepoot. Ze stonden in de hete zon te verschroeien. Ik had rond de jonge loten walletjes van aarde opgeworpen. In die ondiepe vijvertjes moest de hele dag water staan. Moeder en ik zagen Paul in een smetteloos wit kostuum de kwekerij op komen. We bleven stilstaan onder de goudreinet die vader bij zijn geboorte had geplant. Pauls appelboom.'

'Waar was je vader toen?' vraagt Lise. Pom miauwt. Ze trekt de poes naar zich toe.

'In die tijd begon vader zich al aan de kwekerij te onttrekken. Als we hem maar even uit het oog verloren, trok hij zijn zondagse kleren aan en nam de bus naar Ede of Barneveld. Paul was op weg naar een feest, vader volgde sombere hagenpreken, op een deel, of in een boerenhof.'

Lise ligt met haar hoofd tegen zijn schouder, streelt de poes. Een uur geleden werd ze wakker en trof Daniël niet in bed aan. Ze hoorde Pom aan de deur krabben en liet hem binnen. Op de gang brandde licht. Ze hoorde Daniëls ademhaling en zag hem geknield voor de leren fauteuil die van vader was geweest. Ze bleef op de drempel van zijn studeerkamer staan. Zijn hoofd lag op de brede leuning. Hij sliep. Hij was op zijn knieën in slaap gevallen. Ze gaf hem een kus boven op zijn hoofd. Hij werd wakker.

'Kom in bed. Je bent ijskoud.'

Hij schaamde zich, had er behoefte aan zich te rechtvaardigen.

'Zo heeft moeder mij heel lang geleden aangetroffen. Ik wilde mijn avondgebed zonder wereldse gedachten opzeggen. Uitgeput ben ik toen in slaap gevallen.'

'Jij hebt geen schuld, Daniël.'

'Ik voelde me verantwoordelijk voor hem.'

'Je hebt toch al het mogelijke gedaan. Misschien wilde hij niet geholpen worden.'

'Geloof jij dat, Lise, dat iemand niet geholpen wil worden?'

'Die psycholoog heeft het toch gezegd... Zijn nek was zijn visitekaartje.'

Net zesentwintig. Een grote jongen. Ik kan mijzelf niet au serieux nemen en denken: een man.

Mijn leven tot nu toe?

Acht jaar middelbare school. Geen diploma. Achttien maanden militaire dienst als telegrafist op een AMX-tank, in de laagste rang die het leger kent: soldaat eerste klas.

Daniël vond dat ik weer *het ritme van het leven* moest terugvinden en schreef mij in bij de Gelderse Leergangen voor MO-A Nederlands. Hij had gelijk, als altijd. Ik moest weer een ritme terugvinden. Na vaders dood, drie jaar geleden, gaf ik onverwacht mijn lichtzinnige bestaan op.

Pokerstenen ratelen gedempt tegen de gewatteerde wand van de beker, slaan tegen mijn hand, petsen op de bar.

'Three of a kind,' bluft de hoge luchtmachtofficier. Door de week is het orkest in de Rijnbar teruggebracht tot een pianist. Hij speelt een song van Sarah Vaughan. Ik hou van Sarah Vaughan, ik hou van haar fluwelen stem. Ik neurie het deuntje mee. *You are the sunshine of my life.* Zal ik op zijn bod ingaan? Twee stenen liggen open. Een vrouw en een aas. Ze steken helwit af tegen het donkere mahonie van de bar. Three of a kind. Dat kan er gemakkelijk liggen. Ik probeer terug te redeneren, raak in de war. Ik heb alle greep op het spel verloren.

Warme lucht waait door de open terrasdeuren naar binnen. Ik snuif de geur van het rivierwater op.

Ik denk aan Lise, vanwege Sarah Vaughan.

Het is altijd mogelijk om kleine straat door te geven, met drie open stenen. Ik til de beker iets op, sluit er mijn hand beschermend omheen en haal er behoedzaam een steen uit.

'Heren,' zeg ik, terwijl ik mijn steen in mijn hand heen en weer rol en mijn vijf partners aankijk. Vijf luchtmachtofficieren, met zachtaardige bruine ogen, twee straaljagerpiloten, een overste, een vlieger-waarnemer, een veiligheidsofficier, aan hun smalle donkere snorren glinstert bier... ze wachten op mijn bod. Het bod van een soldaat eerste klas. Maar dat weten ze niet. 'Heren,' herhaal ik (ik zal ze een beetje afleiden van het spel), 'toen ik werd geboren was mijn vader afwezig. Met de transportfiets bracht hij planten naar de stad. Gloxinia's? Mijn broer weet hun naam. Toen hij terugkwam liep een buurvrouw hem tegemoet: Een gezonde zoon, buurman. Gefeliciteerd. Mijn vader liet de transportfiets in de composthoop vallen. Boos liep hij naar de werkplaats. Drie dagen heeft hij niet tegen moeder gesproken. Moeder heeft het me later verteld. Eerst kwam Daniël. Zes jaar later kwam ik. Daartussen twee miskramen. Daniël zou de zaak overnemen. Vader hoopte dat ik een meisje zou zijn. De voortekenen waren gunstig. Bij Daniël had moeder een puntbuik, bij mij droeg ze mooi dik rondom.'

Ik liet de steen zacht in mijn hand heen en weer rollen en gooide hem. Hij maakte slechts drie omwentelingen.

'Wat hier nu ligt' (als ik wat gedronken had, was ik goed in bluffen) 'is iets moois, heren, zoiets moois, dat kan niemand van jullie weigeren. Vanavond nemen jullie alles van mij? Jullie geloven wat ik zeg dat er ligt?'

Ze bogen zich diep over de koperen reling van de bar, de heren in uniform, met hun glinsterende snorren.

'Ik verzoek u dringend, ik smeek, omwille van mijn vader... ik had een meisje moeten zijn... vader zong op zondagmorgen psalmen... zo luid dat zelfs Daniël bang was dat de mensen buiten op straat het zouden horen. Daniël stond elke zondagmorgen vroeg op om een psalm uit zijn hoofd te leren. Op een morgen zei hij alle coupletten van psalm 119 op. Dat duurde zelfs vader te lang. Na twintig coupletten zei hij dat Daniël de rest voor de volgende week moest bewaren.'

Ik bedacht mij.

Ik ging de verwarring nog groter maken. Ik deed de drie open stenen in mijn tweede beker, schudde, draaide de beker om, schoof beide bekers zigzaggend over de bar in de richting van de veiligheidsofficier. Ik blufte.

'Vier vrouwen.'

Dat was je reinste blufpoker. Het kon er liggen, het kon er evengoed niet liggen. De veiligheidsofficier onttrok zich aan de fascinatie door ongezien carré azen door te geven. Carré azen. *Semper virens.* Als ik 's morgens vroeg het pad naar de kwekerij in reed, terugkomend uit de stad, waren vader en Daniël al aan het werk. Vader potte op en Daniël groef in. Mijn broer heeft mij eens gevraagd of ik jaloers op hem was. Nee, zei ik. Jij verdient toch allemaal wat je hebt bereikt. Hij is hoogleraar in de econometrie, heeft een knappe vrouw, een dochter die op Lise lijkt.

'Ik hou van mijn broer, horen jullie dat.' De officieren keken me aan. Als ik ga schreeuwen, heb ik wat gedronken. Die avond konden ze me niet tot bedaren brengen. Ik denk dat ik daarna niet meer in de Rijnbar ben geweest.

Daniël kreeg na een paar maanden argwaan. Hij heeft contact opgenomen met de studieleider van MO-A Nederlands. Ik stond wel op zijn lijst maar hij kon zich niet herinneren mij ooit te hebben gezien.

Tegen Daniël en moeder zei ik dat ik er vanwege mijn scheve nek niet naartoe was geweest. Daniël heeft met de studieleider gesproken en mij opnieuw opgegeven.

Ik kwam in een klein groepje terecht dat van mijn fysiek op de hoogte was gebracht. Met een zekere regelmaat heb ik de lessen gevolgd en in het tweede jaar heb ik enkele absolverende tentamens afgelegd. Daniël kwam algauw met een advertentie die hij uit het *Weekblad voor leraren* had gehaald. In Ede werd een leraar Nederlands gevraagd, tweedegraads bevoegd of studerend daarvoor.

Hij lichtte de rector in en ik schreef een sollicitatiebrief.

Met soldaten die van verlof terugkwamen stond ik op het perron van station Ede-Wageningen. De trein verliet de overkapping en ik volgde de soldaten, die elkaar op de schouder sloegen of in de rug porden. Ik wist wat ze voelden. Ik kende het gevoel van hun verbondenheid.

Ik zou ook gauw vrienden en collega's krijgen. Na al die jaren had ik een sterke behoefte weer in een ritme te komen. Volgens Daniël was ik *nooit helemaal bekomen van mijn jeugd.* Ik leefde van de ene dag in de andere en stelde beslissingen uit tot morgen. Ik had de *gewoonte van het voorlopige* aangenomen. Maar vanaf nu stelde ik me mijn toekomst heel anders voor, echter, levendiger, intenser. Ik ging behoren tot een gemeenschap. Ik vond het aangenaam om mij mijn toekomst zo voor te stellen. Zesentwintig. Een leven dat nog moet beginnen.

Ik liep met de soldaten een trap op, een trap af, passeerde loketten. Het viel me op hoe jong ze waren. Het onwaarschijnlijke karakter van de tocht was alleen maar sterker geworden sinds ik in Velp op de trein was gestapt. Jammer dat moeder mij niet had kunnen uitzwaaien. Moeder was opgenomen in het Velpse ziekenhuis.

Een legertruck reed het stationsplein op en de soldaten stapten in.

Ik was alleen.

De wind woei door een bloeiende kastanjeboom en over een wit tapijt liep ik op een taxi af.

'Het Melanchton College, alstublieft.' Hij zette me na een paar minuten af voor een hoog, licht gebouw, dat aan een plein lag. Ik meldde me bij de conciërge. Hij zei dat ik verwacht werd maar dat de rector in bespreking was. Aan het einde van een glazen gang brandde boven een deur een rood lampje. Hij zei dat ik in de pergola kon wachten.

De bel ging. Begin van gestommel. Drommen leerlingen liepen langs mij heen. Ik wendde mij af zodat ze mij niet konden zien.

'Welkom op het Melanchton,' hoorde ik. Die stem kende ik.

Maar ik kon hem niet zo gauw thuisbrengen. Ik draaide mij om. Een slanke, goedgeklede man, bijna kaal, stond voor mij en stak zijn hand uit. Het kostte me geen moeite in hem Bobby te herkennen.

Mijn collega staat op drie meter van de gooilijn. Een bal van Manhattan-rubber, vijftien pond zwaar – zijn favoriete gewicht – ligt op zijn hand. De bal heeft de omvang van een van die glazen bollen waarin cactussen worden gekweekt.

Ik heb het roze scorevel voor me.

Harry Borggreve beweegt de palm van zijn rechterhand, laat de bal draaien terwijl zijn linkerhand blijft ondersteunen. Hij ademt diep in, tilt de bal op naar zijn kin en richt zijn blik op de kegels in het verlichte platform aan het einde van de baan. Harry, mijn collega geschiedenis aan het Melanchton, heeft stevige blondbehaarde polsen.

Drie lange passen. De linkerhand laat los, de rechter meegetrokken door de plotselinge toename van het gewicht dat hij draagt, helt naar beneden en de bal komt vlak voor zijn knie... hij buigt zijn knieën, de rechter iets meer dan de linker, brengt zijn romp naar achteren, de rechterschouder iets meer dan de linker. Hij gooit. De rechterkant van zijn lichaam wordt met kracht naar voren geworpen en de andere kant naar achteren om het evenwicht te herstellen.

De bal raakt de baan.

('Nooit gooien maar de bal zo laag mogelijk op de baan zetten,' leerde Harry mij. Hij vond kegelen een goede therapie voor mij. Er zijn ook momenten geweest dat ik werkelijk recht voor me uit keek. Dan riep Harry enthousiast: 'Zie je nou wel, je wordt hier helemaal beter.')

De bal rolt zacht in de richting van de kegels. Harry Borggreve heeft stijl en techniek. De reclameborden voor Sourcy-bronwater lichtten op. Strike.

Op de eerste plenaire vergadering kwam hij naast me zitten en stelde zich voor. Hij beantwoordde niet aan het beeld dat ik van een leraar had. Hij was breedgeschouderd en zijn openstaand shirt liet een dichtbehaarde borst zien. Zijn haar was lang en ongewassen, zijn kleren waren onverzorgd. Tijdens de vergadering droeg hij een donkere zonnebril, die hij alleen even afzette toen hij zich aan mij voorstelde.

De staf van de school – rector en conrectoren – zat achter een lange tafel, op een podium. Bobby naast de rector, die hij verving bij afwezigheid. Omdat mijn vriendje van vroeger Frans doceerde en conrector over de eindexamenklassen was, zou ik weinig met hem te maken krijgen.

De rector hield zijn openingstoespraak en vergeleek de docenten met lemmingen die zich om onduidelijke redenen van de rotsen stortten, een wisse dood tegemoet. Daarna stelde hij mij aan de vergadering voor. Hij zei dat ik nog geen ervaring bij het onderwijs had en het komende jaar mijn akte MO-A hoopte te halen. Bobby, vanachter zijn tafel op de estrade, knikte mij toe.

Bobby hier. Het was al bijna de gewoonste zaak van de wereld. Ik kon er nog niet over uit. Bobby was ik helemaal vergeten.

Na afloop van de vergadering nam Harry me mee naar Café

Spoorzicht, dat een aangebouwde zaal met bowlingbanen heeft, de modernste in de streek. Van welke kant je deze plaats ook nadert, altijd zie je in grote neonletters BOWLING CLUB EDE. In het donker zijn ze vlammend rood en werpen schijnsels op de spoorbaan. Vanuit mijn flat kijk ik uit op het Marktplein. Aan de overzijde ligt de school. Ik heb dat direct iets heel bijzonders gevonden van deze plaats. Dwars door de bebouwde kom slingert, tussen lage muren, in lange bochten, een enkel spoor. Het verbindt Ede met Amersfoort. De trein rijdt op enkele meters langs de winkelgalerij waarboven ik woon. Vanuit mijn kamer kijk ik op de trein neer. In de weekeinden kocht ik vaak een retourtje en stapte op het station Ede-Dorp in. De trein komt langzaam op gang omdat de spoorbaan in het begin iets stijgt. Passeert na de markt een melkfabriek. Soms is de begroeiing zo dicht dat een tak wordt afgerukt en een tros bloemen tegen de ruiten plet. Dan komt de trein in vlak bouwland, afgewisseld door percelen akkermaalshout. Aan de horizon liggen boerderijen; ze lijken altijd verlaten. Ik was vaak de enige passagier.

Mijn benoeming hield in dat ik naar Ede moest verhuizen. Het huis in Velp is verkocht. Dat heeft Daniël allemaal geregeld. Moeder was alleen maar voor observatie opgenomen. Ze is niet meer thuis geweest. Twee keer per dag zocht ik haar op. Vaker dan Daniël. Eén keer moest ik verstek laten gaan. Die dag trok mijn nek zo dat ik een paar spierontspannende tabletten had ingenomen, waarna ik in slaap was gevallen. Ik excuseerde me 's avonds tegenover moeder. Ik zei dat ik me niet goed had gevoeld.

'Maar jongen,' zei moeder, 'waarom ben je dan niet bij me gekomen.' Ze sloeg haar dek open. 'Kom bij me in bed.' Moeder, met grote, verdrietige ogen, sprak tegen me alsof ik vier was. Ik had het bijna nog gedaan ook, maar Daniël kwam binnen. Hij begon direct te redderen, gooide oude bloemen weg, ververste water, ging naar de spoelkamer om een betere vaas te zoeken waarin de bloemen wat minder plompverloren zouden staan, kwam even bij ons zitten, vroeg moeder wat de dokter vandaag gezegd had, maakte zich boos omdat er vandaag geen dokter was geweest, ging bij de hoofdverpleegster verhaal halen.

Moeder heeft niets meer gezegd. Die nacht is ze in coma geraakt. Ik herinner me dat ik altijd bij moeder ging staan als ze andijvie spoelde voor de inmaak. Ze haalde de kroppen door drie teilen met ijskoud water en sloeg ze dan uit. Daarna liet ze de andijvie uitdruipen op een schraag. In de eerste teil dreven ontelbare kleine grijze slakjes.

Ik schreef de score in het bovenste vierkantje, links op het roze scorevel. De sweep, met veel geraas, schoof de omgevallen kegels weg en Harry wachtte tot de ball-return zijn vijftienponder had teruggebracht. Ik keek naar Harry, die weer op adem gekomen was. Hij had heldere, blauwe ogen en een rond, ongeschoren gezicht. Zijn hoofdhaar moest eens blond zijn geweest. Nu was het slechts kleurloos pluis. Ik heb hem verteld van mijn herinnering aan de grijze slakjes. Hij heeft ook geen moeder meer. Hij zei dat het bij hem zeker vijf jaar heeft geduurd voor hij zijn moeder niet meer dagelijks miste.

Toen ik thuiskwam zat voor mijn deur, in het trapportaal, een blauwe poes. Ik bukte en aaide haar. Uit aanhankelijkheid drukte ze haar dikke, zachte vacht tegen me aan. Ik vroeg haar waar ze vandaan kwam en ze miauwde, klagelijk. Ik liet haar binnen en maakte een schoteltje melk klaar. Ze dronk gulzig. Ik ben naar de notenbar gegaan, beneden in de galerij. Met de eigenaar kan ik goed overweg. Hij had die blauwe kat ook zien lopen. Was mij niets opgevallen? De kat was blind. Hij had gelijk. Op de plaats waar ogen horen te zitten zijn lege oogkassen. Ik heb de dagen erna nog geïnformeerd hier en daar, maar niemand kon zeggen waar het dier vandaan kwam. Een zwerfkatje. Ze heeft een vast plaatsje voor het raam en kijkt naar buiten. Ik verbeeld me dat ze me ziet als ik van school kom en over het marktplein loop. Ik kan haar niet meer missen.

De eerste plenaire vergadering zou ik opnieuw willen meemaken, uit die oude film zou ik nog graag een paar beelden willen zien... Bobby naast de rector, hoog gezeten; voor hen, in waaiervorm, de rijen docenten; ik naast Harry Borggreve. Hij had zijn donkere bril op, waarmee hij de afstand aangaf die hij tot de school innam. Discussies over de gangsurveillance, over tentamens in de pre-eindexamenklas, over de kerstgratificatie van het o.o.p. Harry legde me uit wat de afkorting betekende. Ik kreeg geen vat op de debatten.

De docentenkamer kijkt uit op de binnenplaats. In een vijver staat op een sokkel een discuswerper. Uit zijn hoofd spuit een fontein. De zon scheen op het water en de druppels veranderden onophoudelijk van kleur. Eerst telde ik de keren dat ze rood werden... De rector vroeg vrijwilligers voor de commissie die de gratificatie aan het Onderwijs Ondersteunend Personeel opnieuw grondig moest bekijken. Ik wilde mijn goede wil tonen door mijn hand omhoog te steken, maar Harry hield mij tegen. Dat gebaar moet Bobby vanaf zijn verhoging gezien hebben.

Harry zei: 'Ben je gek, man.'

Na de rondvraag en de sluiting nam Harry mij mee naar Spoorzicht. De echte clubspelers dragen schoenen half rood en half groen, met banen in de lengterichting. Als ze binnenkomen, verwisselen ze hun schoenen tegen de *special bowling*. De heren dragen een wit overhemd, zwarte stropdas die tussen het tweede en derde gaatje in het hemd is gestopt, een donkere pantalon, zo lang dat de vouw even breekt op de special bowling. De dames dragen een beige linnen rok, met een diepe plooi op de buik, en een bloes in dezelfde tint, met een plooi op de rug. Verplicht wedstrijdtenue.

Wij waren geen lid, deden niet aan wedstrijden mee en moesten elke dinsdagavond vanaf negen uur – de avond van de clubwedstrijden – onze baan afstaan. Dan gingen we aan het raam zitten, keken uit over het plein, terwijl achter ons kegels neersloegen, ballen ratelden, de sweep roffelde.

Morgen begonnen de lessen. Ik verdrong mijn angst. De klas zou in lachen uitbarsten als ze me zagen. Het lachen zou niet ophouden. Om Daniël vooral had ik deze baan aangenomen. Om moeder een plezier te doen, maar moeder was er niet meer. Door Daniël had ik deze baan gekregen. Ik mocht hem niet teleurstellen. Ik kon wel tegen mezelf zeggen dat het allemaal heus mee zou vallen. Niet dat ik dat helder voor mijzelf kon formuleren, maar ik had de indruk dat ik bij voorbaat al verslagen was.

Harry raadde mijn gedachten. Hij zei dat ik me nergens zorgen over hoefde te maken. Ik was een type die *het wel redde*.

Mijn eerste les, in lokaal 95. Eerste verdieping. Op de trap hoorde ik al veel lawaai. Innerlijk rustig stapte ik het lokaal binnen. Ik had niets te verliezen. Ik legde mijn schooltas op tafel, draaide mijn stoel zo dat ik afgekeerd van de klas zat en naar buiten kon kijken.

Een plein, omsloten door de winkelgalerij; aan de rechterkant, achter de winkels, verhief zich de toren van een kerk. Links was een ANWB-kantoor. In een hoek, in een ijzeren kooi, een stapel planken en schragen. Op maandagochtend werd markt gehouden. Een meeuw dook omlaag. Aan de overzijde, op de hoogste verdieping, woonde ik. Het bestuur van de school is mij behulpzaam geweest bij het verkrijgen van woonruimte. De school bezit zelf woningen en ik kon er één huren. Ik vroeg of het wel opportuun was dat ik nu al een woning huurde. Het kon toch zijn dat ik niet voldeed als leraar. Was het niet verstandiger om zelf een kamer te zoeken? Ik zou dan niet afhankelijk van de school zijn. Het bestuur zei dat de rector en zijn staf een goede kijk op sollicitanten hadden. Men had zich nooit echt vergist, behalve... De voorzitter van het bestuur zweeg. Ik begreep dat hij op Harry Borggreve doelde.

De spoorbomen gingen omlaag. Het was een beetje nevelig en de rode lichten op de spoorbomen waren vuurrode tongetjes. Een trein passeerde, onttrok de winkels even aan mijn blik...

Toen richtte ik mij tot de klas, die doodstil was. Een meisje vooraan zei zacht dat ze niet wist welke boeken ze voor zich moest nemen. Ondanks die aardige stem zei ik verstoord dat ik geen tassen op de bank wilde. Ik was hard. Ik richtte mij tot het meisje vooraan en zei dat ze het zekere voor het onzekere had kunnen nemen en alle boeken voor mijn vak had kunnen klaarleggen. Ze gaf toe dat ik gelijk had. Na de les liet ik de leerlingen het huiswerk noteren. Een jongen achter uit de klas liet ik met zijn agenda naar voren komen. Ik controleerde of hij het werk duidelijk en op de juiste plaats had opgeschreven. Met de klas heb ik de bel voor het leswisselen afgewacht. Dat duurde nog een hele tijd. Maar de leerlingen bleven stil, terwijl ik ze doordringend aankeek. Bijna drie jaar ben ik op het Melanchton geweest. Met de leerlingen heb ik nooit conflicten gehad.

In de pauze sprak Bobby mij aan in de smalle gang waar de *ruiven* zijn. Ze hebben een code. Mijn code is PH. Paul Hupkes. Ik kon nog steeds niet geloven dat we nu collega's waren. Ik had eerder verwacht, gezien zijn belangstelling voor skeletten, dat hij zoöloog zou zijn geworden. Of beroepsofficier bij de marine.

'Ça va?' vroeg hij vriendelijk maar uit de hoogte. Ik kon er nog niet veel van zeggen, maar de eerste lessen waren me niet tegengevallen. Er kwamen docenten het smalle gangetje in dat de pergola met de docentenkamer verbond. Hij trok mij mee de garderobe in, tegenover de ruiven.

'Gisteren, tijdens de PLV, zag ik je naast Harry Borggreve zitten. Harry is al heel lang op het Melanchton. Vroeger moet hij een actief leraar zijn geweest. Dat was vóór mijn tijd. Nu zijn we hem liever kwijt dan rijk. Enfin, je kijkt maar wat je met die informatie doet.'

Maar, wilde ik zeggen, ik kan toch zelf... Bobby werd door de intercom opgeroepen.

Mijn beurt. Ik liep naar de gooilijn, hield de bal te hoog en te ver naar achteren. Ik boog mij ook te ver naar voren, compenseerde dat met een draai van mijn heup, wierp twee kegels om bij de eerste worp en zes bij de tweede. We gingen aardig gelijk op, Harry en ik. Het bowlen vond ik ontspannend.

Van het roken kom ik nooit meer af. Een sigaret, heerlijk. Ik houd ervan de rook diep te inhaleren. Ik ben het met je eens, Daniël, dat ik zou moeten minderen. Twee pakjes per dag is te veel. Soms kom ik niet eens rond met twee pakjes.

'Pas alsjeblieft op, Paul. Laat het dan om ons.' Daniëls stem klinkt bezorgd. Hij denkt aan vader die aan longkanker is gestorven. Lise is het met hem eens. 'Probeer voor je dertigste van het roken af te komen, anders lukt het nooit meer. Mij kunnen ze wel honderd pakjes onder mijn neus leggen, het zegt me echt niets meer. En ik heb toch stevig gerookt. Ik draaide toch gauw een pakje Samson per anderhalve dag leeg, in militaire dienst. Ik geef er niet meer om. Een kwestie van willen. *Serieus.*' Dat is zijn favoriete uitdrukking, de laatste tijd. Hij kijkt me aan met de nostalgische blik van de oud-strijder.

Ik ben op bezoek bij Daniël en Lise, en Lisette, hun oudste dochter. We zoeken elkaar geregeld op. Het komt niet vaak voor dat twee broers zo nauw met elkaar blijven optrekken.

Geduldig heeft Daniël zijn leven opgebouwd, met wilskracht en doorzettingsvermogen. De zoon van de kleine bloemist heeft het tot hoogleraar geschopt. Dat was wat hij wilde bereiken en hij lijkt gelukkig.

Soms denk ik: Had hij maar iets meer tijd aan zijn karakter besteed. De gedachte ontglipt me, is niet terecht, slaat nergens op. Ik ben degene die geen karakter heeft.

Lise vraagt of ik iets minder wil roken. Hun kinderen zijn allergisch voor pollen, huismijt en sigarettenrook. Ze vraagt het me met zekere schroom.

Ik heb ze net horen fluisteren in de keuken, Daniël en Lise. Zij: 'Zeg jij nou tegen Paul dat hij niet in de huiskamer rookt. Ik moet het altijd vragen. Ik zit straks met twee benauwde kinderen.'

'Hij doet het niet met opzet, hij denkt er niet aan. Ik heb liever dat jij het hem vraagt. Van jou kan hij het beter hebben.'

Lise reikt me een asbak aan. Asbakken staan, sinds Daniël niet meer rookt, verdekt in hun huis opgesteld.

'Sorry, Lise, ik dacht er niet aan.' Ik maak mijn sigaret uit. Lise heeft groene ogen, maar nu zien ze er grijsblauw uit. Ik zou haar naar mij toe willen trekken. Haar even aanraken. Maar Daniël houdt ons sinds de nacht in de Rijnbar in de gaten.

Ik hoor dansmuziek. Ik moet wel mijn uiterste best doen, maar ik onderscheid muziek. Zou Lise nog weten dat we met elkaar gedanst hebben? Ongetwijfeld. Ook Daniël moet die nacht nog scherp voor de geest staan. Het was Lise die tegen me zei dat we moesten ophouden met dansen, maar ze nam geen enkel initiatief, maakte geen gebaar dat ons van elkaar zou hebben losgemaakt. We waren met een verboden spel bezig, het was voorgoed met onze onschuld gedaan. De muziek houdt op en vertraagd lopen we, hand in hand, in de richting van de bar. Daniël zit niet meer aan de bar en Lise kijkt spijtig om naar de dansvloer. Ze wil dansen, maar de musici zijn al bezig hun instrumenten in te pakken. Ze loopt op de orkestleider toe, zegt dat ze wil dansen. Lise smeekt om een extra nummer. Haar stem is heel dwingend. Ze vleit, ze doet heel verleidelijk. Dat kan ze. De orkestleider laat zich vermurwen, bukt zich om zijn saxofoon te pakken. Op dat moment horen we de claxon van Daniëls auto.

Ik heb Lise kort na die avond gebeld en haar gezegd dat ze de enige vrouw is die mij volledig zou kunnen bevredigen. Het is lange tijd stil gebleven aan de andere kant van de lijn. Toen vroeg ze of ik nog naar vader in het ziekenhuis ging.

Lise schenkt thee in. Ik vraag Lisette naar het schoolwerk. Onvermijdelijk komt dan het moment dat Daniël me uitnodigt om met hem mee naar boven te gaan. Hij wijst me op zijn studeerkamer zijn leren stoel aan. Hij laat mij een tijdschrift zien waarin een publicatie van hem verschenen is. Van het artikel heeft hij een overdrukje voor mij bewaard. Ook mag ik de brieven lezen die hij de laatste tijd uit het buitenland heeft ontvangen. Hij zegt dat zijn werk onlangs geciteerd werd in een Engelse publicatie. Hij begint internationaal door te breken. Dan verandert zijn stem, wordt gehaast, wordt geheimzinnig. Ook doet hij uit voorzorg de deur van zijn studeerkamer dicht. Hij haalt een sleutel uit zijn colbert en ontsluit een geheim laatje.

'Ik heb je over haar verteld.' Hij geeft mij een foto, en rechtvaardigt zich meteen: 'Dan heb je een idee.' Hij blijft naast mij staan. Het is ongetwijfeld een aantrekkelijk meisje. Lang blond haar, lange benen. Een rokje van roze spijkerstof. 'Het rokje heb ik voor haar gekocht. De oorknopjes die ze draagt zijn ook van mij. Ik zou niet zonder haar kunnen, ik zou haar niet meer kunnen missen.' Hij legt de foto weg. Hij kleedt haar aan, siert haar op, zijn achttienjarige vriendin.

'Zo oud als Lisette,' zeg ik. Hij geeft een antwoord dat me onthutst. Mijn broer staat zo ver van me af. Hij denkt dat we elkaar heel na staan. 'Als Lisette nu met vrienden thuiskomt, heb ik daar absoluut geen moeite mee, ik ben niet jaloers op hun jeugd, op hun toekomst, ik ben zelf nog jong.'

Daniël gaat weer naar zijn bureau. Weer een foto. Zijn vriendin ligt naakt op een bed, hoofd opzij, haar in de war, benen gespreid. Mijn broer heeft haar bezeten, heeft onmiddellijk een foto gemaakt. Met die foto wil hij mij verblinden. Hij geurt met zijn verovering. Daniël bergt de foto op. We gaan naar beneden.

Lise wacht met het eten. Op de trap houdt hij mij staande: 'Die laatste foto had ik je niet moeten laten zien. Ik maak je misschien jaloers. Ik had er behoefte aan... ik kan er natuurlijk met niemand over praten.' Vol begrip leg ik een hand op zijn schouder.

'Ik waardeer het juist dat je mij in vertrouwen neemt.'

'Dank je, Paul. Ik weet zeker dat we iemand vinden die jouw nek beter maakt.'

Aan tafel vraag ik wat ze weten van Portugal.

'Vasco da Gama,' zegt Lisette.

'Nog iets anders?' vraag ik.

'Port,' zegt Daniël.

'Maar het moet iets met de geschiedenis van het land te maken hebben.'

Ze denken na. Ik knipoog naar Lise. Die foto zit me dwars. Lise krijgt straks, als ik wegga, een extra zoen.

'In Brazilië wordt Portugees gesproken,' zegt Daniël. Hij is warm.

'Angola was een Portugese kolonie,' meent Lisette, die geschiedenis gaat studeren.

'Valt jullie dan niets op in de geschiedenis van dat land?' vraag ik.

Ze piekeren. Ik denk aan de naaktfoto van het mooie jonge meisje. Daniël heeft de neiging mij alles op te biechten. De biecht, dat is zijn zwakke kant.

Ik heb er al spijt van dat ik over Portugal begonnen ben. Ik heb nooit bijzondere aandacht voor geschiedenis gehad. Ik had ze willen vertellen over Harry's relatie met Portugal.

'Wat is er met Portugal?' vraagt Lise. Ik zeg dat mijn collega daar een kaveltje land gaat kopen.

Ik zal proberen van het roken af te komen. Daniël heeft mij de foto van zijn naakte vriendin laten zien. Wat een kloot...

Ik heb zin om met de trein naar Amersfoort te gaan. Aan de

horizon ligt een boerderij. Is vader daar geweest? Heeft hij dáár preken aangehoord en psalmen gezongen? Heeft hij in deze trein gezeten?

Het Melanchton College is op het eerste gezicht een ondoorzichtig gebouw. De oorspronkelijke school was rond de binnenplaats gebouwd. Daarna waren er verscheidene uitbreidingen geweest. Sommige werden op hun beurt tenietgedaan door verbreding van wegen of aanleg van parkeerplaatsen. Het was een gebouw geworden met gangen en trappen vol onbegrijpelijke vertakkingen, kronkels, bochten. Het leek of de opeenvolgende architecten de indruk hadden willen wekken dat niets strikt noodzakelijk was.

Die complexiteit werkte vandalisme en onoorbaar gedrag in de hand. Het eerste jaar had ik wekelijks de pauze-surveillance met Bobby, hoewel conrectoren gewoonlijk niet worden ingeroosterd voor deze taak. (Het was, denk ik, op Bobby's eigen verzoek gebeurd.)

We hadden onze vaste route. Hij nam de garderobe en de *sluis*, een nauwe trappengang die op de fietsenkelder onder de school uitkwam. Ik nam de gang die naar een tweede, nauwe, donkere binnenplaats voerde waaraan drie niet meer gebruikte noodlokalen lagen. Bij de trap naar de eerste etage kwamen we elkaar weer tegen, liepen samen naar boven, en gingen weer uit elkaar. Zo werkten we de verdiepingen af. Eén duidelijke regel: niemand mocht zich tijdens de pauze in gangen of lokalen bevinden.

Op zekere dag dronk ik met Harry Borggreve koffie in de docentenkamer. Harry vertelde dat hij tussen zijn twintigste en dertigste door heel Europa had gereisd en ten slotte een tijdje in Portugal was blijven hangen. Bobby verscheen in de deuropening van de docentenkamer. Ik was mijn surveillance vergeten. En opnieuw zag hij mij in gesprek met Harry Borggreve! Ik stond di-

rect op, excuseerde mij. Bobby zei dat hij de hele benedenverdie-
ping alleen had gedaan. We gingen dus samen naar boven. On-
derweg raapte Bobby propjes en andere oneffenheden op. Soms,
om hem ter wille te zijn, was ik hem voor en riep: 'Daar achter
die bloembak,' toonde een plastic boterhamzakje of een prop papier. Op de verdieping verlieten we elkaar. Ik liep door de gang,
keek in lokalen. Vanavond zou ik weer op ouderbezoek gaan. Zo
kreeg ik snel een betere kijk op de leerlingen. Van de bezoeken
maakte ik verslagen, die in het leerlingendossier kwamen. Over
enige jaren zou het lyceum nieuwe stijl komen. De eindexamen-
kandidaten kregen dan geen diploma meer maar een dossioma.

Ik bleef voor een raam staan. Voor mij lag het besloten marktplein. Ik zag het raam van mijn flat, maar Pom kon ik niet zien.
De afstand was te groot.

Per avond deed ik twee gezinnen. Door mijn eigen klas was ik
bijna heen. Maar een collega was overspannen geraakt en ik had
aangeboden zijn bezoeken over te nemen. De staf was daar zeer
ingenomen over. Van de rector hoorde ik dat ik er echter geen
taakuur voor kon krijgen omdat dan het hele rooster gewijzigd
moest worden. Ik zei dat ik helemaal geen taakuur wilde, ik had
zoveel vrije tijd. De rector was daar heel verbaasd over.

'En je studie?'

'Met de studie gaat het goed,' loog ik; ik had sinds mijn komst
hier geen boek meer ingekeken.

Ik liep weer door, de handen ontspannen op mijn rug. Het
was alsof ik hier al jaren was. Vlak bij de trap, in een smal gangetje, tussen twee hokken voor schoonmaakspullen, stonden een
jongen en een meisje, verstrengeld. Ik was niet van plan iets te
zeggen. Van mij mochten ze vrijen. Het meisje was groter dan de
jongen. Ze had dezelfde kleur haar als Lise. Ze hoorden mijn
voetstappen, keken op, kusten elkaar opnieuw hartstochtelijk.
Meer voor de grap zei ik in het voorbijgaan, quasi-bestraffend:
'Jullie kennen toch de regels?'

Ze keken niet op. Ik liep het gangetje in, tikte het meisje op haar schouder. Ze draaide zich om, bleef de jongen vasthouden en snauwde: 'Blijf van me af, scheve!'

Ze moesten zich van mij bij de conciërge melden. Hooghartig, hand in hand, stapten ze voor mij uit. Ik kan niet tegen arrogantie. Arrogantie wekt agressie in mij op. Ik had ze beiden op hun bek willen timmeren. Ik heb ervoor gezorgd dat ze een dubbele portie corvee kregen. Bobby was tevreden over mij. Zoiets werkte preventief, meende hij.

Als ik het meisje in de gang tegenkom, glimlacht ze naar mij op een minachtende manier. Ze vindt mij meelijwekkend. Soms, als ze mij uit de leraarskamer ziet komen, wacht ze tot ik haar passeer. Dan legt ze zo veel mogelijk verachting in haar blik. Ik heb op het punt gestaan haar aan te spreken. Ik wilde haar mijn spijt betuigen en mijn gedrag verklaren. Zij dacht natuurlijk dat ik haar geluk niet verdroeg. Ik heb het niet gedurfd. Wat kon ik haar uitleggen? Waar zou ik moeten beginnen? De vergeten surveillance... Bobby hier... Als Pietje de Heer niet verdronken was, zou ik haar dan ooit zijn tegengekomen?

Ik heb alle gelegenheid gehad om met haar te praten. Het laatste jaar op het Melanchton had ik een van de noodlokalen in gebruik genomen. Zij studeerde vaak in een van de lege lokalen aan die doodlopende gang. Misschien had ik toen al te zeer mijn belangstelling voor de school verloren. Jammer dat ik je niets meer kan uitleggen. Je kwaadaardige manier om mij te blijven achtervolgen heeft me meer gekwetst dan ik kan zeggen. Terwijl ik onder mijn appelboom lig en mijn linkerwang mij nog steeds hindert, draag jij van mij een verkeerd beeld mee. Ik weet niet eens je naam. Jij zult er waarschijnlijk nooit meer aan denken. Mij zit het meer dan dwars, op dit moment.

Ik heb zin in een mooie, door moeder opgepoetste roodgouden goudreinet. Niet zo'n smakeloze, in serie bereide vrucht uit een appelfabriek, maar een appel met de geur die ik daarnet in mijn neus kreeg. Een appel met een glimmende donkerrode koon en bij de steel meestal een houtachtig plekje. Het geluid van mijn tanden die in een rijpe goudreinet bijten... ik zou gered zijn als dat meisje mij zo'n appel zou aanreiken...

Ik hoor snelle stappen die langzaam dichterbij komen. Als in die films waar je paarden ziet galopperen zonder dat ze vooruitkomen, met de illusie dat ze zich ter plaatse staan uit te sloven.

'...dat hij pijn heeft?' versta ik.

Ik zou Lise willen zeggen dat ik niets heb en dat ze naar huis kan gaan. Ik lig hier toch goed. Ik heb geen pijn. Het praten om mij heen neemt af, verdwijnt. De gesprekken verhinderden mij om daarginds, in de verte, het vertrouwde op en neer golvende geluid te horen dat op het piepende kermen van een golfplaat lijkt die je heen en weer zwiept. Door de stilte vlak bij mij wordt dit tweede geluidsniveau veel sterker, komt op de voorgrond. Ik zou zeggen dat ik doof was, zonder dat hoge golven. Dan opeens, heel dicht bij mij, schalt een stem in mijn oor: '...nee, geen reflexen... in diepe slaap...' Ik begrijp er niets van. Men slaat tegen mijn wang. Niet eens zo zachtjes. Weer wordt geschreeuwd. Ik ben niet doof! Maar ik kan zo geen woord onderscheiden. Dat is toch bespottelijk! Ik begrijp het nu maar al te goed... Ze zijn bang dat ik niet meer wakker word. Maar ik slaap helemaal niet. Dit is echt belachelijk. Ik ga nu mijn ogen opendoen. Ik moet absoluut mijn ogen opendoen.

Afschuwelijk bang.

Iemand zegt: 'Hij beweegt.'

De geluiden en de woorden hebben mij verdoofd. Een ongewenst visioen glipt mijn gedachten binnen. Vanaf het moment dat ik besef in gevaar te zijn, denk ik abnormaal snel. De buitenwereld slaagt er niet in mij bij te houden. Beter zo. Ik heb geen zin om te praten, uit te leggen, te bewegen. Ik zou alleen mijn hoofd anders willen leggen. Maar eigenlijk is dat van latere zorg.

Dat drama met Dikkie van Rumpt uit 1C! Ik had het verbannen naar de grenzen van mijn herinnering. En daar is het nu! Zo onweerstaanbaar dat ik te zwak ben om het terug te dringen. Dikkie viel in klas 1C vanaf de eerste dag op. Zolang ik hem heb meegemaakt, droeg hij een goorwitte trui waar hij voortdurend aan zat te sjorren. Als ik hem aansprak, schudde hij een beetje met zijn hoofd, maar hij wist nooit wat er in de les behandeld was. Ik besloot zo snel mogelijk zijn ouders een bezoek te brengen.

Dik woonde in de Winkelhaak, een oude straat met duplexwoningen. Achter de huizen liep de spoordijk schuin weg. Het gaf de straat en de huizen een scheve indruk. Achter de spoordijk begon het industrieterrein.

Kinderen hadden de boomroosters weggehaald om knikkerkuiltjes te maken. Op straat werd aan auto's gesleuteld waarvan voor- of achteras op omgekeerde kisten rustte. Op een afgetrapt veldje met bouwketen jakkerden bromfietsen. Het huis waar Dikkie woonde was het enige huis waarvan de ramen gesloten waren, het enige huis waar de bewoners niet buiten zaten. In het tuinpaadje stond een Honda. Ik haalde een map uit mijn fietstas. Een balpen die ik ertussen had gelegd gleed eruit, viel via de klep op de grond en rolde in de goot. Van alle kanten werd naar mij gekeken. Ze moesten me aanzien voor een controleur of een verzekeringsagent, in ieder geval iemand die in deze straat wantrouwen moest opwekken. Iemand die bovendien zijn hoofd scheef had staan! Ik raapte de balpen op. Een man, met één been gebogen, lag me half van onder een auto aan te kijken.

Ik liep langs de staalblauw flonkerende Honda, met een zit vol kopspijkers. Een verveloze deur; bel noch naamplaatje. Uit de brievenbus hing een rafelig touw. Een buurman die met zijn handen over de leuning van een huiskamerstoel zat en mij geen mo-

ment met zijn blik had losgelaten sinds ik van mijn fiets was gestapt, zei dat ik aan het touw moest trekken.

De deur naar de huiskamer stond open. Ik zag alleen een
vrouw, met kort zwart haar, die breeduit schuin op een divan zat.
Ze was dik, had een zware hals en keek tegelijk apathisch en aandachtig naar een hoek van de kamer waaruit geruis kwam. Ik
klopte op de openstaande deur en liep de kamer een eindje in. In
de hoek zat een man aan de knoppen van een toestel te draaien.
Het vooraanzicht was bezet met een rij witte schakelaars en langwerpige lampjes die aan- en uitflitsten.

Ik stelde mij voor.

De vrouw zei tegen haar man dat ik de leraar van Dikkie was.
De man nam mij een moment op, niet nieuwsgierig, niet wantrouwend, volmaakt onverschillig. Een rij lampjes sprong tegelijk aan, geruis werd sterker, stemmen...

Een donkere zone...

Aan Dikkie had ik mij sterk gehecht.

Alleen Harry Borggreve vraagt soms hoe het me gaat. De anderen vinden die scheve nek blijkbaar de gewoonste zaak van de
wereld. Ik vind dat zelf eigenlijk ook. Ik heb altijd pijn. Daniël
heeft contact met een professor in Nijmegen, die gespecialiseerd
is in spieraandoeningen.

'Stelde geen bal voor,' mompelde de man binnensmonds. 'Een
dronken gabber op de Parallelweg.'

Van de vrouw moest ik op de divan plaatsnemen. Ik zei dat ze
zich maar niets van mijn map moesten aantrekken, ik kwam alleen kennismaken.

'Ik zou u ook graag een paar vragen willen stellen. Niet voor
het archief van de school of zo, maar voor mijzelf, zodat ik wat
meer kijk op Dikkie krijg.'

'Dikkie is overgevoelig,' zei ze direct. 'Heel teerhartig, hè, Van Rumpt?'

Van Rumpt draaide aan zijn toestel waaruit opgewonden stemmen klonken. De vrouw draaide zich traag naar mij toe en zei dat Dik zijn konijntje had laten vallen en dat nu zijn ruggetje was verlamd. Ze had ogen die intriest zouden zijn geweest als ze niet zo afwezig hadden gekeken.

Dik stond buiten, in het raamkozijn. Ze riep dat hij het konijntje moest halen. De meester was er. Hij kwam met zijn konijntje de kamer in. Het dier zag er niet florissant uit: zijn oren lagen plat op zijn kop en de huid schemerde tussen het witte vachtje door. Zij zette het tussen ons neer. Het viel om, bewoog nog even onrustig en lag toen roerloos.

De man riep dat ze het beest weg moesten halen. De vrouw pakte het voorzichtig op en jammerde: 'We laten je niet doodgaan, hè, lief konijntje?' Ze drukte het tegen zich aan. De man riep nog een keer dat het beest weg moest en vloekte. Ze deed of ze hem niet hoorde. Dik stond in de kamer en trok aan zijn trui. De man keek niet meer om naar het konijn, waarvan ik de oren zag trillen. Toen sprongen alle lampjes in één keer aan. De vrouw zei tegen mij dat ze de politie tot voorbij Renswoude konden volgen. 'Van Rumpt gaat ook een portofoonscanner aanschaffen om de fietsagenten af te luisteren. Niet, Van Rumpt?' Hij kwam uit zijn stoel. Een ongeluk bij Veenendaal-De Klomp. Hij rende de kamer uit, startte de Honda, reed het pad af. We konden het geluid van de motor nog heel lang horen. Dik is naar een Pravoschool gegaan. Praktisch werk zou zijn geest wat meer kunnen stimuleren.

Arme Dikkie. Hij is al begraven op de begraafplaats aan de Asakkerweg. De kinderen in de klas zeiden mij na de herfstvakantie dat Dik een ongeluk had gehad. Hij was op slag dood geweest. Ik ben die dag naar de Winkelhaak gefietst. Er was niets veranderd. Zij zat schuin op de bank, hij had doppen in zijn oren en probeerde het geluid helderder te krijgen. Een helrood lampje brandde. Ze zat met het konijn op schoot. Ik gaf eerst hem een hand en hij keek mij verlegen aan. Dikkies moeder streelde het konijn. Er kwamen berichten door in de benauwde kamer, die in geruis smoorden. De blik van de vrouw was peinzend en op een punt ergens boven de apparatuur gericht. Ze aaide het dier met haar twee grote handen. Ik zag dat de halsspieren van de vrouw zich spanden. Ze zuchtte diep en daarna was haar ademhaling anders. Met haar grote handen hield ze het kopje recht, maar wij wisten alledrie dat het met dode ogen de kamer in staarde.

'Arme Dikkie,' zei ze.

Van Rumpt was er eerder bij geweest dan de politie.

Vader leefde nog. Aan het eind van een nacht verliet ik de Rijn-bar. Ik had mijn auto op het Nieuwe Plein geparkeerd. Ik was zo dronken dat ik tegen de kademuur moest leunen. Eerst op één hand plat tegen de muur, dan op de andere, mijn schouders op-trekkend bij elke verwisseling van mijn hand, als bij het zwem-men op je zij. Ik herinner me op dit moment, heel levendig, deze *overarm* van een dronkaard – ik zwom tegen de stroom in, ik zou er jaren over doen om bij mijn auto te komen. Het is buitenge-woon wat ik in sommige perioden van mijn leven heb kunnen drinken. Daar denk ik nu aan, met op de achtergrond het op en neer golvende geluid – Daniël en vader stonden op het Nieuwe Plein 's morgens om vijf uur bij mijn Renault Dauphine te wach-ten. Vader zei heel kalm: 'Je bent een onwaardige zoon.'

Daniël ververst bloemen aan moeders bed. Moeder duwt haar ene hand in de palm van de andere om het trillen te beletten. Ik heb mijn hand – mijn smalle maar zo rustige hand – op de hare gelegd en hield ze met zachte dwang gevangen. Ik weet niet of moeder mijn gebaar in de gaten had. Ze keek naar haar handen die half verborgen waren door de mijne en probeerde mijn aandacht erop te vestigen. Ik bedwong het beven. Moeders fijne handen hebben dikke, gezwollen bloedvaten, waarin het bloed in een onregelmatig ritme klopt, een ritme dat niet meer bij dit uitgemergelde lichaam lijkt te behoren. Moeder staarde boos naar dit autonome bestaan van haar hand, naar dit innerlijke tumult.

Ze sluimerde in. Je zag haar langzaam wegglijden. Haar verbleekte ogen drukten verre verwarring uit. Daniël was gelukkig bezig bij de wastafel. Ik drukte vlug haar hoofd tegen me aan. Bij het raam ligt een dame die elke dag tegen moeder zegt: 'Mevrouw, u heeft het getroffen met zo'n zoon.'

Ik heb de machinerie van de bowling club mogen bekijken. Ze bevindt zich ondergronds, aan het einde van de banen. Over de hele breedte. Er zijn grote getande raderen. Ze laten de sweeps, die de kegels optillen, synchroon lopen. Cilinders zuigen de kegels uit de kuil. Mechanische armen plaatsen de kegels op de plaats waar ze horen. Hefplateaus zetten de Manhattan-rubberbal weer op het rollend tapijt en brengen hem na een lange onderaardse tocht terug bij de speler. Indrukwekkende machinerie. In geen verhouding tot het spel.

Harry is allang naar Portugal vertrokken. Bijna een jaar al heb ik het zonder hem moeten doen. Hij heeft zelfs mijn afschuwelijke ruzie met Bobby niet meer meegemaakt. Ik wist dat Harry erop vlaste om zo snel mogelijk hier weg te komen. Maar ik dacht dat het zo'n vaart niet zou lopen. Wat mij heimelijk griefde als hij mij zijn plannen ontvouwde?

Nooit zou hij zeggen: 'Jammer dat ik jou daar niet zal zien.' Of een opmerking in die geest. Zijn gedachten waren maar op één ding gericht: Portugal.

Kort na zijn vertrek verschanste ik mij in noodlokaal E, ver van het schoolrumoer, ver van het schoolgebeuren. Op nog geen vijftig meter afstand van mijn flat lag Café Spoorzicht. Ik kwam er nooit meer...

Van een afstand zag ik de bowling als de buik van een grote vis en wij tweeën, Harry en ik, zaten erin. Altijd gelijke warmte; het donkere grommen van de machines; de echo's van de roffelende ballen. De sweep was de muil en de witte, rood afgebiesde kegels, overstroomd door fel licht, stonden geplant in zijn dubbele kaak die niet ophield open en dicht te gaan. Wij wierpen onze rubberballen in de richting van de glinsterende tanden, in een absurd verlangen om uit de grote vis te ontsnappen. We braken ze, maar ze groeiden direct weer aan. We zouden hier altijd moeten blijven.

Op alle banen waren spelers in actie. Twee tegen twee, drie tegen drie, ja zelfs vier tegen vier. Wij speelden altijd tegen elkaar, Harry en ik. En na tien spelletjes hadden we er opeens genoeg van en gingen we aan het raam zitten, zagen de zon ondergaan, keken naar de trillende lichten van de bijna lege trein. Ten slotte kreeg alleen de spoorbaan nog licht van de ondergaande zon. Dan haalde hij zijn zakatlasje van Portugal tevoorschijn en wees aan waar zijn plekje Portugal jaarlijks een vierkante meter groter werd. Hij spaarde tot zijn kavel groot genoeg zou zijn voor zijn caravan. Nog een jaar als het meezat.

'Nog een jaar, Paul. Dan ben ik weg. Nooit meer correctie, nooit meer krijtvingers, nooit meer Bobby's gezicht. 's Morgens vroeg in het zonnetje, 's middags een siësta achter de caravan en 's avonds een glas vinho verde.'

'En als je geld op is?'

Hij heeft een vrouw van wie hij gescheiden leeft en hij heeft kinderen. Hij spreekt nooit over hen. Ik weet alleen dat een deel van zijn salaris opgaat aan alimentatie.

'Ik heb alle rijbewijzen. Ik weet dat er in Portugal gebrek is aan vrachtwagenchauffeurs. Ik werk 's morgens, dan heb ik nog de dag voor mezelf.'

Nee, onze vriendschap speelde geen enkele rol in zijn plannen. Harry weet alles van Portugal. Lange tijd is hij door het land getrokken en heeft met veel mensen gesproken. Volgens Harry is het niet zo leuk om als Portugees geboren te worden, want je behoort dan tot een volk dat zijn belangstelling verloren heeft. Hij gelooft ook dat andere volkeren hun belangstelling aan het verliezen zijn. Dan denkt hij in het bijzonder aan de Italianen en de Fransen. Maar hij denkt aan die dingen zonder daar veel belang aan te hechten. Zo is Harry Borggreve sinds hij zelf alle belangstelling verloren heeft. Zijn dissertatie heeft hij in het Frans geschreven: *Le déclin du Portugal.* Hij hoopte daarmee sneller internationale erkenning voor zijn onderzoek te krijgen. Honderden dichtbeschreven pagina's. Hij heeft ze thuis in zijn la liggen, heeft hij mij verteld. Ik heb ze nooit gezien. Zijn dissertatie is goedgekeurd, maar hij is niet gepromoveerd. Hoe kon een machtig koloniaal imperium zo snel aftakelen en voorgoed inslapen? Harry heeft aangetoond dat het moederland te klein was om zo'n imperium in stand te houden. De veroveringen zogen het land leeg en de inkomsten kwamen alleen bij een paar rijke families terecht. In Portugal bestond geen middenstand om het veroverde land te exploiteren.

Toen het proefschrift zijn voltooiing naderde, is hij als vanzelf zijn belangstelling voor het onderwerp kwijtgeraakt. Hij heeft het nog wel afgemaakt, maar zonder enthousiasme. Hij bleef gegevens over dat land verzamelen maar deed er niets meer mee. Hij had het soms over Portugal met mij. Dan sprak hij over de *heilige inertie* van dat land. Soms vroeg hij zich af waarom hij geleidelijk aan zijn belangstelling verloren had. Ik geloof niet dat hij veel belang aan die vraag hechtte, ik heb hem tenminste nog nooit een poging tot een antwoord horen formuleren.

'Paul,' zei hij vaak, 'er zijn volkeren die boffen en je hebt pechvogels onder de volkeren. Je hebt volkeren die het goed gaat en opeens keert het tij. Portugal is een sterk, gretig, inhalig volk geweest en het is traag en passief geworden. Het is als met sommige mensen.'

Ik luisterde graag naar mijn vriend die zo gepassioneerd over zijn verloren belangstelling kon praten.

'Wist je,' zei hij vlak voor hij wegging, 'dat er in Portugal een fluit bestaat waarvan de toon slechts hoorbaar is voor wie erop speelt?'

Absolverend... absorberend... Bobby had om mij moeten lachen. In de pauze van de PLV kwam hij op me af.

'Die was raak, Paul. Je gaf je collega's mooi op hun neus. Ik moest echt om je lachen, Paul, je doet in de groepsdiscussie geen mond open. Natuurlijk werd die term verkeerd gebruikt: iedereen had het over absorberende tentamens. Goed dat je er wat van gezegd hebt.'

Ons gesprek werd onderbroken. Een jonge vrouw kwam de pergola binnen. Bobby stelde Jetty aan mij voor. Ze had een fijn, bleek gezicht dat bijna helemaal schuilging achter donkere krullen. Ze kwam Bobby zijn brood en een sinaasappel brengen.

Sindsdien ben ik Bobby's vrouw vaker tegengekomen, op de markt, in de notenbar. Altijd vraagt ze belangstellend naar mijn studie. Ik mijd haar. Ik kan toch niets over mijn studie meedelen.

Jetty nam afscheid van ons. Bobby zei dat ik tevreden kon terugzien op dit eerste jaar. De staf waardeerde de extra lessen aan leerlingen die door ziekte achterop waren geraakt. Ook van de ouders kwamen goede berichten. Hij had gezien dat ik me ook al had opgegeven voor een correctieve functie bij de schoolkrant en voor de surveillance op schoolavonden. Die dingen vielen ook naar buiten toe op. Ik droeg bij tot de goodwill van de school.

We stonden zo te praten voor de open deuren van de pergola.

Een windvlaag bracht de verdachte hitte van een onweersbui. Bobby legde een hand op mijn schouder en liet die op mijn schouder rusten.

'Gekke vent ben je,' zei hij. 'Je doet alles voor de school en toch blijf je afstand bewaren.'

Ik stond op het punt te ontkennen toen de conciërge omriep dat de discussies plenair in de docentenkamer werden voortgezet.

De rector deelde mee dat het o.o.p. verdeeld was: de conciërge weigerde de kerstgratificatie omdat hij er een aalmoes in zag; de schoonmakers hadden daar geen moeite mee, zij wilden aan het eind van het jaar graag die *f* 88,- plus verrassingspakket. De stemming werd uitgesteld tot er meer duidelijkheid zou zijn. *En toch blijf je afstand bewaren.* Die zin heeft mij 's nachts vaak wakker gemaakt. Nu ook begin ik het warm te krijgen. Men zegt dat sommige woorden – beschimpingen vooral – aan gewicht verliezen als men ze maar vaak genoeg hardop zegt. Ik heb het geprobeerd en er niets van gemerkt. Ik kon ze wenden of keren, ik kon de opmerking niet anders dan als een diepe belediging beschouwen. Als een veroordeling. Duizendmaal liever had hij tegen mij mogen zeggen dat ik geen orde had, dat ik te weinig proefwerken gaf, dat ik de borden niet schoonveegde voor de collega die na mij kwam... Ik heb hem ook nauwelijks kwalijk genomen dat hij mij nooit thuis gevraagd heeft. Van Harry begreep ik dat Bobby sinds hij conrector was slechts met conrectoren en bestuursleden omging.

Bobby had mij door. Deed ik niet mijn best op school om hem te plezieren, deed ik juist niet alle moeite om hem gunstig te stemmen? Ten diepste ging niet de school mij ter harte. Al mijn werk hier had een verder liggend doel gekregen, vanaf het moment dat ik Bobby was tegengekomen. Ik zocht alleen zijn goedkeuring. Ogenschijnlijk trok ik me niets van hem aan. Ik ging immers openlijk met die onverschillige Harry om, tegen Bobby's zin. Maar in de docentenkamer ging ik bij voorkeur niet aan een tafel zitten waar ik ook Harry aantrof. Ook kwam het voor dat Harry mij in de pergola riep terwijl Bobby mij stond op te wachten. Ik deed dan of ik Harry niet hoorde. Ik denk dat Harry begreep dat ik hem op school, zo onopvallend mogelijk, meed. Hij had gelijk dat hij zich aan zo'n vriendschap weinig gelegen liet liggen wanneer het om verstrekkende plannen als vestiging in het buitenland gaat.

Na de vergadering wachtte Harry mij buiten op. Hij had mij met Bobby en Jetty zien praten. Hij vroeg wat ik van haar vond.

'Niet onknap,' zei ik.

'Ze komt zelden op schoolfeesten,' zei Harry.

'O,' zei ik vaag, nog in de war van Bobby's woorden.

'Je hoort me niet eens,' verweet Harry mij. 'Hij durft haar niet mee te nemen.'

'Waarom niet?' vroeg ik.

'Hij is bang haar kwijt te raken.'

Ik had vandaag geen zin om met hem te bowlen. Ik loog dat mijn broer op bezoek kwam. Harry zou merken dat er iets met mij aan de hand was en als ik hem zou vertellen wat Bobby over mij had gezegd, kon ik zijn antwoord wel raden: Wees blij. Die Bobby heeft dit keer gelijk. Je houdt afstand tot de school. Dat gaat vanzelf bij jou en dat moet ook. Wie wakker ligt van een prop papier of van een toevallig mislukte proefwerkcoördinatie...

Ik wilde niet worden als Harry. Niet zoveel belangstelling verliezen! Ik moet oppassen.

Harry had, geloof ik, door dat ik tegen hem loog. Hij zei tenminste: 'Ik begrijp je.'

Op weg naar huis was ik ongemerkt al bezig om de omstandigheden van een andere nederlaag te reconstrueren. Pom wachtte mij op voor het raam. Ik zwaaide.

Ik weet niet meer waarom ik die middag in september naar het Golfslagbad in Doorwerth ging. Moeder leefde nog. Misschien had ze net in de krant gelezen dat die week de openluchtbaden dichtgingen. Misschien heeft ze er bij mij op aangedrongen iets te gaan doen.

Ik was de enige bezoeker. Bij de kassa had ik gelezen dat het zwembad de volgende dag zou sluiten. De zon scheen of het nog volop zomer was. Ik zat alleen op het grote brandende zandstrand, precies onder de klok die aangeeft wanneer de sirenes gaan. De rode wijzers waren er afgehaald want de machines die de golven maken waren al buiten werking gesteld.

Ik zat onder de klok, op een paar meter van een waadgoot, op enige afstand van het diepe bassin. Schuin voor mij was de kanovijver, met donkergroen water. De rode kano's lagen omgekeerd op de wal. Precies op deze plek had ik met moeder en Daniël gezeten. Ik keek om me heen. De hitte maakte de leegte van het bad nog groter en ik moest me bedwingen om niet te gaan huilen.

Op dat moment hoorde ik iemand over het zand hollen. Een klein meisje kwam op me toe en bleef op een paar meter staan. Het was vast en zeker de dochter van de caissière, want ik had haar bij de ingang zien spelen.

Ik zei dat ze bij me mocht komen zitten. Ze deed een stap, bleef weer stilstaan. Na nog een aanmoediging zat ze naast me. Gelukkig, ik had gezelschap. Ik vertelde dat ik hier vroeger vaak met mijn moeder en broer was geweest.

'Moeder zat de hele dag te breien en hield ons intussen in de gaten. Als ze ons riep, wisten we dat we iets lekkers zouden krijgen. Limonade, een boterham. Soms kregen we geld voor een ijsco. Moeder nam zelf nooit iets.'

Later heb ik beseft dat mijn moeder nooit een badpak droeg. Ze trok haar jurk tot boven de knieën. Aan het einde van de dag had ze een vuurrood gezicht en vuurrode benen. Moeder werd nooit bruin. Andere moeders huurden een ligstoel met een parasol aan de leuning. Moeder zat de hele dag op het gloeiende zand en breide. Ze stond alleen op als de sirene ging en iedereen naar het grote bassin holde om de golven te zien. Elk halfuur ging de sirene.

'De golven duurden maar vijf minuten.'

'Ja,' zei het meisje, 'dat is nog steeds zo. Als je ver van het diepe af zit, ben je altijd te laat.'

'Ik was bang,' zei ik.

'Voor de hoge golven?'

'Nee, ik was bang voor de kleedhokjes.'

Ze keek me ongelovig aan.

'Voor de kleedhokjes?' herhaalde ze.

'Ik was bang voor die platte bakken waarin je je kleren moest leggen.'

'Die houten bakken zijn er nog steeds.'

'Je moest hem afgeven bij een toonbank en dan kreeg je een munt mee. Is dat nog steeds zo?'

'Ja,' zei het meisje. 'Behalve vandaag, omdat het bad morgen dichtgaat.'

'Die munt moest je met een veiligheidsspeld vastmaken aan je zwembroek. Moeder controleerde om de haverklap of we onze munt nog hadden.'

'Als je je munt kwijt bent krijg je je kleren niet terug.'

'Achter die toonbank is een grote ruimte, met stellages. Je bak met kleren werd op een stellage geschoven. Van die ruimte heb ik vaak gedroomd. Als je me belooft dat je er niet van gaat dromen...'

'Ik droom alleen van dieren in een draaimolen. De draaimolen gaat steeds harder draaien en de dieren vliegen eruit.'

'Ik droomde dat ik dood in zo'n platte houten bak lag en toch kon zien wat er allemaal gebeurde. Ik hoorde sirenes. Ik zag de badgasten en ik zag als er andere bakken op de stellage werden geschoven. Ik lag over de rand te kijken, zoals ik later in jeugdherbergen, tijdens schoolreisjes, vanaf mijn stapelbed om me heen keek.'

Ik was in het Golfslagbad en het meisje zat naast me. Aan mijn nek mankeerde toen nog niets. Dat weet ik zeker omdat ik het meisje wilde laten zien dat ik van de hoge toren durfde te duiken. Ik beklom de duiktoren en het meisje stond aan de reling die om het bassin loopt. Ik liep naar het einde van de plank, boog mij over het heldere water, zag de blauwe tegels van de bodem, aarzelde. Ik deed niet meer aan sport, maar elk jaar probeerde ik die tour de force uit te halen. Ik was benieuwd wanneer het moment kwam dat ik niet meer zou durven. Nog een ogenblik en ik ging mij op aangename wijze geweld aandoen. Om mij heen de lege kanovijver, het verlaten strand, de kunstmatige witte koraalrotsen, de wapperende vlaggen bij de ingang. Een zwerm meeuwen slaakte boven de duiktoren tragische kreten. In hun ronde ogen lag agressief wantrouwen. Hun enige uitdrukking.

Ik stond op de rand van de plank, op de rand van een beslissing, bijna vier meter boven het wateroppervlak. Ik strekte mijn armen en mijn tenen kromden zich om de plank, maar een mij onbekende traagheid hield mij tegen toen ik wilde afzetten. De handeling hield als vanzelf op, de reflexen volgden elkaar niet meer logisch op en ik liep terug.

Een paar keer ben ik opnieuw op het eind van de plank gaan staan, maar voor het labiele evenwicht verbroken werd, weigerde een deel van mij om me te volgen. Ik wilde zo graag naar beneden duiken, wilde zo graag in het koude, heldere water terechtkomen. Ik zag het kielzog al voor me dat ik in mijn tocht door het water zou trekken. Ik zag mijn lichaam in het water komen... maar ik stond nog steeds op de plank. Ik wilde zo graag duiken om dat kleine, onbekende meisje te laten zien wat ik kon. Niets lokte mij meer aan op die laatste prachtige dag van het seizoen. Ik had mijn armen al gestrekt, maar een wil van buitenaf wrong zich tussen verlangen en daad en smeekte mij af te zien van mijn duik.

Nee, vandaag niet.

Doodop van het uitstellen klom ik, als het zielige, bibberende jongetje dat ondanks aandringen van de badmeester en aanhoudend smeken van de moeder zijn angst niet kan overwinnen, de trap weer af. Ik was diep vernederd. Het meisje dacht dat ik bang was.

Ik was niet bang. Het had niets met angst te maken. In die tijd deed ik niet aan zelfonderzoek. Ik vergat de gebeurtenis. Jammer, ik had scherper op mijzelf moeten letten. Want ik vermoed dat op dat moment iets wezenlijks met mij gebeurd is. Op dat moment is de Andere geboren, degene die ik nu ben. Op die dag, in het naseizoen, ben ik dubbel geworden. Vóór ik die toren opklom, ben ik voor het laatst van mijn leven alleen en ongedeeld geweest. Sinds dat moment is de nieuwe Paul alleen maar bezig geweest om op stiekeme wijze de eerste Paul te overheersen. Hij kiest voor hem zijn vermaak, zijn seks, zijn alcohol. Sinds dat moment zijn we onafscheidelijk en samen op weg.

Arme Pietje! Met je hoge piepstemmetje, je te lange armen, je veelvoud aan kruinen waaruit donker haar spoot, het scherm zomersproeten rondom je neus. Als je eens wist hoe weinig de man die nu onder de wijde kroon van zijn appelboom ligt, lijkt op de jongen naast je in de klas. Als ik vandaag zou sterven? Als ik vandaag...!

Ik heb nooit begrepen, Pietje, dat je zo snel hebt kunnen verdrinken. Mijn vader zei dat er daar draaikolken zijn die je onherroepelijk mee de diepte in sleuren. Maar, zei mijn vader, je kunt draaikolken de baas worden. Rustig blijven. Vlak bij de bodem verliezen ze hun kracht. Je moet je laten meenemen en er op het juiste moment uit zwemmen.

Een sensatie die ik niet ken, die iets weg heeft van de verdubbeling op de duiktoren. De sensatie gaat gepaard met extra helderheid. Het lijkt of ik met betrekking tot mijzelf een pas achterwaarts heb gezet. Die afstand maakt het mogelijk dat ik mij van buitenaf bekijk. Ik ervaar het als een buitengewoon kostbaar moment.

Het is nu duidelijk. Ik lig in een ziekenhuisbed en ik slaap. Ik weet het zeker vanaf het moment dat ik mij mijn bezoek aan het Golfslagbad heb herinnerd. Al die tijd heb ik getracht om vals te spelen, om mij vast te klampen aan onduidelijke, optimistische argumenten zoals de frisse geur van de goudreinetten, van nat gras, van blauwe bloemen.

Ik had naar mijn eigen, rustige stem moeten luisteren, diep in mij, die mij zei dat ik ging sterven. Mijn eigen stem, dat intieme gemompel waar ik nooit naar geluisterd heb.

Ik heb me vaak afgevraagd van wie nu weer het laatste uur had geslagen. Ik dacht altijd dat de dood meer een zaak van anderen was. Ik sta dus voor mijn eigen einde. Ik hoef me niet langer een rad voor ogen te draaien.

Dat is ook een opluchting. Het vereenvoudigt de zaak.

Tot mijn achttiende ongeveer had ik voor mijzelf besloten om te ontkennen dat alles afliep met de dood. De ervaringen met mijn twee vrienden sterkten mij in de gedachte dat de dood aan mij voorbij zou gaan. Als Henoch was ik een uitverkorene. Ik zou de dood niet zien.

Je moet wel buitengewoon sterk staan om te blijven ontkennen. Ik ben op een dag dat prachtige geloof kwijtgeraakt. Na vaders dood? Na de nederlaag op de duiktoren?

Sinds die tijd berust ik, in het geheim, in het idee van mijn eigen einde. Ik ben mij vanaf dat moment met de dood gaan bezighouden. Dat was het begin van het einde; direct begon de dood zich met mij te bemoeien.

Onder het dansen maakt Lise haar haar los. Het valt lang over haar schouder. Als ze een plotselinge beweging maakt, wordt een fijn, bleek, glad oortje zichtbaar. *You are the sunshine of my life,* vleit ze en ze krijgt de band zover dat ze de instrumenten weer oppakken om dat nummer voor haar te spelen. Net als de eerste tonen zullen klinken begint Daniël te claxonneren.

Lise vraagt: 'Wanneer zien we elkaar weer?'

Vader zei dat ik een meisje als Lise moest zien te krijgen.

Alles is wit en licht. Toch hangt er de zoete geur van urine. Ik hoor flarden van een gezang, gezongen door een roerloze vrouw, met gebalde vuisten. Je moet in gangen van ziekenhuizen alleen recht voor je uit kijken, je ogen vaag, gericht op een ver punt. Vooral vermijden een blik in de kamers te werpen. Als je je nieuwsgierigheid niet kan bedwingen, krijg je een hartig lesje toegediend: naakte onderlichamen, openhangende monden... zieken, in die ultieme overgave, worden weer het kind dat zij waren om aan de dood een pasgeborene aan te bieden. Een larve. Je kunt beter, met je ogen, de broeders en zusters volgen, met hun vlakke, soepele manier van bewegen, met een lichaam waarvan ik veronderstel dat het onder het uniform naakt is.

Met moeder gaat het vandaag iets beter. Ze zit op bed, met het gezicht naar de deur. Zodra ze me ziet, kondigt ze aan dat ze voor de eerste keer sinds de opname erin geslaagd is om zelfstandig een paar passen te lopen. (Moeder die geen moment stil kon zitten, die altijd voor ons in de weer was!) Ze staat erop die heldendaad nog eens te verrichten. Ik hielp haar dus opstaan, hield haar een ogenblik rechtop, mijn open armen rond haar, klaar om haar op te vangen, zoals je dat met een voorwerp doet dat je hebt neergezet zonder al te weten of het evenwicht stabiel zal zijn. Toen maakte ik de weg vrij, schoof een stoel opzij, deed de deur helemaal open, bood mijn handen aan om toch te kunnen steunen.

We kwamen in de gang, zo'n lange ziekenhuisgang met aan weerszijden een houten reling. Je kunt er elk moment wonderen van evenwicht gadeslaan: patiënten, verzonken in een immense krachtsinspanning, bezig hun stappen te tellen, krampachtig en triomfantelijk. Moeder liep, en bij elke twee stappen, als bevrijd van een afschuwelijke slavernij, richtte ze haar gezicht naar mij op – *leeg* geworden door de ziekte, leeftijdloos om mij tot getuige te nemen. Na tien meter liet ik haar omkeren. Ik wilde iets lichts, iets teders tegen haar zeggen en ik zei: 'Je ziet, wat jij mij tweeënvijftig jaar geleden hebt geleerd geef ik je nu een beetje terug. Ik help jou. Ieder op zijn beurt.' En terwijl ik sprak hoorde ik mij die enorme vergissing maken: tweeënvijftig zeggen (de leeftijd van moeder) in plaats van die van mij (zesentwintig). Wat betekende die vergissing? Dat ik weigerde om oud te worden? Vanzelfsprekend, moeder heeft het niet opgemerkt.

We stonden onbeweeglijk op de dansvloer. Lise vroeg opnieuw: 'Wanneer zien we elkaar, Paul?' Ik observeerde haar hals die mager maar stevig is. Niet broos. Lise is geen broze vrouw. We luisterden allen, wij, de musici, de barkeeper, naar Daniëls aanhoudende getoeter. Nooit hebben Lise en ik zo lang, zo dicht bij elkaar gestaan. Ik keek in de richting van het raam, waaronder Daniëls auto stond. Zij hield haar ogen op mij gericht.

Ik zei: 'We moeten gaan.' Maar we waren op bizarre wijze week geworden. Dat enorme kloppen van mijn hart in mijn oren! Ik geloof dat ik beefde. Ik stond te trillen op mijn benen, dat weet ik zeker. Niet van angst. Maar van verrassing: ik was Daniël de baas. Onmiddellijk, in dat verwarde tumult, kwam een ander gevoel bovendrijven. Ik schaamde me. Dit had hij niet aan mij verdiend.

Het claxonneren hield op. We luisterden naar de voetstappen op de trap. Toen hij de bar binnenkwam, trof hij ons, verstrengeld, midden op de dansvloer aan. Hij bleef op de drempel staan. Mijn broer zag er ongelukkig uit. Ik liet Lise los. Ik geloof dat hij zijn mond wilde opendoen maar heb hem geen woorden horen uitspreken.

Die dag zaten we met z'n allen rond vaders bed. Van Lise begreep ik dat Daniël verslagen is geweest. Het is nooit in zijn hoofd opgekomen dat hem zoiets kon overkomen. Na het bezoek maakte moeder een opmerking over de gordijnen in het ziekenhuis. Ze vond ze smerig. Ze vond ook dat de vloer niet brandschoon was. Ik moet op dat moment geglimlacht hebben, want Daniël zei toen: 'Pauls fameuze glimlach.'

Boven de rectorskamer brandde rood licht. Ik wachtte in de pergola. De rector had mij ontboden. Ik wist wel waarom: hij wilde weten hoe het met mijn studie stond.

Bobby schoot mij aan.

'Kom mee. De rector is nog wel even bezig. Hij heeft een delegatie van het o.o.p. op bezoek.'

Hij nam me bij de arm. Zo gingen we de docentenkamer binnen, die op dat moment gelukkig leeg was. Het leek wel of hij me opbracht. Voor het prikbord bleven we staan. Er hingen affiches van docentenverenigingen. Misschien wilde hij me lid maken? Hij wees mij echter op een intekenvel voor het wisseldiner, waarop al twee lange rijen namen stonden. Ik had de lijst niet gezien. Bobby zei dat er ook een aantekening in het docentenboek had gestaan. Ik wist niets te antwoorden. Ik stond altijd zwak. Er waren dagen dat ik het boek wilde inkijken. Altijd was een ander erin aan het bladeren. Of ik vergat het. Ieder werd gehouden het boek bij te houden, dat altijd op een van de tafels in de docentenkamer slingerde. Het bevatte mededelingen van de staf. Maar soms ook een ansichtkaart van een mij onbekende collega, die in de VUT was gegaan en ons nu vanaf een Grieks eiland moed toewenste.

'Zie je nou wel,' zei Bobby. 'Je bent wel verstrooid. Ik merk ook dat leerlingen je in de pergola groeten en je ziet ze niet eens.' Hij heeft gelijk. Ik groet leerlingen zo veel mogelijk. Ik kijk ook wel eens een andere kant op. Je kunt niet elke dag alle leerlingen groeten.

Bobby schreef mijn naam op de intekenlijst. Ik vertelde in de pauze aan Harry wat er gebeurd was. Ik had geen zin om er zonder hem heen te gaan. Met wie zou ik moeten praten? Ik mocht Harry's naam ook op de lijst zetten. Ik stond onder aan de tweede rij. Harry zette ik bij de eerste.

De rector informeerde naar mijn studie. Hij zag heel goed in dat de school mij volledig absorbeerde, maar ik moest wel begrijpen dat ik tijdelijk was benoemd, in het stellige vooruitzicht dat ik binnen afzienbare tijd mijn akte zou halen. Hij kon nog een jaar, ten hoogste twee jaar dispensatie bij de inspectie vragen. Dan zou hij een nieuwe advertentie in het *Weekblad voor leraren* moeten plaatsen. Zover zou het natuurlijk niet komen. Het zou hem tenminste zeer spijten. Ik voldeed. Van alle kanten waren de berichten over mij gunstig. Vooral de extra hulp voor achterop geraakte leerlingen werd genoemd in de gesprekken.

'Ik werk hard,' zei ik tegen de rector. 'Ik moet wel hard werken voor het examen, want de tentamens die ik gehaald heb vervallen na een paar jaar. Ik heb dus een stok achter de deur.'

Ik kreeg nog een compliment voor de inzet die ik toonde en hij liet mij uit. De rector moest wel op mij neerzien; even oud als Daniël en, als mijn broer, doctor. Bovendien de jongste schoolleider van het land. Zijn minachting voor mij zal alleen maar groter worden. Ik weet zeker dat ik mijn akte MO-A Nederlands nooit zal halen.

Het voorgerecht zouden Harry en ik bij Bobby en Jetty genieten. Het lot had Harry en mij ook bij elkaar bracht voor het hoofdgerecht. Jetty ontving ons. Ze was in het roze. Bobby was in de keuken bezig. De tafel was ook in roze gedekt. Het paste allemaal bij de krabcocktail die was aangekondigd. We dronken een aperitief, staande voor de openslaande deuren. Ik zag een lege stoel bij een tafeltje met een pakje sigaretten en een asbak.

Ik wilde gaan zitten maar iemand legde zijn hand op mijn stoel. Ik kende hem niet. Ik maakte aanstalten om te gaan zitten want ik dacht dat hij zijn hand voor de grap op mijn stoel had gelegd. Hij zou hem zeker op tijd wegtrekken.

'De stoel is bezet,' zei hij. De toon was arrogant, vastbesloten. Ik was al zeker vijf à tien minuten binnen en had niemand van die stoel zien opstaan.

'O, zijn er hier bezette stoelen,' riep ik nogal luid. Ik maakte een quasi-wanhopig gebaar naar Harry, die mij niet begreep. 'Toch mag jij hier niet gaan zitten,' zei de man.

'Jij denkt dus... Zo, zo...' Ik liet mijn drift kalm groeien. Ik sprak bijna als voor mezelf. 'Jij denkt dus dat...' Mijn stem klonk wel erg ver, erg onecht. Ik hoefde nu alleen nog maar te wachten. Ik wachtte op het moment dat ik ging slaan. 'Zo, zo... dus...' Ik kon mijn zin niet afmaken. Ik sloeg hem onverwacht zo hard mogelijk in zijn gezicht. Hij viel van zijn stoel. Toen hij overeind kwam was ik al vertrokken.

Tegen middernacht kwam Harry mij thuis ophalen. Het feest werd voortgezet op de binnenplaats van de school. Mijn vecht-partij was het gesprek van de avond geweest. Ik had een karate-specialist neergeslagen, de trainer-eigenaar van een bekende sportschool en de man van de pasbenoemde tekenlerares. Hij was na het hoofdgerecht naar huis gegaan omdat zijn vrouw zich niet goed voelde. Ik hoefde niet bang te zijn, ik kon gerust ko-men.

De binnenplaats was versierd met lampions. Men stond om mij heen. Ik was een held. Een paar collega's sloegen mij zelfs op de schouder. Ze vonden allen dat ik een bravourestukje had uit-gehaald. Ik moest mijn verhaal steeds opnieuw vertellen, want men was ook verbaasd. Ik was geen prater, ik bewoog mij onop-vallend door de school. (Tegelijk bewoog ik me door mijn scheve nek juist heel opvallend.) En nu dit.

Ik had nog geen gelegenheid gehad de gastvrouw van het voorgerecht mijn excuses aan te bieden. Net stond ze bij de fon-tein en keek mijn richting uit. Ik wilde die kant uit lopen, toen ik gegil hoorde. Iedereen rende op het geluid af dat van achter de discuswerper kwam. Jetty sloeg met haar rode pump op de gegla-zuurde tegels rond de vijver. Niemand kon zeggen wat er ge-beurd was. Opeens had ze op de grond gelegen. Er stond een kring om haar heen; we keken op haar neer. Onze stemmen of onze aanwezigheid wekte opnieuw onlust in haar op. Verwoed sloeg ze op steeds dezelfde tegel, alsof daar de plek was geweest waar ze ooit geluk had gekend. Moest die plek wakker gemaakt worden?

Ze gooide de schoenen van zich af en kraste met haar nagels over het glazuur. We kregen er allemaal kippenvel van. Welke dikke laag moest worden weggekrabd? Gefascineerd, beschaamd, stond iedereen te kijken. En waar was Bobby?

Hij deed of hij niets in de gaten had, bestudeerde een weelderige tros bloemen van de goudenregen.

De rector trok Jetty overeind. Ze liet hem begaan, ging gewillig mee en liet zich op een bank in de pergola neervallen. De rector gaf het leraren-dixielandorkest opdracht om muziek te maken. Ik liep in de richting van haar bank. Zodra ze me zag, stond ze op, zei dat ze met me wilde dansen.

Kalm en tevreden lag ze in mijn armen en haar bleke gezichtje kreeg wat kleur. Ik vroeg me af wat voor onverhoeds gebaar, welk onvoorzichtig woord zo krachtig was geweest om in de algemene sfeer van feestelijkheid die enorme uitbarsting op te wekken. Had het met mijn uitval naar de karatespecialist te maken? Toen ik met Lise in de Rijnbar danste, spraken we over het onweer dat de hele dag had gedreigd en niet wilde losbarsten. Boven de Rijn zwollen dikke, koperkleurige wolken. Zwaluwen doken op, vlogen langs de ramen, verdwenen direct weer. Lise dacht dat ze bang waren voor het onweer. Ik dacht dat ze insecten achternazaten die zich lieten voortglijden op de warme luchtstroom die van de grond opsteeg. 'Jij laat altijd een deur open voor een nieuwe kans, voor het geluk,' zei Lise tegen mij. Ze zag op tegen mijn ongebonden bestaan. Jetty ligt slechts in mijn armen. Ze zegt niets. Om haar mond zweeft een glimlach. Voor Jetty kan ik geen woorden bedenken. De rector fluistert in mijn oor dat Bobby buiten in de auto wacht. Ze wilde blijven. Ik heb gezegd dat ze om mij naar hem toe moest gaan. Ik had de indruk dat ze op dat moment niet wist wie Bobby was. Ik heb gezegd dat ik haar zou bellen.

Het volgende en laatste wisseldiner heb ik met Harry vanuit Café Spoorzicht meegemaakt. Op gezette tijden kwam er wat levendigheid rond het uitgestorven centrum. De docenten en hun partners spoedden zich naar het nieuwe adres. Ten slotte werd gedanst op de weer door lampions verlichte binnenplaats. Als de lampions bewogen, raakte eerst de pergola en ten slotte de hele school in een lichte werveling. Ik kon de school niet meer zo goed onderscheiden en ik kneep mijn pijnlijke ogen tot spleetjes. Harry zei dat ik op een hoofdfiguur uit een roman van Maynie Reid leek. Dat is typisch voor Harry. Vroeger schijnt hij ook veel avonturenromans gelezen te hebben. Het picareske trekt hem aan. Ik had nog nooit van Reid gehoord. Hij noemt hem vaak onder het bowlen. Ook de romans van Cooper, Jack London, Conrad, Tavernier en Dumas heeft hij mooi gevonden. Nu leest hij nooit meer. Geen boeken en geen kranten. En ook niet de stencils die dagelijks in zijn ruif worden gestopt. Hij bergt ze op in zijn *kerkhof*, zoals hij de onderste la van zijn bureau noemt.

'Waar denk je toch altijd aan?' vroeg ik hem eens toen ik hem weer voor zich uit zag staren.

Hij dacht na over de machine die onze kegels overeind zet. 'Hoe denk je daar dan over na?' heb ik toen gevraagd. We volgden een meeuw in zijn duikvlucht naar de grond. We zagen hoe de meeuw met een krop sla opvloog. Hij zei dat hij een aantal beelden bij elkaar bracht, hij stapelde beelden op elkaar tot het geheel hem coherent leek, tot het geheel bleef staan, tot het was wat hij *gedacht* had. Hij zei dat hij dacht zoals boeren nadachten toen er nog geen tv was.

De laatste tijd staat hij steeds vaker voor de vitrine van het ANWB-gebouw. Ik raak Harry kwijt.

Ik belde Jetty op. Ze zei dat Bobby naar een vergadering van conrectoren was. Ik liep de Paasberg op, waar hun huis staat. Vroeger werden hier de paasvuren aangestoken. Ze moeten in de wijde omtrek zichtbaar zijn geweest. Vanuit de slaapkamer van Bobby en Jetty heb je een panoramisch uitzicht over de heide. Aan de horizon is de heide afgesloten door bossen. Daar is de hemel altijd lichter van kleur en lijkt het of achter de bossen de zee begint.

Jetty was heel verliefd. Later op de middag heb ik ook de andere vertrekken van het huis mogen zien. Ja, Bobby had de hele zolder voor zijn oude hobby ingericht. Geïnteresseerd liep ik langs de overvolle vitrines. Zijn verzameling skeletten was enorm gegroeid. Ik las de naambordjes en ik heb het rattengebit gevonden. Jetty was verbaasd over mijn belangstelling.

'Vroeger kookte Bobby de kadavers schoon in een oude teil,' zei ik. Jetty liet mij de teil zien. Hij stond achter in de tuin. Net onder de rand vielen grote gaten in het zink.

Ik daalde de Paasberg af. Ziezo, ik had met de vrouw van Bobby geslapen. Nooit heb ik aan deze wraak gedacht. Nooit heb ik aan enige vorm van wraak gedacht. Met de vrouw van Bobby geslapen! Wie had dat nou kunnen denken? Het was helemaal van haar uitgegaan. Ik heb er nooit aan gedacht mijn seksualiteit als wapen te gebruiken. Jammer dat ze geregelde omgang wenste. Ze suggereerde dat we elkaar ook op mijn kamer konden ontmoeten. Ik was toch vrijgezel? Ik bedacht een mooie uitvlucht: 'Bobby is een oude vriend. Ik hou er niet van om oude vrienden te bedriegen.' Ze vond mij een klootzak. We stonden op het pad naar haar huis. Ze bleef me dat woord maar naar mijn hoofd gooien. Ik dacht alleen maar: gauw naar Pom, gauw naar mijn kamer. Maar ik begreep haar wel. Ik nam haar ook niets kwalijk. Ze was niet gelukkig met Bobby. Ik had zekere verwachtingen gewekt onder het dansen. Ik had graag op haar verliefd willen worden, maar verliefdheid veinzen kon ik niet. Had ik dat wel gekund, dan zouden we stiekeme ontmoetingen moeten arrangeren. Het is mij fysiek al onmogelijk om mij in allerlei bochten te wringen.

Na wat er gebeurd was op de krib bij het Lathumse veer mocht ik van mijn ouders niet meer met Bobby omgaan. Ze vonden trouwens toch dat het geen jongen van ons soort was. Maar ik verlangde naar hem en ik heb van een afstand naar zijn huis staan kijken om een glimp van hem op te vangen. Ik kende geen spoor van boosheid, noch lust tot revanche. Daarvoor was zijn gedrag te superieur geweest.

Toen, na die gebeurtenis, was ik niet zo naïef mij geen vragen te stellen. Maar ik kan niet vertellen waarom ik toen besloten heb het antwoord op mijn vragen te negeren. Een van de eerste psychiaters die ik op aanraden van Daniël raadpleegde, zei dat ik mij eens moest afvragen of ik *mijn hart niet aan de verkeerde tafel had ingezet*. Bij toeval gezien, wekt een naakte jongen in mij nog steeds een vluchtige, gespannen aandacht, maar ik ben nooit nieuwsgierig genoeg geweest. Of te weinig alert, of te bang, om dat gevoel te analyseren. Toen ik mij de laatste maanden op het Melanchton in noodlokaal E had verschanst, haalde ik, om de pergola en de docentenkamer te vermijden, een kopje koffie via de gymzaal. Ik moest de kleedkamer door en bevond mij dan tussen achttienjarige jongens die zich zonder schaamte uitkleedden of van de douche terugkwamen. Ik betrapte mij erop dat ik de eerste zachte lentedag betreurde als de gymlessen weer buiten op het veld werden gegeven. Wat betekent deze aandacht? Is dat verlangen? Maar verlangen is zo'n week woord. Het geeft niets weer van de snelheid die in dat alarm ligt. Een beeld van mannelijke schoonheid komt in mijn blikveld, een signaal wordt afgegeven. Een donker, ontmoedigend gevoel dat snel wegebt. Meer niet. De woorden dreigen al meer te zeggen dan ze bedoelen. Het is dus wel zeker dat ik dat appèl van mijn lichaam heb verstikt. De laatste psychiater die ik sprak zei plompverloren: 'Was u maar getrouwd, dan wist ik wel een verklaring voor uw torticollis.'

Pom haalt het. *Weer opgestaan uit den dode.* Ik wandelde met haar over het marktplein.

Een meisje zei tegen haar moeder: 'Wat schattig, mam, ze heeft een rood strikje.'

Pom snuffelde altijd op de plaats waar de viskraam staat. Een paar kinderen deden stoeprandje. Ik lette niet op, je hoefde niet op Pom te letten. Ik zat te dromen, dacht aan moeder. Als vrouw tussen drie mannen moest ze eenzaam zijn geweest. Een auto remde. De kinderen schreeuwden.

'Pom!' riep ik.

Ik wist zeker dat ze dood onder de auto zou liggen, want het was een moment doodstil. Ik durfde niet te gaan kijken. Een van de kinderen kwam mij halen. Hij zei dat Pom nog ademde.

Ik knielde bij haar. Ze bloedde uit haar oren, lag hijgend op haar zij. De hals maakte met de romp een vreemde hoek. Uit een diepe wond op haar rug liep bloed dat een plasje vormde op de stenen. De stenen waren droog en zogen het bloed snel op. Ik draaide haar kopje naar mij toe en de tranen sprongen mij in de ogen. De huid was bijna gescalpeerd en hing als een bloederig baardje voor haar gezicht. Zo goed en zo kwaad als het ging heb ik heel voorzichtig de huid over de schedel teruggeduwd en onder die afschuwelijke toupet verschenen haar oogkassen. De kring mensen huiverde.

Harry Borggreve kwam kijken wat er gebeurd was. Hij heeft zijn auto gehaald. Poms hart klopte snel en onregelmatig, maar ik dacht dat ze rustiger werd terwijl ik haar streelde. Harry reed ons naar de dierenarts, die op de Paasberg woonde. Pom lag diep in mijn schoot. Ook uit haar neusje kwamen druppeltjes bloed.

De dierenarts zei dat ik haar bij hem moest laten. Hij consta-teerde ernstige inwendige bloedingen. Haar kaken waren op ver-schillende plaatsen gebroken. Dat was natuurlijk de buitenkant. Die hoofdhuid kon genaaid worden. Die kaken kwamen vanzelf weer goed. Katten zijn taai. Hij wees ons op het roze schuim in de openhangende bek. Haar lever en milt waren gescheurd. Ze maakte geen kans meer. Maar hij zag wel aan mij dat ik haar niet wilde afstaan. Ik mocht haar natuurlijk mee naar huis nemen. Maar kans gaf hij mij niet. Toch kreeg ik een doosje ampullen en injectiespuiten mee. Om de twee uur moest ze een injectie hebben, dag en nacht. Voor ik wegging gaf hij haar een spuitje om de ademhaling wat rustiger te maken.

Thuis heb ik midden in de kamer drie dekens uitgevouwen en een lekker warm nest gemaakt. Vlakbij zette ik een schoteltje met melk en kleine brokjes lever. Als ze er na drie dagen nog niet naar zou talen, had de dierenarts gezegd, moest ik met haar terugkomen. Het had dan geen zin haar langer te laten lijden.

Ik had haar geïnstalleerd en ging mij verkleden. Mijn lichte broek zat onder het bloed.

Toen heb ik de injectiespuit gevuld. Ik stond met de rug naar haar toe, alsof ze mij kon zien. De eerste keer durfde ik niet goed. Ik moest tussen haar ribben prikken. Ik zocht haar zij af naar een geschikte plek. Ze bewoog niet. Na de injectie ben ik bij haar gaan zitten en ik voelde me als een vader bij een ziek kind. Harry heeft naar school gebeld dat ik geen les kon geven. Hij zei dat ik het dier niet alleen kon laten. Ik stond er tenslotte alleen voor. Ik sliep op de bank in de huiskamer, maar durfde niet in te slapen, bang dat ik een injectie zou overslaan. Op de derde dag was ik 's middags even ingedut. Toen ik wakker schrok lag Pom met haar kop in het schoteltje melk. Vanaf dat moment wist ik dat ze beter zou worden. Ik duwde een stukje lever in haar keel en ze slikte het door. Ik heb haar toegesproken: 'We hebben geluk gehad, lieve poes. Over een tijdje wandelen we weer op het plein.' Ze keek me aan. Maar het heeft nog maanden geduurd.

Nu zit ze weer in de vensterbank voor het raam en wacht op mij. Buiten blaast een schrale wind. Ik druk het kopje tegen mijn wang en tast zacht de omtrekken van haar schedel en oogkassen af. We hebben geluk gehad, Pom, echt geluk. Uit aanhankelijkheid duwt ze haar kopje hartstochtelijk tegen me aan. Aan Harry heb ik veel te danken gehad. Hij kwam elke dag langs. Hij hielp mij haar injecties te geven en te voeren. Van Bobby heb ik twee keer een telefoontje gehad. Hij vroeg mij in welke klassen ik proefwerken had opgegeven. Hij liet een leerling de opgaven bij mij ophalen en het gemaakte proefwerk weer bij mij thuis bezorgen. Alles in gesloten envelop. Maar de school mocht niet lijden. Ik voelde mij dus heel schuldig. Bobby heeft niet gevraagd waarom ik afwezig was. Hij nam aan, denk ik, dat het met mijn nek te maken had.

Harry pakte een bal, met de toppen van zijn vingers. Zonder hulp van zijn linker, zonder eerst diep adem te halen, zonder te mikken liet hij de bal los. De beweging was zo vloeiend dat niet te zien was op welk moment bal en werper zich van elkaar scheidden. De bal rolde naar de verlichte rechthoek, niet zacht, niet snel. Harry draaide om zijn eigen as, bleef met de rug naar de kegels staan. Voor het eerst zag ik dat hij de baan van de bal ook niet volgde tot deze in de kegels doordrong en een verbrijzelend geluid veroorzaakte. Hij gooide niet meer om te winnen of te verliezen. De score interesseerde hem niet meer. Tien kegels omver. Strike. Het maximum. Ik prees hem. Ik noteerde.

'Kwestie van geluk,' zei Harry. 'Als je een bal zonder berekening gooit zijn je kansen even groot om de hoekkegel te raken die de andere in zijn val meeneemt, als een van de kegels die alleen valt. De bal kan evengoed in een van de goten rollen en roemloos in de kuil van de machinerie verdwijnen.'

Ik wierp tegen dat de hoek waaronder de bal vertrok toch van invloed was op de score. Hij zei dat handigheid het toeval kon corrigeren maar dat het toeval bleef.

De sweep raapte de kegels op en de score verscheen in verlichte letters boven het plateau. Toen keek hij pas om. Hij had afstand tot het spel genomen.

Ik niet.

Ik bleef lang aan de gooilijn staan, de bal op beide handen, de blik gericht op de *arrows* op de baan. Ik liet de bal los, bracht het gewicht van het lichaam over op mijn rechterarm. Maar de bal gleed niet, sprong uit mijn vingers en raakte de baan met een dof geluid op anderhalve meter van de gooilijn. Daarna kreeg hij enorme vaart. Vijf punten. Zoveel agressiviteit verdiende meer. Ik maakte in de marge van het roze scorevel de optelling van onze laatste partij.

Het scorevel bewaar ik in een la van mijn bureau. Ik zal Daniël vragen of hij het voor mij op wil zoeken.

Wie zullen verdrietig zijn als ik er niet meer ben? Wie staan om mijn graf? Vader en moeder zijn er al niet meer.

...

Een primair gevoel... Is mijn bestaan op aarde zinvol geweest? Daniël. Dankzij hem zal mijn naam nog worden uitgesproken. Paul zei... Paul deed... Paul dacht... Maar ik zal dood zijn en Daniël levend.

Een onaangename herinnering. Na afloop van moeders begrafenis kwam de familie bij elkaar in het Hervormde Wijkgebouw. Gedekte tafels stonden klaar. Daniël had de koffiemaaltijd geregeld. Dat is de gewoonte in onze familie, die groot is en wijdverspreid in het oosten van het land.

We hebben gegeten. De kluiten aarde die op moeders kist vielen, klonken me nog na in de oren. Nooit zal ik de smaak van de rauwe ham vergeten die onze monden kauwden. Heiligschendende rauwe ham. Ik dacht aan moeders blauwe lippen, aan haar voor altijd gesloten mond, die mij nooit een verwijt gemaakt heeft. Wat waren we toch superieur met onze kauwende monden. De ham in mijn mond kreeg een ongekende smaak en op het toilet van het Hervormde Wijkgebouw heb ik overgegeven.

Daniël en Lise houden van mij. Daniël en Lise zullen, na mij, eten. Alleen voor mij houdt het leven op.

Lise zal verdriet hebben als ik er niet meer ben. Haar verdriet zal zwijgend, allesomvattend zijn. Ze zal om mij huilen, lang en bitter, maar zonder iets aan anderen te laten merken.

Met moeder ben ik, een dag na Pietjes dood, naar zijn huis aan de Grindakkers gegaan. Pietjes moeder was bezig, met tranen in haar ogen, om de zakken van zijn broek leeg te halen. Ik herinner me enkele details van die inventaris: een olieknikker, een schroef en dan die aansteker, die altijd naar benzine stonk. Pietje probeerde hem elke dag op het schoolplein aan te krijgen. Soms lukte het en schoot een hoge vlam uit het ding, die zijn duim zwart maakte. Ik kreeg hem van zijn moeder omdat ik zijn vriendje was. Waar is die aansteker nu? Hij heeft lange tijd in een rommelbakje op de keukentafel gelegen. Ik had hem bij Pietje in de kist moeten leggen. Waarom krijgen wij, zoals bij de oude Egyptenaren, geen vertrouwde voorwerpen mee? Ze verzekeren een bepaalde vorm van overleven.

Ik vond de definitie bij toeval in een encyclopedie van de schoolbibliotheek. 'Torticollis. Ook bekend als scheve nek. Een abnormaliteit waarbij het hoofd naar één kant, én omlaag wordt getrokken, zodat de kin in tegengestelde richting wijst. Een erbarmelijke houding. Moeilijk te genezen.'

Voor mij een pijnlijke definitie; ze geeft exact de verwrongenheid weer.

'Bij kinderen is de bekendste oorzaak een aangeboren verkorting van de halsspieren: de positie van het kind in de baarmoeder.' De spieren op de linkerhelft van mijn gezicht trekken. Ik probeer toch steeds zo veel mogelijk vooruit te kijken. Pijn in mijn ogen. Die pijn is nieuw. Ik zou over mijn ogen willen krabben.

Harry Borggreve zit al in Portugal. Toen ik afscheid van hem nam, liet ik me, in een moment van zwakte, ontvallen dat hij maar eens wat van zich moest laten horen. Hij keek me vreemd aan. Hij is geen type dat een brief of ansicht stuurt.

Ik heb het nog wel verwacht. Vooral de eerste tijd, besefte ik, zat ik er echt op te wachten en was ik er ook zeker van dat er iets zou komen. Harry zal niet schrijven. Het had me goed gedaan als hij bij zijn afscheid had gezegd dat hij me daar wel een beetje zou missen. Ik geloof dat hij alleen maar blij was dit vreselijke gat (het zijn Harry's woorden) te kunnen verlaten.

Het was de zachtste winter in jaren. Ik stond voor het raam van de docentenkamer. Een collega zat op zijn zakkalendertje de dagen aan te kruisen die hem nog scheidden van de krokusvakantie. Ik had een tussenuur en doodde de tijd door naar de vogels te kijken die op de binnenplaats zwarte bessen uit de vogelkers aten. De collega stond op, pakte zijn tas en zei dat hij naar zijn klas ging om nog 'enige schijnbewegingen te maken'. Het waren de woorden waarmee hij altijd de docentenkamer verliet om te gaan lesgeven.

Ik schrok nogal toen ik het volgende moment bij mijn mouw werd gepakt.

'Waarom schrik je?'

Bobby stond naast me. Zo kon hij vroeger ook opeens naast me opduiken, met een dood konijn in zijn hand.

'Ik had je niet gehoord.'

'Aan het mijmeren?'

'Ik dacht aan niets.' Hij vroeg of ik meeging naar zijn kamer. Ik liep naast hem door de lege pergola en voelde me een gevangene.

'Wie is die leerling vlak voor jouw tafel, aan het raam?' vroeg hij. Zonder te begrijpen keek ik hem aan. Welke leerling bedoelde hij? Hij glimlachte naar me, zei dat ik me niet schuldig hoefde te voelen.

'Welke les? Ik heb vanmorgen al drie klassen gehad.'

'Je vorige les, in 95. Ik zat zelf in 103, op de derde. Ik had een proefwerk en alle tijd om wat om me heen te kijken.'

'En wat zag je?' Ik kon mij niet herinneren dat ik iets had gedaan dat niet door de beugel kon.

'Op de bank voor jou heeft een meisje tijdens jouw les zitten slapen. Zeker een halfuur. Ze lag met haar hoofd op de bank. Ik wil je niet controleren maar ik had het gezicht op haar.'

'O, dat is Anneke. Die mocht van mij slapen. Haar geval is toch in de staf geweest. Haar ouders mogen haar niet langer thuis hebben. Ze gaat over twee dagen naar een pleeggezin. Ze zit onder de medicijnen. Ze heeft mij gevraagd of ze even met haar hoofd op de bank mocht liggen en ze is in slaap gevallen. Toen ik dat zag, heb ik de klas aan het werk gezet zodat ze rustig kon doorslapen.'

'Waarom praat je nou zo snel?' lachte Bobby. 'Natuurlijk begrijp ik dat. Je hoeft je niet te rechtvaardigen.'

Met open mond keek ik hem aan en dacht: hij heeft gelijk. Ik hoef mij niet te verdedigen. Maar waarom sprak hij mij er dan over aan?

De bel van de pauze ging. Voor Bobby's kamer stonden leerlingen die zich moesten verantwoorden omdat ze zonder briefje van thuis absent waren geweest. Die leerlingen bevonden zich in dezelfde situatie als ik.

Tegen de conciërge zei ik dat mijn overige lessen vandaag niet doorgingen. Ik was ziek.

Thuis belde ik Daniël op. Ik kreeg Lise aan de telefoon. Ze was blij dat ik belde, want we hadden elkaar een maand niet gezien. Ze vroeg naar mijn nek en naar mijn werk op school. Daniël was op het instituut, zei ze.

'Daniël is niet zo aardig, de laatste tijd. Zonder aanleiding kan hij tegen Lisette en mij uitvallen.' Ze zou zeggen dat ik gebeld had.

's Avonds kwam Daniël. Ik zag direct dat er iets met hem aan de hand was. In zijn gezicht was hij magerder geworden, hij sprak gehaast.

Zijn mooie, jonge vriendin had hem verlaten. Ingeruild voor een leeftijdgenoot... Altijd had hij aardige cadeautjes voor haar bedacht. Leuke uitstapjes. Als hij haar verrukte blikken zag, haar stem... alles had hij ervoor over haar te zien... het was niet alleen de seks, Paul, het ging om het wonderbaarlijke van zo'n jong lichaam... *le merveilleux*... ze was altijd vrolijk, snel tot lachen bereid... ze had macht over mij door haar vrolijkheid... ze zag mij als haar speelkameraad... van het seksuele genot maakten ze een lichtzinnige en ruwe vechtpartij... ik kan mij niet meer indenken dat ik zoiets met Lise kan beleven... onze liefde? Het tegendeel van klamme dekking...

O Daniël!... Dat geslaagde leven, die carrière, die mooie Lise, aan de kant gezet, zijn aardige dochter... gezondheid... liep het daar nu allemaal op uit? Op de weigering van een achttienjarige van wie ik me afvroeg toen ik de foto's bekeek: wat heeft ze meer dan Lise, dan anderen?

Niets meer, natuurlijk. Behalve dat zij en zij alleen voor mijn broer het enige niet te verdragen echec belichaamt.

Ik had allang mijn oog laten vallen op noodlokaal E, op de begane grond, aan die doodlopende gang, tussen de hoge blinde muren van de gymzaal en de leerlingenkantine.

Een paar leerlingen hielpen mij het lokaal in te richten. Op de achterwand van hardboard liet ik tekeningen maken. Een Portugees strandgezicht, met een omgekeerde vissersboot en netten, tegen een hardblauwe hemel. Voor de ramen plakte ik affiches die ik bij de ANWB haalde. Niemand kon vanuit de gang in mijn lokaal kijken. Ik vroeg geen toestemming, maar niemand zei iets van mijn verhuizing.

Het lokaal bood mij grote voordelen. Ik hoefde de lange trappen niet meer op. Ik werd steeds banger voor de elkaar verdringende horden, tijdens het leswisselen. Ook hoefde ik niet meer elk uur naar een ander lokaal. De klassen kwamen naar mij toe. Ik schiep mij zo wel een uitzonderingspositie. Aan de andere kant wilde geen docent in die altijd donkere lokalen lesgeven, die als het ware buiten het schoolleven lagen.

Pom kon nog niet zelfstandig eten en drinken. Ook kreeg ze om de paar uur tabletten. Ik heb haar in een mandje mee naar school genomen. De leerlingen keken even gek op maar waren gauw aan Pom gewend. Zij lag in haar mandje, dat naast het bord stond. Wie een bijzondere prestatie leverde mocht haar eten geven. Tot de laatste dag is Pom op school gebleven.

Daniël en Lise. Vijf uur in de ochtend.

'Op een dag,' zegt Daniël, 'werd hij wakker met een pijnlijke nek. Moeder smeerde zijn nek in met Kruschen Saltz. Na een week zat zijn hoofd scheef. De huisarts dacht aan vastgezette kou. Het was vanzelf gekomen, het zou ook vanzelf weer weggaan. Wie hebben we niet geraadpleegd? Een psycholoog, een psychiater, een reumatoloog, een kraker, een acupuncturist, een kruidengenezer bij de Duitse grens. Elke keer dacht ik iemand gevonden te hebben die hem zou kunnen genezen. O, een klassiek geval, als ik met hem binnenkwam. Daar zouden ze Paul wel vanaf helpen. Ze gaven het allen na korte of langere tijd op. De "blokkade" zat te diep. De diagnose was altijd min of meer poëtisch: de stand van zijn hoofd symboliseerde een "omzien naar vroeger" of men sprak van verdrongen tranen... alle tranen die hij niet gehuild heeft.'

'Dat vond ik zelf de meest afschuwelijke en ontroerende diagnose. Maar Daniël, welke tranen? Hij was toch iemand. Er is toch ook een tijd geweest dat hij sterk, sportief en gezocht was?'

'Hij was vroeger altijd omringd door vrienden en vriendinnen. Ik was daar wel eens jaloers op. Als de telefoon ging zei moeder: "Dat is voor onze Benjamin." Moeder was trots op hem. Haar troetelkindje. Ik hoopte dat het telefoontje vader van een heleboel planten af zou helpen.'

'Je moeder heeft hem ook nooit iets kwalijk genomen.'

'Moeder wilde zelfs niet toegeven dat Paul iets mankeerde. Als ik zei dat Pauls nek vandaag veel erger was dan een paar dagen geleden, deed ze heel verbaasd: zijn nek zag er juist heel mooi uit!'

Ze streelden beiden de poes, die spon. Een dichte, donkerblauwe massa op hun bed, die spon.

'De acupuncturist heeft het nog het langst volgehouden.'

'Bijna een jaar. Ik mocht bij de behandeling aanwezig zijn. Trossen naalden in de zenuwknopen van zijn hals, nek, schouder. In de auto viel hij doodop in slaap. Waar de naalden hadden gezeten, verschenen dieprode vlekken. Pas na weken trokken ze weg. Die acupuncturist heeft mij bezworen dat hij Paul helpen kon. Hij had die gevallen in zijn praktijk gehad. Hij had ze genezen.'

'Waarom jouw broer niet?'

'Niemand is erachter gekomen wat hem mankeerde... een blokkade. Wat moet ik me daarbij voorstellen?'

Het is opeens licht geworden in hun kamer. De zon schijnt over het voeteneind. Daniël zit rechtop in bed.

'Ik heb altijd met hem gegeurd. Ik hing tegenover mijn vrienden een schitterend beeld van hem op. Paul, de mooie, onberispelijk geklede jongen. Ik bleef daar zelf in geloven.'

'Net als je moeder.'

'Ja, net als moeder. Tegen beter weten in. Tot iemand hem zag en schrok. Paul was voor iemand die hem voor de eerste keer zag, een misvormde.'

'Je hoeft je niet schuldig te voelen. Die professor zei toch dat het absoluut ongevaarlijk was? Paul was het toch eens met die slaapkuur?'

'Ik verdroeg het soms niet als ik hem met zijn scheve nek hier binnen zag komen. Ik heb ook wel eens gedacht dat hij speelde. Ik had niet op die slaapkuur moeten ingaan. Ik had kunnen weten dat het mis zou lopen... maar het kon niet langer zo. Hij ging niet meer naar school na die affaire met Bobby Scheurleer. Al had hij zijn akte

gehaald, hij zou nooit een vaste benoeming gekregen hebben. Zijn
ogen gingen pijn doen. Eens reden we naar de hei. We gingen op het
topje van de kogelvanger zitten. Dat was een geliefd plekje van hem.
Hij kreeg trouwens steeds meer oog voor de natuur. Vroeger kon hij
geen dahlia van een gladiool onderscheiden. Achter ons groeiden
braamstruiken. Ik stond op, plukte een handvol bramen. Toen ik
weer naar hem toe liep, zat zijn hoofd kaarsrecht. Hij hoorde mij.
Met een ruk trok zijn hoofd scheef, zonder dat hij daar vat op had.'

'Ook in zijn slaap kon hij zulke ontspannen momenten hebben.
We hebben toch een keer samen aan zijn bed gestaan toen hij hier
sliep?'

'Met die ervaringen kwam ik in Nijmegen. Ik had de naam van
een professor gekregen die zich speciaal voor dit soort diepe blokkades
interesseerde. Hij stelde een slaapkuur voor. In het ziekenhuis vond
ik dat hij er heel ontspannen bij lag. Je zag niets aan hem, alsof een
zware last van hem afgevallen was...'

'Maar als je hem maar even aanraakte, verkrampte hij en trok
zijn hoofd scheef... Waarom huilen we om hem, Daniël? Misschien
heeft hij niet meer beter willen worden.'

Torticollis.

Lang nadat de eerste verschijnselen waren opgetreden sprak
een arts in het Radboud de naam van mijn ziekte voor het eerst
uit. Het was geen schok voor mij. Ik was noch verschrikt, noch
verrast. Mijn eerste gedachte tegenover dit officiële feit was: natuurlijk. Ik vond het in zekere zin logisch en rechtvaardig. Ik begreep dat het daarop had moeten uitdraaien, dat ik dat verwacht
had.

Ik zit in de Rijnbar. Daniël staat naast mij. Hij weet mij altijd te
vinden. Zojuist heeft hij mij gezegd dat ik vader en moeder verdriet doe... Ik ben volmaakt helder. Geen hallucinatie, veroor-

zaakt door een ontregeld zenuwgestel. Ik heb genoeg van zijn berispingen.

'Daniël,' zeg ik, 'jij weet dat helemaal niet. Ik heb mij thuis altijd heel onveilig gevoeld.'

Daniël reageert verschrikt. Hij spreekt snel. 'Dat is niet waar, Paul. Vader en moeder hebben alles voor ons overgehad. Zoiets mag je niet zeggen. Je doet ze tekort.'

Die zomer was ik niet toevallig ziek. Ik was het al jaren en die scheve nek vormde slechts de allerlaatste schakel van een lange ketting of anders gezegd het topje van de ijsberg. Wat mij een leven dwars had gezeten zonder een naam te hebben, had er nu een gekregen. Ik had een probleem. Mij werd gezegd dat dat probleem van seksuele aard was. Niet dat ik verliefd was geweest zonder dat mijn liefde beantwoord was, niet dat het niet goed was gegaan in een aantal relaties, niet dat een rivaal mij had verdrongen.

Mijn probleem? Ik was nooit verliefd geweest, ik had nooit relaties gehad. Ik had niet het flauwste vermoeden van de liefde.

Het was dus niet eens een zuiver seksueel probleem maar had te maken met een totale *onmacht van de ziel*. Die gelukkige jeugd die ik zou hebben gehad, was een uitvinding van Daniël. Ik was nooit een gelukkig kind in een gelukkig gezin geweest.

Maar één ding stond vast: ik was een torticolleuze volwassene geworden.

Wie hebben schuld? Misschien is er geen schuldige. Misschien is het de schuld van alles tezamen: mijn karakter, mijn sociale klasse, mijn ouders, mijn intelligente, ambitieuze broer.

'Mevrouw, u heeft het getroffen met een zoon die u zo vaak komt opzoeken,' zei de dame in het bed bij het raam.

Ik had gevoelens van minderwaardigheid. Ik was minderwaardig. Lang niet in alle opzichten, maar wel op een zeer belangrijk punt, het belangrijkste van alle: ik kon niet diep voelen. Dat geeft de indruk van afstand, van verwijdering. Wat het leven mij tot nu toe gebracht heeft zijn bagatellen die niets hebben veranderd aan mijn essentiële gebrek en dat gebrek heeft zich ten slotte lichamelijk geuit.

Iedere zieke wenst dat men hem kan genezen van zijn ziekte en daarmee heeft zijn leven doel. Dat ik een doel had was iets nieuws voor mij.

Kijk, dit ga ik doen. Diep inademen alsof ik een duik neem en mezelf dan dwingen mijn ogen te openen. Mijn pijnlijke wang voel ik niet meer.

Sinds hoe lang? De tijd, de tijd. De tijd betekent niets meer, absoluut niets meer. Hoe lang heb ik nog? In dit halfduister? Wat gebeurt er direct met mij? Daniël heeft het geloof van vader en moeder niet los kunnen laten. Hij staat erop dat zijn dochter met hem naar de kerk gaat. Hij staat erop dat ze met z'n drieën 's zondagsmorgens aan het ontbijt zitten. Hij meent dat hij daar goed aan doet en gelooft dat God ziet wat hij doet, en ook dat hij zo handelt in vaders geest. Als Daniël naar de kerk gaat kent hij een feestelijk gevoel dat hem aan thuis herinnert.

Moeder maakt het ontbijt klaar en vader bidt in de werkplaats van de kwekerij, geknield op de cementen vloer, de handen gevouwen op een zelfgetimmerd bankje. Vaders lippen zuchten 'Heere, o Heere', en met die onuitsprekelijke verzuchtingen in zijn oor voelt Daniël, bewegingloos naast vader, zich opgenomen in een groots en weids geheel van onbegrensde afmetingen, dat zijn individuele leven verre overtreft. Schaduwen rennen elkaar achterna over de ruiten van de broeikassen. Een vlucht duiven? Een stoet wolken? De wereld was immens en je voelde dat God daar was.

In die tijd heeft Daniël zijn barometer gemaakt, waarop boven nul door middel van streepjes alle stadia van genot werden aangegeven – genot als hij een flinke bestelling loskreeg, vreugde als hij met het beste rapport van de klas thuiskwam. En onder nul alle stadia van angst en verdriet: angst dat bij het opstaan vader en moeder dood zouden zijn, angst dat hij in een onbekend huis zou wakker worden...

Die barometer heeft nog lange tijd in een zwart afgeschilferd bakje op de keukentafel gelegen. Waar is dat ding gebleven? Ik zal het Daniël vragen.

Zondagmorgen thuis. Ik lag tot twaalf uur in bed. *'k Roep van het klein gebergt' u aan. 'k Roep daar kolk en afgrond loeit.* Het losbarstende geweld van vaders stem, de welluidende stem van Daniël. Moeder zong altijd onhoorbaar mee, zong alleen met stem als vader boos omkeek omdat hij moeder niet hoorde. Ik hoorde ze vanuit mijn bed. Ze maakten me wakker met hun gezang.

Daniëls leven, in zijn geloof aan God en in zijn liefde voor vader, was voor altijd gewaarborgd. Hij maakte zelfs zijn huiswerk op de kwekerij. Hij, aan de inpaktafel, vader aan de oppottafel. Daniël stalde zijn schriften uit, pakte zijn agenda. Boven hem, op schappen, rollen zilverpapier, spoelen gouddraad, cache-pots van roze en groene crêpe. Aan spijkers hing ruwe, ongekleurde raffia. Als altijd vroeg vader wat hij vandaag aan huiswerk had.

'Engels en geschiedenis, vader.'

'Waar begin je mee?'

'Met Engels.'

'Dat zou ik ook doen,' zei vader. 'Daar zou ik het eerste van af willen zijn. Geschiedenis moet je voor het laatst bewaren.'

Vader had vijf jaar lagere school. Voor vader ging geschiedenis alleen over de Tachtigjarige Oorlog, de vijfennegentig stellingen van Luther, de beeldenstorm. In vaders fantasie had die beeldenstorm een centrale plaats gekregen. Daar draaide de geschiedenis van Nederland om. Vader was er beslist van overtuigd dat de zestiende eeuw bij uitstek een tijd is geweest dat God ons land welgevallig was. Daniël heeft nooit met vader gediscussieerd over deze dingen. Hij wilde vader geen verdriet doen. Ik discussieerde

evenmin maar gunde vader zelfs het plezier niet dat ik zijn bijbellezing aanhoorde.

'Goed,' zei Daniël, 'ik bewaar geschiedenis voor het laatst.'
Dat deed hij ook om vader een plezier te doen.

'Het is maar de raad van een eenvoudig man, jij moet het werk
organiseren zoals het jou goed lijkt. Goed, begin maar met Engels, dan doen we straks samen geschiedenis.'

Vader en Daniël...

De artsen hebben mij niet beter kunnen maken. Maar terwijl de
uiterlijke symptomen bleven heeft zich toch iets merkwaardigs
voorgedaan, iets waarnaar ik misschien altijd verlangd heb maar
dat vóór alles bijzonder is. Op een dag werd ik vrolijk wakker.
Mijn hoofd zat even scheef, maar de staat waarin ik verkeerde
was nieuw. Ik verliet mijn flat aan het marktplein en ik genoot.
Ik kan het misschien zo zeggen: over het geheel genomen begon
ik plezierige dingen als werkelijk plezierig te ervaren en onaangename dingen zoals koude, mistige regen als vervelend op zichzelf.
Vroeger maakte het me weinig uit of de regen neerkletste als ik
opstond, of de wereld in dichte mist gehuld was of stralend
blauw. Nu kon ik genieten omdat de zon scheen en me boos maken omdat ik onverwacht een regenbui op mijn kop kreeg. Nu
was mijn sombere bui te wijten aan het weer en verdween op natuurlijke wijze omdat de lucht opklaarde.

Mijn torticollis. Verdrongen tranen. Dat wil zeggen, alle tranen die ik niet gehuild had en niet had kunnen huilen zouden
zich in mijn nek hebben vastgezet en zouden die verdraaiing
hebben veroorzaakt omdat hun werkelijke bestemming, 'gehuild
te worden', niet had kunnen plaatsvinden.

Het lijkt een afdoende verklaring, alleen al omdat er geen betere is.

Het werd lente. De derde lente die ik op het Melanchton meemaakte. Ik had dus een nieuw lokaal. Ogenschijnlijk veranderde er weinig aan mijn leven. Dagelijks verliet ik mijn flat aan het marktplein, passeerde de bowling, verlangde al naar mijn lokaal, in die uithoek van de school waar niemand kwam. Vaak liet ik in de pauze door een leerling koffie halen, onder het voorwendsel dat ik bij Pom moest blijven. Maar ik wilde mij niet helemaal afsluiten van mijn collega's. Ze waren allen vriendelijk en vroegen soms naar mijn nek. Daarom zat ik in de tweede pauze meestal in de docentenkamer. Een collega hoorde ik vertellen dat vroeger koffie uit Angola werd gedronken. *Koffie verkeerd,* want al het geld kwam terecht bij de Portugese militairen. Men was overgestapt op sos-koffie. Daarmee was ook het gedonder over de gratificatie begonnen. Al die dingen hadden zich voor mijn komst afgespeeld. Daarom begreep ik het verband niet. Omdat ik voelde dat mijn belangstelling voor dit onderwerp aan het afnemen was, luisterde ik met extra aandacht. Maar het gesprek was op de middenschool gekomen. Omdat mijn algehele interesse voor schoolproblemen minder groot was dan voorheen, knikte ik steeds en keek de spreker oplettend aan. Intussen dacht ik aan mijn lokaal. Straks ging ik planten op de markt kopen, die ik in de vensterbanken en op mijn tafel wilde zetten. Geen bloeiende planten; het lokaal kreeg bijna geen daglicht. Sterke varensoorten zou ik kopen. Variëteiten die vader had gekweekt. Die namen ken ik niet.

Op een dag kwam de rector kijken. Hij wierp een glimlachende blik op Pom, die zich uitrekte, bekeek de affiches en de planten, en na mij openlijk lof te hebben toegezwaaid vroeg hij hoe het met mijn studie stond.

Natuurlijk, hij was rector en moest weten voor welke leraren hij advertenties moest plaatsen. Een schoolleider kijkt altijd maanden vooruit.

Ik heb hem gezegd dat ik niet aan studeren toekwam. Ik gaf geen redenen op. Ik kon hem ook meedelen dat de twee tentamens die ik al gehaald had intussen waren vervallen. Ik zou dus helemaal opnieuw moeten beginnen.

Hij zou de situatie met de staf bespreken. Ik had natuurlijk al twee keer dispensatie van de inspectie gekregen. Of het een derde keer zou lukken?

Hij vroeg ook naar mijn nek. Een zacht schrijnen, zei ik. De pijn sudderde al jaren op een laag pitje, onafgebroken. Een zacht schrijnen, waardoor ik mijn nek altijd voelde. Hinderlijk, maar te dragen. Soms, bij een onverwachte beweging, trok een scherpe lijn van pijn door mijn wang, door mijn oog.

Ik zei dat alles goed ging. 'Nee, wat dat betreft...'

'Gelukkig maar. Dat is één ding.'

Niet zo lang geleden zag ik op de tv een executie. Ik herinner me het land niet meer. Een woestijngebied. De gevangen soldaat kreeg zijn laatste sigaret, inhaleerde diep en keek scherp om zich heen. Ik dacht dat hij zijn omgeving verkende in de hoop een mogelijkheid tot ontsnapping te vinden. Nu begrijp ik hem beter. Hij wist dat hij ging sterven en hij keek. Hij liet de beelden niet in een droom op zich afkomen maar ging ze stuk voor stuk tegemoet en observeerde ze *en detail*. Hij legde in letterlijke zin zijn blik op de dingen en ontcijferde ze langzaam. Zijn wereld was beperkt. Een donkere, met hoge muren omringde binnenplaats. Die wereld bood geen grote keuze aan beelden, maar hij wist dat hij voor de laatste keer de kleur van de hemel, de tint van een steen, de beweging van een sprietje korstmos in de voeg van een muur zou zien.

Maar kan ik mijn tijd niet verstandiger besteden? Moet ik niet denken aan mijn ziel? Wat staat mij te wachten? Een sombere afgrond, een vaag Eden? Het Niets? Waarom zou ik niet hopen op een vorm van overleven? Maar welke? Ik ben bang geweest voor de hel. Het was zeker dat ik voor de masturbatie in mijn puberteit een hoge prijs zou moeten betalen.

Op een dag ben ik opgehouden bang te zijn. Ik stelde mij voor dat het leven hierna zich in een mistig, door zwakke schijnsels verlicht park afspeelde waar de doden, blind, ontvleesd, voor zich uit tasten, elkaar onophoudelijk zoeken, aanraken en zich met een schok van elkaar verwijderen. Een eeuwig zoeken en een eeuwig vermijden, een voor altijd gestolde beweging. Dat park was een plaats waar je ieder zou tegenkomen die je tijdens je leven had gekend. In dat schemerachtige park zou ik niet alleen willen ronddwalen. Je zou iemand moeten kunnen uitkiezen. Met de kleine Pietje de Heer zou ik hand in hand een weg willen zoeken. Hij is er al zo lang. Hij kent de weg. En voor we op stap gaan, draaien we ons nog een keer om naar mijn moeder die ons de drukke Hoofdstraat over heeft gezet. Ja, we hebben elkaar te vroeg verloren. Ik zou hem graag willen terugzien.

Ik ga steeds meer van de hei houden. Ik volg een smalle, fossiele weg, die op sommige plaatsen door hoge struiken hei wordt overwoekerd. Hij heeft zijn greep op het landschap allang verloren. Ik kom bij een hoge, afgeplatte wal. Een voormalige kogelvanger van het leger, dat hier vroeger schietoefeningen hield. Soms vind ik hulzen van losse flodders. Ik bewaar ze voor de jongens uit mijn brugklas. Vanaf de kogelvanger kijk ik uit over een vlak terrein dat oploopt naar een beboste kam. Daarachter de zee. De lucht is helder grijs. Een gelijkmatig ruisen komt in mijn oren. De wind smaakt naar vocht. Een konijn springt weg. Dat veroorzaakt lichte opwinding om mij heen. Over de vlakte lopen ribben en gleuven. Ze worden onderbroken door hoopjes witte kiezel. De ribben en gleuven waaieren duidelijk zichtbaar uit naar de kam. Het zijn fragmenten van oude hessenwegen. Preboriale grond. Tienduizenden jaren geleden zwierven hier rendierjagers. Het land geeft een levende suggestie van *richting*.

De zon breekt door. Glinstering op de kiezel. Ik herinner mij de zonnegevechten met Bobby in de klas. Met zakspiegels probeerden we elkaar te verblinden.

De ribben in het plotselinge zonlicht worden de rugvinnen van grote vissen. De gleuven worden diepe nagelkrabben.

In de pergola kom ik nooit meer. Ik bereik mijn lokaal tegenwoordig ondergronds. Via de fietsenkelder en de sluis. Op een dag was ik te laat en nam deze kortere weg, in gezelschap van een paar leerlingen. Dat is een gewoonte geworden. Zo vermijd ik als vanzelf de hoofdingang. Vanaf mijn podium kan ik, staande op mijn tenen, via de hoge ramen van de gymzaal, via de binnenplaats met de vijver, via de pergola, tot aan mijn flat kijken. Met één blik overzie ik mijn wereld.

Op sommige dagen in het naseizoen lijkt het landschap dat mij nu in deze kamer omringt op een zonsondergang over vaders kwekerij. Laag boven de haagbeuk verlicht de zon slechts indirect de boven het land hangende avondmist. De mist steekt glazen druppels op de toppen van sprieten gras. De hemel en de aarde zijn van hetzelfde gladde metaal en vallen samen in een gemeenschappelijke roerloosheid. De stilte is immens en mijn blik zoekt vergeefs, in die ruimte zonder geometrie, een punt om zich aan vast te klampen. Op gelijke afstand van de aarde en de hemel drijft de schoorsteen van de kwekerij. Zo drijf ik in een wereld zonder beweging, zonder contour, zonder herkenbare geluiden, halverwege leven en dood, nog in de ene, al in de andere. Waar is de horizon? Waar een vast punt?

Ik ben altijd vroeg op school. Vanuit mijn lokaal zie ik mijn collega's, de leerlingen en het o.o.p. de pergola binnenkomen. Ik zie dat Bobby zijn treurige strijd voortzet: hij raapt een propje op. Ik zie dat hij zich bij de eerste bel bij de loge van de conciërge opstelt. Zo kan hij gemakkelijk vaststellen of ieder op tijd in zijn lokaal is. Bij de tweede bel, vijf minuten later, beginnen de lessen. Waar hij nog overdreven lawaai hoort, gaat hij kijken. Soms komt hij mijn doodlopende gangetje in om zich ervan te vergewissen of het licht in mijn lokaal aan is. Hij zal nooit binnenkomen. Hij heeft me wel een keer gezegd dat ik me leek te verstoppen. Ik *zie* mijn collega's niet alleen, het treft me dat ik in hun gezichten en gebaren details waarneem die mij niet eerder zijn opgevallen. Sommige docenten zien eruit als honden die alleen in een donker bos zijn achtergelaten. Op weg naar hun lokaal steken ze verbeten hun neus naar voren. Ze dagen de wereld uit. Bij een vakcollega nam ik een tic in zijn gezicht waar. Hij trok met zijn wang. Net of hij telkens een traan moest opvangen.

Ik zag hen en toch was mijn blik niet werkelijk actief. Je zou kunnen zeggen dat ik hen heel scherp *dacht*. Tegelijk besefte ik dat hun bestaan mij niet raakte, dat er een onpeilbare afstand tussen mij en de anderen was.

Harry zei eens tegen mij: 'Jij speelt. Jij gelooft in niets. Mij interesseert dat.'

'Dat ik speel?'

'Dat je plezier hebt in spelen.'

Hij gooide een aantal kegels omver en zei toen dat hij mij in dat spel soms in een ingetogen houding verraste. Hij vond het woord *ingetogen* de juiste term. 'Dan ben je bezig jezelf te bekijken en zie ik hoe goed je je rol speelt. Ik kijk graag naar dat minuscule theatertje van jou. Jij bent een geboren acteur, Paul. Bobby kan niet tegen jou op, Bobby kan er niet tegen als er gespeeld wordt.'

Ik heb zijn standpunt willen bestrijden. Ik dacht dat hij geen gelijk had maar ik wist het ook niet helemaal zeker. Misschien was het wel zo.

Pietje de Heer had de gewoonte om op het schoolplein zijn zakken leeg te halen. Ik herinner me het belangrijkste onderdeel van die inventaris: de aansteker die van zijn vader was geweest. Elke dag probeerde hij hem, omringd door jongens uit de klas, aan te krijgen. Ik zie zijn roodaangelopen duim, met de zwarte roetvlekken. Een steekvlam. Trots kijkt hij de kring rond. We staan in de hoek van het schoolplein, bij de hazelaars. In het najaar zoeken we hier huisjesslakken en doen ze in een lucifersdoosje... Die details komen mij heel belangrijk voor... de geur van de appels die ik straks rook... de campanula's die anders heten... het anonieme schilderij, thuis naast de kastdeur, waarop een rivier staat afgebeeld met een lage horizon; op de voorgrond een terras met hanggeraniums dat de schilder ons maar gedeeltelijk laat zien. Een harmonieus schilderij, in tedere blauwe tinten, waarvoor ik vaak heb staan dromen. Ik stond op het terras, ik keek uit over het water, zonder gedachten... de tinten, de harmonie, het terras zullen met mij verdwijnen.

In onbewaakte ogenblikken leegde ik dagelijks mijn ruif. Ik trof het rooster voor het schoolonderzoek aan. Ik 'zat' bij Bobby. Bobby examineerde, ik luisterde en maakte een kort verslag van het verloop van het examen. Bobby vraagt omslachtig. De kandidaat weet niet welk antwoord nu van hem verwacht wordt. Bobby kan niet tot een concrete vraag komen. De kandidaat raakt in de war. Na het examen wacht de kandidaat op de gang. Wij nemen het protocol door. Bobby vindt dat ik een uitgebreider protocol moet maken. Dan noteren we achter onze hand een cijfer. Zo wil hij het. Onze cijfers verschillen. Ik wil een zeven geven. Hij een vijf. Ik geef toe omdat ik geen ruzie met hem wil. Bovendien ben ik slechts gecommitteerde en heb ik van Frans weinig verstand.

Weet je nog, Bobby, we gooiden vanaf de krib stenen in het water en we keken naar de luchtbellen die na enige seconden aan de oppervlakte uiteenspatten. Geen zuchtje wind. Iets raakt los in de lucht om ons heen. Het voelt aan als frisheid op je gezicht. Blaadjes van een meidoornhaag trillen aan het eind van een tak. Je hoort een bijna onmerkbaar ruisen. Het weiland is bedekt met een laag witte mist. Daarboven wordt de hemel elk moment lichter. Hij is nu wit en blauw tot aan de horizon. In één keer trekt de mist op. Enkele zijdeachtige flarden zweven nog in de lucht, enkele doorzichtige wolkjes haken zich, een fractie van een seconde, vast aan de toppen van grassprietjes. In het water weerspiegelen kleine roze wolken. De stroming tussen de kribben is zo traag dat een drijvende tak minuten nodig heeft om een paar meter verder te komen.

Bobby examineert. Ik maak een verslag. Het examen is afgelopen en de kandidaat moet op de gang wachten. Wij gaan beraadslagen. Bobby vindt weer dat ik te weinig opschrijf. Ik zeg dat het niet korter is dan van collega's voor mij. Ik heb in het protocolschrift zitten bladeren. Achter onze handen noteren wij onze cijfers. Hij een vier, ik een acht.

'Maar dit was echt heel slecht, Paul,' zegt Bobby verbaasd. 'Deze kandidaat begreep mijn vragen niet eens. Je kunt zo'n kandidaat toch geen acht geven.'

Heel kalm zeg ik: 'Je zoekt het zelf maar uit. Ik wil met jou nooit meer examineren.'

Ik verlaat het lokaal, passeer de kandidaat die denkt dat ik hem het cijfer ga meedelen. Maar dan verlies ik alle zelfbeheersing. In het trapportaal begin ik te schreeuwen: 'Nooit meer, nooit meer. Met die...'

Beneden in de pergola werd door dames van de Melanchton Vrouwenclub koffie voor de kandidaten geschonken. De dames keken naar boven. Ik bleef schreeuwen dat ik niets met die Bobby te maken wilde hebben. Ze hebben de rector gehaald.

Bobby eiste genoegdoening. Hij eiste ook een gesprek, in aanwezigheid van de rector. Ik heb geweigerd. Dat was de laatste dag op school. Daniël heeft al mijn persoonlijke spullen uit het lokaal gehaald. Hij had de indruk dat ik me daar voorgoed had geïnstalleerd. Ik had er zelfs een klein koffiezetapparaat. Naast het bord hing een schilderijtje dat op de slaapkamer van vader en moeder had gehangen.

Mij spreekt de blomme een tale,
Mij is het kruid beleefd,
Mij groet het altemale,
Dat God geschapen heeft!

Het gedicht was omringd door een guirlande van voorjaarsbloemen.

Daniël, ik maak me ongerust over de wijze waarop ze mijn toilet zullen maken. Het verplegend personeel kamt de mensen zoals het hun uitkomt. Je weet hoe belachelijk het staat als je haar naar één kant gekamd is. Ik wil niet op een aftandse malagueñadanser lijken. Van vader herinner ik me het niet meer. Hij droeg zijn haar altijd kortgeknipt, maar moeder hadden ze zo toegetakeld, met die loshangende bos grijs haar tegen haar wang gedrapeerd. Een oud jong meisje. Geen gezicht, Daniël.

...

Dode tijd.

Ik heb zin in een sigaret. Alcohol zegt me al jaren niets meer. Ik moet dagelijks een hoeveelheid nicotine binnenkrijgen. Vader brandde nicotine in de broeikassen om bladluis te verdelgen. Hij is een keer bedwelmd geraakt. Daniël heeft hem zien liggen. Hij lag bewusteloos over het tablet, met zijn gezicht in de planten. Alle luchtramen zaten potdicht en hij had de deur vergrendeld. Daniël heeft ruiten moeten inslaan. Hij heeft vader naar buiten getrokken.

Vader lag hoog, midden in de schemerige, slechts door een wandlamp verlichte voorkamer. Vier, vijf mannen in donkere, glimmende pakken zaten om hem heen. Ze baden luidruchtig. Hun stemmen rezen en daalden. O Heere, o aanbiddelijk Opperwezen. Vader kreunde.

De suitedeuren stonden half open. Moeder, Daniël, Lise en ik zaten in de achterkamer, aan tafel. Wij waren buitengesloten van wat zich daarginds afspeelde. We haalden het niet in ons hoofd om bij vader te gaan kijken. Vader was bezig zijn ziel te redden.

De toenemende pijn in mijn ogen belette mij in te slapen. Nooit waren de nachten zo mooi. Het licht had een schittering die mijn ogen verblindde. Ik hoorde er tonen, een trombonesolo, een pianosolo. In school brandde de nachtverlichting. Van het gebouw waren de omtrekken onzichtbaar. Uit de verte had de school iets van een schuimtaart. Ik liep die kant op en zag de pergola met de altijd groene planten die tot het plafond groeien, ik zag de binnenplaats, de ramen van mijn oude lokaal. Ik had zin om naar binnen te gaan. Ik zou die oude route willen volgen en de gebaren maken die daarbij horen. Ik kan de school niet in want ik heb de sleutel bij de conciërge moeten inleveren. Hij zei dat ik ervoor getekend had. Hij liet mij het briefje zien met achter sleutelnummer 16 mijn handtekening. Natuurlijk heb ik die handtekening tijdens een van de eerste dagen gezet. Maar ik moest toen zoveel nieuwe indrukken verwerken. Ik kan me niets meer van dit schriftje herinneren.

Met de regelmaat van de klok springt Pom uit de vensterbank. Dat doet ze sinds ik niet meer naar school ga. Ze loopt met ernstige tred de kamer rond, blijft voor me staan, draait haar kop, met gespitste oren. Ze volgt misschien een geluid dat ik niet kan horen. Het ruisen van de platanen rond het marktplein? Haar weemoedige bescheidenheid ontroert me en het treft me dat ik haar zie in haar functie van waakdier. Soms mompel ik iets in mijzelf: de woorden van een uithangbord, een reclameslogan, woorden zonder enige betekenis. Direct komt ze van haar plaats, beschouwt mij aandachtig, met licht gefronste wenkbrauwen, en legt dan haar kin, als een hond, op mijn knie.

Ik tel de neonreclames. Sommige blijven de hele nacht branden.

Tegen één uur vertrekken de laatste bezoekers van Spoorzicht. De lampen worden uitgedaan. Alleen een zone geel licht blijft rond de bar hangen. Dan wordt het doodstil op het marktplein. Pom en ik zijn de enige overlevenden. Beneden ons ligt de stad, als getroffen door een ongeluk. Een stad die een nederlaag heeft geleden. Echt een stad voor een jonge man als ik, die nergens zijn hart op heeft gezet. Een stad van steen, die je 's nachts doorloopt zonder aan de dageraad te geloven, waar honden wegvluchten achter pilaren, verrast bij het verslinden van een dood dier. Op de hoeken van de straten liggen harnassen en zwaarden. De resten van een verloren strijd. Vreemd dat ik me zo weinig... dat ik me op school geen moment echt overwinnaar heb gevoeld. Het lijkt me... nee, ik kan nou wel tegen mezelf zeggen: kom op, je bent een overwinnaar, maar instinctmatig... nee, ik ben verslagen. Verslagen door het leven.

Bobby, laat los. Ik wil zo niet doodgaan. Ik wil helemaal niet doodgaan! Ik ben bang voor de andere doden.
  Ik zink steeds dieper.
  Dat wil zeggen, ik accepteer. Ik berust.
  Een onduidelijk, vredig gegons komt in mijn oren. Ik zink. Liever: ik zweef, in de stilte, een speelbal van een onzichtbare deining. Ik verwijder me steeds verder van de oppervlakte. De oppervlakte van wat? Gedurende een ondefinieerbare tijd – heel lang, geloof ik – heb ik mijn adem ingehouden. Maar ik kon mijn reflexen niet langer bedwingen. Ik ademde in. Het water stroomde mijn longen binnen. Die eerste inademing was vreselijk. Elke cel kwam in opstand, ging radeloos tekeer. De paniek is al weggeëbd. Gracieus ga ik slierten algen tegemoet. Ik zie ze voor de eerste keer in hun natuurlijke milieu. Niet opdrogend of rottend op de oever, maar nonchalant en traag zwevend.
  Rondom, vanuit de etages van een rots (een rivierkrib?), observeren vissen mij. Om met me te spreken wachten ze op het moment dat ik de laatste luchtbel heb uitgeblazen, dat ik afstand

heb gedaan van de aarde. Ze staan op het punt om tegen me te praten. Op de verschillende verdiepingen heerst grote opwinding. Een onduidelijk geroezemoes, gelijk aan wat je hoort in een schouwburg, vlak voor de drie gongslagen. Een grote vis maakt zich los uit een nis en zwemt in een sierlijk golvende beweging op mij toe. Zijn rode ronde ogen fixeren mij alsof ze me iets proberen mee te delen. De opwinding onder het gehoor neemt toe. De vis wacht, vlak voor mij. Zijn hals beweegt op de plek waar de huid het zachtst is, zijn bek staat halfopen en laat afschuwelijke tanden zien. Met een wonderbaarlijk snelle en soepele beweging draait hij om mij heen, betast me, beklimt me. Hij gaat languit op mij liggen, raakt met zijn kop mijn wang, en rukt, met één beet, mijn linkeroor af.

Ik brul van de pijn. Maar uit mijn van angst verwrongen mond komt geen enkele toon, zelfs geen zacht gekerm. Ik brul in de leegte. Op de tribunes is het lawaai oorverdovend geworden. De vis heeft zich van mij verwijderd. Maar hij draait zich om, fixeert mij opnieuw, zwemt op mijn keel toe. Ik heb het ijskoud. Zelfs de geluiden bevriezen.

Tijd is voorbijgegaan. Ik verlies zo alle greep. Op de achtergrond fladdert een gedachte, ze gonst als een vlieg, zet zich neer. Ik verjaag de gedachte, ze komt terug, koppig... Ik heb het koud. Het geluid dat ik in de stilte hoor, heeft een angstige bijklank gekregen.

Te groene appels gegeten. Buikpijn. Moeder heeft het dek al opengeslagen. Iemand buigt zich over mij. Zolang ik leef, zal ik dat wazige, witte silhouet niet vergeten dat zich naar mij toebuigt, een welwillende geest, gestuurd door de wereld die ik bezig ben te verlaten.

Uitrusten, eindelijk. Iemand zegt dat alles goed komt. Als ik wakker word en mijn ogen weer kan opendoen... De narcose was nodig. Daniël had gelijk.

Ik zal een ander zijn dan ervoor. Daniël zal niet zo gauw in de gaten hebben dat hij van broer veranderd is. Hij zal natuurlijk zien dat mijn hoofd weer recht zit, dat mijn ogen gewoon kijken, dat mijn hals een normale tint heeft. Maar hij zal niet in de gaten hebben hoe groot de metamorfose is. Mijn opvolger staat op het punt om geboren te worden, een man in het bezit van een schat aan laatste momenten. Ik geloof dat ik huil. Ik ben bezig boven water te komen. Ze zijn bezig mij te redden.

Het bonst in mijn oren. Ik heb het zo koud. Boven de hei, vlak boven de horizon, zie je even voor zonsondergang, op zomerse dagen, op het moment dat de wolken zich verzamelen boven de heuvels en de lucht ijl en doorzichtig is en de horzels zich aan je hechten, een brede, heldere streep, zo roze dat de kleur onecht is, ijzig roze, tegen oranje aan. Kil en hard. Dat is de dood, dacht ik vanaf het topje van de kogelvanger. De dood is een rozige streep.

Ik kruip bij moeder in bed. Daniël is er niet om bloemen te verversen. Nee, hij is er niet. Ik kijk gauw om me heen...

Vlak na vaders dood had ik een serie visioenen. Het waren geen geïsoleerde beelden, maar altijd hele verhalen die zich eindeloos ontvouwden. Het waren verhalen die niet a priori verdrietig waren. Ze hadden wel een verdrietige afloop. Het ging altijd om mannen en vrouwen die in het begin van hun geschiedenis opgewekt en actief waren en die geen enkele bijzondere reden hadden om zich te beklagen, maar die vervolgens in de loop van hun leven, om een onduidelijk en vaak totaal onbegrijpelijk motief, wegzonken in diepe melancholie. Die figuren bereikten in hun denkbeeldige leven een zeer hoge leeftijd. Het was bijna onmogelijk voor ze om te sterven.

Met Daniël heb ik lang geleden, in de Rijnbar, een gesprek gehad over de zin van het leven. Daniël gelooft dat geen mus van het dak valt zonder de wil van God. Als de mus op het dak blijft, is het ook Gods wil. Dat heeft een zin. Als de mus valt, is het ook Gods wil. Als de mus op het dak blijft, heeft dat een zin die we kunnen begrijpen. In het andere geval een zin die we niet kunnen begrijpen. Dus alles heeft zin. In die redenering zit een onverdraaglijke tegenstrijdigheid. Juist daarom gelooft Daniël onvoorwaardelijk in God. Daniël gelooft onvoorwaardelijk in een God die die mus geschapen heeft om hem daarna van het dak te laten tuimelen...

Ik heb grote plannen met mijn toekomst. Ik lach om het verleden. Ik had mij ingeschreven voor een schaatswedstrijd op de vijver van kasteel Biljoen. Ik wilde Daniëls noren lenen. Ik had alleen Friese doorlopers. Daarmee zou ik geen kans maken. Daniël weigerde. Schaatsen leende je niet uit. Die gingen naar je voeten staan. Ik kwam als laatste binnen. Huilend kwam ik thuis. Moeder heeft mij getroost. Wat een spijt heeft Daniël daarvan gehad! Hoe vaak heeft hij niet gezegd dat hij die weigering zo graag goed wilde maken. Hij kon maar niet begrijpen waarom hij mij die schaatsen voor die ene keer had geweigerd.

'Neem je het me echt niet meer kwalijk, Paul? Ik begreep mezelf toen niet. Ik denk er zo vaak aan.'

Ik kan hem geruststellen. Ik lach om zijn scrupules.

In de stand van baan tien voelde ik me op mijn gemak, maar Harry wilde dit 'gat' zo snel mogelijk verlaten. Hij vertrok net voor de winter. Er zijn die avond veel wandelaars rond het marktplein. Door de zachte lucht, al die wandelaars en de platanen die hun bladeren nog hebben, heeft het alle schijn van een avond in het voorjaar. Onder de bomen heb ik de indruk dat ik droom. Ik heb mijn leven al geleefd en ik ben zelf niet meer dan een fantoom dat in de lauwe lucht zweeft. Ik heb moeite om in het bestaan van de mensen om mij heen te geloven. De auto's in de brede straat langs het plein rijden snel zonder dat je hun motor hoort. Ze glijden voorbij in gesmoord geluid. Dat vergroot de droomindruk. Ik passeer het ANWB-gebouw, de kerk. Zo ver kom ik nooit op mijn wandeling. Ik sta voor een hoge schutting. Er is een poort met een bord Verboden Toegang. Ik duw de poort open en voor mij strekt zich een verlaten terrein uit. Van een half in de grond gebouwde broeikas zijn alle ruiten verdwenen. Op de tabletten groeien verwilderde bloemen. Maar vlak achter de schutting is het gras minder hoog en ik vermoed daar het tracé van een pad. Tegen de muur staan leibomen. Ik pluk een appel, die vol en sappig smaakt. Verderop ligt een tuinhuis met een koepel, waarvan de ramen gesloten zijn. Het gebouw intrigeert mij en ik loop die kant op. Het gras komt halverwege mijn benen. Ik blijf staan omdat ik opeens bang ben achter die façade slechts hoog gras en ingestorte muren te zullen ontdekken. Iemand roept mij. In de verte, achter de broeikas, beweegt een man zijn arm. Hij komt op mij toe en ik blijf stokstijf staan, midden op het terrein dat wel een jungle lijkt. De man is tamelijk lang en gekleed in een bruin manchesterpak. Een moment denk ik dat vader op mij toe komt, maar deze man heeft geen grijs haar.

'Wat zoekt u hier?'

Hij is op enkele meters van mij stil blijven staan.

'Ik kwam hier toevallig langs, ik was nieuwsgierig...' Hij kijkt me wantrouwend aan. Ik haal een zakdoek tevoorschijn en wis mijn voorhoofd af. Dan excuseer ik mij dat ik hem lastig heb gevallen. Ik had hier niets te maken. Het was andermans terrein. Ik liep haastig terug. Het schijnsel van de straatlantaarn viel op een plank in het gras. Ik kon een paar letters ontcijferen... Semper vi...

Ik kan je geruststellen, Daniël. Je hebt alles voor me overgehad. Jij hebt ervoor gezorgd dat ik weer beter word. Je hebt het meer dan goedgemaakt. Je hebt gelijk, Daniël. Vader verdient bewondering. Ik was die gebeurtenis helemaal vergeten. Goed dat je me daaraan herinnerd hebt. Floralia organiseert op koninginnedag een blo?mententoonstelling. Alle kinderen krijgen via de school een stekje mee om dat thuis op te kweken. Het is verboden om het stekje uit de pot te halen en in de volle grond te zetten. Voor de mooiste planten zijn prijzen beschikbaar. Ik heb een prachtige plant gekweekt. Een fuchsia. Trouw had ik er op vaders aanraden elke dag de dode bloemen uitgehaald. In volle bloei leverde ik hem in, rond en dik in het blad. De planten staan in lange rijen in de tuin van het kasteel. 's Morgens zal een jury ze beoordelen, 's middags mag het publiek komen. Met vader loop ik langs de rijen planten. Ze staan er fris en fleurig bij, maar ze halen het niet bij de mijne. Daar is nummer 156. Ik ren op mijn plant toe. Hij hangt er slap bij, toont niet meer. Vader ziet direct dat ze hem uit de pot geklopt hebben om te kijken of hij niet in de volle grond is gekweekt. Vader is zo kwaad dat hij mijn plant opneemt en naar de jurytafel loopt. Woedend smijt hij de plant op de tafel. Vader nam het voor mij op. Daniël heeft gelijk. Vader verdient bewondering. Maar het is niet meer van zoveel belang. Minderwaardig, onwaardig... bewondering. De woorden hebben geen dichtheid meer. De woorden die leerlingen, na een schoolse tragedie, in hun dagboek schrijven: ik haat mijn vader...

Eksters

Bij een wit bermhek minderde ik vaart, verliet met gevaar voor eigen leven en dat van anderen de snelweg, die hier geen vluchtstroken had. Achter het hek lag een ongebruikt zandlichaam, waarin mijn auto een eind wegzakte. Dan een fragment dijk met gehavend plaveisel. Tegen een dode populier was het roestige straatnamenbord gespijkerd: Huissense Dijk. Als ik eenmaal op deze dijk was, drong zich bij mij altijd het sterke gevoel op dat ik een plek terzijde van de wereld binnenging, dat er een band werd doorgesneden; de gewone redenen van het bestaan – mijn bloemenkraam, mijn zoon die in Rotterdam studeerde – hadden hier alle zin verloren. Hoe kwam dat? Het was er schrikbarend stil en je onderging de tegelijk onbestemde en hevige fysieke malaise verzeild te zijn geraakt in een gebied dat voorgoed in slaap leek gedommeld. Beneden, onder aan de dijk, liepen zigzaggend tussen oude, verwilderde weiden en diepe, met kroos afgedekte kleigaten begroeide paden of karresporen die niet de indruk wekten ergens heen te gaan. Dat was ook niet mogelijk. Ze konden geen kant op.

Het stuk vergeten dijk met de boerderij van oom Carel lag ingeklemd tussen de ver vooruitgeschoven stad en de snelweg, in een *no man's land*, onvindbaar, onbereikbaar voor wie niet met de situatie op de hoogte was. Ik reed voorzichtig over de slingerende dijk. De donkere, beschaduwde waterplassen stonden door smalle watergoten met elkaar in verbinding en voorbij die visrijke meertjes lag de s102, onlangs gereedgekomen, de zogenaamde

Pleyroute, die direct op het Velperbroekcircuit aansloot en de Arnhemse binnenstad ontlastte. Dit gebied heet De Pley: een voormalige rivierbedding met een van de oudste bedijkingen van ons land, eenherig en leenroerig aan Kleef. Volgens bewaarde archivalia een richtambt. Er werd hier in de Middeleeuwen recht gesproken. Pley-plait-playdoyer-pleit. De sonore klank van de namen alleen al riep in mij een krachtig beeld op van oude intimiteit, van antiek bestaan.

Die zomerse namiddag, op die smalle, steile dijk, en aan de voet dat kleine ordelijke erf met een toompje witte kippen en een haan, een strook grasland, een akker met rogge, een koe die vredig graasde, een groentetuin, wat bessenstruiken, en boven de nok van het dak uit torende dat bouwsel, onaf nog, maar met zijn gebogen spanten had het al veel van een schip, met die plecht en voorsteven – als boven water gekomen nadat het land was drooggevallen.

Eksters scheerden krijsend over de akker, pikten in de glijvlucht korrels uit de aren, trokken de stengels omlaag tot aan de grond, waar ze weer terugbogen. De hele akker was in beweging. Ik bewonderde hun handigheid.

De auto liet ik op de dijk staan, ik daalde een door de regen uitgesleten pad af. Mijn blik dook omlaag in de schaars gemeubileerde huiskamer. Een tegelvloer, een tafel met een stapel overgeleverde rondzendbrieven van ds. Poort – de oefenaar die mijn vader tijdens de vierschaar onder handen had genomen – en een kale keukenstoel. Geknield daarvoor mijn oom. Hij bad, de bijna meisjesachtige handen gevouwen. Hij had zulke fijne botten. Je vroeg je af hoe dat lichaam een schop in de zware kleigrond kreeg. Maar hij was pezig. Zijn hoofd, bijna kaal en bovenop erg bleek, en zijn magere door de zon gebruinde nek bewogen hartstochtelijk. Naast de handen zijn pet. Ik kon wel vermoeden welke woorden hij bad: 'Ach, volzalig en aanbiddelijk Opperwezen, dat het ons door Uwen genade geschonken moge worden, niet alleen onze handen, maar ook onze harten tot U op te heffen. Gij immers hebt lust tot waarheid in het binnenste en in het verborgene maakt Gij wijsheid bekend.' De laatste zin was van Ruusbroec. Vader citeerde hem vaak. Nog bleef ik kijken naar die handen, op de rieten zitting. Aan de wand geen portretten. Oom Carel was tegen elke vorm van menselijke afbeelding. Rigide, zwarter protestantisme was niet denkbaar. 'Ach, wil ons uit Uw volheid bedelen...' Oom was nooit getrouwd, indachtig Paulus' woorden: 'Wie zonder vrouw kan...' Die ochtend was hij om vijf uur opgestaan, had zijn ene koe gemolken, de kippen gevoerd, aan de Ark gewerkt en nu zocht hij Gods aangezicht.

Het gebed zou nog lang duren. Ik liep om het huis, klopte tegen de wanden van de boot, ging in de berm van de steile helling zitten. Toen ik opnieuw de kamer in keek, was hij nog steeds in gebed verzonken.

Op de smalle dijk keerde ik de auto, wat geen sinecure was, ik nam mij voor de volgende dag terug te komen. De plek die ik achter me liet, trok me altijd weer aan. Het was een plaats waarvan ik het gevoel had dat ik er bij tijd en wijle behoorde te zijn. Als een zware bordeaux steeg hij me altijd naar het hoofd, maakte me opgewonden.

De volgende dag was ik er 's morgens heel vroeg. Om mij heen, in de diepte, het lagunenland met zijn opeenvolgende kamers van gras, water en rietzee, een onberispelijk labyrint waar de dingen onderling doordringbaar zijn, volmaakt communicerend. Een trilling in het riet en de afzonderlijke heldere klank van een plons. Een opspringende vis, een kikker, een zwarte waterslang? Je ging vanzelf zacht rijden, zacht praten in dit feminiene gewest met zijn tedere contouren. Dit landschap, eeuwen geleden ingedijkt, leek nog steeds net uit het water te zijn gekomen, een landschap van vlak na de zondvloed. En daar, stokstijf in de bleke ochtendzon, zo klein van bovenaf dat het wel leek of je haar in je hand kon houden, de boerderij van oom, vastgeklemd aan de dijk, alsof ze bang was zo weer in het water terug te zakken.

Flarden van getimmer bereikten mijn oren. Ze klonken hard. Geluiden klinken bij het eerste licht altijd scheller. Ook het gekrijs van de eksters. Wat gingen ze tekeer! Joegen rakelings over de akker, sleurden hele stengels mee, misschien ook wat nerveus van dat getimmer.

Ik naderde hem, keek met vertedering naar de smalle, scherpe schouderbladen die zich in de al doornatte overall aftekenden. Hij was bezig een ladder tegen het gevaarte te zetten, klom naar boven. 'De Heere zeide: Bouw een Ark, maak een kleine opening aan de bovenzijde, maak een ingang aan de zijkant. Drie verdiepingen moeten daarin gemaakt worden...' Hij volgde Gods persoonlijke bouwaanwijzingen, gegeven in de vroegste tijden, zo nauwgezet mogelijk op.

Toen hij mij zag, riep hij vanuit de hoogte dat hij zo beneden kwam.

Naast de oliekachel stond een tweede keukenstoel. Die schoof hij bij. We zaten tegenover elkaar aan tafel. Het verschoten tafelkleed was opgerold en liet ruimte voor een bord met bestek. Oom Carel schonk koffie in. Ik vertelde dat Fried Gerritsen was overleden.

'O, de *strieker*.' Het was zijn enige commentaar. Hij had mijn neef niet zo hoog. Na de koffie hielp ik hem met het sorteren van planken, afkomstig van een afgebroken varkenshok, ontspijkerde ze, sloeg de lange spijkers met een hamer recht op een aambeeld. De drie sneeuwwitte kippen en de haan liepen om ons heen op het achtererf. De koe loeide een keer, haar kop geheven. In een hok zaten konijnen. Op de bleek stond de geit. Dieren die alle de Ark in gingen als de regen zou beginnen.

We namen een kleine pauze, zaten op de bank achter het huis. Voorbij het land lag de snelweg. Hij zei: 'Ik weet nog zo goed dat jouw vader Christus leerde kennen. God greep persoonlijk in dat leven in. Dat was een zeer uitzonderlijke bekering. Daar werd in onze kringen met ontzag over gesproken. Jouw vader heeft een moment van zielsverrukking beleefd dat niet zo gauw aan een mensenkind is voorbehouden. Hij zag in een visioen de hemel geopend, zag niet alleen de Troon en de engelen, maar ook de afgrond waar eeuwig geweend wordt en met de tanden geknarst...' Hij zweeg even, hield zijn hoofd gebogen, de handen tussen zijn dunne knieën (ik had mijn arm wel om hem heen willen leggen, maar hij was niet iemand bij wie je zoiets deed), zei toen: 'Ja, bij jouw vader ging de hemel open, werd opengespleten als door de bliksem; eerst zag hij niets en hij dacht dat er niets achter de hemel was. Je vader tuurde met zijn innerlijk: er was ook niets; en opnieuw was er niets achter dat niets, tot hij een stem hoorde. Daarachter was God. Er was tegelijk stilte en groot tumult...'

Op de terugweg overdacht ik het leven dat oom Carel leidde. Anderhalve bunder land en daarop verbouwde hij alles wat hij nodig had. De melk die hij overhad, verkocht hij aan particulieren. Hij was geen lid van een coöperatie, had zijn AOW geweigerd toen hij vijfenzestig werd. Ook van de overheid wilde hij niet afhankelijk zijn. Het leven in en rond zijn huis had een heel andere klank dan elders, had een geur noch van niet-modern, noch van ouderwets, maar van roerloos eeuwig. Zou er een tweede zondvloed komen, dan behoorde oom tot de geredden. Misschien konden Sander en ik ook tijdig bij hem zijn als het zover was. De vogels vlogen door de opening boven in de ark binnen, oom was bezig vanaf de loopplank zijn beesten naar binnen te drijven, de haan voerde zijn kippen klokkend naar de voerbak, vloog toen op de rug van de koe, van de geit. De regen sloeg tegen het hout. Het zou daarbinnen gezellig zijn. En toen mensen en dieren allen binnen waren sloot God de deur achter hen.

Een week later was ik alweer op weg, passeerde de beroemde John Frostbrug, reed via de Pleyroute Arnhem-Zuid binnen, dat over enkele jaren met Nijmegen één stad zal vormen. Een kunstwerk, *modern style*, domineerde sinds enige tijd de snelweg. Een reusachtig geknakt vierkant van blauw staal dat slechts op één punt steunde en daarom altijd in beweging was. Een dansend vierkant, indrukwekkend als een bloem in de herfst. Vandaag geen getimmer. Wel de eksters.

Oom leefde in betrekkelijke armoede. Als daar vroeger tijdens verjaardagen in de familie een toespeling op werd gemaakt reageerde hij altijd met dezelfde woorden: 'De vogelen des velds, maken zij zich ergens druk over?'

Daar de boerderij, in de absolute vergetelheid. Ik daalde de dijk af, tuurde door de ramen, zag het oude radiotoestel dat hij gebruikte voor de weersverwachting. Geen tv. Niet eens om principiële redenen. Bij de mensen waar hij melk bracht had hij de tv zien aanstaan. Het leek hem een bron van vermaak dat van geen belang was. Net als roken en drinken. Niet om de ascese. Het was een natuurlijke versterving. Om eten gaf hij ook weinig. Hij at omdat hij zijn lichaam, van de Schepper ontvangen, diende te onderhouden en omdat het krachtig moest zijn om het land te kunnen bewerken.

Ik liep om de boerderij heen. Hij was ook niet bij de Ark. Bracht hij melk naar zijn paar klanten? Maar de fiets stond in de gang. Waar was oom Carel? Achter de schuur trof ik hem, in het weiland met het hoge gras, met de paar oude, kromgewaaide vruchtbomen, met daartegen bonenstaken. Op zijn knieën, leek het, half verborgen achter een boom. Bad hij in de openlucht? Maar hij had zijn pet nog op. Ik kwam nieuwsgierig dichterbij en zag hem gebukt bij een ijzeren kooi.

'Krengen zijn het,' mompelde hij zonder me aan te kijken. 'Het is nooit zo erg geweest als dit jaar. Ze vreten alles op.'

Ik denk dat hij gelijk had.

De kooi stond op een sinaasappelkist. De gevangen ekster hipte nerveus heen en weer, pikte venijnig in de tralies. Op de vloer lag wat zaad. Zijn veren glommen fonkelend blauw, als olie. Een andere ekster, nog vrij, kwetterde luid op de tak van de goudrenet. Onder de boom lag de roodbonte koe rustig te herkauwen.

Een tak, door een blikseminslag van de boom gescheurd, leunde met een vracht aan kleine, verdorde appels tegen de grond.

Weer dat schelle gekwetter.

'Dat zal de partner zijn. Eksters blijven het hele jaar samen. Bovendien, geen beest zo nieuwsgierig als een ekster.'

We gingen in de zon op de bank zitten en dronken thee. Rond ons leek de wereld voorgoed in sluimer geraakt. De eksters waren hier voor het huis niet te horen. Ook vandaag ging van deze plek zo terzijde van de wereld een onweerstaanbare charme uit.

Vóór ons de zonnige hof met al jaren dezelfde oranje cactus-dahlia's. Tersluiks keek ik naar hem en ik vond hem ineens sterk verouderd. Het vel in zijn hals was slapper, zijn ogen stonden minder helder. Het was waarschijnlijk dat de oude man de tweede zondvloed niet meer zou meemaken.

Nu drongen ineens de snerpende geluiden van de vogels tot ons door.

'Krengen!' Hij zei het uit de grond van zijn hart. Hij dacht beet te hebben en we liepen naar het weiland achter de boerderij. De lokekster had gezelschap gekregen. Beide pikten agressief in de spijlen van staaldraad. Oom opende het luikje, schoof zijn hand naar binnen, drong de dieren in een hoek, greep er een hardhandig onder de vleugels, trok hem snel naar zich toe. Buiten de kooi draaide hij het dier de nek om. De kop van het dier viel slap voorover over de hand van oom Carel. Onmiddellijk verduisterden de helgroene ogen, een kurken vlies trok ervoor. Hij liep met het dier naar de rand van het weiland, waar de roggeakker begon. Aan een lijn tussen twee palen gespannen bungelde in de warmte, in het wazige licht, een lange rij dode vogels. Ter afschrikking. Hij hing de nieuwe dode erbij. De glans van zijn veren was nu al aan het afnemen. Aan ooms hand zat bloed, dat hij afveegde aan een met blauw korstmos bedekte boomstam.

Het was de vraag of oom Carel mij nog gauw zou terugzien.

Die nacht droomde ik dat ik de lokvogel liet ontsnappen. De vogel vloog luid klapwiekend, schetterend, laag over het land, vlak over zijn dode soortgenoten, die geluidloos in de nachtwind bewogen.

S/10-S/12

De ambulance reed het schoolplein af, de ziekenbroeder boog zich over het volstrekt onbeweeglijke lichaam van mijn collega, mijn vriend; ik hield zijn hand vast, staarde hoofdschuddend naar dat asgrauwe, slechtgeschoren gezicht, wierp toen, omdat de auto zwenkte en de Stationsstraat insloeg naar het streekziekenhuis, een snelle blik naar buiten, op het gebouw; achter het glas van de hoofdgang stond een groot deel van de scholengemeenschap samengestroomd. Ik ontwaarde op die stralende dag begin mei – één dag voor de eindexamens – ondanks de hinderlijke spiegeling van de zon in de glazen panelen Sarah Terhenne. (Hoe kon een vrouw met zo'n welluidende, bijbelse voornaam zoveel leed berokkenen?) Schuin achter haar stond Lodewijk Blauw.

De zaak had haast. Een parttime docente geschiedenis was door privéomstandigheden gedwongen onverwacht haar baan op te geven. Die vacature van veertien uur moest zo snel mogelijk worden vervuld. Het bestuur van het Rijnland College plaatste advertenties in landelijke bladen, waarop een tachtigtal brieven binnenkwam. Na een eerste, snelle selectie bleven er vijf over. Vandaag waren de sollicitatiegesprekken, vandaag moest een beslissing vallen, want morgen begon de zomervakantie.

Een voor een kwamen de kandidaten binnen. Vanwege de tijd van het jaar bestond de beoordelingscommissie slechts uit de rector, het hoofd van de sectie geschiedenis, mijn vriend Piet van

Leeuwen, en ikzelf. Geen conrector, geen bestuurslid, geen representant van de ouderraad, men was al op vakantie. Ik was op de ochtend van die dag de school binnengelopen omdat ik iets in mijn lokaal had laten liggen. De rector kwam mij in de gang tegen. Ik kwam als geroepen, hij vroeg mij bij de gesprekken aanwezig te zijn. Ik wierp tegen dat geschiedenis niet mijn vak was, dat ik niet goed durfde te oordelen over een nieuwe collega geschiedenis. De rector drong aan, drie wisten meer dan twee, en het ging toch vooral om de algemene indruk die een sollicitant maakte. Zo komt het dat ik weet dat mijn vriend in zekere zin zichzelf het ongeluk op de hals heeft gehaald. Ik constateer het met grote bitterheid.

De een na de ander verscheen. De rector gaf summiere informatie over de school: onlangs gefuseerd met twee mavo's, maar ook in het bezit van een solide gymnasium-afdeling. Hij stelde ook vragen, vooral naar ervaring, en besloot het gesprek onveranderlijk met: Ik heb uw telefoonnummer. Vóór zes uur vanmiddag laat ik u weten... Als laatste kwam de aantrekkelijke Sarah Terhenne binnen: buitengewoon soepel en zelfverzekerd, net afgestudeerd aan de Leidse universiteit. Zij nam al snel de leiding van het gesprek over. Nee, ze had geen ervaring, maar dat kon ook niet. Ze had immers drie dagen geleden haar bul uitgereikt gekregen. Vanzelfsprekend had ze stage gelopen en ze bezat daar prima getuigschriften van. Ook benadrukte ze dat het leraarsambt voor haar geen vlucht was, zoals voor zovelen van haar studiegenoten. Ze had dit vak gestudeerd met als enig doel het later te doceren. Daarna deelde ze complimentjes uit, vertelde dat de entree van de school met al die plantenbakken een aangename indruk op haar had gemaakt. Zij bejegende óns vriendelijk, in plaats van wij haar. We werden meegesleept door haar flair. Ze sprak zo gemakkelijk, zo zonder enige merkbare inspanning, en terwijl de woorden kwamen bewoog ze haar zachte bruine ogen van de een naar de ander.

Berekenend. Ze verkocht zichzelf goed.

'Dank u wel...' zei de rector, 'we zullen u zo gauw mogelijk laten weten...' Ze gaf ons allemaal een hand en vertrok

Eenmaal onder ons keek mijn vriend de kring rond met een blik alsof hij een persoonlijke overwinning had behaald: dit was ze. Ik geef het toe, we waren allemaal onder de indruk van dit frisse, directe, vrijmoedige optreden.

'Een type dat je wel om een boodschap kunt sturen,' meende de rector. Maar de al te vlotte babbel stond hem niet helemaal aan. Hij kreeg mij aan zijn kant. Ook ik had een vaag onaangenaam, hinderlijk gevoel aan haar overgehouden en wij begonnen te neigen naar een wat saaie kandidaat met ervaring, die we net vóór haar gesproken hadden.

'Zij wordt het,' zei mijn vriend, bij zijn eerste indruk blijvend. 'Fris bloed in de sectie hebben we hard nodig.'

Daarin had hij gelijk. Alle secties vergrijzen bij ons. Mijn vriend loopt hier net als ik al heel wat jaartjes rond, hij is net vijftig geworden.

De rector hakte de knoop door. Ze had op ons allen toch een uitstekende indruk gemaakt en waarom zou je altijd mensen met ervaring benoemen? Hoe moesten degenen die nog zonder ervaring waren het vak dan ooit onder de knie krijgen?

Piet stond erop haar zelf het goede nieuws door de telefoon mee te delen. Een uur later was ze alweer op school. Ik kende mijn vriend niet meer terug, hij sprintte met haar het hele gebouw door, liet haar de administratie, bibliotheek, docentenkamer zien, bracht haar op de hoogte van de gebruikte methodes. Zij had nog geen boeken. Geen nood: hij zocht in zijn lokaal naar presentexemplaren, maar omdat hij sommige te vergeeld, te stoffig vond, ging hij haar voor naar het telefoonkamertje en begon uitgevers van schoolboeken af te bellen; hij staand omdat er in dit vertrek nooit stoelen zijn, zij zittend op de grond. En had hij weer een bestelling doorgegeven, dan knipoogde hij naar haar. Met die boeken kwam het dik voor elkaar. En hij liet haar mededelingenbord, gymzaal en het vaklokaal zien, met die mooie affiche van Versailles.

Wat was ik blij voor hem! De vreugde straalde van hem af, en hoewel mijn collega van nature een opgeruimd karakter heeft was daar de laatste tijd weinig van te merken geweest. Een jaar of vijf geleden heeft hij een licht hartinfarct gehad en nu alweer twee jaar geleden is na een lang ziekbed zijn vrouw overleden. Zijn lestaak was sindsdien gereduceerd tot vijftien uur. Toch was hij elke morgen vóór alle anderen op school en zat hij laat in de middag vaak nog als laatste in de docentenkamer. Thuis, alleen, hield hij het niet uit. De school was zijn redding. Enkele pogingen om op school een nieuwe levenspartner te vinden waren op niets uitgelopen.

'Beschouw het als je eigen huis,' zei hij tegen haar in de hoofdgang, terwijl de zon over de blauwe plavuizen speelde.

'O, ik voel me hier al thuis,' zei ze.

'En,' hij pakte spontaan haar hand, 'als het allemaal goed gaat en waarom zou het dat niet, mag je over een tijdje ook het sectieleiderschap van me overnemen...'

Nee, die vage, onhandige pogingen een vrouw te vinden waren mislukt. Had mijn vriend wat dat aanging – misschien nauwelijks bewust zijn hoop op de veel jongere Sarah gevestigd? Hij kon tenminste weer in een schaterlach uitbarsten, had op slag zijn oude jovialiteit hervonden. Ik zag dat hij haar soms van enige afstand, zich schuilhoudend achter de uitbundig bloeiende plantenbakken, volgde, een en al verlangen. Dat verlangen werd definitief de bodem ingeslagen toen het bestuur, nog voor de herfstvakantie, het personeel de jaarlijkse feestavond aanbood, die vooral diende om kennis met elkaar te maken. Zij kwam ook, in gezelschap van haar verloofde, met wie ze de week erop in het huwelijk zou treden.

Op dat huwelijksfeest bood mijn vriend namens de sectie een historische roman als cadeau aan. Zo hij al echt teleurgesteld was, verborg hij dat achter een gloedvolle toespraak. Waarschijnlijk heeft hij zelf moeten lachen om die kinderlijke verwachting:

hij, Piet van Leeuwen, vijftig en met een hart dat hem al eens in de steek had gelaten. Zonder al te veel moeite moet hij er vrede mee hebben gekregen dat zij niet voor hem bestemd was. Het zou te mooi zijn geweest. Een week na de huwelijksplechtigheid kregen we allemaal een bedankkaart met foto van het gelukkige stel, genomen op het gazon van een theeschenkerij.

Vlak na de herfstvakantie schoot ze hem ter hoogte van de conciërge-loge nogal abrupt aan. Ik meende zelfs te zien dat mijn collega licht schrok.

'En, hoe gaat het? Toch wel goed, hé?' Mijn vriend, verbaasd: 'Ja, ja... wel goed...'

'Ja? Echt wel? Ben je al geweest dit jaar?'

'Waar geweest?'

'Nou, bij de bedrijfsarts...'

Ze bleek op de hoogte van zijn infarct, van de geregelde controles.

'Verdomd aardig van haar,' zei hij tegen mij. 'Zo eh... nou ja, alleen een vrouw kan op die manier bezorgd zijn.'

Hij leerde haar de kneepjes van het vak, en die nieuwe taak hield zijn somberheid verre. Vaak trof ik hen samen in de docentenkamer, in geanimeerd gesprek aan een tafel bij het raam.

In verband met een eventuele vaste aanstelling vroeg de rector hem een les van haar bij te wonen. Het verslag zou een belangrijke rol spelen bij de beoordeling. Ik zag hem in het voorbijgaan achter in het lokaal zitten, haar minste beweging volgend. Ze had natuurlijk overwicht, vanzelfsprekende orde, en kreeg de vaste aanstelling.

Sarah Terhenne werd binnen de kortste keren populair onder de hele schoolbevolking. Terwijl ze rondliep deelde ze moeiteloos, onnavolgbaar gul, haar glimlachjes uit. Ik vond dat ze iets te veel de ster, de superdocente uithing, maar hield mijn argwaan voor me. Wie weet had ik het bij het verkeerde eind en moest haar gedrag slechts worden toegeschreven aan jeugdig enthousiasme.

Hij wilde wel eens af van dat sectieleider zijn. Het liep tegen kerst. Hij had het al zo lang gedaan, en andere collega's hadden er vanwege alle bijbehorende rompslomp geen zin in: lange vergaderingen met de staf over het te voeren beleid, in het voorjaar de altijd moeizame verdeling van de lesuren voor het komende jaar... Zou zij het willen overnemen? Gretig ging ze op zijn aanbod in. Zij werd sectieleidster geschiedenis.

'En je gezondheid? Gaat het echt wel goed met je? Is de dokter tevreden?' Ze was zo bezorgd. Dan zag ik wel dat mijn collega niet wist wat voor houding hij moest aannemen, dat hij niet goed raad wist met die belangstelling. Mijn vriend wil juist geen aandacht voor zijn falende lichaam, zeker niet van een mooie vijfentwintigjarige collega.

Je had zelfs niets in de gaten hè, toen bij de kerstwijding, daags voor de vakantie. Ik denk dat ik voor die dingen een fijn gevoel heb, al werd ik min of meer op het spoor gezet tijdens een verjaarspartijtje bij oude vrienden. Een van de aanwezigen zei tegen me: 'Nou, die fusie met de mavo's snijdt bij jullie wel erg diep...' Nog voor hij namen noemde begreep ik waarop hij doelde.

Die kerstwijding. Zij zong, staande op het podium van de docentenkamer, een Engels kerstliedje en werd op de gitaar begeleid door een leraar techniek die was meegekomen met een van de mavo's. Er waren geen uren meer voor hem; omwille van zijn vrouw en drie jonge kinderen had men hem op school gehandhaafd en hem de functie van hulpconciërge en mentor van de leerlingenvereniging gegeven. Het was een lange, wat iele man met blond krullend haar dat altijd vochtig leek. Ik mocht Lodewijk Blauw niet. Sprak hij je aan dan leek hij zich aan de overkant van de straat te wanen, zo hard schreeuwde hij. Het was misschien overcompensatie voor zijn nederige functie, voor alles wat hem overkomen was. Ik meed hem.

Dat optreden was trouwens een mislukking. Hij sloeg de akkoorden te hard en daardoor vals aan, te langzaam ook, en drentelde zo als een kleuter achter haar liedje aan. De Christmas Carol viel in het water, maar we waren vergevensgezind. Het was immers de dag voor de kerstvakantie.

Had je nog steeds niets in de gaten, Piet?

Die twee daar op het podium liet het echec volkomen koud. Ze hadden elkaar. Sarah drukte zijn hand tegen haar lippen, hij keek diep in haar ogen. Zó verraadden zij zich. En kwam die voorstelling van buitengewone gemeenzaamheid ons allen al obsceen voor, die openlijke intimiteit was op z'n zachtst schokkend. Lacherig, hand in hand, kwamen ze van het podium af, in hun ogen de blik die men verliefd noemt.

Die eerste dag na de kerstvakantie verdrong men zich rond het docentenboek. Daar stond het volgende korte getypte bericht: 'Ja. Wij wonen samen.' Volgde adres en de opmerking: 'Slechts bedoeld om aan alle geruchten een eind te maken.'

Mijn vriend merkte spijtig op dat de sectie een paar maanden geleden nog zo'n aardig boek voor het jonge paar had uitgezocht.

'En je had,' viel ik hem bij, 'zoveel werk van je toespraak gemaakt. Alles mag van mij, maar je hebt toch je verantwoordelijkheden. Een relatie op zoveel ellende gebouwd...' Ik sprak die gedachten uit om hem te troosten. Het was vanzelfsprekend haar zaak dat ze haar man in de steek had gelaten, maar hoe kon zo'n mooie vrouw het oog laten vallen op deze man, die door eigen schuld de gepikeerdheid zelve was, van wiens gezicht viel af te lezen hoe groot het onrecht wel was dat de wereld hem had aangedaan. Ik nam Sarah haar keuze kwalijk en er was op school geloof ik niemand die er niet eender over dacht.

Op het mededelingenbord hing de surveillancelijst voor de leerlingenfeesten in de tweede helft van het jaar. Mijn collega noteerde, zorgvuldig als altijd, de enige datum waarop hij toezicht moest houden. We waren tegelijk aan de beurt, op een avond in het voorjaar.

'O Piet, goed dat ik je zie,' schoot ze hem in de gang tegenover de conciërge-loge aan. 'Je weet dat ik voor vier havo dit jaar de Parijs-reis organiseer. Heb je zin om mee te gaan?' Een ogenblik moet hij een prachtig visioen hebben gehad. De klassen de stad in, hij alleen met haar achtergebleven in een van die aardige hotelletjes rond Bastille die allemaal 'Speria', 'Espoir', 'Espérance' heten. Heel even maar, toen voegde ze eraan toe: 'Lodewijk gaat ook mee...'

Hij bedankte, hoefde zijn hartkwaal niet aan te voeren. Ze drong niet aan, vroeg hem alleen pro forma, als oudste lid van de sectie.

'Maar het gaat toch wel goed met je?'

Ik wist het bijna zeker. Ze hoopte dat het niet goed met hem ging, ze loerde op zijn mooie, hoog ingeschaalde uren. Wie behalve ik had dat in de gaten? Mijn vriend, te zachtaardig, zeker niet. Maar staat niet geschreven dat de zachtmoedigen het aardrijk zullen beërven? Wat haalde ik me voor muizenissen in het hoofd? Mijn collega en vriend was tamelijk monter de laatste tijd.

Een maand verstreek. Er waren veel teamvergaderingen, we deden allemaal naar behoren ons werk. Goed, die twee hadden een relatie, kwamen elke morgen in één auto naar school, deden samen werkweken, gingen samen naar Parijs. Haar populariteit was door de omgang met Blauw aangetast, maar niet al te zeer.

Het werd eind april. De aanmelding van nieuwe leerlingen viel tegen en de rector sloot zich op in zijn kamer om prognoses voor het volgende jaar te maken. Begin mei kregen de sectieleiders van de rector de opgave van het aantal klassen dat volgend jaar voor hun vak verwacht kon worden. Er was weinig geschiedenis gekozen. De secties moesten nu zelf uitmaken hoe de klassen, met inachtneming van bevoegdheden en anciënniteit, over de docenten zouden worden verdeeld. Sarah zou als sectieleidster een eerste proeve van verdeling maken. Ze had hem in een dag klaar.

Die scène zal ik nooit vergeten.

Om acht uur kwam ze met haar minnaar de school binnen, zag mijn vriend op weg naar zijn lokaal, riep zijn naam, liep hem achterop. Hij bleef staan, nietsvermoedend, terwijl hij werktuiglijk zijn vingers langs de knopen van zijn vale colbert van Engelse tweed liet glijden, zoals hij de laatste tijd wel vaker deed. Geen tic om je bezorgd over te maken. Lodewijk Blauw riep vanuit de verte onrustbarend luid en afgebeten dat hij alvast koffie ging halen in de docentenkamer. Mijn collega speelde nog steeds verstrooid met zijn knopen.

'Goeiemorgen Piet. Goed geslapen?' Ze zag er die ochtend extra zinnelijk uit, in een kort rokje van roze spijkerstof. Ze boog haar rechterbeen, zette daar haar tas op, haalde er haar voorstel voor een nieuwe klassenverdeling uit, overhandigde het hem, luchtig eraan toevoegend: 'Bekijk het rustig, joh. Gisteravond laat gemaakt. Ik heb rekening gehouden met je wensen...'

Mijn vriend bekeek het vluchtig, daarna aandachtiger, richtte toen zijn hoofd op, staarde haar peinzend aan. Gezien vanaf de hoofdingang stond hij voor het derde glazen paneel. Net verscheen de zon boven het dak, zichtbaar in het gebladerte van de solitaire berk op de binnenplaats, een afgeschermd rood lampje. Ik zag zijn nogal schriele silhouet afgetekend tegen het roodgetinte glas, zijn grijze haar in vuur en vlam. Ik zag hoe hij zijn wenkbrauwen samentrok, hoeveel moeite hij deed om op die vroege ochtend niet in woede te ontsteken. Kortaf voor zijn doen, mompelend tussen zijn tanden, hoorde ik hem zeggen dat dit toch niet de bedoeling kon zijn, dat hij volgend jaar dus geen eindexamenklas zou krijgen, noch een pre-eindexamenklas, dat zij die ingepikt had, zonder enig overleg...

'Je usurpeert...'

Zij speelde de onschuld, had dat niet in de gaten gehad... Ik was dichterbij gekomen en schrok van de koele, harde glans in haar ogen, van de onbarmhartige blik die door merg en been ging.

Zij voegde zich bij haar Lodewijk in de docentenkamer en Piet en ik, verlegen met dit plotselinge probleem, lieten ons van onze zwakste zijde zien, togen zodra hij zich op school vertoonde naar de rector om ons beklag te doen. Het was misschien beter geweest het eerst met haar en de overige leden van de sectie uit te praten. Mijn vriend zette de situatie zo helder mogelijk uiteen. Ik vond dat hij, geconfronteerd met deze tegenslag, ineens ouder leek, ook klonk zijn stem vermoeider.

De rector stelde ons gerust. Geen greintje zorg hoefde mijn collega zich te maken, hij was immers een s-twaalver en behoorde dus voor minimaal vijftig procent les in het eerstegraads-gebied te geven, dat wil zeggen de bovenbouw. Dus in de eind-examenklassen. 'Mevrouw Terhenne heeft wel haar doctoraal gedaan maar is ingeschaald in tien en behoort, heel simpelweg, in de onderbouw. Ze moet inbinden. Ik zal met haar praten.' We moesten beiden bekennen dat we nog nooit gehoord hadden van dat onderscheid in s 10- en s 12-functie. We dachten dat iedereen met een eerstegraadsbevoegdheid in de bovenbouw mocht lesge-ven. Het was natuurlijk een bezuinigingsmaatregel. De minister wilde van die dure leraren af en schaalde nieuwe gewoon lager in.

'Hoe dan ook,' zei ik, 'jij hoeft je geen zorgen te maken.'

'Maar ik gun Sarah, ondanks die vriend, heus wel een examen-klas. Hoe moet zij anders in de hogere jaren ervaring opdoen?' Hij stond op het punt om toegeeflijk te zijn, weet die eigen-machtig aan zichzelf toebedachte gunstige klassenverdeling aan haar jeugdig enthousiasme. Ik raadde hem aan nou eerst maar haar nieuwe voorstel af te wachten.

Zij kwam op hem af.

'Excuses hoor!' Ze sprak die woorden met onnavolgbare lucht-igheid uit. En nog een keer: 'Excuses hoor!' Wat ging haar dat gemakkelijk af. Ik had me teruggetrokken, maar hield die twee vanuit mijn ooghoeken in de gaten. Hij antwoordde: 'We komen er wel uit. Tja, de spoeling wordt dun. Ik weet nog dat we drie examenklassen hadden. Nu net eentje.' Ik kwam wat dichterbij, want ik was bang dat mijn vriend haar in alle goeiigheid toch die klas zou schenken. Hij kan er niet tegen in conflict met anderen te leven.

De volgende dag zag ik dat Lodewijk Blauw een bericht in het docentenboek plakte. Sarah stond naast hem. Daarna liepen zij naar het aangrenzende keukentje om samen koffie te drinken. Voor de tweede maal in een paar maanden tijds stond men voor het docentenboek te dringen, terwijl er anders geen hond in kijkt. Het was een onheus bericht, waarin Blauw zinspeelde op die s 10/s 12-kwestie en alle ouderen op school onderuithaalde door ze een stelletje ouwe zakken te noemen die de opkomst van de jongeren tegenhielden. Hoewel nog geen vijftig voelde ik me zelf ook aangesproken, ik wenste dat odium niet opgedrukt te krijgen, wenste ook niet jongeren als onze natuurlijke vijanden te zien. Pure stemmingmakerij. Jongeren in hun opmars dwarsbomen? Hoe kwamen ze erbij? Want het was dan wel alleen door hem ondertekend, ze hadden dat gisteravond natuurlijk samen zitten bekokstoven.

Ze kwam met een nieuwe indeling, waarin ze zichzelf, weer zonder overleg, een pre-eindexamenklas had toebedeeld. Dit werd zelfs mijn vriend te gortig, hij riep dat hij het niet pikte, dat hij ervoor zou zorgen dat ze nu echt helemaal in de onderbouw moest blijven, hij was nu toch al in die rol van oudere gedrukt... Verliezen van haar zou hij het ten slotte toch. Filosofisch gezien. Zij was midden twintig en hij aan de verkeerde kant van de vijftig. Verliezen zou hij het altijd, maar zolang hij nog op school zat en gezond was, zou hij zijn verworven rechten verdedigen.

Ik vond dat hij zelfs een beetje op hol sloeg, toen hij beweerde dat die jonge leerkrachten allemaal zo licht waren, dat je hen als een veertje kon wegblazen. Wie van hen had ooit van Tocqueville, Michelet of een andere geschiedfilosoof gehoord, laat staan die gelezen? Wat voor vakkennis gaven de huidige opleidingen nog? Hij vroeg zich zelfs af of je zo'n Sarah het onderwijs in die hoogste klassen óóit wel kon toevertrouwen.

Hij leverde dan wel tegenspel, deed wel strijdlustig, maar in zijn hart had hij haar liever die klas afgestaan, sloot hij het liefst vrede; met haar en met die Blauw. Harde confrontaties heeft hij altijd geschuwd. In de turbulente jaren zestig en zeventig vermeed hij als het maar even kon elke polarisatie. Nu werd hij daar min of meer toe gedwongen.

Aan het einde van de week was de grote feestavond van de leerlingenvereniging. We hadden beiden surveillance, van 's avonds acht tot tien. De zaal ging om halfacht open, maar een uur later waren er nog nauwelijks feestgangers. Geen wonder. Het was een stralende dag geweest, de hitte hing nog in de school en de terrassen in het centrum, nabij het Rijnland, waren gezellig vol.

Nog zes andere collega's hadden dienst dat eerste blokje van acht tot tien. In het verleden waren de feesten wel eens turbulent geweest, was er zelfs politie aan te pas gekomen. Het aantal surveillanten was nog steeds gebaseerd op die barre tijden. Bij de ingang stond Sarah; Blauw, de mentor, was op dat moment niet in de buurt, die dronk waarschijnlijk koffie in de keuken van de docentenkamer. Ik zag dat mijn vriend een paar minuutjes met haar sprak, toen afscheid nam, de school verliet, het plein afliep richting centrum. Hij had gelijk met dit warme weer. Het was absurd om met zovelen op die kostelijke vrijdagavond te surveilleren. Ikzelf was in gesprek met de conciërge in zijn kamer en stond op het punt om zijn voorbeeld te volgen.

De maandag daarop liepen we samen de hal in, waar de postvakken zijn. Ze zaten weer vol notulen, verslagen van commissies, kopieën van ministeriële oekazes betreffende wijzigingen in de examens enzovoort, zodat hij de brief eerst niet zag. Pas toen we aan ons tafeltje bij het raam zaten viel ons oog erop. Een schandelijke brief. Heer Van Leeuwen, was de stupide aanhef:

'...op de lijst van surveillanten stond ook uw naam. Het bevreemdde mij dan ook zeer dat ik u rond 20.00 uur zag binnenwandelen en even later alweer weg zag glippen. Heer Van Leeuwen, dit kan toch niet de bedoeling zijn [...] Als dit gedrag illustratief is voor uw hele handelwijze op school, pleit dat niet echt voor u. Ik verwijt u a-collegiaal gedrag. U wordt in ieder geval bedankt. Een kopie van deze brief gaat naar de rector.'

Ik ontstak in woede. Met welk recht nam dat mispunt mijn vriend als mikpunt? Wat was dat de afgelopen maanden voor onbegrijpelijke ontketening van kwalijke krachten? Er waren toch nauwelijks leerlingen komen opdagen, en was mijn collega door de week niet de godganse dag op school, te veel zelfs, op het pijnlijke af? Het kwam steeds vaker voor dat de conciërge die wil afsluiten hem moet vragen het gebouw te verlaten.

'Zij moet dat hebben verklikt,' zei mijn vriend, helemaal verslagen. 'Ik heb die Blauw helemaal niet gezien.'

'Dát,' beaamde ik, 'én het feit dat het niet aan hem is jouw functioneren te beoordelen, plus die afschuwelijke stijl van de brief...'

We gingen samen naar de rector. Dit kon zo niet doorgaan. Die twee zouden mijn vriend kapotmaken. Hier waren grenzen overschreden, gebeurden dingen buiten de gewone orde.

Ik deed het woord. Mijn collega had nauwelijks adem, alsof de lucht om hem heen op slag zwaar en bedompt was geworden. Het bleek dat de rector Lodewijk Blauw al op het matje had geroepen en hem te verstaan had gegeven dat hij veel te ver was gegaan, absoluut te ver.

Die dag schoot Blauw mijn vriend in de gang aan. Hij was na een gesprek met derden tot de conclusie gekomen dat hij het niet kon maken in zo'n vorm, met zo'n toonzetting, aan een collega te schrijven.

'Welgemeende excuses, heer Van Leeuwen. Nogmaals, mijn nederige excuses.'

Hij kroop.

Ik raadde mijn vriend aan te proberen de hele zaak van zich af te zetten.

'Die vent is toch lucht voor je. Met Sarah hou je de omgang puur zakelijk.'

'Gaat het? Ja... ?' Zij kwam in de pauze op hem af, vroeg hem of hij de formulieren voor de Parijs-reis in vier-havo wilde uitdelen. Zij had de klas deze week niet meer.

'Met alle plezier.' Hij was blij iets te kunnen doen om de verstandhouding zo snel mogelijk weer te normaliseren.

'Dank je.' Ze raakte hem even aan, ze deed zo natuurlijk, alsof er niets aan de hand was; verwijderde zich alweer van hem, bewoog zich soepel door de school, hing met haar spontaniteit en knappe gezichtje de door velen (docenten zowel als leerlingen) aanbedene uit, deelde nog kwistiger dan voorheen haar lieve glimlachjes rond waartegen niemand bestand was.

Zijn gedachten waren ergens anders en hij vergat de formulieren in vier-havo uit te delen, hij zocht haar direct na de les op om zich te verontschuldigen.

'Geeft niet hoor.'

'Het is me helemaal door het hoofd geschoten... '

Ze stond op de drempel van haar lokaal, groter dan hij, heel slank; hij wist niets meer te zeggen, zette een stap achteruit, greep de klink van de branddeur om die open te duwen.

'O ja, nu je hier toch bent... ik vind wel dat je moet weten dat er wordt gerommeld met je repetities. Er zijn leerlingen die ze kopiëren en doorverkopen aan parallelklassen. Er is al een heel handeltje ontstaan, schijnt het. Ik weet ook van leerlingen die daar niet aan mee wensen te doen, die niet zo aan een goed cijfer willen komen... Nogmaals, je moet het weten. Zoiets kan natuurlijk niet...' Ze benadrukte dat ze de informatie uit betrouwbare bron had.

Hij mompelde tussen zijn tanden iets van: 'Godsonmogelijk...' Meer kon hij niet uitbrengen. Een pijnlijke grimas trok

over zijn gezicht; met de rug van zijn hand, onder de kerkhof-
bloempjes, veegde hij verward langs zijn voorhoofd. Zij was haar
klas in gelopen. Opnieuw ging ik met hem mee naar de rector,
stelde die op de hoogte. Mijn collega ging er juist zo prat op dat
hij na afloop van het proefwerk ook altijd het aantal opgaven na-
telde, dat hij voor de parallelklassen verschillende versies maakte,
en nu zouden die zo zorgvuldig in elkaar gezette proefwerken op
de vrije markt worden verkocht.

De rector vatte het niet dramatisch op, hij had de informatie
gisteravond via de ouderraad ook ontvangen. Waarschijnlijk was
in een onbewaakt moment tijdens het schoonmaken van het lokaal een repetitie gestolen. Hij had er al een conrector op gezet
om de ware toedracht te achterhalen. Vervelend, maar niets om
je werkelijk zorgen over te maken.

'Net zomin,' ging de rector verder, 'als de delegatie van vier-
havo die, net vóór jullie mijn kamer verliet. Ik vind alleen wel dat
je het weten moet. Het gaat om de klas die jij volgend jaar als
examenklas krijgt. Ze hebben een officieel verzoek ingediend,
ondertekend door alle leerlingen: ze willen volgend jaar graag les
van Sarah Terhenne.'

'Wie hebben dat gevraagd?' vroeg mijn vriend. Ik geloof dat
hij alle reservekrachten moest mobiliseren om zijn stem enigszins
normaal te laten klinken. De rector zocht tussen zijn papieren,
overhandigde een lijstje namen. Mijn collega liet zijn blik over de
namen gaan, zei zacht dat hij ze allemaal kende, dat hij ze in de
derde prettig les had gegeven, bij velen was hij thuis op ouderbezoek geweest. Toen gaf hij het velletje papier terug (het was een
slordig uit het blok gescheurd so-blaadje), haalde in berustende
machteloosheid zijn schouders op. De leerlingen zegden hem
hun vertrouwen op.

'En nog wel aangezet door een collega,' merkte ik op. 'Zoiets
doen leerlingen niet gauw. Daar is in de klas over gepraat.'

De rector wuifde die verdachtmaking weg. Daar wist hij niets
van. Het was in elk geval beter om dit soort dingen van bevoegde

zijde te horen, voor het in het circuit terechtkwam. Hij wilde overigens heel duidelijk zijn: 'Het is verre van mij je te willen overhalen om die klas alsnog aan Sarah af te staan. Jij geeft daar volgend jaar les en niemand anders. En ik geef je op een briefje dat die kinderen dat verzoek na de vakantie echt vergeten zijn.'

Ik was dat met hem eens.

We verlieten de rectorskamer, begaven ons de eindeloze gang in, naar onze lokalen. Mijn vriend zweeg. Om de stilte te doorbreken, om hem wat aan te moedigen, zei ik: 'Kop op...' Maar mijn woorden hadden geen effect. Twijfel was gegleden over alles wat hij al die jaren in dit gebouw gedaan had, over alle tijd hier doorgebracht. 'Vergeet het...' probeerde ik, en onderbrak mijzelf, geschrokken. Zijn ogen hadden een onbestemde uitdrukking gekregen, er lag een soort beheerste verbijstering in. Ik kon wel zeggen 'vergeet het', maar mijn vriend was niet iemand die de dingen zomaar van zich af kon laten glijden. Ik stelde voor zijn klas weg te sturen. Het was mooi weer. Ze moesten zich maar een uurtje in het centrum vermaken. Ik zou de conciërge waarschuwen.

Daar wilde hij niets van weten.

We kwamen bij onze lokalen aan.

'Nog twee maandjes...' voegde ik hem toe en raakte even zijn hand aan in een vriendschappelijk gebaar. Hij glimlachte, maar zijn ogen stonden flauw toen hij de deur achter zich dichttrok. De scheidingswand tussen onze lokalen is dun en ik hoorde zijn stem, steeds scheller...

In de Noorderstraat

I

Halfacht 's avonds. Over de Noorderstraat gelegen tegen het industrieterrein hing nog de hitte van de middagzon.

De bewoners zaten op werkelijk precies dezelfde wijze in hun smalle door schriele ligusterhagen van elkaar gescheiden voortuinen. Kinderen hadden de boomroosters weggehaald om knikkerkuiltjes te maken; op straat werd aan auto's gesleuteld waarvan voor- of achteras op kisten rustte; op een afgetrapt veldje met bouwketen jakkerden bromfietsen.

Een oude kaarsrechte straat met lange grijsrode woonblokken afgewisseld met duplexwoningen; links, achter de huizen, liep de spoordijk die de straat een scheve indruk gaf; rechts lag een onmetelijk fabrieksterrein, zichtbaar via doorkijkjes; een vogel zong op de nok van een dak; een onzichtbare struik geurde. Dezelfde geluiden, dezelfde stemmen, dezelfde mensen. Nee er was niets veranderd.

Maar de vogel kwetterde zo luid dat het onbetamelijk leek en het stuk hemel boven de fabriekshallen was van een afschuwelijk blauw.

Ik fietste de Noorderstraat verder in; Dik woonde in het laatste blok op nummer 64; ik fietste steeds langzamer, tenslotte sloeg ik een zijstraat in, kwam voor een bakstenen poort en reed onder de spoordijk door. Een brede geasfalteerde weg, nog niet in gebruik gesteld. Ik stapte af en liep met de fiets aan de hand de verlaten weg op. Ik was laf. De moed ontbrak me.

2

Van de brugklas waarin Dik zat was ik mentor. Dat hield in een kennismakingsbezoek aan zijn ouders. Dik viel in de klas vanaf de eerste dag op. Hij droeg zolang ik hem heb meegemaakt een dikke, goorwitte trui die hij om de haverklap ver over zijn zwarte oudemannenbroek trok en het was een erg warm najaar. Zijn bovenlip was iets omgekruld zodat zijn grote voortanden altijd zichtbaar waren. Rond zijn neus lag een scherm grote sproeten en uit twee kruinen spoot kort donker haar. Als ik hem aansprak, schudde hij een beetje met zijn hoofd, er trok een glimlach over zijn gezicht, maar hij wist nooit wat ik in de les had behandeld. Hij zat achteraan en alleen. De verhalen die hij in de pauze aan zijn klasgenoten vertelde, waren zo fantastisch dat hij ze daarmee aan zich bond en ze tegelijk op een afstand hield.

Begin september besloot ik zijn ouders een bezoek te brengen en ik maakte met Dik een afspraak.

Toen ik hem de volgende dag vroeg of het thuis gelegen kwam, glimlachte hij heel ernstig.

'Je hebt 't toch wel doorgegeven?'

Hij zei: 'Mijn moeder, meneer, vindt u een lekker stuk.'

3

Voor Diks huis zat niemand in de tuin. Het was ook het enige huis waar de ramen gesloten waren. Ik zette mijn fiets tegen een lantaarnpaal.

Er werd van alle kanten naar mij gekeken. Ik aarzelde en haalde toen een grijze map uit de fietstas. Een ballpoint die ik er thuis tussen had gelegd, gleed eruit, viel via de klep van de tas op de grond en rolde in de goot. Ik schaamde me. Ze zagen me zeker voor een soort controleur of een verzekeringsagent aan, iemand in ieder geval die in deze straat wantrouwen moest opwekken. Ik raapte de ballpoint op; een jongen die met één been gebogen op zijn rug onder een auto lag, keek mij aan.

Op het pad naar de voordeur van Diks huis stond een flonkerende Honda, staalblauw en met een zit vol kopspijkers. De deur was verveloos; er was bel noch naamplaatje; uit het raampje hing een rafelig stuk touw.

Aan de buurman rechts die met zijn handen op de leuning van een huiskamerstoel zat en mij, sinds ik was afgestapt, geen moment met zijn blik had losgelaten, vroeg ik: 'Hier woont toch de familie van Oeveren?'

'U moet aan het touw trekken.'

Ik trok, duwde tegen de deur en kwam in een kale gang waar een fiets zonder voorwiel stond. De deur naar de huiskamer stond open. Ik zag alleen een vrouw, met kort zwart haar die breeduit schuin op een bank zat; ze was dik, had een zware hals en keek tegelijk apathisch en aandachtig naar een hoek van de kamer die ik door de openstaande deur niet kon zien.

Ik bleef haar aankijken.

Dezelfde tint haar, dezelfde lippen en sproeten als Dik; kleurloos T-shirt, grote borsten, handen in haar schoot.

Bewegingloos. Vanuit de hoek klonken me talige geluiden, vermengd met een krakend doordringend geruis; zo ongeveer wat je hoort wanneer je de autoradio hebt aanstaan en je rijdt onder trolleydraden door of wanneer een spreker op een microfoon tikt die al is aangesloten.

Ik klopte. De vrouw keek langzaam op. Ik liep de kamer een eindje in en stelde mij voor. 'Willems, de leraar van Dik.'

Ze kwam overeind, gaf mij een hand. Een man in een brede leunstoel draaide aan de knoppen van een toestel dat in de vensterbank stond en het meest leek op een draagbare radio. Maar het hele vooraanzicht was bezet met een rij witte schakelaars en met langwerpige lampjes die aan- en uitflitsten.

De vrouw zei traag:

'Dit is de leraar van Dik.'

De man nam mij een moment op, niet nieuwsgierig, niet wantrouwend, maar volmaakt onverschillig en met uitdrukkingloze ogen. Een rij lampjes sprong tegelijk aan, sterk geruis werd hoorbaar, stemmen... Ook de vrouw luisterde. Ik begreep dat ze politie-auto's afluisterden. In de kamer was het benauwd. Ook de achterramen zaten potdicht.

Dik zag ik buiten met de rug naar ons toe staan, trekkend aan zijn trui. Achter hem weerkaatste het avondlicht op de geribbelde aluminium daken van de fabriekshallen.

De vrouw was gaan zitten.

De man had blote blondbehaarde armen en aan zijn pink blonk een geelkoperen brede ring. Uit het toestel hingen zwarte draden die in een contactdoos op de grond uitkwamen.

'Stelde geen bal voor,' zei de man binnensmonds. 'Een dronken gabbes op de hoek van de Parallelweg, met z'n fiets tegen een stilstaande auto.'

'Gaat u maar zitten,' zei ze.

De man draaide aan een knop om het geruis weg te krijgen. Hij had een lang dun gezicht en heel lichte ogen.

Ik zei: 'Die map, daar moet u zich maar niets van aantrekken; ik kom alleen met u kennismaken; ik heb een lijstje gemaakt met een paar vragen. Zal ik die eerst stellen? Het is niet voor het archief van de school, maar voor mijzelf; dan weet ik een beetje beter wie Dik eigenlijk is; de klas is zo groot, als ik de ouders ken, dan krijgt Dik ook een beetje meer relief...'

Ik hoorde mijzelf.

De vrouw keek me met haar grote bruine ogen aan, maar ze zweeg.

Ik deed de map open en vroeg of Dik nog broertjes of zusjes had. 'Een oudere broer, maar die was van zijn eerste vader en allang het huis uit. Van Van Oeveren heb ik twee meisjes. Die slapen. Mijn eerste man is nooit helemaal gezond geweest.'

'Is hij jong gestorven?'

'Hij was zevenendertig. Of niet?' Ze keek de man aan. 'Jij ging nog wel 's met hem wandelen, maar toen was 't al niets meer. Ze waren broers.'

'U bent hertrouwd met de broer van uw eerste man?'

Ze gaf geen antwoord, stond op, liep de kamer uit, was in de keuken druk in de weer. Ze kwam terug met koffie. Het apparaat lichtte op in de kamer waar de schemering binnendrong. De man trok zich van mijn aanwezigheid niets aan.

Toen ze de koffie had neergezet, ging ze weer weg.

Met Dik achter haar aan, kwam ze even later terug. In haar hand had ze een portret.

Dik durfde niet binnen te komen. 'Dik, geef de meester een hand.'

Dik ging aan de eettafel zitten en keek in de richting van het apparaat.

'Dit is mijn eerste man.' Ze gaf mij het portret. Ik zag een ziekelijk opgeblazen gezicht, een dikke hals puilend over de rand van de boord, vette oogranden, met ogen die langs mij heen staarden, ook gericht op de afluisterapparatuur. Ik herkende er Dik noch zijn tweede vader in. Het was een weerzinwekkend portret en ik dacht: Het is maar goed dat zo'n misbaksel niet meer in leven is.

Ik zei: 'Heel erg.'

'Op alle kamers van de kinderen staat zijn portret.' Ze huilde zacht, ze keek een hele tijd naar de foto en zette hem toen tussen ons in op de bank.

'Hij was zo goed voor Dik, maar met m'n tweede man kan Dik ook goed opschieten.'

Terwijl flarden van politiegesprekken de kamer een vreemde levendigheid gaven, keek ik naar de tere grijsrode gloed die het licht over de tuin legde. In de omlijsting zat Dik. Het leek bijna of hij buiten zat. De man deed zijn oordoppen uit. Ik had een paar aantekeningen gemaakt over de gezinssituatie. Ik zag dat de man vanuit de hoek mij aankeek en ik vroeg:

'Het apparaat dat u daar hebt, hoe heet dat?'

'Een scanner,' zei hij kortaf, niet onvriendelijk, zonder verdere uitleg.

'Een scanner?'

'Dat staat er tenminste op. Scanner-Cuna high-low 88/8.'

'Werkt hij op batterijen?'

'Ja en voor de kanaaltjes heb je aparte kristallen.'

Zoiets verstond ik tenminste, want de vrouw zei er tussendoor: 'We luisteren altijd naar de politie, we kunnen ze volgen tot voorbij Renswoude, een kilometer of vijftig, we hebben nooit de tv aan, we gaan ook een portofoon aanschaffen, hè Van Oeveren, dan kunnen we ook de fietsagenten afluisteren, dat is een heel lage frequentie.'

Hij deed de doppen weer in. In de linker bovenhoek van het toestel brandde constant een helrood lampje.

'Mag ik nog iets vragen over Diks karakter?' vroeg ik, 'of over zijn hobbies?'

'Dik is teerhartig en aanhankelijk en hij kan geen onrecht hebben. Hij is een echte huismus, gisteren kwam hij uit school en hij schreeuwde "Ik wil niet dood!" "Ik wil niet dood!"' Ze zweeg even en verlegde in haar schoot haar handen.

'Ze hadden hem op school een sigaret aangeboden en hij had gezien dat het drugs waren.'

Ik zei: 'Er is op school wel 's iets geweest met drugs, maar dat is alweer een tijdje geleden. Hoe zag die jongen eruit Dik?'

Dik zei niets en huilde zachtjes.

Ze zei: 'In de buurt heeft een jongen zich doodgespoten. Dik is heel teerhartig. Dik heeft zijn konijntje van schrik laten vallen, nu is zijn ruggetje verlamd. De dierenarts zei: "Elke dag z'n maagje uitdrukken, een pil in z'n keel stoppen en als hij na tien dagen nog niet eet, dan moet hij worden afgemaakt". Dik heeft dag en nacht bij hem gewaakt.'

De vrouw had ogen die in-triest zouden zijn geweest als ze niet zo afwezig, zo zonder gedachten, hadden gekeken.

'Ga het konijntje 's halen, Dik?' Haar stem was vlak en zacht en had daardoor misschien iets dwingends. De aandacht van de man werd geheel in beslag genomen door wat zich op het kleine scherm afspeelde.

Dik liep langs het achterraam en kwam met een konijn terug dat er niet erg florissant uitzag. Z'n oren lagen plat op z'n kop en ik dacht de huid te zien doorschemeren tussen het witte vachtje.

Hij gaf het zijn moeder, zij hield het tegen haar wang en zette het tussen ons neer, naast het portret. Het viel onmiddellijk om, sleepte het portret in zijn langzaam opzijvallen mee, bewoog nog even onrustig en lag toen stil. Het beest poepte; een paar keutels rolden over het vette gezicht en er trok van het glas een sliertje damp op.

'Haal dat beest weg,' riep de man.

Ze pakte het op en jammerde zacht 'Ik laat je niet doodgaan, ik laat je niet doodgaan, nee en Dik ook niet.' Ze drukte het tegen haar wang, zette het dier op een krant, naast het portret, tussen ons in.

'Doe dat beest godverdomme weg,' zei hij. Ze had haar handen in haar schoot; ze deed of ze hem niet hoorde. Ze keek afwezig. Daarna keek de man niet meer om naar het konijn waarvan ik de oren een beetje zag trillen.

Het was stil in de kamer en het werd steeds donkerder. Toen gingen alle lampjes tegelijk aan. Opwindende stemmen van agenten, opwinding die zich aan de ouders van Dik en ook een beetje aan mij meedeelde. Ik legde mijn map op de grond. We luisterden. De man begon een nummer te draaien.

'Henk, man, iets moois bij Veenendaal-De Klomp. Frontale botsing. Drie ambulances zijn opgeroepen, ik kom er aan.'

Hij hing op, deed de doppen uit en verliet zonder iets te zeggen de kamer, startte de Honda en reed het pad af.

De vrouw keek mij aan:

'Op oudjaar merk je in de buurt wie de verraders zijn. Als Dik met rotjes gooit, weet je precies wie de politie belt.

Als Dik kwaad wordt en hij staat in zijn recht... hij heeft een jongen eens een zakbreuk getrapt.'

Ze zat wijdbeens en ik kon haar niet meer zo goed onderscheiden.

'Wie gaf jou de sigaret, Dik?' vroeg ik.

Zijn hoofd zakte en hij begon weer zacht te huilen.

'De school moest eens helemaal worden uitgekamd,' zei ze. Het klonk niet vijandig.

Zoals je ook zegt: Vanavond eten we geen gebakken maar gekookte vis.

'Heeft Dik geen vriendjes?'

'Dik is een huismus en soms gaat hij fietsen en gaat hij stekeltjes vangen in de sloot achter de fabriek.'

'Waarom huilt hij nou?'

'Hij is overstuur. Dik, ga naar boven!'

'Mijn pappa is vermoord,' snikte hij. Dat had hij ook de kinderen in de klas verteld.

Dik stond langzaam op, gaf mij een hand. Hij huilde nog een beetje na. Daarna zat ik met de moeder alleen in de kamer. Uit het apparaat kwamen stemmen die in mij onbekende codes spraken.

'Ze vervormen nu hun stemmen zodat niemand weet waar ze het over hebben, maar Van Oeveren kan ze toch verstaan. Van Oeveren heeft mijn eerste man vermoord,' zei ze toonloos. Haar hand streelde het konijn, haar ogen glansden, er lag een onnozele en sluwe uitdrukking in. Ik zag dat haar hand in de richting van mijn knie kwam.

'Dik verdraagt geen onrecht, hij is overgevoelig en hij kan ook niet verdragen dat anderen pijn wordt gedaan.' Een onzichtbare pendule sloeg de uren.

4

Dik werd naar een Pravo-school overgeplaatst.

Daar zou getracht worden zijn geest af te leiden en te prikkelen met praktisch werk.

Daarna ben ik Dik niet uit het oog verloren. Er ging geen week voorbij of ik fietste de Noorderstraat in en bracht de avond in de kleine benauwde kamer door. Ik trok aan het touw, klopte niet meer en trof ze onveranderlijk in de houding aan waarin ik ze de eerste keer had gezien. Contact hadden ze alleen met Henk, een zwager van hem die verderop woonde. Twee keer ben ik met Van Oeveren meegeweest, achterop de Honda.

Hij sprak zelden. Het ging er hem om, bleek toen, wie als eerste bij het ongeluk was: hij of de politie, beide keren stond ik in de avondschemer naar autowrakken te kijken waar als door een wonder geen doden of zwaargewonden bij te betreuren waren. Hij keek geobsedeerd naar het verwrongen blik, maar niet lang. Hij was teleurgesteld. Materiële schade vermocht zijn geest verzadigd door ongelukken nauwelijks nog een prikkelende sensatie te verschaffen.

5

Na de herfstvakantie hoorde ik onder het eerste uur van de leerlingen dat Dik een ongeluk had gehad.

'Het stond in de krant meneer.'

'Hij was op slag dood.'

'Hij is al begraven.'

Ik geloofde ze niet. Het waren sensationele verhalen die kinderen opdissen als ze merken dat een leraar belangstelling toont. Verhalen die wel bij Dik pasten; maar ik was niet gerust. Ik zette ze aan het werk en informeerde bij de conciërge. De kinderen hadden gelijk. Ik heb geen les meer gegeven en ben naar de zwager van Van Oeveren gegaan. Deze vertelde:

'Dik zat op zijn fiets te dromen, een auto had hem geschept. Van Oeveren zelf had hem – de zwager met de bromfiets – opgehaald om te gaan kijken; ze waren er gelijk met de politie en met de ambulance uit Renswoude geweest en toen hadden ze gezien dat het Dik was...'

6

Ik keerde terug over de nieuwe asfaltweg. Ik reed de straat in, zette de fiets tegen de lantaarnpaal. De buurman zat naast zijn vrouw in de tuin en ik hoorde hem mompelen: 'Dat is Dikkies leraar.'

Ik trok aan het touw en ging naar binnen. Ik schrok omdat er niets veranderd was. Zij zat schuin op de bank en hij had doppen in zijn oren en probeerde het geluid zuiverder te krijgen. Toen hij opkeek stonden zijn ogen verlegen. Het helrode lampje brandde. Zij zat met het konijn op schoot. Ik keek onwillekeurig naar de tafel, naar buiten. Het licht boven de fabriekshallen was op een waanzinnige wijze rood en leek uit te vloeien op het aluminium. Ze streelde het beest, maar de liefkozing was onzeker. Er kwamen berichten door. Haar blik was vaag en peinzend en ze staarde naar een punt boven het rode lampje. De stemmen klonken verward, smoorden toen in geruis. Heel even was het stil in huis. Haar halsspieren spanden zich. De vrouw aaide het beest, maar de liefkozing hortte, ze zuchtte diep en daarna was haar ademhaling anders. Rustig, bijna opgelucht. Ze bleef het dier aaien; met haar grote handen hield ze het kopje recht maar we wisten alle drie dat het met dode ogen de kamer instaarde. Buiten waren de geluiden van een warme herfstavond tegelijk dichtbij en heel ver weg.

Schemer

Casper Hooykaas, ongehuwd, voormalig leraar geschiedenis, tweeënvijftig, parkeerde zijn auto op het terrein van het Radboud-ziekenhuis, rende zo hard mogelijk de vijfhonderd meter die hem nog scheidde van de oogheelkundige kliniek. Met zijn rechteroog mocht dan van alles mis zijn, voor het overige was hij kerngezond. Aan de balie hoefde hij zijn oproepkaart niet te tonen, men kende hem. Hij mocht direct doorlopen, werd verwacht. Hij meldde zich bij de secretaresse van de *chef de policlinique* en kon plaatsnemen in de wachtkamer.

Door een acuut glaucoom was hij al twee jaar blind aan zijn rechteroog. Netvlies en oogzenuw waren ernstig beschadigd. Die situatie was irreversibel, wel was de oogdruk door laserbehandeling teruggebracht tot onder de twintig. Zijn andere oog liep ook gevaar, hadden de artsen hem verteld, dergelijke aandoeningen zijn bilateraal. Het ziekenhuis had hem opgeroepen. Met nieuwe, meer verfijnde technieken zou men nog dieper in zijn ogen kunnen kijken. De onderzoeken zouden een volle dag kosten. Voor Hooykaas was dat geen punt. Sinds zijn ernstige oogproblemen werkte hij niet meer. De onderzoeken zouden zich richten op de anatomie van beide ogen.

De *chef de policlinique* met wie hij had afgesproken, bleek met een andere patiënt bezig. Een jonge, mooie coassistente kwam hem halen. In de onderzoekkamer vroeg ze hem of hij omhoog wilde kijken. Ze druppelde zijn ogen, veegde met een watje het overtollige vocht weg. Daarna moest hij weer terug naar de

wachtkamer. Ze zou hem roepen als de druppels waren inge-
werkt. Hij keek om zich heen, had geen zin in de lectuurvoorzie-
ning, in de grijsgestreepte kaften. Om de drie maanden kwam hij
hier op controle... Sinds zijn val...

In de gang van zijn school was hij – nu alweer zo'n twee jaar terug – over een tas gestruikeld. Zijn bril was afgevallen. Hij had
per ongeluk in zijn linkeroog gewreven, en toen pas ontdekt dat
hij met zijn rechteroog niets meer zag. In allerijl was hij door een
collega naar de plaatselijke oogarts gebracht. Die had gedacht
aan ablatie van het netvlies, zelfs aan een tumor, hij had hem direct doorgestuurd naar het academisch ziekenhuis in Nijmegen.
Daar was de irreversibele blindheid van het rechteroog geconstateerd.

Na enkele dagen al had hij gewoon weer willen lesgeven. Hij
was een oog kwijt. Dat was erg. Maar er zijn ergere dingen op de
wereld. Hij accepteerde het verlies van zijn gezichtsvermogen.
Hij wilde weer aan de slag. Hoe moest hij anders zijn dagen
doorkomen? Hobby's had hij niet. En ook geen vrouw. Hij was
er nooit in geslaagd iemand voor langere tijd aan zich te binden.
Zijn veel jongere vriendin – een leerlinge uit de examenklas –
had hem een paar jaar terug ook al in de steek gelaten. Voor een
leeftijdgenoot.

Terug naar zijn werk? De bedrijfsarts was daar fel op tegen geweest. Hij had een trauma opgelopen: 'U wrijft voortdurend in
uw oog, u raakt de desbetreffende regio zonder dat u zich daar
bewust van bent voortdurend aan. U bent nerveus. Bent u dat altijd?' Het was in de zomer geweest. Hooykaas had een open shirt
gedragen. De arts was achter zijn bureau vandaan gekomen, had
de hals van Hooykaas bekeken omdat hij meende dat de schildklier opgezet was. 'Die schildklier kan ook invloed uitoefenen op
de oogboldruk.' Was daar wel naar gekeken in het Radboud? De
arts was weer gaan zitten, had het onderwerp laten rusten.

'Blijft dat u een traumatische ervaring achter de rug hebt. U revalideert. In deze situatie, waar u zelf – denk ik – de ernst niet van inziet, raad ik u aan een psychotherapeut te raadplegen. Zonder hulp van een deskundige zal uw verwerkingsproces veel te lang gaan duren. Dat gaat de school alleen maar onnodig geld kosten!'

Hooykaas had geantwoord dat hij weer aan het werk wilde, dat hij geen enkele behoefte aan een therapeut had, dat hij een oog moest missen was onaangenaam, zeker... Maar zijn andere oog functioneerde nog goed. Hij kon toch ook autorijden! Waarom zou hij dan niet kunnen lesgeven?

De arts, korzelig: 'U vat het te licht op. Als u mijn raad niet opvolgt, zal ik dat aan de school moeten melden. Dat kan vervelende gevolgen voor de arbeidsverhouding hebben.'

Murw had Hooykaas de raad van de arts opgevolgd. Het was duidelijk dat ze hem eigenlijk niet meer wilden en nu de kans schoon zagen zich van hem te ontdoen. Door zijn openlijke omgang met Lise had hij nog weinig krediet op school. Toch had hij altijd van zijn werk gehouden, had hij het als zijn plicht beschouwd zijn leerlingen werkelijk inzicht in historische gebeurtenissen bij te brengen, hij wist ze met zijn verhalen aan zich te binden en had ook altijd goede examenresultaten behaald. Hooykaas was gek op zijn leerlingen. Op één te gek. Dat had kwaad bloed gezet.

De coassistente scheen met een felle lamp in zijn zieke oog. Studenten maakten notities. De hoogleraar wees op een bleke excavatie. Die bleekheid duidt op druk. Kan van een tumor zijn. Maar patiënt was gescand. Geen gezwel, noch van de hypofyse, noch in de voorste schedelgroeve. De bleke tint was onverklaarbaar. Een voor een keken de meisjes – nog geen twintig leken ze – in zijn dode oog. Hun wachtte nog een mooi leven, een carrière. Zijn carrière was voorbij.

Na dit onderzoek kreeg hij nieuwe druppels. Hij ging weer terug naar de wachtkamer. Pakte mechanisch een gedateerd beduimeld tijdschrift dat *Barthimeüs* heette, sloeg het open, zag een foto van een groepje blinde kinderen, een foto van een oogkas zonder oog, scheurde het tijdschrift in tweeën, moffelde het weg onder de stapel. De druppels begonnen te werken, waren krachtiger dan de voorgaande. De wanden van het kleine vertrek kon hij al nauwelijks meer onderscheiden. De oorzaak van de catastrofe moest achterhaald worden.

Het was in de eerste week van het nieuwe schooljaar geweest. Casper Hooykaas had les gegeven aan zes-atheneum. Doodse stilte in de gangen. De school lag aan de voet van een heuvel, een zandrug uit de ijstijd. Op de top hoge soepele dennen. Wind die altijd gerucht om de hoogste etages maakte. Nu niet. Buiten, tegen de helling, akkers. Achter de heuvel begonnen de heidevelden. In de gang: zachte geluiden, haast onmerkbaar, van voetstappen. Iemand op gymschoenen. Dan geklop op de deur. Hij riep 'binnen'. De klassendeur die openging. Een meisje, ernstig, verlegen, in een linnen rokje, gebleekt. Zo bleek als haar smalle gezicht. Door het lange donkerblonde haar een smal rood lint. Een baan zonlicht viel door het raam. Daarin danste stof. Geen bijzonder knap meisje. Op school was ze hem nooit eerder opgevallen. Nu wel. Vooral haar profiel in die donkere hoek van het lokaal. Lange benen. Haar voeten stevig op de grond geplant. Nog steeds roerloos, gelijk aan de onbeweeglijke dag buiten.

'Ik ben Lise. Met de conrector heb ik afgesproken dat ik van groep mag veranderen. Ik heb te veel tussenuren.' Gedecideerde stem die contrasteerde met haar timide uiterlijk. Hij heette haar welkom, wees haar een plaats aan. Toen hij haar zich 's avonds voor de geest probeerde te halen was daar vooral dat contrast van stem en uiterlijk én de streng haar met het rode lint. Haar gezicht had hij zich nauwelijks kunnen herinneren. Weinig opvallend meisje. De volgende dag kreeg hij bericht dat Lise ziek was thuisgebleven. Hij wachtte een week, besloot haar toen op te zoeken, zocht haar adres op de leerlingenlijst. In de hal schoot de conrector hem aan. Die Lise was een toegewijde leerlinge. Flink ook. Dit voorjaar was haar vader overleden. Net veertig. Een hartstilstand. Terwijl het gezin op krokusvakantie was in een huisje op de Veluwe. Het meisje had een oudere broer die geestelijk gehandicapt was. Geen type dat ontzien wenste te worden.

Casper kocht een bosje lila lathyrus. Nooit eerder had hij met bloemen op de stoep gestaan bij een zieke leerlinge. Een leerlinge die hij nauwelijks kende. Hij belde aan. Er werd niet opengedaan. Hij liep om het huis heen, zag de achterdeur openstaan, riep 'hallo'. Het was een regenachtige dag, hij droeg een lange, donkere regenjas en een witte zijden sjaal, losjes geknoopt, even nonchalant als haar rode haarlint. Hij had al spijt van zijn demarche. Wat deed hij in deze vreemde keuken? Hij hoorde iemand de trap afkomen. Lise stapte in haar kamerjas de hal binnen, zag hem staan. (Met die jas en die sjaal had hij haar aan een advocaat doen denken, zo bekende zij hem later.) Op hetzelfde moment was haar moeder binnengekomen.

Na enkele dagen was Lise weer op school. Hij vond een brief in zijn postvak. Na les trok hij zich terug op de hoogste etage, scheurde de envelop open. Ze vond het lief dat hij haar had opgezocht. Hoe wist hij eigenlijk dat lathyrussen haar lievelingsbloemen waren? Hij was teleurgesteld. Wat had hij dan verwacht?

Die dag had hij geen les aan haar gegeven. Het was na drieën geweest. Hij was bezig werk na te kijken. De deur ging onmerkbaar open.

'Ik zag u nog... Ik was erg blij met het bezoek. Heb je mijn briefje ontvangen?' Ze ging als vanzelf van u naar je over.

'Ja, dank je.'

Lichte zinnetjes, gedragen door stilte. Zij was het podium op gelopen en op de voorste bank gaan zitten. Hij was opgestaan en naast de voorste bank gaan staan. Door kieren van de half opgetrokken luxaflex vielen smalle stroken licht over de tafels. Een onmerkbare tochtstroom. Het licht golfde. Haar wangen waren warm. Te warm. Rood. Als geschminkt. De ogen intens groot. Net zeventien, dacht hij. Of zestien, als ze voordelig jarig is. Het moment in een meisjesbestaan tussen onschuld en mateloos verlangen. Onder haar huid, haar bloed dat raasde, een uitweg zocht. Rode vlekken in haar hals. Ze schopte haar gympies uit, trok haar benen onder zich. Haar lippen bewogen. Het was nuttig de luxaflex helemaal dicht te trekken, de deur naar de gang die openstond dicht te doen. Ze hoorden beiden voetstappen. De conciërge die de ramen kwam sluiten. Even later passeerde de conrector.

'In het rechteroog is het pigment weggelopen uit het regenboogvlies en heeft dusdanig de drainage van het oogvocht geblokkeerd...' De studenten maar schrijven! 'Patiënt heeft echt pech gehad. Juist het centrum is uitgevallen. Als ik mijn arm beweeg, ziet patiënt slechts fragmentjes van mijn vingers...'

Hooykaas' goede oog was afgeplakt. Toch meende hij duidelijk de hele arm van de *chef de clinique* te zien.

'Ik zie uw arm heel duidelijk...'

'Dat is een cognitief zien. Zoals de man met geamputeerde benen zijn koude tenen voelt.'

Hooykaas schaamde zich, hoe moest hij wel niet op die vlijtig schrijvende studentes overkomen?

Geachte heer Hooykaas,

Naar aanleiding van uw verzoek om psychotherapeutische hulp, nodig ik u uit voor een gesprek op...

U vindt hierbij een machtigingsformulier om met uw toestemming informatie op te kunnen vragen bij huis- en bedrijfsarts. Wilt u deze brief per omgaande ingevuld terugzenden?

Hoogachtend, F. Kruitwagen.

De psychotherapeut, in een legergroen overhemd, stropdas, pullover, ging er ook al van uit dat Hooykaas zich gezonder voordeed dan hij zich in feite voelde. Hooykaas ontkende de psychologische consequenties van zijn trauma. Besefte hij wel dat men nog maar heel weinig wist van de subjectieve beleving van ziek en gezond zijn, dat de grens tussen die twee, met het ouder worden, steeds vager wordt? Het komt geregeld voor dat mensen ziek verklaard worden die het niet zijn en andersom ook. Hooykaas had een ernstige handicap te verwerken. De hele situatie moest hem toch een buitengewoon onveilig gevoel geven. Het ging erom dat de 'restcapaciteit' in zijn verdere leven zo goed mogelijk benut zou worden. Casper dacht aan Lise en wreef in zijn pijnlijke oog. Hij deed zijn best om naar de woorden van de therapeut te luisteren. Zijn ogen traanden. De therapeut dacht dat hij huilde.

'Ziet u nou wel, u bent werkelijk uit balans, u huilt snel, zelfs bij gewone mededelingen al. U benadeelt uzelf echt als u zich niet laat behandelen.' Casper drukte met zijn vinger op zijn schrijnende oogbol. Die was hard als steen. Het leek wel of hij elk moment uit elkaar kon spatten.

Hand in hand waren ze de heuvel op gelopen, kwamen op het hoogste punt, keken uit over de golvende vlakte. Vanuit de hoogte waren de *celtic fields,* prehistorische akkercomplexen, goed zichtbaar. Hij legde haar uit hoe ze ontstaan waren, wees haar erop dat ze in bochten tegen de helling lagen. Bij opgravingen waren daar oude leemkuilen aangetroffen. Daarin was houtskool gevonden. Geleerden zagen er verzamelplaatsen voor een dodenmaal in. De drie opvallende heuvels waren grafheuvels uit de ijzertijd. In die graven waren geen resten van doden meer aangetroffen, alleen lijkschaduwen in het zand. Dat bleef er nu van een mens over. Lise zei dat ze het een magisch gebied vond. Toen vertelde ze over haar vader. Casper was bang dat ze zou gaan huilen, maar hoopte dat tegelijkertijd ook. Hij wilde haar kwetsbaar zien. Ze hernam zich, wilde daar nu niet over praten. Boven hen het eentonige geschetter van eksters. Aan de horizon een schaapskooi, verlaten. De schaapskudde was wegens grote tekorten van de hand gedaan. Drukkend weer. Ze renden de helling af, begonnen over een oud tracé de hei over te steken. Lise droeg die dag een korenblauwe zomerjurk. De eerste druppels. In de regen renden ze naar de verlaten schaapskooi. Lises haar, drijfnat, donkerder. Een lichtflits gevolgd door een harde slag. Een onweersbui vlak boven hun hoofd. Ze bereikten de schaapskooi. Bliksemflitsen gevolgd door harde slagen. In de verste hoek balen hooi, gereedschap. Buiten, de toppen van de vliegdennen die heftig bewogen. Het onweer nam in hevigheid toe. Hij wreef haar droog met een oude handdoek die aan een spijker achter de deur hing. De gympies schopte ze weer uit zonder haar handen te gebruiken; het geklaag van een tak tegen de nok van de schuur; de hei en het zand die het water gulzig absorbeerden. De wind nam in kracht toe. Nog even en de bomen zouden door de lucht vliegen. Indrukwekkend theater, bij open hemel. Beiden bang dat ze deze precieze, heldere gelegenheid, deze kans zouden laten lopen. Toen ze weer buiten kwamen, schetterden de vogels. Zon aan hun voeten. Van het onweer was alleen nog de hoge wind over, die de kruinen bewoog. Damp steeg op. Ze lieten hun natte kleren drogen. Ze glimlachte naar hem, bekende hem dat ze niet van groep was veranderd om het grote aantal tussenuren, maar om hém. Het eentonige lawaai van de vogels klonk als een tweede stilte.

Een arm verliezen, of een been, is erg. Vreselijk. Maar een oog is van een andere orde; een oog is bijna een symbolisch geladen orgaan. Volgens de therapeut was het daarom ook zeer verwonderlijk dat Hooykaas zich niet tegen dat verlies verzette, hij leek zijn handicap te negeren en besefte absoluut niet – volgens Kruitwagen dan – welke vermoeiende weg hij daardoor insloeg. Hooykaas luisterde nauwelijks, volgde zijn eigen gedachtegang, en vroeg aan Kruitwagen: 'U bent toch een psychotherapeut? Wat is het verschil eigenlijk met een gedragstherapeut?' Niet dat dat verschil Hooykaas ook maar iets interesseerde. Maar de therapeut leek blij met zijn vraag, zag er een aanzet tot samenwerking in. Hij gaf een voorbeeld: iemand is bang voor wespen. Een psychotherapeut zal eerst die angst analyseren, zodat de patiënt die angst uiteindelijk kan overwinnen. Een gedragstherapeut accepteert de angst en zal de patiënt zover willen brengen dat hij berust in het bestaan van wespen, maar zich dan wel leert verweren tegen die beesten. Na die uitleg was Hooykaas opgestapt. Hij was kennelijk aan het verkeerde adres.

De deur van het lokaal was op slot. Stilte in het grote gebouw. Geen aarzeling bij haar. Haar voorhoofd tegen zijn schouder: 'Kappie... Ik heb er niets onder. Pikant, hè?'

Het was zo gemakkelijk geweest op warme dagen. Alleen een jurk. Zij, in het gefilterde licht, op het podium voor het bord. Hij dacht aan een schilderij. Bedacht een titel voor dat schilderij: *Naakt meisje in klaslokaal.* Zij, onverwachts: 'Jij hebt natuurlijk al eerder een vrouw gehad! Al heel veel vrouwen. Is dat allemaal verkeerd afgelopen? Loopt het met ons ook zo af?' Haar hand tegen zijn mond. 'Nee, niets zeggen, ik wil het niet weten.' Hij vroeg haar wat ze na haar examen ging studeren. 'Logopedie.' Ze was heel gedecideerd. Ze wilde kinderen helpen die met afwijkingen waren geboren. En mensen die na een beroerte weer moesten leren spreken. Ze had welomschreven toekomstplannen. Casper Hooykaas was even bang geweest: meisjes die gingen studeren, zochten uiteindelijk toch een leeftijdgenoot als vriend. Misschien had ze alleen in deze fase van haar leven een vaderfiguur nodig, maar straks... Hij uitte zijn angst. Zij stelde hem gerust, vond hem helemaal geen vaderfiguur.

'Dag, vriendje van me,' begroette ze hem als ze even alleen waren in de centrale hal, achter een pilaar of in een garderobenis, 'dag, oud vriendje. Geef me gauw een kus. Nog een.' De bel ging. En dan was ze alweer verdwenen. Kwam soms terug, ernstig dan: 'Hoe moet dat straks, als ik van school ben, verder met ons?' Ze wilde altijd bij hem blijven. 'Kappie, weet je wel dat je macht over me hebt?' Ze tikte met haar vingers op de punt van zijn neus. 'Jij, met je mooie ogen, weet je wel dat ik om je ogen verliefd op je ben geworden? Geef jij eigenlijk wel om mij?'

De psychotherapeut had naar de bedrijfsarts en de staf van de school een brief gestuurd:

In mijn gesprek met patiënt C. Hooykaas bleek al snel een ernstig verwerkingsprobleem. Overigens uitte Hooykaas zich jegens mij nooit emotioneel, hoouit 'getrubbled' rationeel zoekend, waarbij hij mijn concrete samenvatting van zijn probleem, dat er bij hem sprake is van een acceptatie- (noem het zelfs rouw-)proces, met een lachend gebaar van de hand deed. Tijdens ons intakegesprek liet hij zich wel even gaan. De patiënt bekende dat hij elk moment van de dag aan de dood dacht. Als hij 's nachts wakker wordt, is ook zijn eerst gedachte: eens ga ik dood. Dan verstijft hij van schrik. Toen ik hem vroeg of hij het leven als een eiland te midden van de dood zag, wendde hij zijn hoofd af en weigerde nog iets te zeggen. Het is duidelijk dat patiënt geobsedeerd is door de eindigheid der dingen. Mijn argumenten konden de patiënt er helaas niet toe brengen zich open te stellen voor een behandeling. Het invullen van een vragenlijst vond hij al dermate absurd dat hij ook daarvan afzag. Tijdens een woedeaanval, die zijn psychische instabiliteit duidelijk aantoonde, is hij vertrokken. Therapie lijkt mij door de houding van de patiënt onmogelijk. Met vriendelijke groet, Kruitwagen.

Lise vertrok soms abrupt na een vrijpartij. Moest dan thuis helpen en verliet met haar gympen of schoenen in de hand het lokaal...

Parijs... Mozaïekvloer van blauwe tegels. Kunstmatig zandstrand. Een machine die als vroeger in het golfslagbad in Doorwerth golven maakte. 'Les bains Déligny.' Drijvend bad in de
Seine. Tegenover het palais Bourbon. Hij, Casper, uitgestrekt op
een transat. De stralen van de zon vielen loodrecht. De hitte kon
geen kant op, weerkaatste tegen de witgebikte rondlopende wanden van het voormalige graanschip. Over zijn gezicht, een opengeslagen boek tegen de verblindende hitte. Zij in het water, drijvend op een luchtbed, ogen gesloten, haar op drift in de
kunstmatige stroomversnelling. Een crawlslag in het water. Lise
die de kant op klom, druipend boven hem stond, bij hem hurkte. Daarna, ineens een beetje kouwelijk, tegen hem aan kroop, in
elkaar gedoken, handen tussen haar knieën. Lise die haar benen
in haar slaap strekte als om ze onder het weggeschoven laken te
krijgen. Later dronken ze citron pressé en keken vanaf het boot-
terras naar de bateaux-mouches vol toeristen. Zij stond op, liep
om de tafel heen, ging achter hem staan, steunde met haar handen op zijn schouders, belette hem speels om op te staan. Ze zei
dat ze hier altijd zou willen blijven, dat ze nog geen moment
heimwee had gehad, nog geen moment aan haar moeder had gedacht. Ze hadden maar één nacht in Parijs kunnen doorbrengen.
Lise sliep zogenaamd bij een vriendin. Casper en het meisje waren uitgestapt bij metro Bastille. Vanaf de Place de la Bastille liepen ze de smalle rue de la Bastille in. Op de hoek hotel Speria.
Hun kamer op de hoogste verdieping aan de straatzijde keek neer
op het standbeeld van de schelm bij uitstek: Figaro. Zij, diago-
naal op bed. Hij, verliefd: 'Het gaat zo goed met ons. Ook als we
langere tijd samen zijn.'

'Heb je daar dan aan getwijfeld?'

Die maandag na hun uitstapje had ze hem in de klas opgezocht.
Een vriendin had gekletst tegen een andere vriendin. Lise had
haar moeder uiteindelijk moeten bekennen dat ze met Casper
Hooykaas naar Parijs was geweest. Haar moeder wilde, voor ze

de school verwittigde, eerst met Casper spreken. Hij maakte een afspraak met haar. Lises moeder vond zijn gedrag stijlloos. Haar man was nog geen halfjaar dood. Zo'n kind zocht natuurlijk een vaderfiguur, daarom had ze zich aan hem vastgeklampt. De moeder eiste dat deze uitzichtloze verhouding ophield. Casper zei dat haar dochter nu dingen meemaakte die ze later misschien nooit meer zou ervaren. Na die opmerking werd Casper aangeraden het huis te verlaten. De school zou in kennis gesteld worden!

'Goede hoop,' zei de *chef de policlinique,* 'dat we uw linkeroog kunnen behouden. We moeten daar maar niet al te neurotisch over doen. De bouw van uw beide ogen is anatomisch zo verschillend. Je zou bijna denken dat het de ogen van twee verschillende mensen zijn. Die totale asymmetrie kan uw redding betekenen. Menselijkerwijs sluit ik bijna uit dat... We geven u straks betoptic-druppels mee. Ik denk echt dat de zaak beheersbaar blijft.'

Het was veranderd... Na Parijs... Al enige tijd wachtte Lise hem niet meer op onder de centrale trap. Ze was kennelijk geschrokken van al die toestanden. Met haar moeder. En op school. Hooykaas was er zeker van dat het weer goed zou komen. Enkele dagen na het schoolonderzoek was ze weer bij hem in het lokaal gekomen. Ze was halverwege het podium blijven staan. 'Ik moet je iets vertellen, wat je, denk ik, vervelend zult vinden.' Haar stem klonk koel, hooghartig. Hij keek naar het bord, speelde onverschilligheid.

'Ik heb een vriendje. Misschien heb je het al gehoord. Ik heb ook al met hem geslapen.'

Hij haalde zijn schouders op, trok met zijn vinger een spoor over het bord. Zijn strakke blik paste niet bij die houding.

'Je bent vrij, Lise. Dat weet je.'

Zij liep naar zijn tafel toe, wilde zijn hand pakken.

'Ik doe je pijn, hè?'

'Ik heb je toch gezegd dat je vrij bent.'

In het begin van hun verhouding had hij zoiets werkelijk gezegd. Uit een gevoel van superioriteit. Hij had nooit kunnen vermoeden dat ze gebruik van die uitspraak zou maken. Hijzelf had dat ook nooit overwogen.

'Ik moest het je van mezelf vertellen.'

Het licht van buiten accentueerde haar scherpe neusboog; hij vond haar aantrekkelijker dan ooit. 'Sorry, Kappie.'

Hij herhaalde nogmaals dat ze vrij was in haar doen en laten, dat het haar zaak was. Ze zei dat ze hem nog één keer wilde zoenen, dat ze de afgelopen maanden nooit zou vergeten, stak hem haar lippen toe. Hij kuste haar, onhandig. Zij leunde met één hand op zijn schouder, alsof hij een zieke man was. Diezelfde dag was hij in de gang over een schooltas van een leerling gestruikeld.

Via de oogheelkundige kliniek liep een brede gang naar de centrale hal waar het ziekenhuisrestaurant in lag. Hij kon de contouren van de mensen nauwelijks onderscheiden, hij bleef zo lang mogelijk dicht tegen de wand lopen, begon toen de oversteek van de hal. Baken was de fontein...

'Hallo Casper. Jij hier?' Hij had haar stem meteen herkend. Zijn ogen probeerden vormen te onderscheiden. Ze staarden als door dik matglas met veel luchtbellen. 'Wat is er met jou?'

Hij hield zich flink, zei dat hij een splinter in zijn oog had die net verwijderd was. Zij leidde hem naar een tafel bij de fontein. Ze had niet veel tijd, maar ze konden wel even een kop koffie drinken samen. Casper was blij dat hij zijn zwartleren jack aanhad. Zij had hem daar altijd graag in gezien. Ze kwam terug met koffie. Ze vertelde dat ze in dit ziekenhuis werkte op de afdeling Logopedie. Dat was immers altijd haar ambitie geweest. Ze deed zelfs al onderzoek en hoopte over enkele jaren – na haar afstuderen – te promoveren op de verhemeltespleet. Schrijven vond ze heerlijk: het adequate woord, de juiste formulering vinden. Ze was heel opgewekt, van een onverschillig soort opgewektheid. Alles ging heel goed. Thuis met haar moeder ook. Hij kon niet zien of ze zenuwvlekken in haar hals kreeg, of dat ze bloosde. Dat had hij wel willen weten. Was ze net als hij in de war van deze ontmoeting?

'Laat je me weten,' zei hij, 'wanneer je afstudeert?'

'Dat lijkt me niet zo'n goed idee,' reageerde ze direct.

Ze dronken hun koffie.

'Ik ga zo maar eens.' Maar ze bleef zitten. 'Je oog loopt toch geen gevaar?'

'Ik ben er tijdig bij.' Hij deed flink, alsof hij haar zo nog aan zich kon binden.

'Je bagatelliseert het volgens mij. Je rechteroog traant en is ook heel erg rood.' Hij keek haar kant op. Kon de trekken van haar gezicht niet zien. Ze ging weg. Dat zag hij wel. Ze stond op, gaf hem een hand, kuste hem toen op zijn wang.

'Ik heb je nog één keer eerder gezien. Ik wilde naar je toe komen, maar ik was met mijn vriend...'

Casper Hooykaas zou nog verscheiden uren moeten wachten voor zijn gezichtsvermogen terug zou komen. Hij liep alvast voorzichtig naar het parkeerterrein van het ziekenhuis. Hij voelde zich gerust: zijn ogen waren onder voortdurende controle en bij het eerste alarm – als de oogdruk van zijn gezonde linkeroog ook hoger dan toelaatbaar zou blijken – zouden er nog zeker drie of vier mogelijkheden zijn om dat proces een halt toe te roepen.

Nee, blind was hij nog lang niet.

Werken. Dat was het beste voor hem. Al was de bedrijfsarts daar nog zo fel op tegen.

Tikker

Folmer zette de televisie aan. Een nogal slordig uitgedoste kerstman deelde cadeaus aan bejaarden uit. Lex Folmer, 52 jaar en
ambtenaar op het gemeentehuis, had een christelijke opvoeding
genoten. Het idee van een kerstman stond hem tegen. Hij zette
de tv uit, miste zijn vrouw.

Liefdevol keek hij op deze kerstavond naar zijn hond die naast
hem op de bank lag te dromen. Van een loopse teef, een bijzondere urinegeur, een groot stuk worst dat zomaar van tafel viel? Of
droomde hij een mens te zijn, dat hij op zijn achterpoten kon lopen, een slagerswinkel binnengaan, een stuk vlees in de vitrine
aanwijzen?

Folmers blik ging de kamer rond. Geen dennentakken, geen
kerstboom, geen takjes bes-hulst achter een schilderijtje. Sinds
zijn vrouw was gestorven, kon hij dat feestelijk vertoon moeilijk
verdragen.

Hij probeerde nog andere zenders, schakelde het toestel opnieuw uit, streelde de hond over zijn kop. Het dier werd wakker,
sprong van de bank. Als zijn baas de televisie zo definitief uitzet-
te, was de kans groot dat ze nog een wandeling gingen maken.

Folmer sloot zijn huis af, maar liet het licht branden. De hond
hield hij aangelijnd tot ze de altijd drukke rijksweg waren overgestoken. Ze volgden – vertrouwde route – het pad langs de spoordijk. Het enkel spoor dat E. met de naburige stad verbond, was
enige tijd geleden met de NS-actie 'Onrendabele lijnen, weg ermee' opgeheven.

Hij liet de hond los. Tikker – in hondse opgetogenheid – rende weg over het droge, van rijp krakende pad, z'n neus vlak tegen de grond. Een heldere avond. De maan, het gekrioel van sterren. Maar het weer zou veranderen, was voorspeld. In de loop van de avond kon het gaan sneeuwen.

Rechts, na een schriel bosje, lag het uitgestrekte terrein van een voormalig wagondepot. Een rangeerlocomotief en een goederenwagon waarop witte kruisen gekalkt waren, stonden op zijsporen te roesten. Hij bleef nadenkend staan. Drie jaar geleden, op een vroege zomerse ochtend, had hij hier ook gestaan. 's Nachts had hij nauwelijks geslapen. De volgende dag zou zijn vrouw begraven worden. Met de dageraad had hij zijn huis voor een kleine wandeling verlaten. Nevel, vlak boven de grond, kondigde een stralende dag aan. Op een grasveldje van dit emplacement had hij een man gezien. Om hem heen een stuk of zes ravottende jonge hondjes, puppy's nog. Onvast op hun poten vielen ze telkens om. Eén, de kleinste, met dezelfde tint als de moeder – een zandkleurige hazewind, die bezorgd toekeek – hield zich buiten de drukte. De eigenaar had Folmer uitgelegd: ik dacht dat het na die worp van zes wel gebeurd was. Toen kwam deze er nog achter aan. Hij had het dier opgepakt. Folmer zei dat hij dit de mooiste vond. Hij moest aan zijn vrouw denken die thuis lag opgebaard. Hun grootste wens, een kind, was niet in vervulling gegaan.

De hond kwam bij zijn baas terug. Wat sta je daar nou? Hij duwde ongeduldig zijn natte snuit tegen Folmers hand. Een aanraking van je hond en de wereld ziet er meteen geruststellender uit.

Tikker rende alweer. In het maanlicht tekende de slanke hond zich duidelijk tegen het pad af. Links de spoordijk, met de zwart spiegelende rails, rechts een kaal maïsveldje, tegen een scherm van dennen. Boven Folmer, het eentonige geluid van suizende elektriciteitsdraden. Daarop, in zichzelf gekeerd een rits kraaien. Als kind geloofde hij dat bij het geschal van de trompetten in de eindtijd de muren van de huizen zouden instorten, maan en sterren doven, hoogspanningsmasten in een helse vonkenregen omvallen. Hij zag de hond niet meer.

Het pad maakte hier een scherpe bocht, volgde niet langer de spoorbaan, liep nu door dicht bos. De hond, als altijd, wachtte hem op, oren gespitst. Waar maakte zijn baas zich druk om? Hij zou heus niet weglopen.

Soms verdween de maan achter nevels. Van Folmer mocht er een dik pak sneeuw vallen. Hij constateerde een behaaglijk gevoel.

'In de buurt blijven, hè?'

Overbodige waarschuwing. Tikker hield van rennen, maar in het donker was hij tamelijk bang. Achter konijnen ging hij nooit aan. Lex Folmer hurkte bij het dier, gaf het een zoen boven op zijn kop. Hij was stapel op zijn hond.

Folmer liep door. De hond treuzelde wat achter hem aan. Waarschijnlijk te zeer in beslag genomen door een heerlijk geurtje. Een hond kon soms ineens stilstaan, stokstijf, verstrakken en kop hoog in de wind, nekhaar overeind, naar een punt in de verte staren. Hij was dan niet meer in beweging te krijgen. Een hond ving meer op dan een mens, reageerde op minieme signalen. Folmer keek achterom, zag het niet. In de verte lag de rijksweg, fel verlicht waar het spoor de weg kruiste.

Hij slenterde rustig verder, had de tijd aan zichzelf. Zonder dat hij het wilde, dacht hij aan wat een paar weken geleden gebeurd was. Eigenlijk wilde hij daar niet aan denken. Nog steeds steeg het schaamrood hem naar de kaken. Midden in de nacht was hij wakker geworden, had gejank in de keuken gehoord en was naar beneden gegaan. De hond had naast zijn mand gestaan. Bij het zien van zijn baas was hij gaan kwispelen. Dacht hij dat Folmer met hem ging wandelen, in het holst van de nacht? Nee, in je mand! De hond bleef staan en toen hij hem zacht wilde terug duwen, bood hij weerstand. Was er iets met zijn mand? Verschool zich daar ergens een beest waar hij bang voor was? Een spin, een muis? Tikker was geen waakhond. De vileinste inbreker zou op een gastvrij onthaal kunnen rekenen. Folmer vond alleen wat speeltjes in zijn mand. Hij schudde zijn deken op. En nu ga je weer slapen. Ik heb ook mijn nachtrust nodig. Het dier keek hem met zijn grote vieve ogen aan, stak een poot uit, maar weigerde in de mand te gaan liggen. Moet je dan een plas? Hij deed de achterdeur open, maar de hond wilde niet naar buiten? Had iemand langs het huis gelopen? Was hij daarvan opgeschrikt? De blik van de hond was strak op hem gericht. Het leek bijna of hij ging praten. Dus je gaat niet in je mand? De blik was intens en de hond beefde een beetje. Nou, zoek het maar uit! Ik ga naar bed. Boven hoorde hij na korte tijd het zachte janken weer. Folmer kwam zijn bed uit, sprak hem vriendelijk toe, daarna streng. De hond luisterde met de grootste aandacht. Het licht van de keukenlamp scheen door de bijna transparante oorschelpen. Folmer zag de fijne vertakkingen van de aders. Maar wat is er dan? Heb je pijn? Over enkele uren moet ik al naar mijn werk. Even overwoog hij om hem mee naar boven te nemen. Een hond was net een klein kind. Als je daar een keer aan toegaf... Hij pakte hem op, zette hem in de mand. Ga liggen! Folmer duwde op zijn rug, de hond zette zich schrap. Meer dan drie jaar had hij op deze plek in de keuken geslapen, bij de radiator waarvan hij de geluiden kende. Omdat Folmer er niets van begreep, was hij een beetje boos geworden en had de hond, die weer uit de mand was gestapt, hardhandig nu, teruggezet. Het dier was over zijn hele lijf gaan trillen, er voor de derde keer uitgekomen. Wat maalde er in zijn kop? Uit zijn houding sprak onverzettelijkheid. Met zijn kop zó, schuin, zag hij er toch ook kwetsbaar uit. Hij leek te willen zeggen: Ik kan niet anders. Begrijp me dan! Folmer stond besluiteloos in de keuken: 'Jij behoort nu te slapen. Iedereen slaapt nu. Wat zijn dat voor kunsten!' En toen, onverwacht, als buiten hem om, had hij de hond een flinke tik gegeven. En nog één. Folmer wilde hem helemaal niet slaan. De hond beefde heftig, keek niet-begrijpend. Folmer had spijt en werd daarom nog bozer, nu nauwelijks meer op de hond, maar op zichzelf. Tikker, onschuldig, een dier zonder pretenties die toevallig een reden had om niet in de mand te willen, kreeg van zijn baas tik op tik. De tanden van de hond klapperden, hij rondde zijn rug. Over de gekromde rug liep een donkere angststreep. De onrechtvaardigheid van dit alles. Folmers dwaasheid, de barbarij die in hem losbrak tegen dat liefste en aanhankelijkste van alle dieren, de onschuld van de hond betaald met de meppen. De eenzaamheid van de hond en die van zijn baas. Slapen lukte die nacht niet meer. Toen hij 's middags van zijn werk was thuisgekomen, had de hond zijn gezicht gelikt en na de wandeling was hij gewoon in zijn mand gaan liggen, de kop fier gegeven alsof hij wilde zeggen: het is al over. Voor vannacht hoef je niet bang te zijn.

'Tikker, waar ben je?' In zijn stem lichte onrust. De maan was helemaal verdwenen. In plaats van de verwachte sneeuw begon regen te vallen.

'Tikker!' Zijn stem klonk nu gejaagd, maar zijn hond kende die nuances. Dan kwam hij tevoorschijn. Kijk, hier ben ik!

Maar nu niet. Folmer floot, riep. Hield de hond zich soms schuil uit spel, benieuwd of zijn baas hem zou zien? Folmer liep honderd meter terug. Daar zag hij hem, dat donkere silhouet, in de berm, maar toen hij dichterbij kwam, bleek het slechts een afbakeningspaal.

Lex Folmer rende het pad af tot de volgende bocht. Niets. Was Tikker hem kwijtgeraakt en naar huis teruggelopen? Over de rijksweg heen? Of doolde hij nu door het bos? In de verte de rijksweg. Gedempte flarden van het verkeer kwamen in zijn oren. Nerveus haastte hij zich die kant op. Boven hem was de lucht zwaar en onbeweeglijk geworden. De zwarte stammen leken onaangedaan. Op de gonzende draden de zwijgende kraaien. Wisten zij iets van wat hij had willen weten? Was de hond een geur achternagegaan en toen zijn baas vergeten? Misschien dacht de hond dat Folmer allang thuis was en had hij ook de weg terug genomen? Hij verdrong het beeld van remmende auto's van een geplette en onverschillig aan de kant geschoven kadaver... Tikker zou al thuis zijn, had zoals het geleerd was, links en rechts de weg afgekeken, was toen overgestoken, zou hem nu bij de achterdeur opwachten.

De hond stond niet bij de achterdeur. Folmer gunde zich geen tijd de politie te waarschuwen, pakte zijn fiets, reed zijn straat uit. Hij stak de rijksweg over, riep de naam van de hond, stelde zich de paniek voor die het dier zou kennen, zijn smalle, zachte oren die hij zo graag aaide. Als Tikker zijn rug naar de zon keerde, scheen het licht door het dunne weefsel en leken zijn oorschelpen lichtrood op te gloeien. Onder zijn rechterkaak had hij een moedervlek...

'Tikker!'

Hij gooide zijn fiets in de berm, beklom de spoordijk, tuurde. Zijn ogen deden pijn. De rails glinsterden, als ingelegd met ontelbare stukjes spiegelglas. Weer op het pad bleef hij verlamd staan. Zou alle kanten tegelijk op willen. Was in de verte niet het schielijke remmen van auto's te horen? Die kant ging hij maar weer op. Hij zag hoe hard de auto's reden. Iedereen wilde deze avond zo snel mogelijk thuis zijn. De chauffeurs van vrachtauto's hadden hun cabine opgevrolijkt met een kleurig kerstboompje.

Verstoord gekras van een vogel, nu onzichtbaar. Hij passeerde het emplacement, riep, keek achter stapels bielzen, achter ander afvalhout, liep om de wagons heen. Trapte in het gewirwar van een bosje vogelkers, hoorde gekraak, kreeg hoop, ja daar stond zijn hond. Gelukkig! Dat moest zijn hond zijn. 'Tikker! Tikker! Ik ben het!'

De fiets aan zijn hand, de benen verstijfd, keek hij met grote strakke ogen voor zich uit... Zijn hond, die over een dosis onuitputtelijke tederheid beschikte... Trapte hij hem per ongeluk op zijn poot, zijn enige reflex, behalve een hoge, scherpe kreet, was een extra lik van zijn tong. Het kwam niet in de kop van dat dier op dat iemand hem kwaad zou willen doen. Hij dacht aan de radeloosheid van zijn hond? Wat moet een hond zonder zijn baas? En een baas zonder zijn hond. Alle zin van een hondenleven ligt in zijn baas. Alle zin van Folmers leven lag in zijn hond.

Stilstaande file in beide richtingen. Hij durfde niet te kijken. Een automobilist riep uit zijn portierraam:

'Is die hond van u?'

Hij durfde niet te kijken, dacht aan zware verwondingen, aan...

'Meneer...?' De stem van de onbekende klonk, geërgerd.

Folmer keek op. Zijn hond, midden op straat. Hij zag zijn baas, kwam zacht jankend op hem toe, intense blik: waar was je nou?

Schuldige hond

'Morgen ben ik er niet,' zei Erik Seghers.

'En ik heb daar bezwaar tegen.' Het hoofd afdeling Burgerzaken van het Arnhemse gemeentehuis schreef nog een memootje, keek zijn ondergeschikte aan. 'Ik heb daar bezwaar tegen. Het is een drukke tijd. Er zijn veel aanvragen voor paspoorten.'

Het was begin juni.

'Morgen ben ik er niet.' Uit Eriks houding sprak vastberadenheid. Hij bedwong een triomfantelijk lachje. Achter het grote bureau zat zijn voormalige vriend. Ooit, op de middelbare school, had Johan Koch zich ongevraagd als zijn beschermer opgeworpen. Erik, timide, bescheiden, was daar toen blij mee geweest.

'Mag ik misschien weten welke dringende reden... je kent de regel, een vrije dag moet een week tevoren aangevraagd.'

'Ik ben er morgen niet.'

'En ik eis dat je er morgen bent...'

Erik Seghers had zich al te lang ondergeschikt betoond.

Vanochtend was hij niet naar zijn werk op het gemeentehuis gegaan, hij had belangrijker zaken aan zijn hoofd. Hij die doorgaans nogal op zichzelf betrokken was, die alleen met zijn hond in een huis met een ommuurde tuin in de binnenstad woonde, ging vandaag iemand terzijde staan.

Eerst hadden ze samen een wandeling gemaakt in het park. Het dier, een zandkleurige hazewind, had uitgelaten rondgerend.

Erik ook. Met het heerlijke én een beetje angstige gevoel te spijbelen van school.

Hij verstopte zich achter de stam van een dikke, oude beuk. De oren van de hond gingen omhoog. Waar was zijn baas nu? Met zijn oren ondervroeg hij de wereld. Had hem toen ontdekt, was op hem afgestoven. Zijn baas had hem even hoog boven zich getild, als een kind.

'We gaan naar Sint Oedenrode!'

Oren weer omhoog, en naar voren gedraaid. Sint Oedenrode? Wat hadden ze daar te zoeken? Hij wist wat Arnhem betekende, Chez Armand...

In Chez Armand dronk Erik op zaterdagmiddag een glas. Niet zo lang geleden had hij daar kennisgemaakt met Wim Goud, hem direct sympathiek gevonden. Wim Goud had net als hijzelf geschiedenis gestudeerd en evenmin als Seghers die studie afgemaakt. Maar Wim was, met aanvullende cursussen, toch nog leraar geworden. De eerste jaren aan het Thorbecke-lyceum, hier in de stad, was het goed gegaan. Hij had les gegeven in de onderbouw. Toen hij via mo-studie ook de eerstegraads bevoegdheid wilde halen ging het mis. Teleurgesteld dat hij nooit hoger zou komen was hij gaan drinken. Hij bleek een kwaaie dronk over zich te hebben, werd snel agressief, maakte ruzie. In de meeste cafés was hij niet welkom meer. Maar de baas van Chez Armand wilde, mits hij beterschap beloofde, wel een oogje dichtknijpen. De uitbater, en ook Seghers, had met hem te doen. Gouds vrouw was bij hem weggegaan, zijn baan aan het Thorbecke was hij kwijtgeraakt. Twee weken geleden had hij in een plotselinge driftbui een glas bier door de gebrandschilderde ruit van het café gesmeten. Met onmiddellijke ingang was hem verder bezoek verboden. Seghers had hem thuis opgezocht, in een bovenwoning aan de Singelstraat. Wim moest nu echt proberen van de alcohol af te komen. Via zijn eigen huisarts had Erik opname geregeld in een ontwenningskliniek in Sint Oedenrode. De kliniek was gevestigd in een oud klooster van de Witte Paters, even buiten het dorp. Sint Oedenrode, had Seghers gedacht, is de plaats waar bisschop Bekkers begraven ligt. Meer wist hij van het Brabantse dorp niet af.

De zon verjoeg de laatste resten nevel. Over de vlakke, onafzienbare preivelden lag een blauw waas. De wereld buiten was transparant. Uit de autoradio klonk een trage mazurka van Chopin, de hond lag tussen hen in, zijn kop op de schoot van zijn baas. Die aaide hem over zijn favoriete plek, de holte van het kaakgewricht. De hond zuchtte diep, rekte zijn poten.

'Hoe lang heb je 'm nou al?' vroeg Goud.

'Twaalf jaar, volgende week.' Seghers had de hond gekocht op de dag van zijn moeders begrafenis, een zomerse ochtend als deze. Hij verdrong de bovenkomende herinnering.

De mannen zwegen, de hond sloot zijn ogen. De zon viel de auto binnen. Goud begon een sigaret te draaien.

'Het moet lukken,' zei hij, meer voor zichzelf.

'Het lukt.'

'Voorlopig moet ik er drie maanden blijven. Je zei dat het een strenge kliniek was, toch? Dat heb ik nodig. Maar zou ik wel een sigaretje mogen roken?'

'Zo streng zijn ze nou ook weer niet.'

De hond werd wakker, duwde zijn natte, zwarte neus in de handpalm van zijn baas. Erik keek opzij naar zijn vriend. Het lange, ongewassen haar hing over de vette kraag van zijn colbert. Om zijn hals droeg hij het zijden sjaaltje dat eens wit geweest was en dat hij waarschijnlijk nooit afdeed. Seghers bedwong zich, had graag zijn hand een moment op die van zijn metgezel gelegd. Goud had zich aan de drank gegeven, daardoor maatschappelijke positie en vrouw verloren. Nu probeerde Erik hem wel van zijn verslaving af te helpen, maar eigenlijk bewonderde hij hem om dat roekeloze leven.

'Dus,' zei Wim Goud, zijn hand op de kop van de hond, 'dit beestje is bijna vierentachtig, want je moet de leeftijd van een hond met zeven vermenigvuldigen.'

Erik knikte. Die leeftijd had zijn moeder, met wie hij altijd had samengewoond, niet bereikt.

'Kijk, hij wordt kaal opzij van z'n kop.'

'Van te veel aaien misschien.'

Erik dacht: Ik ben bijna vijftig en voor het eerst in mijn leven heb ik een echte vriend. Even zag hij het gemeentehuis voor zich. De chef die vanuit zijn glazen hok de hele afdeling beloerde, minnetjes op je weekkaart aantekende als je te lang in de krant keek, of naar buiten, naar de fontein op de binnenplaats. Johan Koch had zich jarenlang zijn vriend genoemd. Valse vriend. Die zat zich nu druk te maken over Seghers' afwezigheid.

Goud vroeg of de hond aan wedstrijden had meegedaan.

'Hij mocht een keer op proef rennen. Hij bleek heel haasvast, heel sterk. Maar echte wedstrijden, dat hoeft voor mij niet.'

De hond knipte met zijn ogen, drukte zijn platte kaken op elkaar. Zijn weke onderlippen staken breed naar buiten.

Op de akkers, nog steeds vlak en eindeloos, groeiden nu jonge maisplantjes.

Tegen elven reden ze Sint Oedenrode binnen. Het dorp was vol zomergasten. Ze parkeerden de auto naast de Martinuskerk en vonden op de hoek van Markt en Kapittelhof een aantrekkelijk terras dat behoorde bij Tapperij en Eeterij De Heilige Oda. Er was nog een tafel vrij op het hoogste gedeelte, onder de zonneschermen. Daar hadden ze een panoramisch uitzicht over het marktplein en de muziektent. Erik Seghers draaide zich om en keek door het raam het donkere café in. Links van hen was de grote Martinuskerk, in de steigers. Op het plein ervoor verhief zich een witte Christus. Rond de Martinus zag het zwart van de mensen. Niet voor een rouwdienst, want iedereen was in vrolijke, lichte zomerkleding.

'Is het vandaag een speciale dag?' vroeg Seghers het meisje bij wie ze koffie bestelden.

'Er is pas weer een mirakel gebeurd, meneer, bij het graf van de bisschop. Een verlamde vrouw kon na gebed ineens lopen. Haar krukken liggen nu op de zerk.' Ze werd geroepen door de eigenaar. Een kleine man met een wit voorschoot, en zwart krullend haar. De geknepen stem deed Erik onaangenaam aan.

'We gaan straks kijken, hè,' lachte Goud. 'Wie weet voltrekt zich het wonder ook aan mij. Geen drank meer, geen driftbuien. La colère, c'est le réflexe du faible. Ik weet niet wie dat zei. Sartre misschien.'

De hond lag aan hun voeten, op zijn zij, volkomen ontspannen, zijn vacht glansde. Zijn neusvleugels bewogen. Aan een naburige tafel werd een broodje kroket gegeten.

'Ik had tot dan toe altijd een poes gehad, Pom...' begon Erik. 'Ze ging dood, vlak voor mijn moeder stierf. De nacht van de begrafenis kon ik niet slapen. We waren altijd samen geweest. 's Morgens vroeg liep ik het park in. Op het grasveld kieperde een man een puilende boodschappentas leeg. Vijf, zes jonge hondjes, een paar weken oud, onvast op hun poten. Klommen op elkaars rug, vielen om, jammerden. Ik, op mijn hurken. De moeder, zo bezorgd, bijna radeloze ogen. Ik, bijna tranen. De mooiste heb ik gekocht. Sindsdien zijn we bij elkaar, Tikker en ik. Nou ja, waarom vertel ik dit... Kijk!'

Ze ontdekten hem tegelijk. Een post, op de hoek van de straat, met verschillende richtingbordjes. Smalle, groene plankjes in de vorm van een wijzende vinger: Roder Heyde.

'We hebben de tijd,' zei Wim. 'In de loop van de dag melden, schreven ze... Ik geloof dat ik morgen eerst van boven tot onder word bekeken. Ze willen weten hoe m'n lever eraantoe is...'

'Ik kom gauw langs.'

Na de tweede kop koffie stond Erik op. De hond kwam direct overeind, keek bezorgd omhoog.

'Ben je bang dat ik wegga? Je mag mee hoor!'

Tikker volgde hem het café in, met ondanks zijn leeftijd die nog steeds licht verende tred. De eigenaar stond, armen over elkaar, tegen de tap geleund. Boven hem waren bierpullen van groot naar klein in rekken geschoven. Op de bar leek een wit porseleinen paardje weg te willen springen. Tegen de achterwand, ansichten van stamgasten op vakantie. Er waren geen bezoekers in het café.

Erik Seghers zocht het toilet.

'Ik heb niet graag dat de hond meegaat.' De lijzige, geknepen stem van de cafébaas prikkelde Erik. Waarom zou zijn hond niet mee mogen? Daar maakten ze bij Chez Armand ook nooit bezwaar tegen. Zonder iets te zeggen liep hij door. Gaf hij antwoord, dan zou hij misschien geërgerd klinken. In de schemer van het café waren de ogen van de hond transparant groen. Erik bukte zich en streek hem snel over de rug, drukte de kop tegen zijn been. De wc was in de verste hoek. Hij opende de deur, liet eerst Tikker naar binnen gaan, schoof de grendel dicht. Het bleek een plezierige toiletruimte, met een dubbele deur. De hond bleef bij de buitenste staan. Erik liet de binnendeur op een kier. Een klein raam in de zijmuur keek uit op een morsig plaatsje met stapels bierkratten. Een roestige teil was tot aan de rand gevuld met een donkerbruine, gistende massa. Erboven cirkelden in naargeestig gezoem, ontelbare vliegen. Hij ging op zijn tenen staan. Over de binnenplaats heen zag hij de achterzijde van de kerk, een kapel, en in de wazige hitte de eerste rijen zerken van het kerkhof. Een vogel gluurde hem vanuit de dakgoot van een schuurtje aan. Ineens gehaast en zenuwachtig, waste hij zijn handen, hield zijn hete gezicht onder de kraan.

In het café negeerde hij de man achter de bar. Door een bovenraam viel een streep licht op het porseleinen paardje. Buiten wachtte Wim Goud. Erik had geen zin zich van de wijs te laten brengen door een wat kort aangebonden cafébaas, zweeg over het incident dat niet eens die naam verdiende. Hij vroeg het meisje de rekening.

'En De Kienehoef,' knikte hij naar een van de wijsvingerborden, 'wat is dat?' Ze vertelde dat De Kienehoef het gemeentelijke recreatiepark was, dat er sinds kort beelden te zien waren. 'En je kunt ook roeien, op de vijvers.'

Grote drukte op het kerkhof met de haaks op elkaar staande rijen graven. Veel bloemen. Veel mensen. Men stofte, veegde, keuvelde. Seghers dacht: de sfeer is hier anders dan op de algemene begraafplaats waar mijn moeder ligt. Hier zijn de doden nog onder de levenden. Sterker nog, ze zijn geen verleden tijd, ze vertoeven gewoon een poosje elders. Seghers zelf was protestants opgevoed, hij had geen idee uit wat voor nest zijn vriend kwam.

Tikker hield hij aangelijnd. Bij dit intiem katholicisme, in de zachte koelte onder de esdoorns, was de kleine aanvaring met de cafébaas al min of meer vergeten. Raadde de hond zijn gedachten? Met de kop schuin keek hij naar Erik op.

Goud vroeg zich af waar het graf van monseigneur Bekkers was. Dat zou wel een reusachtig praalgraf zijn. Een oude vrouw met zwarte omslagdoek, bezig een paadje aan te harken, verwees hen naar de kapel, gewijd aan de heilige Oda. Haar gebeente werd daar bewaard. Ze stierf op die plek, in 726, in een hut.

Wat zilverkleurig schaafsel. Dat was de enige versiering op de grafsteen van de bisschop. Een spreuk uit Romeinen 14:7: *Niemand leeft voor zich alleen.* De spreuk sloeg op Seghers zelf. Hij begeleidde vandaag zijn vriend die, naarmate de dag vorderde, steeds stiller werd. En hij had zich voorgenomen die vriend tweemaal per week in de kliniek te bezoeken.

Zaadpluis van de naburige esdoorn daalde naar beneden en werd direct weggeveegd. Tikkers oren stonden recht overeind. Het licht viel er even in en het fijne weefsel van de aderen was zichtbaar.

'Wat ben je toch een lieve schat,' zei Erik.

'Wie weet voltrekt zich het wonder ook aan mij,' zei Wim, ernstig nu, 'en kom ik van die verdomde verslaving af.'

Erik Seghers was orthodox opgevoed. Hij keek naar de mensen die in overgave baden, die eerbiedig de krukken van de wonderbaarlijk genezen vrouw aanraakten. Zacht zei hij: 'Ik zou graag willen geloven dat zich hier iets heeft geopenbaard.'

Een oude man had hem gehoord.

'Ik ben altijd katholiek geweest. Overal in de wereld worden mensen afgeslacht en hier zou...'

Erik vroeg hem of het ver lopen was naar De Kienehoef. Ze moesten rekenen op zo'n vijf kilometer. Vanuit het centrum de peppelroute volgen. De weg tegenover Roder Heyde. Daar kon je maar beter niet terechtkomen.

Ze slenterden naar een donkere rots in het midden van de begraafplaats. De Calvarieberg was bekroond met een triomferende Christus. Aan zijn voeten knielden de drie wenende vrouwen, in wit marmer.

'Mijn ex komt uit een katholiek nest,' zei Goud, 'bij mij thuis deden ze nergens aan. Hier zou je bijna gaan geloven.' Het zonlicht weerkaatste op de beeldengroep. De hoofden staken in vurige gloed. Een paar katten soesden op het blauwe korstmos, aan de voet van de sokkel. Erik vertelde dat hij zich als kind altijd zorgen maakte over mensen die nooit van Hem gehoord hadden. 'Die konden dus nooit zalig worden. Mijn vader vond dat wij van dit probleem af moesten blijven.'

Wim wilde nog even rustig een sigaretje draaien op een bank tegenover de Calvarieberg. Erik dacht: Ik wil dat deze dag nooit eindigt. Maar over een paar uur is hij voorbij. Het onvermijdelijke maakte hem nerveus. In de bomen rondom zwol het getjilp van vogels aan tot een stormachtig tumult. De hond had zich languit in het warme zand laten vallen. Aan weerszijden van de Christus bloeiden gele theerozen. Ze smolten samen met de zon.

Het was het heetst van de dag. Zijn collega's op het gemeentehuis hadden nu lunchpauze. Sinds kort gold er een verbod om tijdens lunchtijd door te werken. De bedrijfsarts schreef iedereen minimaal een halfuur ontspanning voor. Het afdelingshoofd hield daar nauwkeurig aantekening van. Seghers had de neiging om door te gaan. Zo zou niemand merken dat zijn werk hem eigenlijk niet interesseerde. Zijn ijver werd nu bestraft met minnetjes op de weekkaart. Bij zeven minnetjes moest je een verlofdag inleveren, een beoordelingssysteem uit de oude doos. Een unicum bij de lagere overheid. De gemeente Arnhem maakte ernst met bedrijfsmatiger werken! Hij herinnerde zich de dag dat hij naar die baan op het gemeentehuis had gesolliciteerd. Het gesprek was goed verlopen en binnen een week kwam het bericht dat hij was aangenomen. Op zijn eerste werkdag daar, liep hij zijn jeugdvriend tegen het lijf.

Johan Koch had hij uit zijn geheugen gewist. Die wilde hij van zijn leven niet meer tegenkomen. Erik Seghers voelde zich verstijven. Maar Koch had hem enthousiast begroet en gedaan of er nooit iets tussen hen was voorgevallen. Seghers had even overwogen om ontslag te nemen. Toen bedacht hij dat Johan op het archief zat en niet met hem van doen zou hebben. Hij kon er zichzelf om minachten... hij had zich zo goed gevoeld, zo zeker, maar sinds die ontmoeting was hij opnieuw het bedeesde jongetje. Johan bleef zijn superieur. In de loop der jaren was Koch overgeplaatst naar Burgerzaken en algauw hoofd geworden.

Tikker kwam loom overeind, liep op een pol grassprieten af en begon ervan te eten.

'Dat doet hij om zijn maag te zuiveren,' legde Erik uit. De hond kwam bij hem terug, duwde zijn snuit tegen de hand van zijn baas. De hond zag hen als soortgenoten. Seghers beschouwde hij als de leider. Die jaagt, bemachtigt een prooi ver van het hol, en bewaart de buit in zijn eigen maag. Komt de leider terug van zijn rooftocht, dan duwt de jonge hond zijn snuit tegen zijn flank, in de hoop dat hij een stuk vlees opbraakt.

Goud doofde zijn sigaret, veegde met zijn arm het zweet van zijn gezicht. Seghers vond dat hij er moe uitzag.

'Ik heb wel zin in een biertje.'

Seghers schrok. Hij was verantwoordelijk voor Goud. Je kon in Roder Heyde niet met een bierlucht aankomen. Onmiddellijk bedacht hij verontschuldigingen: hijzelf was vandaag niet op zijn werk verschenen, tegen de voorschriften in. Subversieve, gevaar-lijke acties was hij zijn hele leven uit de weg gegaan. Conflicten meed hij. Op kantoor speelde hij de ijverige werker. (Koch had hem doorgehad, hem grote afstand tot zijn werk verweten bij het laatste functioneringsgesprek). Wim Goud had echt een leven van anti-burgerlijkheid geleid. Waarom hem een biertje verbie-den? Over een paar uur zat hij achter solide kloostermuren.

'Ik lust er ook wel een,' zei Erik en gaf Wim een klopje op zijn arm. Ieder uitstel van het afscheid was welkom.

'Zelfde café?'

De hond die traag voor hen uit liep spitste de oren, bleef toen stokstijf staan. Zijn haren recht overeind, staarde hij in het niets. Hij jankte. Wat had het dier? Hij was niet in beweging te krijgen. Was er een onbekende geur te verwerken? Zag hij iets?

Seghers kende Tikker, wist dat hij op de kleinste tekenen rea-geerde. Het was wel eens voorgekomen dat hij onverwacht be-zoek had gekregen. Minuten daarvoor had de hond vol spanning heen en weer gelopen. Een hond herkent op een afstand van meer dan zes kilometer het geluid van een auto. Een hond kon-digt met zacht gejammer de dood in een gezin aan.

'Kom joh.' Tikker liep door.

Goud wist nog een mooi verhaal. In de middeleeuwen had je in een Bretons dorp een wonderdadig graf waar kinderen werden genezen. De heilige was een windhond, die Guinefort heette. De hond had het zoontje van zijn baas tegen een gifslang verdedigd, de man had het te laat begrepen en zijn trouwe hond gedood.

Ze bestelden een groot glas bier. De hitte gloeide door het zonne-scherm heen alsof de terrasverwarming aan stond. Wim liet zien dat hij met één hand, op zijn knie, een sigaretje kon draaien. Ze zwegen een tijd. De muziektent aan de overkant van het plein leek zich met licht te hebben volgezogen. Je zou zeggen dat het daar brandde. Goud zei:

'Ik heb Annette gejend. Ik heb de verjaardagen van de kinderen verpest. Ik wil m'n leven niet helemaal verkloten. Als ze in die kliniek nou maar...'

'Zo'n zware drinker ben je eigenlijk niet.'

'Ik heb gehoord dat we veel op het land moeten werken. Lichamelijke arbeid. En veel groepsgesprekken. Je moet op de hot chair. Dan moet je de groep vertellen hoe je zover hebt kunnen komen.' Langzaam draaide hij zijn glas rond. 'In zo'n groep ben je verantwoordelijk voor elkaar. Als je weer gaat drinken, ervaart iedereen het als een nederlaag.'

Seghers had met hem te doen. Hij dacht aan de collega's op zijn werk, voor wie hij geen enkel gevoel van solidariteit kon opbrengen. Wim was toch evenmin een groepsmens? Goud raadde zijn overpeinzing, merkte op dat hij niet wist of hij 't uit zou houden in zo'n bedisselende groep.

De cafébaas liet zich niet zien.

'We zitten hier goed,' zei Erik en legde een arm over de stoelleuning van zijn vriend.

De hond lag op zijn zij in de zon. Hazewinden kunnen goed tegen de zon. Hij was wel oud, maar nog kerngezond. De dierenarts had bij de laatste controle wel een lichte hartruis geconstateerd, maar daar ontkwam geen hond aan. Erik Seghers kon uren naar Tikker kijken. De smalle, spitse oren, bedekt met zachtbruin haar, de oogleden, zwart aangezet, net een penseelstreek, de tinten van zijn snuit: zones verlopend van zwart naar bijna wit. Hij kreeg nooit genoeg van hem.

Na nog één glas zochten ze de auto op.

Ze volgden de borden met 'Populierenroute'. Hier was het vlakke land met jonge kool beplant. Het licht scheen door de v-vormige bladeren. Aan een rek, midden in het veld, wiegden rij aan rij, bengelend aan hun poten, zwarte dode vogels.

Een witte poort. Een bord: Novadic. De c, omringd door kleurige stralen, verbeeldde de zon. Daaronder: Netwerk voor verslavingszorg.

Erik durfde Goud niet aan te kijken. Zouden ze hier al afscheid moeten nemen? Moest hij uitstappen, de weekendtas tevoorschijn halen? Om hen heen was het beklemmend stil. Erik stelde voor poolshoogte te gaan nemen. Wim zou hier blijven wachten. Hij duwde de poort open. Aan het eind van een oprijlaan lag een gebouw van donkere baksteen. Met zijn ene hoektoren – donjon – en kleine betraliede ramen, was het een bastion, een bolwerk dat de boze buitenwereld verre hield.

Binnen vervoegde hij zich bij de receptie, zei dat hij hier lang geleden een vriend naartoe had gebracht. Hij was nu in de buurt en wilde alleen even rondkijken. De dame achter de balie zei dat ze dat niet kon toestaan.

'Dit is toch een klooster geweest?'

'Jazeker, meneer. Dit was het klooster van de Witte Paters, de paters Damiaten. Hier achter loopt nog de Damiatenweg.'

'Is er misschien een brochure over de historie van het gebouw?'

Nee, daar kon ze hem helaas niet aan helpen. Op het gemeentehuis, daar had men meer informatie. Seghers treuzelde nog even in de hal met de witte plavuizen, bekeek de heiligen op de gebrandschilderde ramen. Onder Bonifatius was een witte duif met vijgentak afgebeeld, daaronder in gotische letters: *Beati pacifici*. Koud geworden haastte hij zich naar buiten.

Zijn vriend gooide stokken, liet de hond rennen.

'Het gebouw is gesloten. Je kunt pas om vier uur terecht. Kom, stap in, je kunt hier nog lang genoeg zijn.'

Wat had de hond toch lekkere zachte oortjes.

'Kijk', wees Wim.

Boven de bomen verhief zich een enorme koffiekan. De tuit leek wel een omhooggeheven slangenbek. Hij hapte naar de blauwe lucht. 'Teken uit de hemel,' lachte Wim, 'ik moet me voortaan bij koffie houden.'

Ze zetten de auto in de schaduw, liepen via een vlonder die

twee waterpartijen verbond het recreatiepark in, naderden over het gazon het grote, onheilspellende, zonbeschenen ding. De koffiekan stond op een heuvel, tegen de achtergrond van lila bloeiende rodondendrons. Ze dwaalden eromheen, stil, raakten het koele ijzer aan, voelden zich klein en nietig. Over de weg reed een zware tractor. De kan vibreerde licht.

Erik vond het net een boosaardig fabeldier, klaar om aan te vallen. Wim zag er een goeiige reus in, ontwaakt uit een mooie blauwe droom.

'Een gouden kalf,' fluisterde Erik, 'in de zon.'

In de verte hoorden ze schel gekrijs van pauwen, daarna luid hanengekraai. De laatsten moesten door het zonlicht in de war zijn gebracht, dachten misschien dat het ochtend was. Vlakbij, in een omheind weiland, graasden damherten.

Goud stelde voor een roeiboot te huren. Smalle vaarten verbonden de vijvers. Ze voeren het hele park door, de hond op de bodem van de boot, tussen hen in, passeerden twee zwarte zwanen met helgele sneb. Het was onwaarschijnlijk stil. Hier en daar, op de gazons zat een moeder met een kind. En vanwaar je keek, je zag altijd de glanzende koffiekan opduiken. Midden op de grootste vijver lieten ze de roeispanen rusten. Net als de hond sloot Erik zijn ogen. Zijn gedachten, in de deinende boot, in het zachte gekabbel van het water tegen de beschoeiing, raakten op drift... In het laatste jaar van de middelbare school was hij verliefd geworden op een meisje uit zijn klas. Zijn liefde werd beantwoord. Toen Johan Koch het in de gaten kreeg, was die zeer ontstemd. Die meid had al zoveel vriendjes gehad. Johan wilde, eiste dat hij haar opgaf. Toen zijn woorden niet het beoogde effect gaven, had Johan Eriks moeder 'bewerkt'. Dat meisje was een slet. Hij schetste haar beeld zo zwart mogelijk. Ze kwam bovendien uit veel hogere kringen, haar vader was generaal-majoor bij de luchtmacht. Erik zou diep ongelukkig worden. Onder de toenemende druk was hij zich steeds onzekerder gaan voelen.

Hij had zich toch al vaak de mindere gevoeld van dit meisje, was bang geweest voor haar hartstochtelijke omhelzingen, was elk moment bang haar te zullen verliezen... Nu tekende hij met zijn vingers haar naam in het water...

Erik opende zijn ogen, zag blauwe en witte pauwen, de plechtige zwarte zwanen, de stille ongenaakbare Koffiekan, neergedaald uit de hemel. Een schip gestrand, in de trillende hitte, op de berg Ararat.

Wim Goud glimlachte naar hem.

'Heilige Kan. Voor we weggaan, zal ik hem nog een keer aanraken.' Beiden lachten. Natuurlijk, het was een kinderlijke voorstelling van zaken, maar de vrienden twijfelden niet aan een goede afloop. Die kan zou Wims positieve eigenschappen stimuleren. De hond, lui, deed één oog open en snel weer dicht. Gelukzalig, dit leventje. Het water kabbelde onophoudelijk tegen de voorkant van de boot, die nummer zeven droeg. En Erik dacht: Dit is dan wel geen gevaarlijk bestaan, geen leven van een durfal, maar het is de meest romantische middag in jaren.

'Nietwaar, Tikker?'

De hond lichtte even zijn kop op, knipperde met zijn ogen, sliep weer door.

Wim zei: 'Ze hadden de boten vrouwennamen moeten geven in plaats van nummers.'

'Marlies,' noemde Erik meteen.

'Annette. Wie is Marlies?'

Erik onthulde in enkele woorden hoe hij het leven met die schoolvriendin niet had aangedurfd.

De zon stak. Ze lieten hun handen door het water gaan, gaven zich over aan de wieging van de kleine golven.

Ze huurden de boot voor de rest van de middag en hernamen hun zwerftocht en langzaam wiste de uniforme beweging van het water alle gedachten uit. Tenslotte moesten ze zich met geweld losrukken, stuurden de nummer 7 naar de aanlegsteiger, bleven nog op de houten brug staan, gezicht in de zon, liepen roezig terug naar de auto. De kan, beschermheilige, majestueus, ontzagwekkend, keek hen na.

Het voormalige klooster doemde op. Donkere vlek, zonder contouren. Zonder een woord reden ze de witte toegangspoort voorbij. Seghers had zijn hand op Wims knie gelegd. Een dag als deze, dacht Erik, een vriendschap als deze. Hij zag het gemeentehuis voor zich. De bode legde dienststukken op bureaus. Iedereen was nadrukkelijk bezig. Hij dacht aan de grijs betegelde vloer, de grijze wanden. Dat gevoel, dat alles grijs werd, dat alles erdoor werd aangetast, de planten in de vensterbanken, zijn groene bureaustoel... Nooit wilde hij meer terug. De loodzware hand van Koch op zijn schouder, het vaderlijk beschermende: 'Ik weet niet wat het met jou is, Erik. Ik kan je niets verwijten. En toch heb je die afstand tot je werk.'

Bij het eten dronken ze wijn. Ze waren de enige gasten in De heilige Oda. Op de markt tegenover hen, geen enkele bedrijvigheid. Belangrijke voetbalwedstrijd op tv. De eigenaar bediende. Nogal lusteloos, kortaf. Wim vroeg of hij sigaretten verkocht. De man verwees hem naar een automaat verderop. Een windvlaag bracht even verkoeling. Er zat onweer in de dichtgetrokken lucht. Benauwende hitte kwam terug.

De hemel boven Sint Oedenrode kleurde eigeel. Erik voelde zich zwaarmoedig worden. Aan deze dag dreigde toch een eind te komen. Straks zou hij alleen met de hond terugmoeten. Morgen werd hij weer op zijn werk verwacht. Waarom leefde zijn moeder niet meer, waarom had hij ooit dat meisje laten schieten, waarom had hij pas zo laat deze vriendschap leren kennen?

Wim ging sigaretten halen. Erik stond op om wat beweging te nemen, om dat melancholieke gevoel af te schudden. Hij ging het verlaten café binnen. De hond volgde hem. De eigenaar stond achter de bar, onder het rek met pullen.

'Kom maar Tikker.' De hond, kop laag bij de grond, toch geheven, keek hem bezorgd aan. 'Kom nou.' Hij tilde hem op, trok de wc-deur achter zich dicht. De hond bleef voor de tweede deur wachten.

Op de vensterbank, achter wat prullaria, klonk het lugubere gezoem van stervende of parende vliegen. Hij was nerveus. In de dakgoten hoorde hij het lawaai van vogels. Vanaf het plaatsje, waarschijnlijk uit die teil met gistende zooi, kwam een gemene geur. Schiet je op, leek Tikker te vragen.

Weer buiten, zag hij de lege stoel van zijn vriend. Dat maakte hem nog nerveuzer. De cafébaas verscheen in de deuropening.

'Had ik niet gezegd: geen hond meenemen! Nou kon ik zelf gaan dweilen.'

Seghers staarde hem aan, reageerde niet. De man was naar binnen gegaan en Erik liep hem na.

'Meende je wat je daar zei?' vroeg hij zacht.

'Natuurlijk, anders zeg ik 't niet.'

'Dus je bent me gaan controleren. Je denkt dat ik de hond... Die hond wil altijd bij me zijn.'

'Ik heb het zelf staan opruimen.'

'Ja,' zei Erik Seghers nog zachter, 'je hebt het zelf staan opruimen.' Bloed bonsde in zijn oren. Zijn voorhoofd brandde. Zweet liep in zijn oksels, in zijn kruis. Hij voelde zijn borst zwellen. Er kwam daarbinnen iets op gang wat hem ongekend genot gaf. Even sloot hij zijn ogen. Met droge lippen bracht hij nauwelijks hoorbaar uit:

'Je denkt dus...' Dromerig keek hij de man onder de bierglazen, als een panfluit aflopend in grootte, aan. Er waren absurd grote en kleine glazen bij. 'Ja, je denkt dus werkelijk dat ik mijn hond meeneem om...' Tikker stond naast hem, doodstil. Erik wendde zijn blik naar het terras. Wim was er nog steeds niet. 'Jij denkt dus...' O, wat was er veel plaats in zijn almaar uitzettende borst. En wat was zijn keel droog. Hij legde zijn hand op het springende paard van wit porselein, zijn vingers klemden er zich omheen. 'Jij hebt dus moeten dweilen...' Bijna plechtig klonk dat, alsof hij diep over deze woorden had nagedacht... Onverwacht gooide hij het paard met kracht in zijn richting. De cafébaas had zelfs geen tijd om terug te deinzen. Het ding raakte zijn voorhoofd. Was die man Goliath geweest, gehelmd, hij zou hem toch hebben getroffen. De hond zette een streep donkere rugharen op. De man struikelde over een richel die vloer en ruimte achter de bar van elkaar scheidde. Seghers sprong op de bar. Hij ging hem doodmaken. Wat die man had gezegd, dat kon niet. Hij greep de grootste bierpul, zag de cafébaas levenloos aan zijn voeten.

In de omlijsting van het raam stond Wim. Direct zette hij het literglas neer en liep naar buiten.

'Ik heb al afgerekend,' zei hij rustig. Met de hond voor hen uit liepen ze naar de parkeerplaats. In de bomen floten de vogels uitzinnig. Snel reed de auto de markt af, Sint Oedenrode uit.

'Het is misschien te laat nu...' begon zijn vriend.

'Het is te laat nu,' beaamde Erik Seghers, 'ik denk dat we beter naar huis kunnen gaan. We maken wel een nieuwe afspraak.'

Hoog water

Hij had de hele week al onrustige voorgevoelens. Overdag, tijdens zijn werk, had hij ze kunnen verdringen. Meer patiënten dan ooit hadden zijn ruime wachtkamer bevolkt. Ze kwamen de laatste tijd zelfs uit de grensstreek van Duitsland en België. Zijn reputatie als magnetiseur – *strieker,* zeiden ze hier in het dorp – nam nog steeds toe. De mensen zochten hem niet alleen op voor hun eigen kwaal, maar brachten ook hun snipverkouden kat mee, zelfs de sansevieria die plotseling onder het wit zat of haar blad verloor. Hij genas ze.

Henk Gerritsen, begin veertig, staarde in zijn opzichtig dure bontjas over de donkere uiterwaarden. Het was hoog water en er stond een flinke stroom. Aan de overkant van de rivier waar een licht schitterde lag een boerderij. Hij bewaarde er goede herinneringen aan. Daar had het meisje gewoond met wie hij later was getrouwd. Verkild sloot hij het tuinhek en liep weer omhoog naar de kapitale villa die hij in enkele jaren bij elkaar had verdiend.

In de zak van zijn jas voelde hij de brief die niet ongelegener, onverwachter had kunnen komen. Maar kwam een brief die de beëindiging van een relatie aankondigde niet altijd ongelegen, onverwacht? Een spoor van natte kou trok door de openstaande deur achter hem de pompeus gemeubileerde woonkamer binnen.

In de tijd dat hij zich nog niet bewust was geweest van zijn genezende kracht had hij in Velp in de Emmastraat gewoond, een eenvoudige straat met kleine winkels en burgerwoningen, waar hij ook was geboren. Na enkele jaren voortgezet onderwijs had hij, net als zijn vader, eerst als trouw- en begrafenisrijder gewerkt. Later was hij buschauffeur geworden.

Met zijn jas nog aan schonk hij zich, midden in de kamer staand, een whisky in. Het gebaar daarna – de open haard aansteken – onderbrak hij. Het zou hem zijn vriendin niet terugbrengen. Waarom had ze hem juist vandaag, de dag van zijn vrouws verjaardag, deze beslissing meegedeeld? Ze had op z'n minst zo kies kunnen zijn een weekje te wachten. Zou de slag dan minder hard zijn aangekomen? Waarom had ze er een eind aan gemaakt? Waren zijn lendenen niet hard genoeg geweest? Lag ze nu in de armen van een ander? Drie dagen geleden had ze hem nog gezegd zo gelukkig te zijn!

Hij schonk opnieuw zijn glas vol, bleef somber op het bovenste treedje van de witte marmeren trap staan die naar de zitkuil voerde. Ze was zijn eerste patiënt geweest. Hij had haar van een hardnekkige huidaandoening afgeholpen, zij had hem uit dankbaarheid haar lichaam gegeven. Zijn vrouw was al snel achter de verhouding gekomen. Gekwetst en teleurgesteld had ze het huis verlaten. Haar laatste woorden: 'Was maar gewoon bij *de bus* gebleven, dan was het allemaal niet zo ver gekomen.'

Ze was ingetrokken bij een ongetrouwde broer die op de ouderlijke boerderij aan de overkant woonde. Hun enige zoon, op de HEAO in Amsterdam, had voor haar gekozen. Deze liet zelfs op zijn vaders verjaardagen niets van zich horen. Ook die pijn had hij zo goed mogelijk verdrongen. Zijn ongekende maatschappelijke carrière, de plotselinge rijkdom en de verliefdheid, hadden hem lichtzinnig gemaakt, en bedwelmd. Hij kon, wilde alles naar zijn hand zetten. De wereld lag aan zijn voeten, tenminste een deel ervan. Rijkste inwoner van Brummen en toch nooit voor de Rotary gevraagd. Dat was een doorn in het vlees. Zijn vrouw had hem bij een van de laatste twistgesprekken toegebeten 'Maar goed dat je ouders dit niet hoeven mee te maken.

O, van je succes zouden ze wel hebben opgekeken, maar respect, nee, voor dit soort werk, hadden ze zeker geen respect gehad.' Vandaag was hij hardhandig in zijn nekvel gegrepen.

De aanwakkerende wind deed de ruiten trillen. Zijn handen beefden toen hij weer inschonk. Hij was gewend aan een paar whisky's per dag, (bij *de bus* dronk hij soms een pilsje) maar vandaag steeg de drank hem sneller naar het hoofd dan anders.

In de stad grenzend aan zijn geboorteplaats was het allemaal begonnen. Twee keer per dag deed hij met de bus Arnhem aan, vroeg in de ochtend en einde van de middag. Tegen halfzes stopte hij op het grote busemplacement, halte Stationsplein. Er waren veel passagiers. Als laatste stapte een deftige oude man in die naar Brummen wilde. Gerritsen stempelde het kaartje af. Bij het afrekenen raakte zijn hand even die van de passagier aan. De man keek hem verrast aan en zocht een plaats. In Brummen op het moment van uitstappen had hij Henk Gerritsen vriendelijk om diens adres gevraagd.

Twee dagen later was een lichtgrijze Mercedes voor zijn huis gestopt. Het was de onbekende deftige reiziger geweest. Hij liet hem binnen en de man zei: 'Op het moment dat u mijn hand aanraakte, vloeide magnetische kracht naar mij over. In mijn vak noemen ze dat het fluïdum.' Henk had het woord wel eens gelezen in de *Panorama* waarop hij was geabonneerd. Hij, noch zijn vrouw, hadden echt in die kracht geloofd, maar als proef had hij deze meneer Lever, die een bekende praktijk in Brummen bleek te hebben, mogen assisteren. De resultaten waren meer dan verbluffend geweest: een vrouw verloste hij van darmklachten, bij een oude man dreef hij nierstenen af van een centimeter doorsnee, enkel en alleen door zijn hand heen en weer te bewegen boven de zieke plek. Hij overtrof zelfs meneer Lever. Er waren patiënten die alleen door hem behandeld wilden worden. Vanwege zijn forse gestalte en rustige stem hadden de mensen een natuurlijk vertrouwen in hem. Zijn baan als buschauffeur had hij eraan gegeven. Zijn weldoener was intussen gestorven en Henk Gerritsen had de praktijk voortgezet.

Hij liet een visitekaartje maken en hij heette voortaan Henri Garrèts. Zijn roep nam toe. Gefortuneerde patiënten gaven hem uit dankbaarheid veel meer dan hij vroeg. Hij liet zich zijn groeiende rijkdom goed smaken had naast het imposante huis stallen voor drie renpaarden laten bouwen. Onder het huis kwam een zwembad met whirlpool en ander trendy raffinement.

In de werveling van zijn drukke bestaan was hij te laat geweest voor de begrafenis van zijn moeder. De stoet begon al met de terugweg, van *Heiderust*, toen hij met zijn vriendin aan was komen zetten. Dat had de deur dichtgedaan. Zijn laatste vriendschappelijke contacten in het dorp was hij daardoor kwijtgeraakt.

Hij stond roodaangelopen in zijn living, slokte het zoveelste glas leeg. Spijt stak door de zware mist in zijn hoofd, spijt over alles wat de afgelopen jaren gebeurd was. In dit op slag ongastvrije, vijandige huis, kon hij het niet meer uithouden. Een zielige grimas die de panische angst moest verhullen, dat niets meer viel goed te maken, vertrok zijn gezicht. Hij schonk de laatste druppel uit de fles, ademde zwaar en diep, gleed machinaal met zijn vingers over de gevlochten leren knopen van zijn chique jas.

Op weg naar buiten had zijn te zware lichaam al iets van de oude soepelheid teruggekregen. Van nature was hij altijd actief en beweeglijk geweest, gehoor gevend aan de eerste de beste impuls. Hij ging het huis verkopen; desnoods ging hij weer werken bij *de bus*. Misschien bij het *special* vervoer, zoals schoolzwemmen of buitenlandse tripjes.

De gedachte alleen al maakte hem vrolijk. Herinneringen kwamen boven, de camaraderie met zijn collega's... even dat handgebaar als men elkaar tegenkwam... je was een deel van het bedrijf, je hoorde ergens bij... Stormachtige wind had de wolken verjaagd, de maan vertoonde zich, net of boven de rivier een gordijn op een kier werd geschoven en het heldere licht van een lamp doorliet. Gerritsen kon ook duidelijk het silhouet van de boerderij zien, waar zijn vrouw, en waarschijnlijk vanavond ook zijn zoon, verbleven. Bij de rivier aangekomen was hij een moment verlegen met zichzelf, met het gewicht van de beslissing die hij genomen had.

Henk had met zijn auto om kunnen rijden, via de nieuwe brug. Maar dat was te eenvoudig en het was de vraag of hij dan de moed zou hebben aan te bellen. Zijn motorjacht lag voor een grondige beurt onttakeld op de werf van de jachthaven. Halverwege de veerweg lag zijn roeiboot, waarmee hij 's zomers viste. Daarginds aankomen met de roeiboot, bij dit weer... zou de gevoelens van de anderen sneller verzachten.

Het viel niet mee om in te stappen. De golven op de IJssel waren kort en krullend, bruusk. Met een roeiriem zette hij af. Een troep wakker geworden meeuwen scheerde met rauwe kreten laag over hem heen.

Al verder verwijderde hij zich van de oever, opgenomen door de golven. Henk Gerritsen droomde, helemaal alleen midden op de rivier, dat zijn vrouw weer in zijn armen lag, dacht de aarzelende hand van zijn zoon te voelen. Zijn hoofd gonsde van zoete gedachten; hij verbeeldde zich in kalmer vaarwater te komen, liet de riemen rusten. Nog even en hij kon aan land springen, opgewacht door zijn gelieven. Het water sloeg hard tegen de boot, de hemel was een afgrond...

Familie

Vanmorgen, een week voor Kerstmis, kreeg ik bericht dat geheel onverwacht, op zestigjarige leeftijd, Henk Gerritsen was overleden. Op de rouwkaart stond echter de naam die hij zich had aangemeten sinds zijn carrière op deze aarde een hoge vlucht had genomen: Henri Garrèts. Tot in zijn dood verloochende hij zijn afkomst.

Henk was een vijf jaar oudere vroegere buurjongen van mij. Henks vader was een vriend van mijn vader, ik mocht hem oom noemen. Beide vaders waren in de jaren vijftig en zestig buschauffeur. Die van mij is lang voor zijn pensioen overleden, die van Henk is tachtig geworden. Na zijn pensionering heeft hij nog een poosje taxi gereden en werd daarna afgekeurd. Iedereen dacht dat hij het nu wel rustiger aan zou gaan doen. Henks vader had altijd van paarden gehouden: hij werd trouw- en begrafenisrijder.

Vaak kwam ik hem in de stad tegen, hoog op de bok. Dan zwaaide hij. 's Winters lag een Schotse plaid over zijn knieën. Hij hield dit werk vol tot enkele dagen voor zijn dood. Op een keer trof ik hem in nogal bizarre omstandigheden achter het station van Arnhem. Het was koud, het sneeuwde. Onder een lantaarnpaal stond hij, mijn oom. Een jongen kwam op hem af. Mijn oom keek schichtig om zich heen, overhandigde hem een envelop. De jongen rende weg. Wat gebeurde hier? Even tintelde ik van spanning. Werd hier een schuld vereffend? Was er soms sprake van chantage? Och, mijn goedmoedige oom... Ik, een jaar of tien in die tijd, vergat de scène min of meer. In de wereld van volwassenen gebeurden zoveel geheimzinnige dingen. Dit was er waarschijnlijk een van. Misschien ook was ik intuïtief bang mij in iets te mengen dat alleen maar schade kon opleveren, dacht ik toen al dat het beter was niet te veel te willen weten.

Voor Henk had ik van jongs af bewondering. Door een curieus toeval werd bij hem de gave van een genezende, magnetische kracht ontdekt. Precies weet ik het niet meer. Was het bij een ontmoeting in de *Rutecks* in Arnhem of bij een *aanraking* tijdens het afrekenen van een buskaartje, toen Henk buschauffeur was? Het doet er eigenlijk niet toe. Wel zeker is dat de *ontdekker* van zijn gave, meneer Lever uit Brummen was. Hij nam Henk op in zijn huis, en beschouwde hem als zijn zoon. Tot aan zijn dood bleef Henk zijn *zoon* en assistent.

Na het overlijden van meneer Lever leek het of Henks geneeskracht op slag verdwenen was. Maar hij, de ambitieuze, had allang in de gaten dat *strieker zijn* een vak was dat misschien bewondering afdwong bij genezen patiënten, voor de officiële medische stand telde het niet. Hij gaf zijn praktijk eraan, werd artsenbezoeker, volgde universitaire colleges. Na enkele jaren zat hij in de top van de farmaceutische gigant *Ciba-Geigy.* In die tijd moest ik voor een operatieve ingreep in een academisch ziekenhuis zijn en daar zag ik hem, in witte jas, te midden van topspecialisten door de gang schrijden. Hij was druk aan het redeneren. Men luisterde vol ontzag.

Ik zocht mijn buurjongen en vriend, ook nadat we volwassen waren geworden, geregeld op. Ik was, ongetrouwd, bij mijn moeder blijven wonen en werkzaam als archiefambtenaar bij de gemeente; allemaal zaken die mij in zijn ogen niet bepaald interessant maakten. Maar hij had een zwak voor mij. Waarschijnlijk omdat ik hem al zo lang bewonderde – niet zonder reserves overigens. Toen zijn vader nog leefde mocht deze zijn zoon nooit onaangekondigd opzoeken. Had Henk net chique gasten over de vloer, ze zouden meteen doorhebben, bij het zien van zijn vader, dat hun gastheer niet de hoge komaf had die hij voorgaf. Ik nam het hem kwalijk, maar begreep dat deze houding voortkwam uit een, ondanks zijn voorspoedige carrière, sterk minderwaardigheidsgevoel.

'Kom eind van de middag langs,' had hij gevraagd. 'En neem je moeder mee, ik heb vandaag het rijk alleen. Lies is naar familie.' Hij was getrouwd met een vermogende boerendochter uit Brummen. Mijn moeder voelde zich niet helemaal in orde en bleef liever thuis.

Tegen vieren – de zon net onder, maar over de straten en huizen nog de nevelige rode weerschijn – was ik op weg naar mijn in het leven zo geslaagde vriend. Ik verheugde mij op dit bezoek. Hij zou een goed glas wijn schenken en ik zou, comfortabel gezeten, dromerig in het haardvuur starend, naar zijn verhalen luisteren. Hij was van nature een opschepper, maar ging nou eenmaal om met de groten der aarde, speelde golf met Prins Rainier van Monaco... Hij was een poseur, maar had de gave mensen te bespelen, Mij ontbrak dat talent ten enenmale.

Henk liet mij binnen, ontkurkte al snel een goed gechambreerde *St. Emilion,* liet mij proeven, toen de bel van de voordeur ging. Ik zei: 'Mmm... die is uitstekend...' Hij gaf mij de fles met de woorden: 'Hier schenk jij even in. Ik ben zo terug.' Voorzichtig vulde ik de glazen, ging op de bank van zacht wit kalfsleer zitten, bladerde door een glossy tijdschrift. Opeens hoorde ik Henks stem, in de hal zich duidelijk verheffen. Ik kon niet verstaan wat hij zei. Nieuwsgierig geworden, keek ik steels door het raam en zag op de stoep een man van middelbare leeftijd in een manchester pak. Door het open bovenraam hoorde ik een zachte stem, die aandrong, smeekte. Op mijn tenen sloop ik naar de haldeur. Henk riep: 'Ik ken u niet en ik wil u niet kennen.' Hij

sprak achter uit zijn keel, vond ik. 'En als u nu niet gauw verdwijnt, smijt ik u van de stoep.' Zijn stem was hard, autoritair,
vijandig. Mijn vriend had een groot sterk lichaam, had vroeger
triomfen gevierd als waterpoloër bij het Arnhemse *Neptunes*.
Opnieuw hoorde ik de bedeesde stem van de onbekende. Ze herinnerde mij aan die van Henks vader vroeger. De voordeur sloeg
nogal hard dicht, Henk kwam terug in de kamer, rood aangelopen na de bijna-schermutseling, na die heftige woordenwisseling. Met een geforceerde glimlach, die een zweem van wreedheid in zijn gezicht moest verhullen, liet hij zich in een fauteuil
vallen, beantwoordde mijn vragende blik met: 'Dat was dat.
Weer zo'n vent die je verzekeringen wil aansmeren...' Hij loog.
Die man was geen opdringerige verzekeraar, zoveel had ik wel begrepen. We reikten naar ons glas, dronken. De even verstoorde
rust was ogenschijnlijk hersteld. Maar de verhalen die hij opdiste
klonken onechter dan anders. Het leek of hij zichzelf moest over-
schreeuwen. Eigenlijk voor het eerst ergerde zijn gepoch me. De
vertrouwelijke sfeer was op slag verdwenen. Dit hooghartige
wegjagen van iemand die, voor zover ik het kon beoordelen, geen
kwaad in de zin had, zat me niet lekker. Ik voelde me ineens niet
meer zo op mijn gemak in dit dure huis, ik kreeg kippenvel, grote spinnenpoten liepen over mijn rug. Ik bekortte mijn bezoek.

Mijn moeder wachtte mij op in de keuken. 'Wat ik nu toch heb
meegemaakt...' begon ze. Ze had tranen in haar ogen. Met horten en stoten kwam het verhaal eruit. Ik was net weggeweest toen
de voordeurbel ging. Ze had opengedaan. Een haar onbekende
man in een manchesterpak had op de stoep gestaan. Hij had zijn
naam gezegd en vervolgens gevraagd of de ouders van Henk Gerritsen nog in leven waren. Die waren beide dood. Daarop was de
man gaan huilen en ze had hem binnen genodigd, hem koffie gegeven. Hij had haar zijn geschiedenis verteld. Zijn eigen moeder
was onlangs gestorven. Op haar sterfbed had ze hem bekend dat
Gerritsen, vroeger buschauffeur en later trouw- en begrafenisrij-

der, zijn natuurlijke vader is geweest. Zij had een maandelijks bedrag van hem geëist. Tot vlak voor zijn dood had hij moeten blijven werken om die som te kunnen betalen. Als jongen had hij een tijdje, op last van zijn moeder, achter het station geld van een onbekende in ontvangst moeten nemen. Het was zijn eigen vader geweest. Het geld wilde hij nu terugbetalen. Als zijn vader niet meer leefde kon hij het misschien goedmaken aan diens zoon Henk. En hij zou met zijn halfbroer over zijn vader kunnen praten, iets meer van hem te weten komen.

Als een bliksemschicht zag ik het tafereel weer voor me, op die koude winterdag – in de vijftiger jaren – in Arnhem.

Mijn vriend had die *bastaard* verjaagd. De onbekende verstoorde de comfortabele orde die Henk alias Henri zich gecreëerd had.

Mijn eerste impuls na mijn moeders verhaal was, direct en vastberaden naar Henk terug te gaan. Ik zou hem zijn liefdeloosheid eens goed onder de neus wrijven. Ik heb het nagelaten. Ik heb daar altijd spijt van gehad. Ik had hem op z'n minst op zijn vileine gedrag moeten wijzen; hij was immers mijn vriend. Ik heb hem nooit meer opgezocht.

Mijn moeder kon zich de naam van Henks halfbroer niet meer herinneren. Alle pogingen die te achterhalen zijn mislukt.

De begrafenis van Henri Garrèts is daags voor kerst. Ik ga er zeker heen. Misschien tref ik er, onder de 'nabestaanden', zijn halfbroer.

Verlangen

'Het gaat al een stuk beter,' zegt de jonge vrouw tegen de elegant geklede man.

'Alleen bijzondere meisjes overkomt zoiets.'

'Ik dacht dat ik gek werd...'

Stefan neemt een slok van zijn whisky, bekijkt haar aandachtig. Esmée heeft de brede mond, de grote donkere ogen van haar moeder. Geroerd wil hij iets liefs tegen haar zeggen. Hij beheerst zich.

'Heb je het niet koud?'

'Nee...'

Maar hij ziet dat ze rilt. Ze houdt de beker warme chocolademelk tegen haar wang, kijkt over de balustrade van het Café-Balkon op de drukte in de hal van het Amsterdamse Centraal Station. Over een kwartier vertrekt haar trein. Haar ouders zullen haar in Arnhem opwachten.

De professor prees Gerbens inzet. Stefan had toegekeken hoe zijn broer de doctoraalbul in ontvangst nam. Het was Gerben, zes jaar ouder, ambitieus, intelligent, weer eens gelukt. Als reactie op zoveel succes liet Stefan het al op de middelbare school afweten, spijbelde en hing rond in bars waar hij het gezelschap zocht van verveelde, rijke vrouwen. Hij kleedde zich geraffineerd, gedroeg zich dandyesk. Gerben, door alle studie, had nog nooit een vriendin gehad. Op een dag belt hij:

'Stefan, luister... raad eens. Ik heb een meisje! En ze is zo mooi!'

Zijn broer had niets te veel gezegd. Eline was een prachtige vrouw. Enige tijd later, Gerben en Eline zijn inmiddels getrouwd en wonen in Arnhem, moet Gerben voor zijn werk naar New York. Stefan stelt Eline voor samen ergens te gaan eten. Er gebeurt die avond meer dan de bedoeling was.

Esmée wordt in het vroege voorjaar geboren. Stefan verhuisde naar Amsterdam, maar bleef bij zijn broer en schoonzus komen. En altijd had hij een cadeautje voor Esmée bij zich. Het kind adoreerde haar oom. In die jaren en later, op school, waren er nauwelijks problemen.

Esmée was een open, actief meisje, altijd vol plannen. Na het eindexamen atheneum schreef ze zich in aan de Amsterdamse Hogeschool – Europese studies – en ging op kamers wonen. Stefan ontmoet haar met een zekere regelmaat in grand café Luxembourg. Openhartig vertelt ze hem over haar relaties. Hij had die keer, na lange tijd, weer met haar afgesproken op het Spui. Hij wachtte vergeefs.

Esmée lepelt een restje chocolademelk uit haar beker. Onder hen, in de hal, is er wat rumoer om een zakkenroller. Ze kijken toe hoe de man in de drukte weet te ontkomen.

'Ik heb liever niet dat je meegaat naar het perron. Ik kan op perrons geen afscheid nemen.' Ze maakt een kleine beweging met haar schouders.

'Je bent verdrietig...'

'Stefan, we moeten elkaar maar niet meer zien.'

Een half jaar geleden, had de psycholoog hem althans op één punt gerustgesteld. Geen drugs. Maar ze was sterk vermagerd. Esmée had in paniek haar huisarts gebeld – verward, onverschillig voor alles en iedereen, bang en ze was met spoed opgenomen. Esmée maakte een hevige crisis door.

Een laatste snelle blik op de stationsklok. Stefan krijgt een vluchtige zoen.

Bovenaan op de trap van het Café-Balkon draait ze zich om.

'Nu ben je dus helemaal op de hoogte...'

Om haar mond speelt even het licht spottende lachje dat hij van haar moeder kent. De trap komt uit op perron 2A. Misschien neemt ze de roltrap naar beneden en kan hij nog een glimp van haar opvangen in de vertrekhal. Hij leunt over de brede balustrade, maar ze laat zich niet meer zien.

Stefan vindt een krant, bladert erin, vouwt hem weer toe. Ze zit nu in de trein, ze is weg, naar huis, naar Gerben en Eline. Hij drinkt zijn glas leeg, begint omstandig in zijn oog te wrijven. Esmée geeft meer om haar oom dan om haar eigen vader. Ze verdrong die emoties en vluchtte in de armen van wie maar wilde. Tijd gaat voorbij. Hij kan er nog niet toe komen om op te staan.

Ten slotte rekent hij af, aarzelt om deze plek te verlaten, werpt een laatste blik omlaag. Is dat het frêle figuurtje van Esmée, Esmée die haar hand opsteekt? Hij zwaait terug en kan zijn tranen niet bedwingen. Hij zwaait. Wat is er gewoner, alledaagser? Een oudere man die zijn hand opsteekt. Een vader zwaait naar zijn dochter.

Hij haast zich de trap af.

Lathum

Velperbroekcircuit. Fly-over, richting Oberhausen. Direct na de brug over de IJssel, rechtsaf. Een overslagbedrijf; IKEA; de opvallend brede schoorsteen van de stedelijke vuilverwerkingsoven, waaruit een dun, bijna onzichtbaar rooksliertje opstijgt.

Ik nader Lathum en ik verheug me. Niet op de droeve plicht die ik heb te vervullen: de laatste broer van mijn vader wordt vandaag begraven. Oom Gerrit heeft de leeftijd der zeer sterken bereikt: 98 jaar. De laatste van een generatie. Nu is mijn generatie aan de beurt. Ik ben nu de oudste. Maar het is niet gezegd dat de oudsten altijd het eerste gaan.

Ik verheug me op het weerzien met Lathum. Het is de plek waar mijn ouders vandaan komen. Ik kom er niet zo vaak meer.

Het was lange tijd een idyllisch kijkdorp. Een gesloten gemeenschap van boeren en steenfabrieksarbeiders. De steenfabrieken lagen in de uiterwaarden en droegen namen als Muggenwaard, Koppenwaard, Steenwaard. Het steenovenvolk woonde in lage huisjes op het fabrieksterrein, op alluviale aanslibbingen, de zogenaamde koppen, waar ze gevrijwaard waren tegen hoog water. De boeren woonden op boerderijen, aan de andere kant van de bandijk, op het binnendijkse land. Rond de kerk was het meestershuis en de pastorie. Duidelijke sociale hiërarchie. Behalve kerk en school was er lange tijd-tot-de-oorlog een derde instituut: Het Huis te Lathum, een versterkt huis. Het wordt al in 1243 genoemd. De Heren van het geslacht Baer woonden er. Ze stonden in de middeleeuwen in hoog aanzien en mochten de titel *bannerheer* voeren. In het gevecht reden zij naast de vorst en droegen het banier, zodat men wist waar zich bij het verzamelen het opperbevel bevond. Lathum was berucht als bannerheerlijkheid. De Heren van Groot-Kell, die tien kilometer verderop in Angerlo woonden, hebben het geweten: hun kasteel werd in 1489 door Baerse ridders verwoest. Een muurfragment rest nog van dat eens zo trotse huis. Het ligt in het weiland van de boerderij die Groot-Kell heet. Er woonden een oom en tante van mij. Als jongen heb ik gedroomd bij dat stukje muur.

Huis te Lathum heeft tot '45 in zijn oorspronkelijke staat bestaan. Er woonde een heer aan wie de Lathumse boeren hun pacht afdroegen. Wegtrekkende Duitsers bliezen het gedeeltelijk op. Het wordt nu bewoond door een Heiting. Familie van Lien (NRC). De kelder heeft tongewelven van stenen, die in de dertiende eeuw zijn gebakken. In een weiland in de buurt zijn bij opgravingen resten van een veldoven teruggevonden: zwartgeblakerde fundamenten. Het is zeker dat daar klei is afgeticheld en mijn opa noemde dat stuk land altijd de *tichelkuûl*. Ik rij op de rivierenweg, die 25 jaar geleden werd aangelegd. Daarmee kreeg het dorp aansluiting op het busnet naar Arnhem en Doesburg. Het was ook de eerste aanslag op dit dorp van nog geen 700 inwoners. De snelweg sneed het dorp in twee stukken. Kerk en kerkhof, maar ook de school lagen vanaf dat moment niet langer in het centrum. Ze lagen bloot en onbeschermd aan die weg. Het heeft lange tijd geduurd voor het dorp aan die weg wende. De auto's reden er erg snel, in dat open land. Het duurde een tijdje voor men besefte hoe snel een auto die je in de verte zag, dichtbij was. Dat gaf een aantal verschrikkelijke ongelukken.

Links van mij, de kleine hervormde kerk, uit de veertiende eeuw. Ik ben aan de vroege kant en rij een halve kilometer door. Aan het eind van het dorp had je een *wiel*, een grondeloos diepe waterplas, waar vroeger klei uit werd gehaald. Ooit vond ik er op de oever een stervende snoek. Ik trok hem op de wal, wachtte tot hij dood was, bond hem achter op mijn fiets, stak het veer over en verkocht hem in Velp aan visboer Verkuyl in de Kerkallee voor een gulden.

Je hád daar een wiel, dat niet meer dan vijftig meter breed was. Nu staar ik over een onafzienbaar meer met stranden, jachthavens in aanbouw. Ik parkeer mijn auto voor snackbar De bonte Koe en ga een infocenter binnen.

Recreatie-oord De Lathumse Hoek. Prognose voor '92: Negentigduizend dagrecreanten. Ik lees in een brochure: 'Wat planologen hier hebben uitgedacht, grenst aan het onwaarschijnlijke. Uitgebreide watersportvoorzieningen, zoals plankzeiloevers en winterbergingsloodsen; een geheel overdekt centrum met kegelbanen, whirlpools, supermarkt, beautysalon en cadeaushops. Kortom, een compleet vakantiedorp waar het goed toeven is gedurende het hele jaar.'

Ik rij langs het meer, passeer steenfabriek (De Muggenwaard) die nu Riverside Lathum heet en die als berging is ingericht. Dan, te midden van opgespoten land, waar dit jaar nog vijfhonderd bungalows worden gebouwd, een McDonald's & McDrive. Ja, je kunt er met je auto naar binnen rijden. 'Lekker gezellig.' Ik keer om. Lathum, ingeklemd tussen vuilverbranding en sociale dagrecreatie.

Tijdens de begrafenismaaltijd zit ik tussen oude mannen van het dorp.

'Ie bint dus de skriever! Is dat nou de skriever, de zoon van Jan, die toen in de bloemen is gegaan?' We eten dik met ossetong belegde broodjes.

'Er sting laatst een foto van oe in de *Liemers*. We zeiden tegen elkaar, Krek, z'n vader.'

Eén buigt zich naar mij toe:

'U zou eens moeten schrijven wat hier op het dorp gebeurt. Ik wil het nog niet eens over dat recreatieoord hebben, dà sund din-

gen die overal op komen zetten en die zijn toch niet tegen te houden... maar het vuil uit de stad dat ginds verbrand wordt. Vorige
week is er weer een gezin naar Canada vertrokken, de derde dit
jaar... Allemaal families die hier eeuwenlang gewoond hebben,
een Zadelhof, een Koenhen, een Hupkes... terwijl de grond hier
zo best is. Maar de lol aan het boeren is voorbij. Weet u waarom
ze vort sund? Er is hier, sinds dat vuil verbrand wordt, iets met
het land en ons bees aan de hand. Je ziet aan ze dat er iets mis, ze
laten de kop hangen, ze staan op de gekste momenten aan het
hek te reren...'

...reren?

'...loeien,' wordt mij van alle kanten verduidelijkt.

'Je haalt er de veearts bij, maar die kan niets vinden en toch
weten we zeker... Ook met het gras is iets aan de hand. Of het
groeit dik en dru, of er vallen opeens gele plekken...'

Ik sta op de dijk. Ik tel de schoorstenen van zeven steenfabrieken.
Een lust voor de ogen. Het rood van de ovale daken, tegen de
achtergrond van de Veluwezoom, gevat in het groen van uiterwaarden en bongerds. En de rivier, glinsterend in het zonlicht.
Nederland op z'n mooist. Maar van de zeven zijn er nog twee in
gebruik. Verderop De Baerse Pol en hier vlak voor mij: De Koppenwaard. Heb ik iets met baksteen? Ik haal in gedachten mijn
schouders op. Nee, niet dat ik weet.

Natuurlijk, vader las op zondagavond – als voorbereiding op
de nieuwe werkweek – altijd uit Exodus voor. Altijd de eerste
verzen van hoofdstuk vijf: '...Farao beval op die dag de drijvers
en opzichters van het Joodse volk: "Jullie mogen het volk geen
stro meer geven om tichelstenen te maken, zoals gisteren en eergisteren. Ze moeten nu zelf stro gaan verzamelen, maar toch zullen jullie hun de vastgestelde hoeveelheid tichelstenen die zij gisteren en eergisteren moesten maken, opleggen zonder daar iets
van af te doen, want ze zijn lui..."'

Heb ik iets met baksteen? Nee, niet direct, maar deze steenfabriek vlak voor mij, heeft in mijn vroegste jeugd een beeld van herbergzaamheid opgeleverd... Ik was drie en zat bij mijn moeder achterop. In het duister reden we over deze dijk de fietstassen vol bonen, aardappels en verborgen onder haar kleren, in een op de onderjurk genaaide zak, een pakje boter. Het was in '42 en moeder nam mij mee, omdat de Duitsers een moeder met kind doorgaans ongemoeid lieten. Maar wat duurde het lang voor we bij het Lathumse veer waren om naar Velp te komen. Tenslotte doemde dat scheefgezakte bord op: De Koppenwaard. Dan was het veer niet ver meer.

Heb ik iets met baksteen? Nee... maar toch!

Na de oorlog fietste ik naast mijn vader op deze dijk. Achter op onze fietsen een linnen zak vol geschilde appels. Steenfabriek De Koppenwaard. De beheerder gaat ons voor op een smalle wenteltrap. De appels worden uitgestort op de droogzolder boven de oven. Een paar weken later halen we de gedroogde appels op. Moeder bewaarde ze in een bus van Van Houten. Op feestdagen liet ze ze wellen. We aten appeltjes met griesmeel.

Het terrein lijkt verlaten. Bij de kleibult een excavateur. Ik open de deur van een houten gebouw waarop kantoor staat. In een rek staan verschillende soorten stenen, bezande en onbezande. Op kaartjes staan namen: straatklinker, waalformaat, metselsteen, boerengrauw. Tegen de wand de slogan. MOOI IS GEMETSELD IN BAKSTEEN. Op een folder. SEPTEMBER/BAKSTEENMAAND.

Een prikbord met kopietjes van artikelen. 'Rendementsherstel in baksteenindustrie; baksteen in opmars in utiliteitsgebouw' (foto van het NMB-gebouw in Amsterdam Zuidoost); 'baksteenindustrie kan Duitse bouwmarkt nog verder veroveren.' Dit artikel haal ik van het prikbord en begin het te lezen aan een van de bureaus. '...Op de vakbeurs Constructa in Hanover bleek opnieuw hoezeer de Nederlandse baksteenindustrie in het noorden van Duitsland marktleider is. Nu al gaat van elke vijf stenen die in Nederland gebakken worden er één naar Duitsland. Wat deze eertijds zo schatrijke en bloeiende industrie redt, is een optreden-de smaakverandering bij het publiek. Baksteen is natuur. Baksteen is een product dat de sporen draagt van de klei waar hij van gemaakt is en van het vuur waarin hij gebakken is. In Duitsland is het zogenaamde *Holland-Haus* met de fris ogende bakstenen *Sichtmauer* in de mode gekomen. Huizen met veel baksteen brengen in de verkoop meer op en zijn dus een goede belegging. Baksteen zal het goedkopere beton nooit meer kunnen verdringen, maar we kunnen als knb (Koninklijk Nederlands Verbond van Baksteenfabrikanten) een tegenaanval inzetten...'

Telefoon.

Ik neem op.

Steenfabriek De Koppenwaard. En luister. Ik heb een bouw-ondernemer aan de lijn. Hij bestelt 20.000 straatklinkers. Best rood. Waalformaat. Renovatieproject binnenstad Deventer. Ik noteer de bestelling, lees nog in het artikeltje dat alleen Duitsland voor export in aanmerking komt. Dat ligt aan de aard van het product. Per eenheid heeft een baksteen een betrekkelijk geringe waarde, maar het heeft een hoog gewicht en dus hoge transportkosten. België voorziet in eigen behoefte.

Ik bevestig de kopie weer op het prikbord. Nog steeds ben ik de enige bediende op het kantoor van steenfabriek De Koppenwaard. Mijn blik valt op een ander verhaal: 'Baksteenindustrie moet nog meer gesaneerd worden.' Ik verwijder de punaises en begeef mij met het nieuwe artikel naar mijn bureau, dankbaar dat mij de gelegenheid wordt gegund zo efficiënt kennis te kunnen nemen van deze bedrijfstak. Het artikel begint overigens grof. 'Je zou wensen dat er weer oorlog over dit land kwam. Vlak na de oorlog was het de welvarendste industrie van het land. In de jaren vijftig kwam – na die wederopbouw – de grote woning-nood, als gevolg van elkaar opvolgende geboortengolven. Een bedrijfstak met 15.000 werknemers en 200 fabrieken. Toen kwam de trendbreuk. De malaise begon bij de straatstenen. Het open wegdek werd vervangen door het gesloten wegdek: asfalt, bitumen, beton. De voorraden op de tasvelden liepen op tot vierhonderd miljoen stenen. Toen kwam de klad voor de baksteen in de huizenbouw. Spouwmuren van gasbeton. Voorgevels van betonplaat. Fabrikanten zijn toen bij elkaar gaan zitten. Ze stopten elk een som geld in een pot. Bedrijven die vrijwillig de productie staakten, werden uitgekocht. Zo'n bedrijf ontving geld om de lopende schulden te betalen, de mensen fatsoenlijk te laten afvloeien. *Warme sanering.* Beter dan de koude, via de lijdensweg van het elkaar kapot concurreren en tenslotte het faillissement...'

Telefoon.

Steenfabriek De Koppenwaard.

Ik noteer een bestelling van 10.000 gevelklinkers. Maasformaat. Ik voel mij een halve fabrikant. Ik zit hier nog geen tien minuten en heb al voor meer omgezet dan ik in een maand verdien. Ik had in de handel moeten gaan. Ik lees het artikel af. Ik wil me nu ook zo goed mogelijk op de hoogte stellen. '...de vraag trekt iets aan.

Stabiliteit, maar op een niveau lager dan ooit. De dalende bouwprognoses voor de jaren negentig betekenen dat van de 65 overgebleven bedrijven in Nederland er nog zeker 25 zullen moeten verdwijnen...'

Het is gaan regenen. De kleibult glimt. Heb ik het op de lagere school geleerd, of op de ULO, maar ik *weet* opeens dat kort voor de ijstijden van het Kwartair Rijn- en IJsseldelta in de buurt van de Doggersbank lagen. Grote delen van de Noordzee lagen droog. In die tijd hebben onze waterlopen die taaie, donkere klei afgezet in lagen van vijftig meter diep. Deze leem is zeer geschikt voor dakpannen en metselstenen. Daaroverheen kwamen de jongere rivierkleiafzettingen, vanaf het Holoceen tot heden. De huidige aanslibbing in de uiterwaarden bedraagt enkele centimeters per jaar. De oudste lagen, die zeer vette klei bevatten, dat wil zeggen weinig zand, bakken geel. De jongere, alluviale klei, waarin veel ijzer voorkomt, bakt rood. Klei is niets anders dan een verweringsproduct van lei en andere natuursteen.

Het is harder gaan regenen. Ik heb nog geen zin om dit vertrek, dat ik al min of meer als van mij beschouw, te verlaten. Mijn oog valt op een kastdeur met grafieken over de fabrikage van stenen. Werden er tien jaar geleden nog 2 miljard stenen gebakken (straat- en metselstenen), dat aantal is teruggebracht tot 2,5 miljoen. Te midden van die grafieken een foto van een steenfabrieksarbeider, die Wolsink heet, plus een interview dat *De Lijmers* hem afneemt bij zijn veertigjarig jubileum op De Koppenwaard. '...mijn grootvader heeft hier als putmens gewerkt. Hij stond in de kleiput en groef die klei met de schop af. Later werd hij kipkarrenschuiver. Hij kieperde de klei op de grondbult waar ze een halfjaar moest rijpen, het "in de rot staan" of het "mauken" van de klei. Mijn grootvader is geëindigd als moddermaker. Met zijn blote voeten kneedde hij de klei tot alle steentjes en andere ongerechtigheden eruit verwijderd waren en de klei plastisch genoeg voor de vormer was. Aan de vormtafel staan, was zijn ideaal. Maar zover heeft hij het niet gebracht. Hij maakte dagen van zestien uur voor een karig loon in de kleffe klei. Een werkpaard had het beter. Het was toen nog seizoenarbeid en in de winter had je geen inkomen. Toen mijn grootvader tegen de vijftig liep was hij al versleten. In het nieuwe voorjaar kwam hij bij de baas informeren of ze hem weer gebruiken konden. Het antwoord van de baas was: "Ga maar naar huis, de kachel uitpissen." Je kon nog zo'n goed vakman zijn, je was een minderwaardig wezen. Mijn vader is vormer geworden. Als de aardmaker de klei voldoende gekneed had, nam mijn vader een homp en wierp die met kracht in de houten vorm, die tevoren was natgemaakt en met zand bestrooid. De klei werd aangedrukt naar de vier zijden. Wat overtollig was, werd er afgestreken met een plaam of afstrijkmes. Dan gaf hij de vorm aan de afdrager die de vormeling er op de droogbaan uitsloeg en de vorm terugbracht. Als ze droog waren werden ze rechtop gezet. Het zogenaamde "rechten". Dat werd door vrouwen en kinderen gedaan. De zander bestrooide ze met fijn zand om het stukbarsten tegen te gaan. Mijn vader was in staat om enkele duizenden stenen per dag te maken. Je verdiende stukloon. Je werkte dus door tot je erbij neerviel. Mijn vader heeft het geschopt tot baas bij de vormtafel. Hij had drie man onder zich. Ikzelf ben ovenbaas. De Koppenwaard is een van de weinige steenfabrieken met een originele vlamoven. Een oven die uit dertig tegen elkaar gebouwde kamers bestaat. De stenen zijn geplaatst tussen muren en het vuur omspoelt ze. In dit systeem staan de stenen stil en het vuur beweegt. In andere systemen, zoals de veldoven of tunneloven, bewegen de stenen en doorlopen verschillende vuurzones. De vlamoven geeft een gelijkmatiger product, maar kost meer energie. Hier worden bakstenen gebakken. Je hebt dus een temperatuur van 1100 graden Celsius nodig. Bij 1000 graden gaat de klei verstenen. Als je verder gaat verwarmen, gaat de versteende klei sinteren, dat wil zeggen gedeeltelijk smelten en er ontstaat glas. Bij snelle afkoeling stolt het zo ontstane glas en legt een dun harnasje om de baksteen. Dat is nou de typische straatklinker. Nu houdt de computer de temperatuur in de schoorsteentrek in de gaten. Ik heb de computer niet nodig. Een goeie ovenbaas kan de temperatuur aan de kleur van het vuur aflezen. Mijn grootvader is niet oud geworden. Na zijn afkeuring heeft hij nog drie jaar geleefd. Elke morgen en elke middag liep hij naar de kleibak waar hij bijna zijn hele leven in had gestaan. Na de mechanisatie verdween de kleibak. Hij bleef naar die plek komen en drentelde er wat rond. Och, je was hier geboren, je kon er nooit meer van loskomen...'

Een man loopt gebogen langs mijn raam. Ik herken Wolsink.

Ik lees snel verder. '...Je vormde op de steenfabriek een kleine gemeenschap, los van het eigenlijke dorp. Omdat je zo geïsoleerd leefde, was je je nauwelijks bewust van de maatschappelijke ontwikkelingen. Het kwam wel voor dat in de jaren twintig er soms een "rooide sociale" tussen zat. Mijn grootvader moest daar niets van hebben. Je had je plaats toegemeten gekregen. De steenfabrieksarbeider is pas heel laat wat mondiger geworden...'

Telefoon. Ik noteer een bestelling van Bouw- en Woningtoezicht van de gemeente Doetinchem. Ik lees door.

'...Nee, ik ben nooit getrouwd geraakt. Het kwam er niet van. Het was natuurlijk mooi geweest als ik een zoon had gehad. Hij had het hier misschien tot productiechef kunnen brengen. Maar je moet niet te veel verlangens hebben...'

Wolsink komt weer langs mijn raam. Vanaf de dijk zie ik een auto deze kant op komen. Dat zal de bedrijfsleider zijn. Het is nu tijd om hier weg te gaan. Toch wat gehaast stap ik in mijn auto. Weldra laat ik Lathum achter me en rijd via de fly-over in westelijke richting, voldaan, en ook wat moe, als had ik een langdurige rondleiding genoten.

De droom van een nieuwsgierige

Gisteravond stond het al vast dat ik vandaag, heel vroeg, op stap zou gaan.

Meer dan twintig jaar geleden, op 25 april 1971, wandelde ik van mijn woonplaats Ede naar mijn geboorteplaats Velp om mijn moeder op te zoeken. Vader was dat jaar overleden. Ik was tijdens die wandeling in gezelschap van mijn oudste dochter die toen vijf was. Zij reed op haar rode fietsje naast mij en zorgde voor de ravitaillering. Toen we tenslotte boven aan de steile Bergweg kwamen waaraan mijn ouderlijk huis staat, zagen we oma al in de voortuin staan zwaaien. Ze onthaalde ons op beschuitjes met verse aardbeien en slagroom, we spraken over de tocht die we net achter de rug hadden, over mijn overleden vader, liepen over de kwekerij die al aan het vervallen was: in het bassin waarin vader regenwater opving, waren gaten gevallen en uit de schilferige mortel van de wanden was berk opgeschoten.

Mijn moeder leeft ook al niet meer en mijn dochter durf ik niet meer te vragen om in een slakkengangetje naast mijn muizenpasjes te fietsen. Maar gisteravond stond het al zo vast als een huis dat ik vandaag die wandeling zou gaan herhalen. Nu in m'n eentje. Och, ik hoef er niet langer omheen te draaien: vandaag is het moeders sterfdag.

Hoog in de blauwe lucht buitelen twee donzige wolkjes van puur genot om elkaar heen. Daar moet een straf windje staan. Dichter bij de aarde is het windstil; nog nevelig. Het belooft een balsemieke dag te worden.

Drie minuten gaans van mijn huis sla ik bij restaurant De Driesprong de Hessenweg in, die naar de Ginkelse hei voert, maar waarvan de eerste paar kilometers tussen bouwland en bosjes met knotbeuken lopen. Vogels fluiten. Leeuwerik, groenling, fitis? Ik ben geen vogelkenner, herken slechts het gekoer van houtduiven. Maar dat geschetter? Vink, boompieper? Het is mij absoluut onbekend, maar ik geniet van het aangename gerucht dat ze maken. Een konijn schiet met een koddig sprongetje de struikruigte in. Met ingehouden jubel loop ik over het mulle zand in de diepe karrensporen. Ik voel mij als het kind aan de vooravond van zijn verjaarsfeest. Wat staat mij niet allemaal te wachten? Hou nu mijns ondanks de adem in, zie midden op het pad voor mij het soepele silhouet van een eekhoorn, bewonder de moeiteloosheid waarmee hij wegspringt. Ik had hem graag even willen vasthouden om het zachte bont van zijn staart te strelen. Ik ben tegelijk kinderlijk opgetogen en in een tedere stemming. Van een solitaire, bizar gevormde vliegden komt een wolk geel stuifmeel naar beneden. Ik ga mijn moeder straks verslag doen van alle gebeurtenissen en ben pijnlijk verrast: heel even heb ik geloofd aan haar nog aardse aanwezigheid. Mijn hart klopt luid. Met kloppend hart ben ik bezig een geladen wereld binnen te glippen, waar ik hoop een koninkrijk met fabuleuze schatten aan te treffen.

Een bord met formele tekst roept mij tot de orde. Het is groen en rechthoekig en deelt mij mee dat ik een militair oefenterrein betreed, dat dit terrein van zonsopgang tot zonsondergang voor eigen risico is opengesteld, mits ik geen dieren verontrust en de militaire oefeningen niet verstoor. Wonderlijk gebod aan deze eenzame wandelaar met rugzak waarin wat leeftocht is geborgen. Verontrusten de oefeningen de dieren niet?

Een ander bord, rond, groen: 'Alleen route voor aangespannen paarden'. Het roept herinneringen op aan de bestemmingen van de oude hessenwegen. In de vroege middeleeuwen immers werden ze al gebruikt door voerlieden uit het Rijnland en Hessen, die met hun huifkarren, bespannen met zes paarden, hier langs-trokken om in het westen koopwaar te brengen.

De oude handelsweg waarop ik loop verbreedt zich, bos en ak-kers houden abrupt op. Ik sta op de open hei; de bodem vertoont reliëf van lange evenwijdige ribben en gleuven, brede sporenbun-dels die dwars over de hei lopen. Resten uit een tijd dat deze verkeersbanen nog niet waren afgebakend en de diepe karrenspo-ren van de hoogwielige hessenkarren naast elkaar kwamen te liggen, soms met een breedte van meer dan een kilometer. De moderne mens heeft er enige ordening in aangebracht en ANWB-paddenstoel nummer 22842 geeft vier richtingen aan. Ik volg het breedste spoor, richting Mossel, 5.1 km, rechtdoor, het dal in.

In het Riß- en Würmglaciaal heeft het opstuwende ijs het Velu-weplateau aan de randen opgeduwd. Het landschap hier moet toen ongeveer het beeld hebben vertoond van de huidige Siberi-sche toendra. Een zeer koud klimaat met 's winters zware sneeuw-stormen, die de hoge toppen van het reliëf afbraken. 's Zomers was er slechts een vegetatie van grassen en korstmossen. De on-dergrond van deze grassteppe bleef permanent bevroren. Het smeltwater kon 's zomers niet in de bodem wegzakken en werd bovengronds afgevoerd.

Ik bevind mij nu in zo'n smeltwaterdal, met vrij steile dalran-den. Op de stuwwalflank aan mijn rechterhand zijn drie donkere verheffingen zichtbaar; tumuli of grafheuvels, uit de jongere steentijd. In de acht meter brede en drie meter hoge tombes zijn vuurstenen pijlpunten en resten van een langschedelig ras men-sen gevonden. In tegenstelling tot de massagraven van het Hune-beddenvolk begroeven zij hun doden in individuele graven, op-geworpen uit geel zand.

Om mij heen is de struikhei kniehoog en liggen in een brede boog om het dal heen berkenbossen. Uit onderzoek van pollen, geconserveerd in zeer oude moslagen, blijkt dat de vegetatie vijf-duizend jaar geleden ook uit berk en heide bestond. Sindsdien is het landschap hier niet veranderd. Was het augustus geweest, ik zou in een zee van purper hebben gewandeld en van hoog uit de lucht zou de blik een paarse veeg in het landschap ontwaren.

Weer een splitsing. Paddenstoel 23277. Mossel 3.8 km. Ik ga linksaf, laat de langgerekte heuvelketen achter mij. De weg daalt steeds meer. Een bosje ratelpopulieren geeft aan dat de grond vochtiger wordt. In het bosje staat een witbloeiende acacia, met lichtgroen, bijna transparant blad. Van de onderste takken is gevreten. Door een ree, een wild zwijn? Onlangs is ontdekt dat acacia's die worden aangevreten reageren met een alarmsignaal. Het plantenhormoon ethyleen dat ze dan afscheiden waarschuwt andere acacia's voor het naderende onheil. De gewaarschuwde bomen zijn in staat om tannine te produceren, een stof die bij een flinke dosis dodelijk is voor dieren. Ook berken en beuken zouden zich zo kunnen wapenen tegen rupsenvraat. Ik ruk een paar acaciablaadjes af en kauw erop. Wordt nu alarm geslagen? Wordt een benedenwindse acacia, ergens op de hei, gewaarschuwd? Ben ik in deze toch geheimzinnige wereld een indringer die niet geduld wordt? Was hier iets aan de hand dat buiten de gewone orde viel en was ik betrokken geraakt bij een geheimzinnige aaneenschakeling van gebeurtenissen die mij toch even verwarde? Heb ik reden om bang te zijn?

Nu schrik ik even, voel een lichte koelte in mijn nek en op mijn schouders, draai me om, maar begrijp direct dat een lichte wind is opgestoken, een lekker aanwaaiend windje, niets om je ongerust over te maken. De geringste verandering in mijn bestaan kan mij in koortsachtige opwinding brengen, in de hoogste staat van paraatheid. Snel, in het geniep, werp ik nog een blik om me heen, boor mijn nagels in mijn pols om me weer helemaal bij mijn positieven te brengen en bloos van schaamte. O, hypersensibele!

Ik loop snel door, mijn hakken zakken weg in de spochtige sphagnumbodem. Ik nader het laagste punt van het dal, waar het grondwater aan de oppervlakte komt. Een broekige plaats, een welplek. Tussen een groepje zilverberken, onophoudelijk flonkerend als een brandend braambosje, hangt vochtige damp. Ik hoor nonchalant gedruppel van water. Ik ben vrolijk. Water vrolijkt me altijd op. Ik sta aan de rand van een lagune-achtig land met biezeneilandjes die door modderige waterloopjes met elkaar zijn verbonden. In de heldere klank van water dat over stenen stroomt, in dat zachte bruisen van de berken staar ik peinzend naar een houtwesp, die bezig is een vliesje uit een rietstengel los te peuteren. Ik denk aan de uiterst verfijnde bezigheid van mijn vader vroeger. Als in de zaadbakjes de varensporen waren opgekomen, sneed hij een scherpe punt aan een rietje, waarbij een stukje rietvlies losliet. In de scherpe punt maakte hij een inkeping, waarmee hij een minuscuul opgekomen varenspoor oplichtte om die over te zetten in een verspeenkistje, gevuld met een mengsel van zand en warme, gekookte bladaarde.

Ik spring over kleine poelen van de ene zeggepol naar de andere, oneffen door verzakkingen, en kom tenslotte, verscholen achter een gordel van vuilboom, lijsterbes en wilgenstruweel, bij een meertje van ondoorzichtig water, waarboven wat vlokken mist zweven. Even de glimp van een blinkende vis ver van de oever. Een bedje wateraardbei schommelt.

Men heeft dit ven laten leeglopen om een nieuwe beschoeiing aan te brengen. Ik ben toen gaan kijken. Het water zakte. Het wateroppervlak rimpelde plotseling met een sterke rilling en ik zag de glinsterende ruggen van karper en zeelt. In de ondiepe gedeelten ploeterden blinkende grondelingetjes. Het water daalde en de onrust van de vissen werd steeds groter en ze sloegen in paniek met hun staarten het water hoog op. Dat gespat en geglinster bedwelmde me. Tegelijk was ik getroffen door de valse veiligheid waarin de vissen verkeerden. Ik stond daarnaar te kijken, ik zag hoe de eerste paling zichtbaar werd en hoe mannen in hoge lieslaarzen ze probeerden te vangen. Op dat moment herinnerde ik mij dat ik ooit mijn vader had geholpen met het leegscheppen van het waterbassin op de kwekerij, omdat de wanden moesten worden aangesmeerd. Ik stond met laarzen aan in het water en reikte vader de volle gieters aan. Die herinnering maakte mij even verdrietig en als ons hart verdrietig is, verandert alle water van de wereld in tranen. Het water weerspiegelt een libelle, ik buk me om het purperrode bloemsterretje van het veenmos te bekijken. Binnen handbereik bloeit ook het hondsviooltje.

In die zachte stemming word ik opgeschrikt door het rauwe gekrijs van een meeuw. Meeuwen zijn oorspronkelijk zeevogels. Zeevogels zingen niet, maar krijsen, want hun ouders en voorouders hoorden onder zich altijd het luide geklapper van het water. Alles is echo in de natuur. Hoe lang zal het duren voor de meeuw in het binnenland zingt als merel of tjiftjaf? Een miljoen jaren?

De meeuw verdwijnt. Het is heel stil. Ik denk aan Pelléas in Maeterlincks *Pelléas en Mélisande*. Er is hier een buitengewone stilte, ik hoor het water slapen. Maar wie heeft gezegd: water roept om een bewoner? Was het niet Swinburne die aan Rosetti schreef, dat hij nooit op het water kon zijn zonder er ook direct *in* te willen zijn, dat water ons droeg, ons wiegde, ons onze moeder teruggaf?

De holle weg stijgt vrij steil uit de lage kom. Aan weerszijden liggen okergele zandheuvels, soms bedekt met afgestorven moskussens, soms met povere mosvegetatie. Na de tunnel, in het vrijkomende uitzicht, is het panorama weids. Aan mijn voeten ligt, in een terreinplooi, een hoeve met bijgebouwen. Een enclave, in een zoom van lupinevelden, roggeakkers en een weiland met beige runderen. Limousiners, vleeskoeien. De Mossel, gelegen in het Mosselse Zand, is misschien wel Nederlands meest afgelegen boerderij. De naam betekent in het oud-Veluws 'gekloofde knuppel'. De boerderij wordt genoemd in vijftiende-eeuwse buurtboeken, maar er zijn aanwijzingen dat hier enige duizenden jaren geleden een nederzetting moet zijn geweest. De getrapte akkertjes onder mij zouden *celtic fields* zijn, dat wil zeggen prehistorische akkercomplexen. De met eikenhakhout begroeide walletjes zijn een paar honderd meter lang, met een flauwe opgang van zo'n vier meter. Ze lopen in bochten en liggen in kringen op de helling. Bij opgravingen zijn bij deze wallen oude leemkuilen aangetroffen in de vorm van een hoefijzer en de opgeworpen wal schijnt behalve als afscheiding ook als zitplaats te hebben gediend. Er is houtskool in gevonden en men heeft er verzamelplaatsen voor een dodenmaal in gezien, omdat ze hemelsbreed slechts enkele honderden meters van de drie grafheuvels af liggen.

Terwijl ik heel langzaam afdaal, bedenk ik dat die naam 'hessenweg' dan niets te maken hoeft te hebben met voerlui uit Hessen. Deze kooplui maakten slechts gebruik van zeer oude tracés, die niet meer aan bestaande dorpen lagen met beperkende maatregelen (tolheffing), en zo kwamen ze terecht op wegen waarlangs de prehistorische mens trok. Oeroude verbindingswegen, heiligenwegen, dôwegen (= dodenwegen), in ieder geval hadden ze sacrale betekenis en heeft vuur daarin een rol gespeeld. Aedes is vuuraltaar. Ees is een oud dialectwoord voor vuur. In de vorige eeuw werd op de Veluwe nog het woord 'eest' voor 'vuurhaard' gebruikt.

Intrigerend landschap.

De Mossel, een knooppunt van oude karwegen. Nog steeds kan men na de hoeve, waarin nu een theeschenkerij gevestigd is, alle kanten op. En het Mosselse Zand is van oudsher het Mosselse Legerveld genoemd. Claudius Civilis zou hier zijn Germaanse troepen hebben verzameld voor een definitieve aanval op de gehate Romeinen. Dus een heidense legerplaats? In de al genoemde buurtboeken is ook sprake van 'Legerlo'. 'Lo' is bos. Bos van Legur? En de hoogste heuveltop van de massieve keten die achter de hoeve oprijst, heet de Valenberg. Markantste punt in dit geaccidenteerde terrein. De Valen of Walen waren de geesten van afgestorvenen, maar ook geesten van wetenden, van wijze vrouwen die de toekomst konden voorspellen. Veluwse druïden. Geheimzinnig gebied. Ik zou moeder hier eens mee naartoe moeten nemen. Ze houdt van geschiedenis.

Ik daal af via een kronkelpad, tussen bosrestjes en oude wallen door, begroeid met blauwe en rode bosbes.

De theeschenkerij is nog gesloten. Ik neem het meest rechtse pad, richting Oud-Reemst, en laat behuizing, met oude wagenschuur, gebouwd op handgevormde stenen (kloostermoppen) achter me, en bevind me algauw in een woest gebied met hoge, scherp aangesneden zandgolven. Uit windrimpels met toefjes buntof parelgras springen koperkleurige zandkevertjes op, waarbij ze piepkleine stofwolkjes opjagen, om een meter verder weer neer te strijken. Een rupsendoder verdwijnt met zijn roodzwarte achterlijf achterwaarts in de bast van een omgewaaide boom, op jacht naar een rups die hij met één steek in het ruggenmerg zal verlammen en meeslepen naar zijn larvennest. Kruiponder, Ronde Wal, Westerbergen, Kelderbergen heten de opeenvolgende hoogten hier. In de open ruimten ertussen staan jeneverbesstruiken in poederwit zand. Het *wilt en bijster land* dat de Veluwe hier nog is.

Oud-Reemsterhei. Ik loop sneller. Welke boodschap stijgt er op uit de trillende lucht boven de hete knisperende hei? Ik verlang naar het ouderlijk huis. Ik krijg haast en volg, soms rennend, de afrastering van de zuidgrens van het nationale park De Hoge Veluwe, en bereik de Koningsweg, een in de zeventiende eeuw door de stadhouder-koning Willem de Derde aangelegde jachtweg. Ook al een weg die dorpen vermeed, maar nu opdat de jachtstoeten zich sneller konden verplaatsen van het ene jachtterrein naar het andere.

Ik ga in zuidelijke richting. Schelmse Weg, met het Burgers Dierenpark, het Openluchtmuseum en begraafplaats Moscowa. Ik ren nu aan één stuk door. Onaangename voorgevoelens. Haast. Haast. Ik ben nu bijna thuis. Met een half oog zie ik nog wel het onzekere getrippel van een vogel, met een half oor hoor ik wel gekraak, alsof ontelbare insecten bezig zijn aan iets te knagen.

Ring-Allee. Links de afslag naar de heerlijkheid Rozendaal. Dan Velp. De steile naar het centrum van het dorp aflopende Bergweg. Op nummer 17 heb ik altijd gewoond. Trek dan een zielige grimas en maak een ontmoedigd gebaar. Mijn gezicht moet getekend zijn en mijn pupillen moeten star staan. Blind ben ik in mijn eigen gevoelens getuind. Moeder is dood. Voor de ramen hangt andere vitrage en het leuke, overdadig beplante voortuintje is geheel betegeld. Ik moet lucht geven aan mijn teleurstelling en ik zeg hardop: nou, mooie natuur, troost mij dan, maar de natuur is onverschillig. Mijn moeder zal mij nooit meer in de voortuin staan opwachten en de natuur biedt geen enkele troost tegen dit filosofische kwaad. Ik ben een klein jongetje gebleven en nog steeds als het kind in Baudelaire's gedicht *Le rêve d'un curieux.*

Ik was als een kind dat vurig naar het stuk verlangt,
Vol haat voor het doek, omdat 't voor zijn dromen hangt...
Ten slotte kwam de naakte waarheid aan het licht

Dood – niet bij verrassing; verkillende gedachte
Om te ontwaken – was het dan echt geen gezicht?
Het gordijn was gehaald en ik zat nog te wachten.

(Vertaling Rein Bloem)

Hotel de Engel

'Maar, het is toch bekend, de vorm van een landschap, in onze dagen, verandert nog sneller dan het hart van een gewone sterveling...' Die openingszin van Julien Gracqs boek over zijn geboortestad Nantes had ik nog pas onder ogen gehad. Waarom ben ik toch altijd zo naïef? Ik had het ergste kunnen vermoeden. Meer dan ooit worden bestuurders van dorpen en steden aangegrepen door die typische koorts van het laatste kwart van deze eeuw: de metamorfose. En wij? Wij blijven achter, ten prooi aan herinnering.

Heel wat jaren was ik niet in mijn geboortestreek geweest. In een rustig gangetje reed ik op de vertrouwde rijksweg 848, die Velp via de dorpen Rheden, De Steeg, Ellecom met Dieren verbindt. Iets bezijden liggen dan nog Spankeren en Laag-Soeren. Samen: de gemeente Rheden.

Imponerend landschap. Aan mijn linkerhand, oplopende akkercomplexen. Aan deze zijde van de weg heeft nooit enige vorm van industrie bestaan. Het is dus goed mogelijk dat in de houtwallen, die de akkers van elkaar scheiden, nog steeds die uitzonderlijke kruidlaag van rode kornoelje, Gelderse roos, en Spaanse aak voorkomt. En: de gevlekte aronskelk met zijn bloemen van wit velours, look-zonder-look en Robertskruid.

Waar de akkers ophouden, begint het Veluwe-Massief, heuvels met scherpe dalen, afgewisseld door vlakke, afgeronde terrassen, ooit gevormd in het Würmglaciaal, toen dit landschap het beeld moet hebben vertoond van de huidige Siberische toendra. In de vegetatie van vooral eik en beuk is al eeuwenlang de menselijke beïnvloeding gering geweest.

En aan mijn rechterhand? Het stroomgebied van de IJssel, dat tegenover het reliëf van de Veluwe in eerste instantie een erg vlakke indruk maakt. Maar dat is gezichtsbedrog. In vroeger tijd, voor er sprake was van een regelmatige, doorlopende bedijking (rond 1400), trad de IJssel bij hoog water buiten zijn oevers. Water dat de stroomdraad verlaat, verliest plotseling zijn snelheid en de grovere slibdeeltjes bezinken. Vlak langs de zomerbedding is eeuwenlang het meeste materiaal afgezet, zodat de rivier eigenlijk ingesloten ligt tussen twee iets hogere oeverwallen. Alleen het fijnere slib bleef zweven en kwam terecht in de achter de oever gelegen lagere kommen. Omdat de rivier in de loop van de tijd steeds andere beddingen zocht (het dorp Lathum lag bijvoorbeeld vroeger aan deze kant van de rivier) is dit 'broek'-land opgebouwd uit wallen en kommen. Op de allerlaagste plaatsen zal nog wel wilgenvloed-struweel voorkomen, poelen die altijd weer onderlopen en waar zich een bijzondere vegetatie heeft ontwikkeld van zwarte els tot gele waterkers, van moeraswalstro tot veldlathyrus en heuse karwij. En vlak naast zo'n poel, een bijna altijd ellipsvormige pleistocene zandopduiking waarop zich al in prehistorische tijden nederzettingen hebben ontwikkeld, zoals het curieuze vlek Rha, nu een tiental kilometers landinwaarts gelegen, aan een oude stroomdraad.

Nee, er is weinig veranderd, ook de gebouwen, de landhuizen, de kastelen, de hotels zijn er nog – al die monumenten, die sinds mijn vroegste jeugd deel uitmaakten van mijn persoonlijke mythologie. Daar kasteel Biljoen, met zijn vier hoektorens en daar café De Posthoorn, café-restaurant Strijland, hotel De Roskam met zijn paddenstoelenhuisje, waar we ijs kochten, hotel Bronkhorst... Oude pleisterplaatsen, sommige al stammend uit de vroege middeleeuwen. Achter De Roskam is zelfs nog de doorrijschuur te zien, waar de paarden werden verwisseld. Op dat korte traject van Velp naar De Steeg, zeg een zes kilometer, zitten op een kluitje, zeker tien uitspanningen. Direct als ik het dorp De Steeg binnenrij, zal die hoeveelheid zich nog meer verdichten. De Steeg is hotel, is pension. Ik zou ze uit mijn hoofd nog kunnen opzeggen: hotel De Engel, hotel Het Wapen van Athlône, hotel Benvenuto, hotel Brinkhorst, hotel Flora en de pensions: Zonneheerd, Bergzicht, Rhederdal, Onderbergen, Haan en Hekkelmans...

Als alles tenminste nog bij het oude gebleven is!

Nu al worden de akkers smaller en komen de heuvels dichter op de weg af. En de weg maakt opeens scherpe bochten, omdat hier de rivier, tot nu toe onzichtbaar, op deze plaats, in een dubbele meander, de weg nadert. Nog enkele seconden en ik zal op de mooiste plek van Nederland zijn. De weg stijgt en het dorp heet dan ook De Steeg. Nergens is Nederland on-Nederlandser. Het dorp ligt, vooruitgeschoven, op de uiterste rand van de stuwwalflank, die zich hier zo'n 110 meter boven de huidige bodem van de rivier bevindt. Op geen plaats komt de rivier, die precies 127 km lang is zo dicht bij de stuwwalrand en wordt de indruk van een falaisekust gewekt.

De weg waarop ik rij, is een van de oudste tracés van ons land. Hij voert over een middenterras, met links en rechts smalle stroken. Op de smalle stroken staan de heerlijkheden, waar vanaf de zeventiende eeuw de adel en de bourgeoisie aisée neerstreek in de zomermaanden. Het panorama was overweldigend, men keek tot in Montferland en wie aan jicht leed nam een kuur in badhuis Quisi-sana of men liet zich naar badinrichting Bethesda rijden (Laag-Soeren), waar de beroemde watergeneeskundige Priesnitz werkzaam was.

Nog een zestig meter. Nog enkele seconden... Links van mij zal het witte, massieve silhouet van De Engel opdoemen, met zijn voorname façade, zijn serres van glas en rechts, diep beneden mij, zal ik de rivier zien, die precies in de bocht van de weg bijna loodrecht afbuigt en het land inloopt. Nescio schreef in 1947 vanuit de verhoogde theekoepel: '...de bocht van de IJssel bij De Steeg. De zon spet er uit en de koeien staan weer, wazig, bij het water aan de overkant. Het is zo wazig dat je aan het eind van de IJssel de dominerende toren van Doesburg ziet, maar later zie ik dat de toren niet meer bestaat. De oorlog. Maar voor ik dat gezien heb, kijk ik terug naar de hoge beboste rand van de Veluwe. Je ziet in het wazige hoe de ene rij bomen even boven de andere uitkomt, je kunt het net onderscheiden. En er is een open plek, daarin klimt het korenveld naar boven, het loopt uit in een park. Mijn hart vliegt er uit. Onvergankelijke wereld. Halleluja...'

De Engel is dus afgebroken, op haar plaats een kazemat, een schuinlopende borstwering, een immens *carport*: het nieuwe gemeentehuis van de gemeente Rheden. De Engel bestaat niet meer. Het was een hotel met allure. Mengelberg musiceerde er voor de table d'hôte en Pisuisse trad er in 1907 op voor de officierentafel. Jacob van Lennep schreef er in de vorige eeuw zijn *Klaasje Zevenster*. Couperus heeft er gelogeerd, en Wim Kan, en Carmiggelt. Professor Rümke behoorde tot de vaste gasten en de vader van Pieter van Vollenhoven, die in de Onzalige Bossen op grof-wild joeg met andere Rotterdamse industriëlen. Ook kwam Thijs Mauve, de 'zoon' van Anton, er wekelijks zijn natuurlijke vader opzoeken, de schilder Goedvriend, die gedurende meer dan dertig jaar een suite van drie kamers bewoonde.

On-Nederlandser kon het niet. Het hotel had een kern van gasten die er voorgoed resideerden en er stierven. De renommée van het hotel was zo groot dat de Duitse keizer Wilhelm II, die op 9 augustus 1909 een bezoek bracht aan zijn vriend graaf Bentinck van Middachten, uitdrukkelijk de wens te kennen gaf op zijn wandelroute De Engel te willen bewonderen. 'Hij zwaaide naar de gasten, die op een overdekte tribune in de tuin zaten...' (Het was een drukkende dag en een uur later brak een hevig onweer los en vielen alle feestelijkheden in het water. Achteraf werd dat door velen als een aankondiging van de Eerste Wereldoorlog gezien. Wat deed men met die man hier? Overigens weigerde koningin Wilhelmina hem op Het Loo te ontvangen, wat de keizer zeer heeft gegriefd.) Vermaard was het hotel ook bij rijke Denen en Zweden. Op weg naar zuidelijker streken, was De Engel voor enige weken tussenstation.

...Fenomeen van kristallisatie die, een moment, de vloed van indrukken opschort, om er één van te isoleren... Ik zit met mijn moeder in de gele bus van de Gelderse Tramwegen en we zijn op weg naar Dieren, waar oom Jan Hupkes woont. Oom Jan is eigenaar van een grote houthandel aan het Apeldoorns-Dierens kanaal. Mijn moeder is in de jaren twintig als kindermeisje bij hem thuis geweest. Deze oom maakte reizen naar Rusland en Plen om hout in te kopen, Het hout werd via de Oostzee naar Rotterdam verscheept en daar overgeladen op rijnaken, die ten slotte de IJssel opvoeren en bij de Dierense sluizen geschut werden. Ik heb daar vaak naar staan kijken.

Ik zit met mijn moeder in de bus van de GTW. De vertrouwde route. Solide merktekens. Kastelen, landhuizen, hotels. Halte De Engel. Vanuit de bus kon ik in de serres kijken en een glimp opvangen van de eetzaal, van de witmarmeren hal. Mijn moeder zei altijd: 'Daar heeft oom Jan zijn zakenlunches.' Zo was het toch een beetje of we deel uitmaakten van de intimiteit daarbinnen. Wat zag ik dan? Oude dames en heren soezend in stoelen van wit riet. *Vieillesse dorée.* De vrouwen hadden een vermoeide glimlach om hun mond en de mannen peinzende, broeierige ogen. En ondanks de door mij bewonderde zaligheid van die superieure verveling, zag ik diep in deze mensen, als gevolg van dit eeuwige nietsdoen, net bedwongen waanzin en krankzinnige verlangens. Wat speelde zich achter de ramen van de etages af, aan het oog onttrokken door oranje zonneschermen? Welke genietingen *off the record?*

En, van die kwijnende atmosfeer van *dolce far niente* en gedistingeerde verdoving maakten zich geuren los. Die van rododen-drons, van blauwe regen en japonica, opgesnoven door mij, daar, waar de geur van het leven anders was. En absolute stilte. Ik ver-beeldde me geluid: de warmte die het riet van de stoelen deed kraken, een glas dat tinkelde, een gong, of een 'tennisman', in witte pantalon en bloes van tussor, op weg naar de baan achter het hotel...

Lezer, er bestaat geen enkele overeenkomst tussen de plattegrond van een plek waarvan we de reisfolder raadplegen en het beeld dat in ons wordt opgeroepen, als we de naam van die plek horen. Omdat die plek altijd ononderzocht blijft, krijgt hij des te ster-ker, des te duurzamer invloed, wordt hij, omdat hij nooit werke-lijke toegang tot zijn intimiteit heeft toegelaten, een plaats vol mogelijkheden, die meer dan enig ander de verbeelding voedsel geeft, wordt een soort vademecum die men altijd bij zich draagt.

Halte De Engel. Een klik, een plechtig moment waarin het le-ven me naar het hoofd steeg, als een stevige wijn. De Engel? Me-lange van clandestiniteit en exhibitionisme, waar alles teken was.

Ik vroeg mijn moeder altijd in de bus: 'Hoeveel kamers heeft dit hotel?' Haar antwoord was steevast: 'Meer dan honderd.' Het was het antwoord dat ik wilde horen.

Vanzelfsprekend waren hotels in die tijd essentieel gelieerd aan rijkdom, aan getallen. Een hotel dat die naam waardig was, bezat veel kamers en in mijn hoofd had zich zelfs een drempel vastge-zet, waar je als hotel, wilde je bij mij indruk maken, aan moest voldoen. Eens en voor al had zich dat gevoel gefixeerd op het aantal kamers. Honderd was de grens. Werd die drempel bereikt, dan ging kwantiteit opeens over in kwaliteit. (En nu ik dit op-schrijf, herinner ik mij ook dat ik bij elk hotel dat we op onze route passeerden, snel ramen telde en getallen mompelde, mis-prijzend, goedkeurend... Monomaan!)

Niet zoveel jaren later is er in mijn leven een periode geweest, waarin ik enkele romans over hotels las, ik had een hele verzameling aangelegd, van Vicky Baums *Grand Hotel* tot Joseph Roths *Hotel Savoy.* De eerste zin uit dat boek: *Ich komme um zehn Uhr vormittags im Hotel Savoy an...* heb ik ontelbare malen voor mij heen gemompeld. Dat was een zin om voor te applaudisseren, dat was een zin die een onmetelijk perspectief aan mogelijkheden bood.

Links de borstwering en aan rivierzijde? Er is geen rivier meer. Er is nog slechts een armzalig dood, onwelriekend meertje, dat vol afgetuigde boten ligt en De Thuishaven heet. Er is ook een camping, met vervelozе stacaravans. Wat moet ik doen? Men weet niet waar men kijken moet! Men zou zijn ogen willen sluiten voor zoveel barbarij. Zijn hoofd willen afwenden. Maar dan zie ik die borstwering weer. En waar is Flora, Benvenuto, Haan en Hekkelmans? Kaalslag en een groot bord van een architectenbureau: Hier worden luxe appartementen gebouwd, in vier woonlagen.

En voorbij dat meertje, hoog boven het land, de nieuwe snelweg. Daarachter zal de IJssel wel stromen. Afkeer van schoonheid. Wat mooi is, is hinderlijk, is ergerlijk. Dit alleruniekste panorama moest kapotgemaakt worden. Waer eens de bronzen engel uything... Want wie hier stond '...zag de hemel geopend en zag een engel op de zon staan en hij riep met luider stem en zei tot alle vogels die in het midden van de hemel vlogen: Komt, verzamelt u tot de maaltijd Gods...' (Openbaring 19:17). Hier op De Steeg werd de nieuwe aarde werkelijkheid.

Ik rij langzaam over de oude rijksweg. Maar waar is hotel Quisisana, en het koloniehuis voor bleekneusjes dat Het Rivierhuis heette? Waar zijn al die pensions? Vredelust, Ruimzicht, Boschlust, Kastanjeoord? Hotel Het Wapen van Athlône bestaat nog. Carmiggelt bewoonde hier een vaste kamer. Ik heb geïnformeerd: er wordt nog steeds een escalope de veau à la Carmiggelt geserveerd. Maar De Steeg *bestaat* niet meer. Onbegrijpelijk dat een gemeente zo met een van zijn dorpen heeft omgesprongen. Carmiggelt kan er in zijn Kronkel van 28 mei 1971 ook niet over uit. Hotel De Engel is dan nog net niet gesloopt. Met Wim Kan drinkt hij thee op het terras van het hotel en ze kijken naar de snelweg in aanbouw.

'Je weet natuurlijk dat dit hotel zal worden afgebroken en dat op deze plaats het raadhuis zal worden gebouwd?'

(...)

Kan knikte en zei: 'Nou nog een vierbaansweg door de Onzalige bossen, een stoeltjeslift naar de Posbank en een pretpark bij de Imbos en het afscheid nemen van dit leven zal zeker minder moeilijk worden dan wanneer alles in stand bleef zoals het eenmaal was. Dag Engel. Vlieg maar op naar de echte hemel, want dat raadhuis mót er komen en die bocht mót uit de IJssel en de stoomtram is allang tot zijn vaderen verzameld en de IJsselsnelweg maakt dat we snel weg kunnen komen, ver weg, van die laatste lieve, witte Engel.'

'Nou ja, Wim,' zei ik, "t is tenminste vandaag mooi weer.'

Groet uit De Steeg, die ansichtkaart wordt allang niet meer over de wereld verstuurd.

Ik parkeer mijn auto achter het nieuwe gemeentehuis. Binnen vraag ik aan de vriendelijke archivaris de raadsverslagen van de laatste dertig jaar. Dat blijkt geen opwekkende literatuur te zijn. Veel ordinaire ruzies tussen de raadsleden onderling, die de verschillende kerndorpen vertegenwoordigen. Ieder dorp wil het raadhuis binnen zijn grenzen. Het ordinairst is echter de PVDA-wethoudster van Onderwijs mevrouw Haikes (opvolgster van de legendarische Berendsen), die onophoudelijk schreeuwt dat ze niet almaar in die ouwe keet wil blijven doormodderen. Die ouwe keet is het dan dienstdoende gemeentehuis, vlak voor De Steeg gelegen, een prachtige oude villa, met bijgebouwen. Natuurlijk zal dat gebouw wel te klein zijn geweest, maar het is weer de wijze waarop men over mooie dingen praat.

Meer dan 28 mogelijke plaatsen in de gemeente worden onderzocht en verworpen. Uiteindelijk is maar één plaats geschikt en voor ruim negen ton kocht de gemeente hotel De Engel van de toenmalige eigenaar, de familie Wentinck. Daarna kocht de gemeente de drie hotels op die er schuin tegenover lagen. Zodoende was verbreding van de weg mogelijk voor het verkeer dat afsloeg naar het gemeentehuis.

Architect Gawronski zou een gebouw ontwerpen dat recht moest doen aan de vorm van het terrein, de ligging aan de rivierbocht en de relatie met de andere gebouwen in De Steeg. Hersenschimmig plan, want die andere gebouwen waren juist afgebroken en de rivier al onzichtbaar gemaakt achter de snelweg. Na oplevering blijkt iedereen erg tevreden. Dr. Borrie, toen burgemeester van de gemeente Rheden, gewaagt van een vriendelijk gebouw en hij steekt de loftrompet over de architect. De laatste vindt zelf dat hij met zijn terrasvormige opzet knap heeft gezinspeeld op het oplopende landschap en de banen bruine asbest ziet hij als de sierlijke silhouetten van een Japanse pagode.

Het is echter niets anders dan een walgelijk lelijk gebouw. Nee, de oude inwoner van De Steeg, die tegelijk met mij naar buiten liep, gaf het preciezer weer: 'Meneer, elke keer als ik hier weer kom, voel ik hoe dit gebouw mij terneerdrukt.' Dat is het: een terneerdrukkend bouwsel.

Ik steek de straat over en kijk in de richting van de snelweg. Iets verderop staat een keurige heer van omstreeks zeventig. Hij draagt een bruine jas en bruine hoed. Ik heb behoefte iets te zeggen en ik kom wat dichterbij en als in mijzelf, mompel ik: 'Hoe hebben ze dit landschap toch zo kunnen verwoesten!'

De keurige meneer reageert direct.

'Het gaat erom waar je staat als mens. Ik ben een man van lijnen en vormen. Ik heb in het bestuurlijk beleid gezeten en dat is onderworpen aan het politieke beleid en de politiek is op haar beurt verantwoording schuldig aan de samenleving. Meneer, had ik op deze plaats mijn huis gehad, ik was waarschijnlijk lid van een actie-comité geworden om te proberen de aanleg van de weg tegen te houden. Maar het gaat om de prioriteit van verantwoordelijkheden. Kies je voor de samenleving of kies je voor eigen genot.'

'En als nu op deze plaats uw huis had gestaan?'

'Voor ik uw vraag beantwoord, wil ik nog dit zeggen. Toen die eerste negen kilometer autosnelweg vanaf het Velperbroek-circuit tot De Steeg werd opgeleverd, is er een open weekend voor het publiek geweest. Zo kon men met de nieuwe weg kennismaken. Er was een rolschaatstocht, een toerfietstocht, een prestatieloop. Dat deed Rijkswaterstaat allemaal vóór de officiële opening. Een nieuwe weg én een weekend lang geen gemotoriseerd verkeer. Die manifestatie heette *Rheden timmert aan de (IJssel)-weg*. Duizenden zijn gekomen en ik heb genoten. Een weg is inbreuk op de natuur, ik geef het toe, een weg is ook harmonie. Dat hebben die duizenden ook zo aangevoeld.'

'U was dus betrokken bij de aanleg?'

'Meneer, ik ben Pavivoine.'

'?'

'J.B. Pavivoine, hoofdingenieur van Rijkswaterstaat, arrondissement Arnhem. Gepensioneerd. Maar van de *droge* waterstaat, wel te verstaan. De bouw van deze weg kan niet los worden gezien van de waterbouwkundige kunstwerken, die in dezelfde periode aan de rivier zijn uitgevoerd. Omdat de weg in het IJsseldal kwam te liggen, moesten verscheidene bochten van de rivier worden verlegd of afgesneden. De kanalisatie van de Neder-Rijn maakte dit overigens toch nodig. De IJssel kreeg meer water te verwerken en zij moesten, zoals dat in vaktermen heet, het afzuigende vermogen van de rivier sterk vergroten. Bij de aanleg van deze weg is een perfecte samenwerking tussen *natte* en *droge* waterstaat vertoond.'

'Maar u sprak over feestelijkheden. Er is een uniek vergezicht voorgoed vernietigd. Daar passen toch geen feestelijkheden?'

'Meneer... er zijn al vanaf '52 plannen geweest deze snelweg achter de dorpen langs te leggen, dus over de heuvels en dalen van de stuwwal. Het zou, als het was doorgegaan, de mooiste weg van de wereld zijn geworden – een tracé is serieus besproken, maar niet verder uitgewerkt. De uitvoering zou te kostbaar zijn geweest, vanwege de grote hoogteverschillen, en zou een ernstige aantasting hebben betekend van de toch al kwetsbare Veluwe-zoom. Daarna is een meer zuidelijk gelegen tracé onderzocht.'

'U zei daarnet dat deze weg een realisering is van uw levensfi-losofie...'

'Meneer, een mens heeft rust als hij een horizon ziet...'

'Men had de weg gemakkelijk twee kilometer verder landin-waarts kunnen plaatsen.'

'Een weg,' (hij legt zijn hand op mijn schouder, een mooie, lichtgebruinde, goed gevormde hand), 'is het gevolg van een pro-ces... Ik zal u zeggen... het leven van een mens gaat – objectief ge-zien – van nul naar oneindig. Gesubjectiveerd kunnen we dat in-vullen met mens-medemens-politiekepartij-kerk-God. Een mens heeft rust als hij een horizon ziet. Alle dynamiek van een indivi-du ligt tussen de voorzijde van zijn tenen en de horizon. Dat is het leven van een mens, meneer. U zou eens bij mij thuis moeten komen, ik heb veel aantekeningen thuis van een toekomstscena-rio voor de wereld.'

'Waarom heeft u die weg zo hoog boven het land aangelegd?'

'Er moest een doorvaarhoogte komen van 25 meter. U heeft gelijk. Nu kijken we tegen de weg aan. De juiste oplossing was geweest mijn inziens – en ik heb daar ook voor gepleit – om de weg verdiept aan te leggen, met tunnels onder de rivierarm door. Dat was politiek niet haalbaar. Er waren te veel harde dwangpun-ten, dat wil zeggen gebrek aan harde guldens. Maar het blijft jammer. Toch is de weg een kunstwerk, meneer. Alleen de brug, die 172 meter overspant, telt 1250 ton staal en met het oppervlak-te van het brugdek van 4816 meter is het staalgewicht dus 260 kg/m². De rijvloer is uitgevoerd als een orthotrope plaat, die aan de onderzijde is voorzien van trogvormige profielen, de zogenaamde langsliggers. Och, die hele weg, mijn kietelweg, meneer, zoals mijn vrouw thuis haar kietelplanten heeft. Ik sta hier elke dag te kijken. Maar u moet eens bij me langs komen. Hoe heet u eigenlijk?'

'Siebelink.'

'Die naam komt me bekend voor van de procedures. We hebben de grond van een Siebelink moeten onteigenen. Maar u moet eens langs komen. Ik heb alle tijd om plannen uit te denken...'

'...En ik zag een engel nederdalen uit de hemel met de sleutel des afgronds en een grote keten in zijn hand en hij kreeg de draak en de oude slang – dat is de duivel en de satan, en hij bond hem duizend jaren, en hij wierp hem in de afgrond en sloot en verzegelde die boven hem, opdat hij de volkeren niet meer zou verleiden.'

(Openbaring 20:1)

Enclave

Vandaag moest ik voor een zakelijk gesprek in mijn geboorte-dorp zijn. Uit Arnhem komend reed ik de bebouwde kom van Velp binnen en stopte voor een begrafenisstoet die aan mijn linkerhand vanuit de steil aflopende Schonenbergsingel lang-zaam de Hoofdstraat opdraaide en waarschijnlijk op weg ging naar Heiderust in Worth-Rheden, de algemene begraafplaats waar ook mijn ouders begraven liggen. Ik ving een glimp op van de met veel bloemen overdekte lijkkist, stelde mij de dode een moment voor, verdrong die gedachte, was blij met mijn be-staan. Er waren veel volgauto's. Een jong leven ineens wegge-rukt? Een notabel?

Misschien onder de indruk, misschien ook omdat ik te vroeg was voor de afspraak, sloeg ik linksaf en reed de Schonenberg-singel op. De villa's waren nog even luxe als vroeger, maar in de meeste waren nu kantoren gevestigd. Na een paar honderd me-ter stopte ik voor een wit huis met torentjes dat duidelijk privé werd bewoond. In de tuin lag speelgoed. Maar de gordijnen waren dichtgetrokken. Dit moest het sterfhuis zijn.

Naast de villa liep een breed pad waarvan de oude bestrating (nog door mijn vader aangelegd) vermorzeld was. De hagen, die in de zomer geel waren van het heggenroosje, waren verdwenen. Ik was hier in lange tijd niet geweest. Halverwege het verrinne-weerde pad stond ik op het punt om terug te keren. Waarom zou ik mij het leven moeilijker maken door een bezoek aan de ouder-lijke kwekerij? Ik wist toch dat er niets meer te vinden was van de oude glorie, van het vroegere paradijs? Vader gebruikte deze uitrit als hij met zijn bakfiets planten naar de stad bracht.

Ik hoorde voetstappen, draaide me om en zag een oude man naderen die al van afstand riep:

'Neemt u mij niet kwalijk... ik denk dat u voor de begrafenis komt; ze zijn net vertrokken, nog geen minuut geleden. U vraagt zich natuurlijk af: waarom gaat hij zelf niet? Maar ik heb de verongelukte nauwelijks gekend, ik woon boven aan de straat. Otten heette hij. Hij woonde pas een paar maanden in dit huis, had het net helemaal opgeknapt...' De man raakte buiten adem, zweeg.

'Is hij verongelukt?'

De oude man veegde met een grote witte zakdoek speeksel uit zijn mondhoeken, kwam weer op adem. Uit de doorzichtige huid van zijn hand maakte ik op dat hij al in de tachtig moest zijn, de leeftijd van mijn ouders als ze nog in leven waren geweest.

'U bent dus helemaal niet op de hoogte? Het heeft in alle kranten gestaan. Hij was leraar grafiek op de kunstacademie in Arnhem, dat glazen gebouw aan Onderlangs, net veertig. Komt u mee!' We liepen het pad verder in en waar het een scherpe bocht maakte, doemden aan onze rechterhand de muren van een reusachtig gebouw op. Een bord op de voorgevel gaf aan dat dit manege 'De Schonenberg' was, vernoemd naar het oude landgoed dat ooit in deze buurt had gelegen.

De oude man wees mij op een verbrijzeld nokraam en vertelde dat deze Otten vorige week jarig was geweest en van zijn vrouw *De herfst zal schitterend zijn* had gekregen, een roman van de schrijver Jan Siebelink, wiens ouders hier vroeger – hij sprak nu over de jaren vijftig, zestig – een bloemenkwekerij bezaten. Om dit gebouw was door de buurt een proces gevoerd en in het boek werd daarvan verslag gedaan. Otten nu, nieuwsgierig, was direct aan dat boek begonnen en de afgelopen zaterdag had hij een ladder tegen de muur gezet en was op het dak geklommen, terwijl zijn beide jongens de ladder vasthielden. Door die glazen dakpan daar was hij naar beneden gevallen, hij moest direct dood geweest zijn... een smak van meer dan tien meter...

'Zo aan je eind komen, vreselijk...' mompelde ik, bleekjes trachtend mijn ontsteltenis te verbergen.

'Maar u kwam dus niet voor de begrafenis?'

'Nee, nee, ik moest toevallig in deze buurt zijn, een vreemde in Jeruzalem...' Ik had geen zin me aan de oude man bekend te maken, bedankte hem, bleef peinzend naar het gebouw kijken tot hij verdwenen was, liep het pad verder af dat naar de voormalige kwekerij leidde, die veranderd was in een desolate opslagplaats voor tweedehands autobanden. Waar vroeger – recht tegenover de ingang van de manege – de zaaibedden voor violen en primula veris lagen, steeg nu donkere rook op van smeulend rubber. Van de broeikassen waren nog de geraamten van verwrongen spanten over. Uit muurresten schoten lijsterbes en berk op.

Doorgaans bieden mijn boeken troost, nu hadden ze iemand regelrecht een afschuwelijke dood ingejaagd. Ik kende de betonvloer waarop deze Otten was te pletter geslagen. Hij lag drie meter onder het maaiveld.

Intussen moest de dode al op 'Heiderust' zijn gearriveerd. Ontdaan keek ik om me heen. Wat moest ik met deze net verworven kennis aan? Was ik moreel verplicht de weduwe een brief te schrijven om haar te condoleren, haar mijn excuses aan te bieden, haar te zeggen dat ik liever een ander deze onzalige dood gegund had?

Langzaam verwijderde ik mij van het gebouw dat door zijn massiviteit de indruk wekte op een te klein stuk land te zijn neergezet. Het was echter meer dan driehonderd meter lang en vanaf de begane grond twaalf meter hoog.

Tussen aan flarden gereden banden bloeide een toefje verwilderde petunia. Het zaad moest nog afkomstig zijn van planten die mijn vader ooit gepoot had. In de verte stond het huis waar ik geboren was. Op de eerste verdieping keken de ramen van mijn slaapkamer en die van mijn ouders uit op de altijd ordelijk bijgehouden kwekerij; een idyllische enclave. Waarschijnlijk woonde daar nu de handelaar in autobanden. En op de plek waar ik mij nu bevond, stonden in augustus de zonnebloemen...

Negen was ik, misschien tien en als ik geen school had speelde ik op ons land. Mijn vader maakte van buigzaam hout een boog en ik schoot rietpijlen af, verzwaard met vlierdoppen. Ze reikten ver, tot over de coniferenhaag, die de grens vormde met de diepe achtertuin van Berkhout, een aannemer schatrijk geworden in de naoorlogse wederopbouw en die in een kapitale villa aan de Hoofdstraat woonde.

Ik had weinig of geen behoefte aan vriendjes, volgde heel precies de atavistische perioden van de mensheid, had mij vóór de pijl-en-boog-periode gewijd aan landkapertje, wijdde mij erna, korte tijd, maar hartstochtelijk aan het hutten bouwen, een eigen tuintje, het verzorgen van een witte kip. Het was een zorgeloze lichte tijd. Als ik opkeek zag ik mijn vader bezig planten uit te zetten, te zaaien. Nog gelukkiger was ik als moeder vanuit huis de kwekerij opliep en ons koffie en limonade bracht. Het kwam niet eens in mij op dat die paradijselijke situatie ooit veranderen kon.

Het was in de zomervakantie. Moeder en ik zaten achter het huis onder de notarisappel die rijk had gebloeid dat voorjaar en veel fruit had gezet. Er werd gebeld. Ze vroeg of ik wilde gaan kijken. Op de stoep stond een echtpaar dat een boeket gladiolen wilde kopen, maar ze konden mijn vader niet vinden. Moeder was erbij komen staan en verzekerde dat haar man op de tuin was. Als hij boodschappen in het dorp ging doen waarschuwde hij altijd, bovendien nam hij dan altijd de uitgang naar de Bergweg, (waaraan ons woonhuis lag) en kwam langs het raam op. Ze had hem niet gezien en ze zei tegen mij:

'Jan, ga kijken waar pappa is...!' Met het echtpaar liep ik naar de broeikassen, zocht in de rietmattenloods, in de schuur van de bakfiets; de klanten werden ongeduldig; ik smeekte ze te blijven, er kwamen al zo weinig klanten als het heet was; ik sprintte naar het veld waar de gladiolen stonden, de dahlia's – geen vader. Ik vond hem tenslotte, maar toen was het echtpaar allang vertrokken. Achter de plaats waar hij elk jaar de zonnebloemen kweekte, in de uiterste hoek van de kwekerij, waar ik nooit kwam. Mijn vader lag op de grond en toen hij mij hoorde en zich oprichtte, steunend op zijn elleboog, zag ik dat zijn haar in de war zat en dat zijn lichtblauwe ogen verwilderd stonden, en heel verbaasd. Het leek of hij net uit een andere wereld was teruggekeerd.

'Pappa, wat is er? Wat heb je? Ben je ziek? Er zijn klanten...' Ik knielde bij hem neer. Hij wist geloof ik nauwelijks waar ik het over had. Na een hele tijd zei hij:

'Jongen, wist je dan niet dat ik moest zijn in de dingen mijns vaders. Ik heb zojuist God gezien, God heeft met mij gesproken in een geruis van onweer en stormwind...'

Maar het was een rustige zomerdag. Er was geen wind, geen wolkje te bekennen. Ik hielp hem overeind; hij kon nauwelijks op zijn benen staan, alle kracht leek uit hem weggevloeid. Later, toen ik mij als student hevig voor de middeleeuwen begon te interesseren, begreep ik dat de grote heiligen uit die tijd, in extase, ook die tijdelijke ervaring van een krachteloos lichaam hadden gekend. De geest was dan oppermachtig.

Na die krachtdadige bekering, waarin mijn moeder niet meeging (zij bleef modaal Hervormd), kregen we het financieel nog moeilijker. We hadden het al niet breed door de moordende concurrentie; mijn vader had bovendien een te bescheiden karakter om met zijn producten te gaan leuren. We leefden op de rand van het bestaansminimum, een term die in die jaren nog niet werd gebruikt, maar waarvan de gevolgen algauw pijnlijk gevoeld zouden worden.

De Bergweg was een bochtige, steil naar het centrum aflopende straat, waaraan zowel arbeiderswoningen, middenstandshuizen als een enkele villa lagen. In een van die villa's woonde de eigenaar van ons huis, meneer Metz. Elke maand kreeg ik van mijn moeder (moeders in orthodoxe middenstandsgezinnen moesten de eindjes aan elkaar zien te knopen en beheerden het geld) een envelop met vijfentwintig gulden. Soms was er niet voldoende geld en vroeg moeder of ik geld uit mijn spaarpot wilde halen. Ik ging de huishuur brengen. Meneer Metz was ons goedgezind, vernieuwde tijdig lekke dakgoten, hield het huis goed in de verf. Die dankbaarheid had ook met de oorlog te maken. Mijn vader verbouwde voor eigen gebruik groente en fruit en gaf daarvan royaal aan de huisbaas.

Op een dag kwam ik uit school en trof Metz in de huiskamer, met mijn ouders. Ze keken alle drie ernstig. Metz bleek in financiële moeilijkheden te zijn geraakt en moest het huis waarin wij woonden van de hand doen. Omdat hij ons mocht hadden wij recht van eerste koop; hij bood het ons aan tegen een uiterst redelijke prijs. Maar mijn ouders hadden geen geld. Op de kwekerij die ons eigendom was zat een hoge hypotheek, er was geen bank die ons extra zou willen lenen; het was ook niet verantwoord want we zouden de vaste lasten niet kunnen opbrengen. We kregen een week de tijd om over het voorstel na te denken.

'Wat moeten we beginnen?' zei mijn moeder toen Metz weg was. Mijn vader leek zich om wereldse zaken, sinds zijn bekering, minder zorgen te maken dan mijn moeder.

'We moeten het maar overlaten...' was zijn weinig praktische reactie. Moeder en ik deden de komende nachten geen oog dicht. Als wij het niet kochten, ging ons huis naar een ander; de nieuwe eigenaar wilde ons dan natuurlijk het huis uit hebben... Er was geen uitweg. Mijn vader had geen moeite om de slaap te vatten. De volgende dag stond hij even welgemoed weer op om aan zijn werk te gaan. Maakten de vogelen des velds zich druk over de volgende dag, over wat zij eten en drinken zouden...?

De week bedenktijd was bijna voorbij. Op de laatste dag van

die week kwam Berkhout de tuin op, de schatrijke aannemer van de Hoofdstraat, wiens diepe achtertuin aan ons land grensde. Het was een joviale man, vlot in de omgang, een volksjongen die het ver geschopt had. Hij vroeg naar mijn vaders welstand, bood een sigaartje aan, maakte een opmerking over het weer en zei toen, terwijl hij mijn vader een vriendschappelijk tikje op de schouder gaf:

'Ik heb een plannetje... Voor mijn dochters wil ik achter mijn huis een manege bouwen. Het stukje land dat aan het mijne grenst zou ik graag van je kopen. Het is er door het geboomte nogal donker, je verbouwt er weinig op, ik geef je er goed geld voor...

Vader hoefde helemaal niet na te denken, zei direct dat daar geen sprake van kon zijn, dat hij van de drie are die zijn grondgebied uitmaakten, niets kon missen. Dat stukje grond gebruikte hij voor het inkuilen van planten... Ging hij dat verkopen, dan kwam zijn hele bedrijf in gevaar.

Vader was opeens heel praktisch, maar hij vergat wel dat de opbrengst van die zestig vierkante meter ons misschien in staat stelde het huis van Metz te kopen.

'Denk erover na', zei Berkhout rustig. 'Ik heb het stukje laten schatten, het ligt niet aan de openbare weg en is niet meer waard dan twintig duizend gulden. Ik geef je vijf keer zoveel...' Mijn moeder was erbij komen staan. Voor dat bedrag konden wij ons huis kopen.

Het kantoor van notaris Scheurleer lag in het Villapark. We arriveerden tegelijk. Mijn ouders waren beleefd, maar kortaf. De notaris ontving ons. Berkhout was kennelijk goede maatjes met hem, maakte luidruchtig grapjes. Hij had waarschijnlijk al vaker stukken land gekocht. De notaris begon de koopakte voor te lezen; we luisterden naar het uitgesponnen verslag van de verkoop, de raadselachtige zinswendingen. Wij waren niet zo vertrouwd met dat soort documenten, en we hadden een onbehaaglijk gevoel bij al dat formele gedoe. We raakten niet alleen die zestig vierkante meter kwijt, maar ook de uitrit naar de Schonenbergsingel. Dat was een gebiedende eis van Berkhout geweest. Kreeg hij het pad met de uitgang niet, dan ging de koop niet door. Maar we behielden recht van overpad, zolang wij er woonden. De ceremonie was voorbij. Mijn vader tekende zwijgend. (Het was ook in die tijd dat ik in een bloknoot eindeloos probeerde zijn sierlijke handtekening na te maken. De handtekening die ik nu bij signeersessies in mijn boeken zet is niet te onderscheiden van die van mijn vader.) Zwijgend liepen we de Bergweg op, ik tussen mijn ouders in. Onder de indruk van wat ons was overkomen. Ik die dacht dat de dingen er voor eeuwig waren.

Algauw brak Berkhout het hek af dat de grens vormde tussen zijn land en het onze. Ik stond toe te kijken vanaf ons pad, schopte in de grond om lucht te geven aan mijn gevoelens, drukte mijn vingers diep in mijn handpalmen. De dag erop reden graafmachines vanaf de Schonenbergsingel het pad in, die zo breed waren dat ze de hagen aan weerszijden kapot trokken. Werkploegen verschenen, die bomen omzaagden; de graafmachines trokken de stobben met wortel en al uit de grond. Vrachtwagens voerden de kostbare donkere grond af. De bouwput werd steeds dieper, in de schemer leken de machines op een horde reusachtige spinnen. Een keer kantelde zo'n gevaarte. Ik stond inwendig te juichen.

In het pad, de uitgang blokkerend, verrezen bouwketen, waarin opzichters op lange tafels meterslange tekeningen, schetsen, instructies ontrolden. Mijn vader kon er met de bakfiets niet meer door.

'Dat is niet de afspraak,' zei mijn moeder. 'Je moet er wat van zeggen...'

'Laat ze nou maar,' zei mijn vader, 'vooral geen ruzie maken, hoe eerder die manege er staat, hoe beter, dan gaan ook die bouwketen wel weg en kan ik er weer gewoon door...'

Mijn vader nam dus vanaf nu de andere uitweg als hij planten naar de stad moest brengen. Dat was een halve kilometer om.

Voor en na school stond ik naar de werkzaamheden te kijken. Moeder kwam soms bij me staan. We konden het beiden niet verkroppen. Vader verspeende rustig in de werkplaats; het leek hem niet te deren; maar ik trof hem vaker dan anders, overdag biddend aan.

Hijskranen, het pad verpulverend, voerden rood gemeniede ijzeren spanten aan. De horizon van Berkhouts villa aan de Hoofdstraat werd algauw aan het oog onttrokken.

'Nou...' merkte mijn moeder tegen mij op, 'als dat een manege voor een paar paarden moet worden...! Daar kunnen wel duizend paarden in...!' Asbest platen zweefden door de lucht. Ze dienden als dakbedekking. Om zo veel mogelijk buitenlicht te vangen werden tegen de nok grote glazen dakpannen gelegd.

Op school kon ik er mijn gedachten niet bijhouden. Na les rende ik direct naar het groeiende bouwsel, onderdrukte de neiging de werklieden tegen de schenen te schoppen. Stiekem stak ik soms mijn tong tegen hen uit.

De manege was klaar, het was een gebouw geworden dat buiten de gewone orde viel. Vooral in verminderd daglicht had het meer weg van een vraatzuchtig monster. Het gebouw werd feestelijk geopend. Niet de Nederlandse, maar een vreemde vlag, met een sjerp, wapperde van het gebouw. Op de sjerp waren met enige moeite de letters a.t.c. te onderscheiden. Er waren veel deftige bezoekers. Het feest duurde tot diep in de nacht. Pas in de ochtenduren ebden de geluiden weg. Maar nu zouden we wel van alle drukte af zijn, zouden de bouwketen verdwijnen.

De bouwketen verdwenen.

In de dagen die volgden op de feestelijke opening was van enige hippische activiteit geen sprake. Binnen waren wel mensen bezig. Ze voltooiden natuurlijk de afwerking.

Het was aan het eind van een middag, in het najaar. Boven de nok van het gebouw hing nog een rest vaalwit daglicht. Een

Oldsmobile of een Buick reed het pad in, stopte halverwege. Een autodeur viel in de stilte met veel lawaai in het slot en nog geen tel later naderden vier in witte tenniskleding gestoken mannen, een witte trui achteloos over de schouder geknoopt, een racket in hoes in hun hand. Ik vroeg mij af wat die kwamen doen. Ze klopten op de deur van de manege, de deur werd opengedaan, en toen zag ik dat op de diep gelegen vloer geen stro lag voor paarden, maar dat er lijnen van een tennisveld waren afgetekend. De deur bleef openstaan. Meer auto's parkeerden in het pad dat geheel geblokkeerd werd. De tennissers daalden de trap af naar de banen. Twaalf tennisbanen telde ik in de gauwigheid. Ze lagen overdwars, zo breed was de hal. De tennissers waren lid van de Arnhemse Tennis Club.

Ik rende naar huis. Moeder diende net het avondeten op. Ik vertelde wat ik gezien had. Moeder was des duivels. Vader zei:

'We gaan eerst rustig eten.' Hij vouwde zijn handen. Na het eten las hij een psalm van David onberijmd, en bad weer.

'Er zou een manege komen,' zei moeder, 'geen sporthal. Je kunt Berkhout daar op aanspreken.' Vader zocht mij met zijn blik en samen togen we die kant op, gingen de sporthal in, daalden de trap af naar de speelvelden waar we de aannemer aanspraken.

'Dat is niet de afspraak,' zei mijn vader zacht. 'De doorgang naar de straat zou zijn gewaarborgd...' Vader begon deftige woorden te gebruiken uit verlegenheid.

'Kom op Siebelink,' bulderde Berkhout, 'nou niet zeuren, je hebt goed geld gehad voor dat stukje grond...' Hij liep door, de handen diep in zijn colbertzakken. Mijn vader leek ineen te duiken, maakte nog een vaag ontmoedigd gebaar. Met gebogen hoofd verlieten we de tennishal, gegeneerd want we hadden op alle fronten verloren.

Vader kwam die kant niet meer op, trok zich terug in de broeikas, verspeende varensporen. Ik liep met mijn moeder die kant op. In de schemer rees de sporthal als een luxe schip met verlichte verdiepingen uit het donker op, de nok met zijn glazen dakpannen was een heldere streep van gestold maanlicht. Daarboven was de lucht doorschijnend. Het was een zachte nogal winderige winteravond. Het was of soms een donkere engel voor de maan langsgleed. De onteigening van land en uitrit lag ons zwaar op de maag. Tussen de weke echo's van de neerstuitende ballen klonken vrolijke, luide uitroepen. Door het dikke glas in de façade zagen we de rij rode en groene lampjes van de bar, op de begane grond, en de silhouetten van mensen die elkaar toedronken. Er viel niets toe te drinken. Was ik kapitein op dat schip geweest, ik had het met grote vaart op een rots laten lopen.

Het werd voorjaar. Ik zat in de oude pruimenboom, luisterde naar de kluwen laffe geluiden. De deur ging open en een groepje tennissers, handdoek om de nek geknoopt, kwam naar buiten. Ze waren uitgelaten, lachten luid, staken het pad over en liepen op die eerste warme voorjaarsavond zomaar over de zaaibedden heen, met hun tennisschoenen waaiers van droog zand opwerpend, die in het zachte licht op grijze springmuizen leken.

'Daar heeft mijn vader gezaaid,' riep ik in paniek, 'dat is onze grond. Jullie hebben hier niets te maken...!' Ze hoorden me niet eens. Misschien waren mijn woorden niet te horen geweest, had mijn stem te gesmoord geklonken. Ik kreeg 't koud van woede. Nu gingen ze ook nog het land dat ons was overgebleven als bijkomend ontspanningsoord beschouwen! Staken sigaretten op en gooiden de brandende peuken tussen de jonge zaailingen. Ik rende naar mijn vader.

'Ze lopen over de zaailingen...' Moeder was op dat moment niet thuis. Met moeite kreeg ik hem die kant op. We gingen samen de hal in. Berkhout zat aan de bar, met anderen. Vader droeg een manchester jasje. Hij zei, bijna onhoorbaar:

'Ze mogen mijn spullen niet vertrappen, Berkhout.'

Berkhout deed vlegelachtig:

'Heb je wel geklopt voor je hier binnen kwam?' En toen, omdat men om hem lachte, en wij daar zo onhandig en kwetsbaar stonden, schreeuwde hij dat hij genoeg van het gezeur had.

'En nou wegwezen, opgedonderd.' Ik moest tot bloedens op mijn lippen bijten om mij te beheersen, we werden bejegend als oud vuil. De nok gloeide als hete cokes in de stookketel, de rode zon stak vonkend door de avondmist heen.

Ik ben nu zesenvijftig, al vele jaren ouder dan mijn ouders toen. In zijn gore verveloosheid doet de hal nog massiever aan dan in het verleden. Een gestrand schip waarin geen beweging is te krijgen.

Een bewoner van de Schonenbergsingel, ook onthutst over alle overlast, ontdekte bij toeval dat op de grond waarop de hal was gebouwd een servituut rustte: er mochten slechts bloemen op worden gekweekt. De buurt begon een proces tegen de onrechtmatig neergezette sporthal. Sindsdien zijn de sportactiviteiten gestaakt, heeft Berkhout zijn villa en hal voor een fabelachtig bedrag verkocht en is naar Spanje verhuisd. In het proces is na al die jaren nog steeds geen definitieve uitspraak gedaan. Er is een conflict tussen twee partijen, maar de tegenstanders kennen elkaar niet. De bewoners die het proces zijn begonnen, leven niet meer of wonen elders. Een aantal villa's is in kantoren veranderd. De nieuwe eigenaars hebben geen belangstelling voor die onheilspellende burcht. Nee, in het gebouw is geen beweging te krijgen. Het ligt er verstijfd en ziekelijk opgeblazen bij en rondom heerst een sfeer van indolentie en verval. Ik heb dat beschreven in mijn in 1980 verschenen roman *De herfst zal schitterend zijn*. En nu is er een onschuldig slachtoffer gevallen. Ik weet niet wat ik daarmee aan moet. Mijn vader zou zeggen: De Heere heeft gegeven, de Heere heeft genomen. Mijn vader is al bijna vijfentwintig jaar dood. De planten die hij na de verkoop kweekte werden langzamerhand minder vol, minder bloemrijk. Moeder en ik hebben hem dood in de broeikas gevonden. Mijn moeder heeft hem dertien jaar overleefd; zij is in 1984 overleden. Ik heb het huis en de kwekerij verkocht aan een jonge tuinder uit het Westland. Hij was enthousiast, maar kreeg niet de nodige gelden bij elkaar om een nieuw bedrijf op te zetten en heeft het woonhuis met bijbehorend land doorverkocht. Zo moet het in handen zijn gekomen van de handelaar in autobanden. Meer dan twintig boeken heb ik inmiddels geschreven... Nee, ik heb die ondergang nog steeds niet verwerkt.

Terugkeer

De zon, die middag in augustus, stond hoog boven het kruispunt te branden. Er was geen verkeer. Een kraai stak rustig over. Eén vleugel sleepte over het hete asfalt. Menno Olberts, in het half-duister van het geheel uitgetrokken zonnescherm, keek toe. Hij was de enige bezoeker van café De Bospoort. Er waren veel toeristen in deze plaats, afkomstig van de campings in de omgeving. Ze kwamen niet in deze buurt, wat terzijde van het centrum. Achter het café, dat met zijn torens en kantelen aan zo'n middeleeuws kasteeltje uit een getijdenboek deed denken, lagen de lage huizen met het karakteristieke zadeldak waar in vroeger tijden eekschillers en arbeiders in bos en grindgraverijen woonden.

Later vestigden zich in die smalle huizen, met veel land eromheen, kleine ambtenaren, politiemensen. Het was de speklappenbuurt. Menno's vader had bij de gemeente gewerkt en het tot opzichter bij de plantsoenendienst gebracht. Een plekje oud-Ede, niet buitengewoon fraai of bijzonder, maar nog ongeschonden. Het kruispunt schitterde. Het zwart van de kraai gloeide rood op. De toren van de Oude Kerk, in het centrum, in de verte, aan het eind van de Grotestraat die vlak voor het caféterras de Amsterdamseweg kruiste, leek een luchtspiegeling. Beide straten, vroegmiddeleeuwse tracés van dit van oorsprong Saksische brinkdorp, waren zilveren sporen. Op de drempel van het café stond de ober, keek ook toe.

Sinds de dood van zijn moeder was Olberts niet meer in zijn geboorteplaats geweest. Wat had hij hier nog te zoeken? Zijn vader had hij al heel jong verloren; oude buren leefden niet meer. Vandaag moest hij voor een zakelijke bespreking in Ede zijn. Hij had gedacht een hele dag nodig te hebben, maar de zaken waren vlot afgehandeld. Aan het eind van de ochtend had hij weer buiten gestaan en de tijd aan zichzelf gehad. Een lange middag lag voor hem. Zijn vrouw met wie hij ruim vijfentwintig jaar gelukkig getrouwd was geweest, was dit voorjaar gestorven. Het huwelijk, tot spijt van beiden, was kinderloos gebleven. Een zoon of dochter – wat zou het aangenaam geweest zijn die, al was het maar voor even, te bezoeken.

Menno Olberts was het centrum ingelopen dat hij nauwelijks nog herkend had. Van zijn middelbare school – ooit een imposant gebouw dat domineerde, aan de voet van de Paasberg – had hij nog enkele restanten aangetroffen: de blinde muur met decoratie en de hoofdingang die toegang gaf tot de glazen verbindingsgang (de 'pergola'), nu onderdeel van het type overdekte winkelgalerij dat je tegenwoordig in elke middelgrote plaats aantrof. Het verbaasde hem wel dat het klassieke gebouw aan de stadsvernieuwing geofferd was. Ach, elke zich uitbreidende stad sloopte, bedacht hij toegeeflijk. Hier was het alleen wel heel grondig gebeurd. Want toen hij achter de Oude Kerk om de bochtige Torensteeg inliep en hoopte op het oude marktplein met de linden en muziektent uit te komen, raakte hij gedesoriënteerd. Niets bekends kwam hem hier voor, behalve het enkel spoor dat Ede met Amersfoort verbond, ooit aangelegd voor pluimveetransporten en liefkozend door de bevolking aangeduid met 'het kippenlijntje'. Waar vroeger huizen stonden was nu een open, boomloos plein, omsloten door alweer een winkelgalerij en achtergevels met laadperrons van supermarkten. Olberts zou niet meer kunnen zeggen waar het vroegere marktplein, rechthoekig van vorm, de muziektent en de overdekte markthal gelegen hadden.

Na enige aarzeling was hij het plein overgestoken en in de richting van zijn ouderlijk huis gelopen. Op het kruispunt voor café De Bospoort had hij opnieuw geaarzeld. Waarom zichzelf nog meer teleurstelling bezorgen? Hij zou er niets van vroeger terugvinden. In het huis woonden vreemden; voor de ramen zou andere vitrage hangen; de kamers en suite zouden wel zijn doorgetrokken; de zon zou er nu heel anders binnenvallen. Hij was toch doorgelopen en had gelijk gekregen. De suitedeuren waren verdwenen. De kleine voorkamer, waar zijn vader was gestorven, bestond niet meer. Daarna was hij de Asakkerweg ingeslagen, waar zijn ouders begraven lagen, en kende een licht schuldgevoel. Het onderhoud van het graf op de Algemene Begraafplaats had hij opgedragen aan een hoveniersbedrijf. Elk jaar betaalde hij daarvoor een vast bedrag. Onlangs had hij een begrafenis bijgewoond van een collega in het zuiden van het land. Met verbazing had hij gezien hoe daar gestoft, gepoetst, geharkt werd. En gekeuveld. Net een druk pleintje. De doden, leek het wel, waren nog onder hen, waren slechts tijdelijk afwezig. Even was hij toen aangenaam getroffen geweest door die huiselijke, bijna intieme sfeer. Een ogenblik later al had die valse veiligheid hem benauwd. Hoewel hij niet kerks meer was, stond hij nog steeds onder invloed van zijn orthodoxe opvoeding en zag de doden anders: op de jongste dag zou het kaf van het koren gescheiden worden, wachtte het oordeel. Onhandig had hij daar bij het graf gestaan, beplant met mooie, donkerblauwe petunia's. Hij bukte zich, knipte er met zijn vingers een bloem af, zoog de honing eruit, zoals hij vroeger altijd deed.

Een beetje soezig van het weer, de verse indrukken en de boerenomelet die de ober hem geserveerd had, strekte hij loom zijn hand uit naar de lila bloeiende hibiscus in de border. In de zon leken de bloemen onecht, als uit sitspapier gevouwen. Hij voelde zich niet onplezierig. Nog een kwartiertje en hij zou deze plaats verlaten. Het was de vraag of hij er ooit zou terugkomen. Dit caféterras, betoverd door de lichte roes waarin hij verkeerde, was de enige plek waarmee hij verbondenheid voelde.

De zon stak door het zonnescherm heen. Menno Olberts stond op het punt om in het diffuse, gedempte licht even de ogen te sluiten, toen rechts van hem, op de Amsterdamseweg, stapvoets een begrafenisstoet verscheen. Hij ving een glimp op van de kist zonder bloemen. Er was slechts één volgauto. De kleine stoet passeerde in de bijna tastbare hitte zo vertraagd, dat het leek of de banden aan het asfalt kleefden.

De ober, in de deuropening, merkte op: 'Arme Schoonhoven. Vorige week zat hij nog hier zijn glaasje jonge te drinken. Ze hebben hem thuis dood gevonden. Hij woonde in een van die kapitale huizen aan de Amsterdamseweg verderop. Er gaan geruchten dat hij er zelf een eind aan heeft gemaakt.'

Een vlinder was neergestreken op een tegel van het terras, met het haar toegemeten stukje schaduw. Een vogel, bescheiden van kleur, wipte uit de hibiscus, vloog op. Een paar lange grassprieten wiegden geluidloos in de lauwe bries.

'Schoonhoven?' vroeg Olberts, zonder zich om te wenden naar de man.

'Rogier Schoonhoven.'

Olberts' gezicht verstrakte. De ober moet dat gezien hebben. 'Kende u hem?'

'Nee, nee...'

'Rogier, zoals ik al zei, was hier de afgelopen week nog. Op het oog een vrolijke vent. Maar altijd alleen. Tja, ik denk dat hij geen lust meer in het leven had...'

Binnen ging de telefoon. De ober trok zich terug.

Nog waren de twee auto's niet uit het zicht verdwenen. Olberts, het kippenvel op zijn armen, voelde zich 'op heterdaad' betrapt, had de sterke indruk dat een gordijn was weggeschoven waardoor een verschoten, maar nog altijd pijnlijk tafereel zichtbaar werd. Bukte zich onwillekeurig, als was hij bang dat de dode hem zou zien. Het was volstrekt toevallig dat hij vandaag in Ede moest zijn. Het had ook niet in zijn bedoeling gelegen op het terras van dit oude buurtcafé de lunch te gebruiken. Langzamerhand kwam hij wat tot rust, veegde zich het zweet van zijn gezicht, snoof de weezoete geur van de hibiscus op.

Het was in de eerste week van het nieuwe schooljaar. Menno Olberts zat toen in 5-gym van het Marnix College aan de Gildestraat. De leraar wilde die ochtend net met zijn les beginnen toen de conrector van de pré-eindexamenklassen op de deur klopte en met een nieuwe leerling binnenkwam. Hij stelde Rogier Schoonhoven aan de klas voor. Menno zou dat moment nooit vergeten. Die veel oudere jongen, eerder een volwassen man, kolossaal van gestalte, op het podium van lokaal 196, op de eerste verdieping – de raamkant keek uit op het schip van de Oude Kerk – een hoofd groter dan de leraar en de conrector. Donker afstekend tegen het schoolbord waar het licht van buiten op viel. Hij imponeerde ook door zijn natuurlijke, zelfbewuste wijze van bewegen. Menno, in die tijd, achtte deze typerend voor een wereld waar hijzelf geen deel van uitmaakte.

In de pauze had Rogier hem met zijn blik gezocht. Menno had in de garderobenis gestaan en de nieuwe jongen was op hem toegekomen.

'Ik ben Rogier. Hoe heet jij?' Hij had zijn hand uitgestoken. Menno was ontroerd geweest. De nieuweling had Menno Olberts verkozen, boven alle anderen.

Ze werden vrienden. Menno was niet onderdanig, maar accepteerde de dominantie van Rogier. Waarom wilde Rogier bevriend met hem zijn? Die vraag was vaak bij hem opgekomen, maar hij had hem nooit hardop durven stellen. Het moest met intuïtieve verwantschap te maken hebben. Rogier had in die geest ook wel eens een opmerking gemaakt: Wij horen bij elkaar.

Rogiers vader was corrosiespecialist bij Shell Nederland. Met zijn vrouw reisde hij de olievelden van de wereld af. Rogier was al op verschillende middelbare scholen in Den Haag mislukt. Zou het hier misgaan, dan zou hij naar een streng internaat moeten. Hij was in pension gedaan bij een oude dame aan de

Stationsweg, maar bij Menno's moeder vond hij een tweede thuis. Zij was direct door deze nieuwe vriend van haar zoon gecharmeerd geweest, hij, zo anders, zoveel verstandiger dan de vriendjes die gewoonlijk meekwamen. Ook als Menno afwezig was of naar zijn kamer ging om te studeren, bleef Rogier, zat naast haar op de tuinbank, hielp met erwten doppen of peultjes afhalen. Zij vond het schandalig dat zijn ouders hem maar aan zijn lot overlieten. Op die leeftijd had je toch recht op een normaal gezinsleven! Zij zag een oudere zoon in hem, Menno een oudere broer.

Studeren deed Rogier zelden. Bij proefwerken probeerde hij te spieken of op oude kennis te teren. Werkstukken schreef hij integraal van Menno over die hij daar geld voor gaf. Eerst wilde Menno er niets voor hebben, maar Rogier stond erop dat hij het aannam.

Op een dag had hij een belangrijk proefwerk wiskunde totaal verprutst. In de pauze was hij direct op Menno afgekomen, had hem apart genomen, recht in de ogen gekeken:

'Je weet dat Wensink zijn tas altijd in zijn lokaal laat staan...' Zijn blik was onbestemd geworden. 'Zou jij...'

Menno had hem begrepen.

'Ja, alleen... de lokalen zijn in de pauze afgesloten.'

'Ik heb een sleutel.'

Hoe kwam Rogier aan een sleutel? Maar hij was met sommige leraren goeie maatjes. In de klas debatteerde hij met hen op voet van gelijkheid. Hij had aangedrongen, en Menno had met Rogiers pen het proefwerk zo verbeterd dat hij minstens een acht zou krijgen. Rogier had in die tussentijd op de uitkijk gestaan en hem daarna ruim betaald. Het was een gewoonte geworden dat Menno verprutste repetities in de pauze corrigeerde. Het verbond de beide jongens nauwer aan elkaar. Onverwacht kon Rogier, in een vaderlijk-beschermend gebaar, op het schoolplein, zijn arm om de schouder van zijn vriend leggen. Menno accepteerde dat gedrag, maar probeerde soms aan die druk te ontkomen, sprak met andere jongens. Rogier bleef dan op afstand toe-kijken. Hij zag liever niet dat zijn vriend met anderen omging. Het liefst had hij Menno elke omgang met klasgenoten verbo-den. Hij vond dat hun vriendschap elke andere overbodig maak-te.

De kurkdroge hei, dat warme najaar, had vlam gevat. Hele perce-len waren afgebrand. De volgende dag zwierven ze over de gebla-kerde stronkjes achter de tumuli. Rogier hield er een bizarre hob-by op na. Hij spaarde skeletten van dieren, bezat thuis een uitgebreide verzameling, onder andere een dikke, grijze bot-scherf van een mammoet. Het dier had hier, ver voor het Würm-glaciaal, over de toendra's gezworven. Menno, hypergevoelig, al-tijd bang voor de dood, voor het ongewisse, voor het hiernamaals dat ooit zou komen, had met ontzag deze rest uit een prehisto-risch verleden in de hand genomen.

Glorieuze tijd. Rogier bukte zich in het vlammende zonlicht, zijn gezicht bleek van opwinding, nam het halfverkoolde li-chaam van een konijn dat niet aan de vuurzee had kunnen ont-snappen in zijn hand. De meeste dieren waren tot diep in het smeltwaterdal gevlucht. De hobby op zich sprak Menno niet aan, maar hij wilde zijn vriend graag van dienst zijn. Tenslotte zat Rogiers rugzak propvol. Vanuit het dal leken de opeenvolgende stuwwallen met de grafheuvels op een amfitheater.

Ze klommen omhoog. Waar de helling met zachte moskus-sens begroeid was deed Rogier zijn rugzak af, kamde met ge-spreide vingers zijn dicht ingeplante donkerbruine haar zonder scheiding naar achteren, strekte zich vervolgens behaaglijk uit. Menno zocht een plaats naast hem. Onder de bijna witte hemel keken ze de vlucht van een roofvogel na, staarden naar een gril-lig gevormde jeneverbes. Om hen heen het lichte, zeurige gon-zen van insecten en verderweg het gelijkmatige ruisen van het verkeer op de Rijksweg. Een *dolce far niente*. Boven hen, op-nieuw de roofvogel, geluidloos zwevend in de zonnige leegte van het landschap. En vlakbij, die tas met karkassen en dode beesten.

De warmte, de zon. Menno soesde weg. Toen hij wakker werd staarde zijn vriend hem glimlachend aan, tussen zijn oogharen door, en zei met zijn zachte en toch welluidende stem, waarin iets van verlegenheid doorklonk: 'Heb ik je wakker gemaakt?' Trok tegelijk zijn wenkbrauwen samen alsof hij zelf een duistere vraag moest beantwoorden. En vervolgde zonder een antwoord af te wachten: 'Hier mag nooit een eind aan komen. Hoor je me?' Zijn grote, bruine ogen dwingend op Menno gericht. 'Hoor je me goed? Hier mag nooit een eind aan komen!' Menno kon zich moeilijk voorstellen dat hun vriendschap, hun zwerftochten, op een dag voorbij zouden zijn. Tegelijk dacht hij aan de dode beesten. Direct bij thuiskomst aan de Bospoort zou Rogier in de oude roestige teil die hij van Menno's moeder had gekregen, de dierenlijkjes koken en ze vervolgens met een scalpel schoonschrapen. Vanavond zouden de skeletten dofglanzend aan de waslijn achter in de tuin te drogen hangen.

Het kwam ook voor dat ze daar lagen, tegen de zuidhelling, en niets zeiden, een beetje mijmerden, hun ogen dichtknepen tegen de lauwe wind die scherp zand meevoerde.

Waar zou zijn vriend nu aan denken? Aan zijn ouders, in het verre Venezuela? En Menno zelf? Aan zijn vader die hij zich nauwelijks voor de geest kon halen? Aan Silvie Bloembergen misschien, een meisje uit de parallelklas, die hij, met nog heel veel anderen waarschijnlijk, heimelijk begeerde. Ze kleedde zich uitdagend, had een knap, maar gesloten gezicht, met een blik die naar binnen gekeerd leek. Ondanks die ongenaakbaarheid hadden toch enkele jongens voor kortere of langere tijd haar aandacht weten te vangen. Het was bekend dat zij ze uiteindelijk de bons gaf. Menno had wel eens getracht haar belangstelling te wekken door in de gang of op het schoolplein vlak voor haar langs te lopen. Ze had hem hooghartig genegeerd. Terwijl hij nog wel bevriend was met Rogier die door ieder gekend werd. En dan wipten zijn gedachten weer naar die vraag zo-even, van zijn vriend: einde aan hun omgang?

De echte herfst begon. 's Avonds, als dikke mistvlokken de hei in een spookachtig landschap veranderden, volgden ze het spoor van een hert, luisterden naar het burlen.

Menno en zijn moeder zaten in de achterkamer. De telefoon ging. Hij vroeg zijn moeder op te nemen.

'Als Rogier het is ben ik niet thuis.'

Onmiddellijk voelde hij zich schuldig en belde een kwartiertje later toch terug. Zo ging het niet altijd. Dan sprak zijn vriend hem de volgende dag op school aan:

'Waar was je?' Daarbij maakte hij het gebaar van iemand die nauwelijks zijn ergernis weet te verbergen. Menno had wel een smoesje bij de hand. Voor geen goud wilde hij Rogier kwetsen en openlijk toegeven dat hij soms geen behoefte aan hem had. Misschien wilde hij ook zichzelf niet toegeven dat hij zich aan hem wilde onttrekken. Onttrok zich evengoed aan dat hinderlijke volgen door zich schuil te houden in de garderobenis van de meisjes, liet Rogier, op zoek naar hem, passeren. En als ze elkaar in een van de zijgangen – de school was een gebouw met veel gangen en trappen vol onbegrijpelijke vertakkingen, bochten, kronkels – toevallig toch tegen het lijf liepen, vroeg Rogier hem met een pruillip:

'Waar zat je nou?' Zijn stem klonk zielig, ontmoedigd bijna. Het leek wel of zijn mondhoeken begonnen te trillen. 'Ik zocht je de hele tijd...' En onderbrak zichzelf dan, flinker, zich hernemend: 'Nee, sorry, je hebt recht op je eigen leven.' Maar stond Menno een volgende keer met een jongen of meisje uit zijn klas te praten, te lang te praten naar zijn zin, dan begon hij zacht te kuchen, schraperige keelgeluiden te maken en met zijn schoenen lawaaiig over de plavuizen te schuiven. Menno, toegeeflijk, brak het gesprek op zeker moment af, zwichtte om een discussie over deze tirannie te vermijden. Het was duidelijk dat Rogier zijn vriend het liefst had willen isoleren van de anderen, opsluiten in een ivoren toren. Om te zien of zijn greep nog steeds sterk was, vroeg hij Menno maar weer om een verpest proefwerk te corrigeren. Tegen betaling. Menno gaf grif toe, voelde dat hij door die gevaarlijke karweitjes macht over Rogier kreeg. Zo verdween sluipenderwijs alle onbevangenheid uit hun omgang.

Ze bleven vrienden, hadden afgesproken die avond voor school op elkaar te wachten. De examenklas zou Sophocles' Antigone spelen.

Menno stond bij de hoofdingang. Rogier liet op zich wachten. Een dure auto reed het schoolplein op. Silvie Bloembergen stapte uit. Haar vader, hoogleraar in Wageningen en bestuurslid van het Marnix College, bracht zijn dochter naar de schoolavond. Zij gooide het portier nonchalant achter zich dicht, riep 'Dag pa, tot vanavond' en liep vlak langs Menno heen, de treden op naar de hoofdingang waarboven het blauwe tympaan met de naam van de school. Dat tympaan en die naam zag hij niet. Hij zag alleen het meisje en handelde impulsief, drong anderen opzij, haastte zich de pergola in, volgde haar. Hij wist – het was algemeen bekend – dat ze het niet zo lang geleden met haar laatste vriendje (onooglijke jongen; hoe had ze daarop kunnen vallen?) had uitgemaakt. Ze was dus vrij. Daarom, die impulsieve daad? Of ook, omdat Menno, door zijn vriendschap met Rogier, meer zelfvertrouwen had gekregen? Achter haar aan, de pergola door. Geen oog voor de binnenplaats (de cour) met azalea's en rododendrons. Kaartjescontrole in het trappenhuis. Hij stond achter haar. Natuurlijk, hij maakte geen enkele kans. Die gedachte was geruststellend. Toch jammer van zijn gedrongen postuur en zijn haar zonder één natuurlijk golfje. Bleef nog steeds in haar spoor, rechts de gang in, richting aula, zo goed en zo kwaad als het ging, stootte naar voren, dacht niet meer aan Rogier die nu bij de ingang op hem zou wachten, ogen alleen op haar gericht. Slaagde erin een plaats naast haar te bemachtigen op een van de eerste rijen. Keek opzij:

'We kennen elkaar.' Zij reageerde verbaasd, had hem niet naast zich opgemerkt, zei toen nogal koeltjes haar voornaam. Ja, ze kende zijn gezicht wel, maar zijn naam...? Menno??? Hij ging toch om met die grote jongen...?

In zijn blikveld zag hij zijn vriend die hem zocht. Hij bukte zich.

De voorstelling begon. Bij een mooie scène knikte Menno, in de hoop dat zij hem zou bijvallen. Ze leek hem vergeten, volgde het spel met grote belangstelling. Hij was de draad algauw kwijt, dacht slechts aan haar aanwezigheid. Nu had hij zoveel durf vertoond, zat naast haar! Hoe nu verder te handelen? Hij wist het niet. Haar gedrag bood geen enkel perspectief. Wat had hij eigenlijk gedacht? Dit meisje uit het chique Wageningen-hoog was toch geen type voor hem?

Na afloop applaudisseerde ze langdurig. Zij had intens genoten en kennelijk geen moment aan hem gedacht. Menno imiteerde haar enthousiasme. Ging staan toen zij overeind kwam, maar hoopte vergeefs op een opmerking toen het gordijn definitief sloot. Het toneel werd vrijgemaakt voor de band.

Ze verliet de rij, zonder een blik of een woord. Hij zocht Rogier, kon hem niet vinden. Had die zijn vriend naast Silvie zien zitten en was hij toen teleurgesteld naar huis gegaan?

Geleund tegen de muur, bij de uitgang, keek Menno toe. Hij had geen deel aan het feest waar iedereen zich zo leek te vermaken, maar hij kon er ook nog niet toe komen weg te gaan. Boven de deinende massa zag hij in de hoge ramen van de aula de bleke weerschijn van de maan. Hij stelde zich Rogier voor die hem morgen natuurlijk verwijten zou maken. Een silhouet maakte zich uit de dansers los. Hij was het zich niet eens bewust geweest, zo bezig met zijn eigen gedachten. Silvie kwam recht op hem toe. Hij dacht nog – hij was er zeker van – dat ze de aula wilde verlaten.

Misschien wachtte haar vader haar op in zijn dure slee. Ze stond voor hem, ze vroeg hem niet ten dans, maar pakte zijn hand, trok hem mee naar de dansvloer. Ze fluisterde iets in zijn oor. Hij kon het niet goed verstaan. Te beduusd. Iets als: 'Ik had je steeds al willen vragen, maar ik durfde niet. En jij zei ook niets!'

'Maar je deed zo koel onder het toneelstuk!'

'Ik wist toch niet hoe jij over mij dacht!' Zij was dus net zo onzeker geweest. En nu dansten ze. Een groot triomfantelijk gevoel overviel hem, zoals hij nog niet eerder in zijn leven gekend had.

De muziek was bedwelmend. Zij fluisterde dat ze eigenlijk erg verlegen was en kuste voorzichtig zijn oor. Langs plafond en wand gleden in verschuivende patronen bundels licht. Confetti van kleuren en klanken. En ze zei, terwijl ze stil stonden en elkaar bleven vasthouden: 'Ze zeggen allemaal dat ik arrogant ben. Daar ben ik me naar gaan gedragen.'

Klokslag twaalf uur stopte de muziek. Ze verlieten samen de aula. Zij trok hem een garderobenis in, kuste hem hartstochtelijk. Daarna rende ze weg. Haar vader wachtte. Menno deed die nacht geen oog dicht. Hij had haar veroverd en hij had er niets voor hoeven doen. Zij had hem uitverkoren. Waarom? Wat stelde hij nou voor? Hij werd een beetje bang. Ze had hem verkozen boven anderen, ze kon hem even hard weer laten vallen.

Hij 'ging' met haar, maar had afgesproken, omwille van Rogier, dat hun omgang geheim zou blijven. Zij had daarin toegestemd. In de pauzes troffen ze elkaar, onregelmatig, in de fietsenkelder of op de gaanderij van de tweede etage. De schoolgemeenschap moest denken dat die ene schoolavond, van beiden slechts een gril was geweest. Desondanks kwam het voor dat iemand, een medeleerling, een docent, hen verstrengeld aantrof. Het verhaal van hun verhouding sijpelde door.

Een dag dat Rogier ziek was, nam hij Silvie mee naar huis en stelde haar trots aan zijn moeder voor. Zij, altijd gastvrij, reageerde hartelijk. Silvie mocht blijven eten. Later op de avond bracht hij haar naar Wageningen. Halverwege, op het fietspad onder de bomen, vroeg ze hem af te stappen. Verliefd en bedroefd keek ze hem aan. Hij dacht een moment dat ze het uit wilde maken. Misschien had ze het bij zijn moeder wel armoedig gevonden. Silvie zei dat ze hem zelf thuis nooit ontvangen kon. Haar ouders waren tegen hun omgang. Ze had er ruzie om gemaakt. Het had met zijn afkomst te maken... Maar hun afwijzing stond haar liefde voor hem niet in de weg. Niet haar ouders bepaalden met wie ze omging.

Ze koos ondubbelzinnig voor Menno.

De eerste zachte dagen van het voorjaar kwamen. Rogier vroeg hem voor een lange zwerftocht. Menno wilde niet met een uitvlucht komen, en in het smeltwaterdal vonden ze het gebit van een haas, een stuk gewei van een edelhert, een bijna geheel vergane sperwer. Rogier stelde voor op de top van de Paasberg uit te rusten.

Het dorp aan hun voeten leek ingeslapen. Soms drongen geluiden vanuit de vallei tot hen door. Afzonderlijke, heldere geluiden die toch een vluchtig vermoeden van leven gaven. Getimmer, het starten van een tractor, het gekraai van een haan. Was het dier soms in de war gebracht door het ongewoon heldere licht, die middag? Een soortgenoot antwoordde. En nog een. Hing er onraad in de lucht? Werd ergens iets bedisseld, over hen, buiten hen om? Uit het dal steeg een vlaag warmte omhoog, bracht de jonge rogge op de trapakkers in lichte trilling.

Aan hun voeten de school, bekroond, op de kruising van daklijnen, met het groene torentje. Schuin daarachter, lager, de Oude Kerk, laat-middeleeuws, solide, met op de toren de weerhaan. Als de haan naar beneden keek zag hij de oude, smalle straten, de markt met de linden, de muziektent en buiten het centrum, ver voorbij de spoorlijn, naar het zuiden toe, glanzend en groen, weiland en boomgaarden, tot aan de grens van de horizon uitgestrekt waar Wageningen lag.

Rogier, onverwacht:

'Jij hebt er slag van mensen aan je te binden.'

'Jij ook...'

Ze zwegen lange tijd, keken naar de wolken die van achter de Paasberg kwamen aandrijven. Toen, zwaar en bedachtzaam:

'Ik denk dat ik me van kant ga maken...'

Menno kwam overeind. Was dat een grap? Rogier languit op zijn rug, staarde omhoog. De wolken scheurden uiteen tot een melkachtig vlies, vlak boven hun hoofd.

'Ik verbied je zulke dingen te zeggen!'

'Je weet niet hoe...' Onverwacht raakte hij Menno's arm aan, vroeg hem afstand te doen van Silvie.

'Ze maakt je kapot. Vandaag of morgen gooit ze je van zich af, als oud vuil. Je bent verblind, niet verliefd. Dat maak je jezelf wijs. Alsjeblieft, laat haar los. Niet voor mij... voor jezelf...'

Zonder een woord stond Menno op en liep de helling af. Keek niet om. Met Rogier wilde hij niets meer te maken hebben. Maar diezelfde avond nog kwam Rogier langs om zijn excuses aan te bieden. Hij vond dat hij veel te ver was gegaan. Die woorden herhaalde hij, telkens weer. Menno zei dat hij hem begreep, dat hij, andersom, waarschijnlijk ook zo gereageerd zou hebben.

Enkele maanden gingen voorbij. Op een dag dat Rogier zich weer eens ziek had gemeld kwam Menno uit school en zag zijn vriend de straat uitfietsen. Hij liep langs het huis om. Zijn moeder stond in de keuken bij het aanrecht, doodstil. Voor het raam stak hij een hand op, maar ze leek hem niet te zien. Hij smeet zijn fiets tegen de schuur, rende naar binnen.

'Mam, wat is er? Je huilt.' Ze haalde haar schouders op. Een moment keek hij neer op die kleine, tengere gestalte. 'Rogier was hier, hè? Wat is er gebeurd? Ik weet wat er gebeurd is. Hij heeft over Silvie zitten kletsen. Nou? Zeg op!' Ze stond nog steeds met de rug naar hem toe. Zonder hem aan te kijken:

'Jongen, ik denk dat Rogier gelijk heeft...'

'Hoezo heeft hij gelijk!' Ongewoon hard deed hij tegen zijn moeder.

'Dat meisje is niets voor jou...' Met horten en stoten was het hele verhaal eruit gekomen. De hele middag had hij op haar in zitten praten. Ze was er helemaal van in de war geraakt. Maar ze dacht toch ook dat het beter was haar los te laten. Silvie was geen meisje, zoals ze zei, 'voor ons soort mensen'. Zeker, ze had een knap snoetje, maar ze was licht ontvlambaar. Vandaag of morgen zou ze hem als een baksteen laten vallen. Rogier had haar zelfs betiteld als... Ze hield in.

'Nou, als wat! Nou wil ik ook dat je het zegt!' Zacht zei zijn moeder het woord: 'Hoer'. Hij had het nog nooit uit haar mond gehoord. Even dacht Menno dat hij haar haatte. Toch probeerde hij:

'Jij vond haar altijd zo aardig!'

'Daar gaat het niet om. Maar of je gelukkig met haar wordt. Ze komt uit zo'n heel ander gezin...' En na lange seconden: '...Ik weet er ook geen raad mee. Hij was zo fel, bezwoer me dat ik alles in het werk moest stellen... Zo kende ik Rogier helemaal niet.' En zuchtend: 'Ik dacht nog wel... Ze was juist zo gezellig, zo behulpzaam ook. Ze deed nooit uit de hoogte, ik dacht dat ze zich hier echt thuis voelde...'

Rogier had zijn moeder bewerkt. Menno aarzelde. Maar hij besloot om er, voorlopig, nog niet tegen Rogier over te beginnen.

Begin juni. Geen dag ging voorbij zonder proefwerken. Magnifieke dagen. 's Morgens heel vroeg, als Menno zijn huiswerk voor die dag overkeek, leek de hemel boven de achtertuin een vijver bespikkeld met waterlelies. Een moment later was het alsof een pauw zijn staartveren uitwaaierde. Ze waren verliefder dan ooit. Het was nu algemeen bekend dat Menno en Silvie bij elkaar hoorden.

De proefwerkweek. De cijfers daarin behaald zouden voor Rogier beslissend zijn.

'Nee,' zei Menno, 'ik doe het niet meer. Het wordt me te link.'

'Ik moet die wiskunde voldoende maken...' Rogier bood veertig gulden. Menno dacht aan Silvie die deze maand jarig was. Hij zou de oorhangers kunnen kopen, die ze in de etalage van de juwelier in de Grotestraat hadden gezien.

Rogier verdubbelde zijn aanbod. Menno twijfelde. Rogier was nu geheel afhankelijk van de vriend die hij hier, in het begin van het jaar zo timide had aangetroffen. Menno had hem in zijn macht. Het gaf hem geen onaangenaam gevoel. Tegelijk vond hij het jammer dat hij niet meer tegen hem op kon zien. In Rogiers trage, logge bewegingen lag grote vermoeidheid. Hij bood nu honderd. Voor dat geld kon hij ook zijn moeder verrassen.

'Honderdvijftig, nu meteen.' Hij speelde grof.

Met het geld kreeg hij de sleutel van het wiskundelokaal.

'Maar je houdt de zaak goed in de gaten, hè?'

'Als altijd.' Rogier knipoogde.

De tas van de leraar lag op de lessenaar. Hij vond de stapel proefwerken van hun klas, lichtte dat van zijn vriend eruit, corrigeerde trillend van haast alle fouten. Rogier zou dit keer een tien krijgen. Zijn vriend had niet te klagen. De deur van het lokaal ging open. Op de drempel stond Wensink.

'Wat heb je hierop te zeggen?'

Menno staarde uit het raam van de kamer aan het eind van de pergola. Zijn bedrog, had de rector gezegd, was volstrekt zinloos geweest. Rogier Schoonhoven stond voor alles onvoldoende en was niet langer te handhaven. Zijn vader had met de schoolleiding afgesproken dat zijn zoon als toehoorder de lessen tot het eind van het schooljaar mocht bijwonen. Rond pasen was hij al ingeschreven aan het zeer strenge internaat Hommes in Hogezand.

'Hij heeft me er dus ingeluisd?' De rector knikte, vroeg of hij nog iets anders te zeggen had. Menno dacht aan het geld in zijn broekzak. Toen, aan de rugzak vol karkassen en dode beesten.

'Nee...'

'Je begrijpt natuurlijk dat we je op deze school niet kunnen handhaven.' Dat begreep hij. Er waren geen verzachtende omstandigheden. Maar om zijn examen het volgende jaar, aan een andere middelbare school te doen, had hij geen zin. Hij hoorde hier, op het Marnix College... Ze wilden hem niet meer. Terecht.

De ober van café De Bospoort verscheen op de drempel, vroeg of hij nog iets wilde gebruiken. Menno bestelde een glas rode wijn. Hij had de tijd. Silvie, zijn vrouw, zijn enige lief, was dit jaar overleden. En de begrafenisstoet met Rogier zou nu wel op de Asakkerweg zijn aangekomen.

Vissersboot

Als ik me goed herinner deed de tram er, nadat we op het kruispunt Laan van Meerdervoort-Fahrenheitstraat waren opgestapt, heel lang over. De weg was een lang en recht lichtend spoor onder bomen door, 'meerderde' maar voort, naar een nevelige verte. Tante vertelde dagelijks dat we op de langste weg van het land reden.

Voorlopig was er weinig afleiding te verwachten. Het houtwerk van de tram was door de zon gebleekt. Tante wendde zich met een tevreden gezicht naar mij toe. De zeelucht deed mij goed. Als ik aan het eind van de zomer weer thuiskwam, in het oosten van het land, zou ik er gezond en gebruind uitzien voor het begin van het nieuwe schooljaar. Ik was overgegaan naar de vierde klas van de lagere school.

In de tram kon ik niet rustig naast tante blijven zitten. Ik dacht aan de vissersboot, boven op het duin, naast poffertjeskraam Klein Seinpost, verankerd, maar schuin in het zand weggezakt, gestut door grote houten blokken. Als we direct onder aan het duin uitstapten, tegenover hotel Atlantis, was de boot nog niet zichtbaar. Op de zwartgeteerde romp stond geschilderd in witte letters: Atlantis.

Ik voelde een lichte koortsigheid, een beginnende duizeling overviel mij. Niets zette mijn verbeelding méér in gang.

Eindelijk maakte lijn drie een scherpe bocht, en hij reed knarsend en piepend steil omhoog naar het strand.

Die zomer gingen we, ook bij minder weer, elke dag naar

Kijkduin. Mijn moeder was ernstig ziek geworden, mijn vader had een drukke baan. Ik was bij mijn tante in Den Haag ondergebracht.

Een trap van klinkers voerde naar de boulevard. Pas halverwege kwam de mast van de boot in zicht. In de top fonkelde een nikkelen vlaggetje.

'Kom, tante!' Tante was oud en kon niet snel lopen, en ik wilde haar hand niet loslaten. Nog een stap. Nog eentje. De hele boot was zichtbaar, de zwarte achtersteven, de roodgeverfde reling, de houten kajuit. Aan de zijde waar ze sterk vooroverhelde, verdween de romp onder stekelige duindoorn en hoog, scherp zwenkgras; in uitslijtingen was blauw korstmos opgeschoten. Een extreem afgetuigd schip, zonder touw, want of ra. Er groeiden wilde planten op het dak van de kajuit. Een fossiele boot.

Tante dacht dat de boot sinds de vorige dag weer dieper was weggezakt, ondanks de stutten. Eens zou hij door het zand worden opgeslokt en verzwolgen.

We stonden nu op het duin. Tante zei: 'Hij ligt erbij als een luie hond in het zand, met de snuit tussen zijn poten.'

Tante zocht een plaats op het terras van Klein Seinpost, ik klom op de boot, holde onbekommerd, bedwelmd door het verblindende licht, van achter- naar voorplecht, keek door het raampje van de kajuit, klom op de kajuit. Mijn uitkijkpost. Rechts van mij het hoge Atlantis-hotel, de kamers tegen de hitte vergrendeld door blauwe zonneblinden, verder weg de kruinen van de golvende duinen, voor mij de rimpelende zee, met rafelige vlekken blauw en groen, samenvloeiend in slierten donker naar de horizon, waar vertraagd schepen voeren. En links van mij de korte boulevard, met hoekige, deels verzonken kasseien die pijn deden aan je blote voeten. Er lagen planken over, zodat de badgasten vanaf het strand naar de kramen en kleine winkels konden lopen. Ik herinner me het Verkade-winkeltje waar gekleurde ulevellen en kaneelkussentjes te koop waren, melkboer Sierkan en de ijscokar van Hollandia-roomijs, naast Klein Seinpost.

Als ik me afwendde van hotel Atlantis, van de blinkende verte en van de piepkleine winkels en bij tante terugkwam, had ik met haar te doen en was ik bang dat zij het in de schemer onder de parasol koud zou hebben.

Geen touw, want of tros, maar wel zaten er in de ijzeren reling diepe butsen. Inslagen van kogels. Ook diepe, rafelige spleten, gevolg van scherven. Ze waren dichtgestopt met kit. De kit was verbleekt in de loop van de tijd en gezwollen. Er waren uit die wereld van de oorlog alleen nog butsen en die bleke, verharde littekens overgebleven, en tantes verdriet. Ze had bij het bombardement van het Bezuidenhout haar man verloren.

Ik rende langs de reling, van achter- naar voorplecht. Er was niet veel anders te doen. Klom weer op de kajuit, in de vertrouwde geluiden van de golfslag, de krijsende meeuwen, het geroezemoes van de badgasten. Ik keek neer op de witte gloed van het strand, diep onder mij.

Een windvlaag. Je vermoedde dat de boot bewoog, net zoals je dat dacht van de schepen aan de horizon, die altijd op dezelfde plaats leken te liggen. De boot bewoog, ik voelde lichte trillingen onder mijn voet. Ze versterkten de indruk van eeuwigheid, van lang vervlogen tijden.

Ik keek achterom. Tante wreef in haar oog. Een zandkorrel? Tranen? Tante was heel oud en ze had haar man in de oorlog verloren.

Een plotse omslag van het weer. Het blauw van de lucht betrok. Wolken met gouden randen kwamen vanuit de zee opzetten, wolken die op drift raakten. De blauwe zonneblinden van hotel Atlantis begonnen harder te klapperen, wind rukte aan de schermen van Klein Seinpost, de zee versluierde, een palissade wierp een lange, donkere schaduw op het natte gedeelte van het strand, de schaduw van de boot tekende zich in het zand af. Mijn boot begon te trillen. Ik, kapitein, boven op de kajuit, in de kale omlijsting van het onttakelde schip, voelde dat het bezig was zich op eigen kracht uit het zand los te maken. Ik kon mij nauwelijks staande houden, zo hevig kraakte en schudde de boot. De houten stutten werden weggetrokken. We gingen op weg. Voorbij alle horizonten...

Tante riep. Nu was het mooi geweest. We aten samen poffertjes. Tante vertelde dat op de plaats waar wij nu zaten een seinpost stond van Radio Scheveningen. Een nog belangrijker seinpost stond verderop aan het eind van de boulevard. Kijkduin was van oudsher een armoedig badplaatsje, zonder vissershaven. Maar zij prefereerde Kijkduin om de stilte en de intimiteit ver boven de grandeur van Scheveningen.

Voor we met de tram teruggingen, maakten we, over de planken, een wandeling langs de kramen en kleine winkels.

Vanaf Centraal Station namen we lijn drie naar Kijkduin.

Tante is allang dood. Huwelijk en werk voerden mij over de wereldzeeën. In Den Haag was ik nooit meer geweest. Lijn drie reed met een aanhoudende tinkeling over het kruispunt Laan van Meerdervoort-Fahrenheitstraat. Ik wees mijn kleinzoon op het statige huis van tante, met zijn typisch Haagse inpandige balkons op de verdiepingen. Daar had ik vroeger gelogeerd. Ik had hem ook verteld over de boot waarop ik vroeger had gespeeld.

De Laan van Meerdervoort was nog steeds even lang en recht, maar de bomen aan weerszijden waren gekapt. Ze maakte een kale indruk. De bocht, uiteindelijk, naar rechts, naar Kijkduin, omhoog, lag er nog net zo. Er was dezelfde broeierige warmte als die dag met tante en toen we uitstapten was er dezelfde wind en het nog even imponerende hotel Atlantis met zijn tegen de hitte vergrendelde kamers. Een groot billboard boven aan de trap vermeldde Restaurant Klein Seinpost. We gingen hand in hand de trap op. Er was als altijd het gefluister van de wind in de windschermen. Er was niets veranderd. Hij zou spelen op de boot, ik zou toekijken vanaf het intieme terrasje van Klein Seinpost.

De herinnering aan de desolate charme van het ingedommelde schip is nooit verflauwd. Ik heb een scherp beeld van de boot bewaard, ter zijde liggend, een beetje apart van de poffertjeskraam, zijn afmetingen, de kogelinslagen, de bleke littekens, de losgelaten naden, zijn eindigheid in de oneindigheid van de zee met zijn heldere en donkere onbestemde lagen. Nooit ben ik helemaal het gevoel kwijtgeraakt dat het schip – mijn schip – zich los zou kunnen maken...

Nu was het zover. Direct ging mijn kleinzoon vanaf mijn uitkijkpost over de wereld uitzien.

We waren bijna op de hoogste trede. Een geur van spareribs, verwaaiend in de wind, drong mijn neus binnen. Iets was bezig plaats te vinden. Ik drukte de jongen tegen me aan. Hij had de boot nog nooit gezien, wist niet wat hem te wachten stond. Iets was aan het veranderen. Een *changement de décor*, zo miniem dat het de mensen om ons heen niet opviel. Het was niet de geur van de spareribs... het was een uiterst geringe verschuiving in de tint, in de dichtheid van de dingen, ook een ander soort schaduw. De verandering was zo gering dat niets haar had kunnen aankondigen.

Geen boot. Ik hield mijn adem in, schreef de afwezigheid toe aan de rode, gazen nevel. Enkele onzekere stappen. Nog was er in mij de verwachting van iemand die hardnekkig niet opgeeft. Slechts donker asfalt. Een verdovende, misselijkmakende leegte. Nog een stap, in fysiek onbehagen, tegelijk onbestemd en heftig.

Op de plaats van de boot stond een groene afvalbak voor drie soorten glas. Onheilspellend licht viel op de geasfalteerde boulevard, de kleine winkels en kramen waren vervangen door een rij aaneengesloten restaurants, die alle om het hardst hun menu aanprezen. Ik gun de mensen elk voedsel. Met de boot was ook het oude Kijkduin verzonken.

Ik mocht de jongen niets laten merken, bedwong mijn teleurstelling zo goed mogelijk, nam het mezelf kwalijk dat ik mijn kleinzoon niet beter had ingedekt, een slag om de arm had gehouden. Ik streek over zijn haar, dat alle kanten opwoei, ik zou wel iets voor hem bedenken wat hem schadeloos stelde.

Het was al niet meer nodig. Hij volgde een dagpauwoog die zomaar op het nieuwe plaveisel plaatsnam, met het hem toebedeelde plekje schaduw.

De wereld had even stilgestaan, alles was anders geworden, maar ze had zich weer geruisloos in beweging gezet, de gapende *fissure* tussen droom en werkelijkheid sloot zich vanzelf met het geluid van een stapel borden die de ober van Klein Seinpost nogal hard op een van de ijzeren tafels neerzette.